李达全集

汪信砚 主编

第十八卷

人民出版社

国家社会科学基金重大招标项目
"李达全集整理与研究"（批准号：10ZD&062）最终成果

国家出版基金项目
"《李达全集》（1—20卷）的整理、编纂与出版"最终成果

目　　录

实用主义

——帝国主义的御用哲学*

（1956.7）

一、实用主义是帝国主义政治纲领的哲学伪装

实用主义是帝国主义的御用哲学，它是帝国主义的政治纲领在哲学形式上的表现。实用主义者是极力拥护和宣传帝国主义的政治纲领的。

我们知道，帝国主义的政治纲领之一，即是在政治上对本国无产阶级，对殖民地和附属国被压迫民族的人民，实行血腥的、暴力的法西斯的统治，以便镇压无产阶级革命和被压迫民族的反帝革命，来巩固资本主义秩序。实用主义者就在理论上鼓吹帝国主义的这一政策。英国实用主义者失勒，公开主张帝国主义的暴力统治的原则。美国的实用主义者杜威，在1946年发表的《人的问题》中也说："我们自己也部分有此信念，即也认为粗暴的肉体上的强迫是最可靠的手段。"因为资本主义制度已经摇摇欲坠，所以杜威说："若不采取对付的态度，便有爆发革命的危险"，因而主张实行直接的暴力以对付一切"企图变更统治权的既存形式的人们"。

美帝国主义一面实行法西斯化，一面又虚伪地喊叫自由与民主。杜威和美帝国主义一个鼻孔出气，一面主张暴力，一面又高唱民主的滥调。但实际上，杜威是反民主的，他公开宣称，人类已经厌弃"一切与享受政治自由有关联的负担了"。和杜威一样，失勒大声疾呼，要坚决反对民主而拥护法西斯。

---

* 《实用主义——帝国主义的御用哲学》于1956年7月由湖北人民出版社出版，署名李达，其第一至五部分的内容曾以"实用主义——帝国主义的御用哲学"为题发表于《哲学研究》1955年第4期。——编者注

他批评资产阶级民主,说那是过去遗留下来的"18世纪关于平等和自由的旧玄学教条",说"社会进步道路上的最大障碍就是自由观念"。

帝国主义政治纲领之二,即是在国际上,企图用实力政策奴役全世界各民族的人民,把一切国家和民族统一于自己的统治之下,建立世界帝国,以便攫取最大限度的资本主义利润。

实用主义者又是怎样鼓吹帝国主义这一政策的呢?还在第二次世界大战以前,失勒就已经主张建立美英两帝国对全世界的统治,主张"全世界的统一"。他说:"世界政府,现在就理论上说,已有可能实现了,这个政府的设立也成为合法的理想了。"他还主张把欧洲各国统一起来,组成一个"欧洲合众国"。他在《十年后大英帝国》一书中说:"在这样的世界中,每一个小国都千方百计图谋自立,每一政府都借助于海关、税率、禁运等等以窒息商业,如此要恢复英国商业像19世纪那样的优越地位,已完全不可能了。"至于欧洲各民族人民几千年的历史、文化、民族传统、民族特性和民族利益等等,失勒认为一文不值,说那只是"民族成见",能妨碍商业的发展。

杜威则说得更巧妙,他说这是为了"有效地形成国际精神"。所以他主张放弃民族主权,鼓吹帝国主义侵略计划。

美帝国主义所雇佣的"世界主义"贩子,企图把民族主权说成"民族成见",它教那些受美帝国主义所奴役的民族的人民抛弃民族独立、国家主权和爱国主义,而任凭帝国主义宰割。

实用主义的社会理论和政治理论,正是帝国主义者宰割世界的阴谋的反映。实用主义的纯哲学的理论,是完全服从于帝国主义的这种政治纲领的。

所以,实用主义是帝国主义肆无忌惮地侵略和扩张其势力的哲学,是帝国主义强盗的哲学。它为了保全资本主义的统治,为了取得帝国主义对世界的统治,就从理论上替一切残酷地压迫无产阶级和被奴役民族的革命运动的暴行辩护。

实用主义者为了拥护帝国主义的政治纲领,为了鼓吹对无产阶级和被压迫民族的血腥的镇压,就在理论上反对马克思主义,即反对无产阶级革命和被压迫民族革命的理论。

杜威在所谓五大讲演录中说,在第一次世界大战以后,人们对于马克思主义感到厌倦而不相信了。为什么？因为"(一)他所谓一方愈富,一方愈贫,与历史事实完全相反,事实上劳动社会后来也渐渐提高;大战的影响,劳动一级,且得益不少,工资也因此提高了。(二)他的科学推算,以为社会主义实现最早的国家,一定是经济制度最完备的国家,他以为理想社会的实现,一定在美英德法等国,不料事实上竟在经济制度极不完备的俄国"。这一类反动的言辞,在马克思主义胜利的旗帜已经飘扬在全球三分之一土地上的今天,实在是蒙昧和无知,但是当年的杜威却自以为能够毁损马克思主义,拿来愚弄读者和听众。

实用主义者为了要中伤马克思主义,故意用骗子手方式,拾取庸俗唯物论和经济史观的谬论,加在辩证唯物论和历史唯物论身上,来攻击马克思主义哲学。杜威宣称他的实用主义哲学是既不唯物又不唯心的第三派哲学。他说,他的第三派哲学,既不对社会下总攻击,也不对社会做总辩护,而是要求"东一块西一块的零零碎碎的进步,是零卖的不是批发的进步"。实际上,实用主义是彻底的主观唯心论,是专门对抗马克思主义而愚弄无产阶级的法西斯主义哲学。

二、实用主义对于哲学上根本问题的态度

现在来检查帝国主义政治纲领在纯哲学领域中的伪装——实用主义的内容。

实用主义是一切反动哲学的集大成。

首先,我们来替实用主义做一个家谱。实用主义这个哲学流派是美国皮尔士首创的,英国的失勒,美国的詹姆士和杜威是这个流派的台柱。但是,这个流派的远祖则是公元前5世纪希腊的诡辩学家布洛达哥拉斯,这是失勒在所著《哲学家的歧见》中所供认的。失勒自称是最早的实用主义者布洛达哥拉斯的弟子。布洛达哥拉斯的格言是:"人是万物的尺度,事物存在就是存在,不存在就是不存在,完全决定于人对它的权衡。"失勒所著的《人本主义》是完全重复布洛达哥拉斯这种谬论的。

实用主义的近祖是18世纪英国主教贝克莱的主观唯心论,这是詹姆士所

供认的。詹姆士在所著的《实用主义》中重复了贝克莱的学说,确认贝克莱是实用主义者。詹姆士说:"贝克莱对于物质的批评是绝对的实用主义的。我们所知的物质是我们所得的颜色、形态、硬度等等的感觉,这些感觉恰恰就是物质这个概念所具有的价值。物质存在和不存在之间的差别,对我们说来,就是我们有没有这些感觉。这些感觉是他的唯一意义。"詹姆士自己的见解,完全是贝克莱学说的复述。

实用主义的旁亲是经验批判论者阿芬那留斯和马赫。实用主义是马赫主义的变种,这是列宁在《唯物主义和经验批判主义》中所指斥了的。

实用主义的近亲是尼采的意志主义和伯格森的直觉主义。尼采主张统治阶级的道德基础是权力意志和对下层阶级的统治,他认为当时德国的贵族仍能够统治德国(虽然当时德国资本主义已很发达),能够镇压无产阶级。伯格森从生物学的观点宣传战争的必然性,反对民主,认为民主是违反自然的政治观念。尼采和伯格森的这类法西斯主义观点,都为实用主义所吸收。

由此可见,实用主义是一切反动哲学的集大成,它对于哲学上根本问题,即物质和意识的关系如何这一问题的态度,也就非常明了。

失勒是崇奉"人是万物的尺度"这句格言的,就是说,他是主张主观决定客观的,主观(人)第一,客观(万物)第二。

杜威故意回避哲学上的根本问题。据胡适说,杜威把实用主义归着于方法论,把哲学上的根本问题改变为"解决人的问题的思想方法",因而把哲学上一切唯心论和唯物论的争论都看作是不成问题的争论,都可"以不了了之"。这是假话! 杜威对于这个根本问题是做了唯心论的解答的。杜威主张万事万物是依存于人的经验而存在,而经验是人和环境所起的交涉,是物观世界受了人的反动而发生的变迁。这就是说,经验是物质和意识的结合。物质包括在经验之中。经验第一(即意识第一),物质第二。这种主张是改装了的主观唯心主义。

至于詹姆士对于哲学上根本问题的解答,是完全抄袭贝克莱的。詹姆士认为感觉本身就是物质。他说:"我们所知道的物质,是我们所得的颜色、形状、硬性等等的感觉。物质存在或不存在,与我们所发生的差别,就是我们有没有这些感觉。"他还引用贝克莱的话说:"物质是这些感觉的名词。"詹姆士直率地承认实用主义是极端的经验主义。主观经验的第一性(即意识的第一性),物质的第二性,——这是詹姆士的主张。

实用主义者还替他们的主观经验取了一个别名,叫作"实在"(这和唯物论者所说的客观实在即物质世界的意思是相反的)。实用主义者把实在(即经验)当作塑料,可以用它来塑造世界。詹姆士说:"实在好比一块大理石,到了我们手里,由我们雕成什么像。""世界是经过我们自己的改造工夫的。"失勒也主张"世界是可塑的,我们的愿望使它形成,只要我们充分坚决地实现我们的愿望"。这就是实用主义的"世界可塑性"的观念。这样一来,帝国主义者想用"实力政策"征服世界创造世界帝国的幻想,在实用主义的"世界可塑性"观念中得到了哲学的表现。

实用主义者还把庸俗进化论的进化的观点导入于他们的经验之中,说他们的经验是一点一滴一分一毫地进化的,随着由他们的经验塑造出来的世界也是一点一滴一分一毫地进化的,只有渐变,没有突变。他们根据这样的谬见,就造出了改良主义的人生观,企图用改良主义欺骗无产阶级,破坏无产阶级革命。

三、实用主义者的不可知论和信仰主义

实用主义者主张意识是第一性,物质是第二性。这就是说,只有人的意识是真实存在着的,物质世界只是在人的意识中,只是在经验中存在着。实用主义者否认了在人的意识以外,不依赖于意识而存在的客观世界,因而就否认了客观真理。

实用主义者既然否认了客观世界,就必然陷入不可知论。这就是说,世界是不能认识的,世界发展的规律是不能认识的。

詹姆士曾经千百次宣称世界的认识是不可能的。他说:"我宁可相信我们人类对于全宇宙的关系,和我们的猫儿狗儿对于人世生活关系一般。"又说:"我们在世界上也许是同猫儿狗儿在我们的图书馆中一般,它们看见书,听见人讲话,但嗅不出其中任何意义。"这就表明,实用主义者完全否认了世界及其发展规律的可知性,不相信我们知识的确实性,不承认客观真理。和实

用主义者完全相反,辩证唯物论者承认我们通过生产斗争、阶级斗争或科学实验可以认识世界及其发展规律,由不知到知,由知之不多到知之更多。我们不断地应用所认识的世界规律去改造世界,在改造世界的过程中,再丰富我们的认识。在这种反复的过程中,人们是完全可以认识世界及其发展规律的。

实用主义者所以否认世界及其规律的可知性,是含有一种政治阴谋的。他们未尝不知道资本主义必然死亡,社会主义必然起而替代的这一发展规律。他们所以否认这种社会发展的规律,是在于蒙蔽无产阶级。因为没有规律就不能预见未来。社会既然没有发展规律,无产阶级就不能预见光荣的未来,还斗争什么?斗争既然没有出路,那就随便过日子得了,未来的事情不去想它罢。这就是实用主义者的阴谋所在。

但是资产阶级却是害怕未来的,所以资产阶级思想带有深刻的悲观主义。资产阶级哲学家们每逢想起未来,总不能自禁地唉声叹气。悲观主义的心理就不知不觉地在哲学中透露出来。他们挽救自己阶级的灭亡,不外下列两个方法:

第一,资产阶级是不甘心于自己的死亡的。它感到日暮途穷的时候,必然就要倒行逆施。它的前途越是无望,消灭它的力量越是强大,它的反抗也越是激烈,越发要使出最后的手段,实行疯狂的冒险。所以悲观主义和侵略主义、颓废主义和冒险主义就交织起来。这一点,实用主义者詹姆士说得很明显:

> 假如那造化的上帝对你说:我要造一个世界,保不定可以救拔你。这个世界想做到完全无缺的地位,须靠各个分子尽他的能力。我给你一个机会,请你加入这个世界。你知道我担保这个世界平安无事。这个世界是一种真正冒险事业,危险很多,但是也许有最后的胜利。这是真正的社会互助的工作。你愿意跟来吗?你对你自己,和那些旁的工人,有那么多的信心来冒这个险吗?

这是实用主义者为挽救资产阶级死亡而冒险的哀鸣,是帝国主义用实力政策进行疯狂冒险的哲学。

第二,实用主义者挽救资产阶级死亡的方法是求救于上帝。实用主义者崇奉不可知论的结果,必然堕入信仰主义。詹姆士说:"猫儿狗儿每日的生活可以证明它们有许多理想和我们相同,所以照宗教经验的证据看来,也很可相信比人类更高的神力是实有的,并且这些神也朝着人类理想中的方向努力拯救这个世界。"资产阶级为了挽救自己的死亡,除了实行冒险主义以外,就只有求救于上帝了。这是资产阶级哲学所以要回到中世纪神学的奴仆地位的由来。

实用主义者同时是信仰主义者。詹姆士和失勒在生前都轮流担任过人鬼相通主义的"心理研究会"的主席很久。他们都写了许多论述人鬼相通问题的著作。他们的目的,无非是要愚弄无产阶级和劳动大众,引诱他们离开现实生活问题和政治问题,把希望寄托到超自然的世界,以免他们来动摇资本的统治。

四、实用主义的主观真理论

真理是什么?在辩证唯物论说来,真理是人们的认识正确地反映了客观世界的规律性。这即是说,主观符合于客观。反之,认识如果不能正确地反映出客观世界的规律性,或者歪曲了客观世界的规律性,便是谬误。这即是说,主观不符合于客观。至于鉴别真理和谬误的标准,只能是社会的实践。只有在社会的实践(生产斗争、阶级斗争或科学实验)的过程中,人们按照所认识的客观世界的规律去实行,得到符合于那个规律的效果时,这认识便是真理了。所以辩证唯物论认定:(一)真理是客观的;(二)真理是在实践中认识的;(三)科学规律是人们在实践中认识了客观过程的规律,并得到了实践的证明的理论认识。所以科学的规律是"不以人们的意识为转移的客观过程的反映。人们能发现这些规律,认识它们,研究它们,在自己的行动中估计到它们,利用它们来为社会谋福利,但是人们不能改变或废除这些规律,尤其不能制定或创造新的科学规律"。①

和辩证唯物论的真理论完全相反,实用主义从根本上否认客观世界,否认

---

① 斯大林:《苏联社会主义经济问题》。

客观真理,否认客观的科学规律。实用主义者说,真理是人造的,科学的规律是人造的,是人造出来供人应用的。他们怎样自造真理,自造科学规律呢?他们既然否认客观世界而主张主观经验就是一切,那么,他们的认识就不是认识客观世界而是认识主观经验了。实用主义者用主观经验去认识主观经验,就只要专凭自己的推想力捏造一种什么观念或思想,认识过程便结束了。于是,他们就把所捏造的什么观念或思想拿去实践,看看那种思想或观念能发生什么"效果",或者看它"解释事实能不能满意"。如果有了"效果",或者解释事实能够满意,那个观念或思想便成了"真理"。詹姆士说得很明白。他说:"真理只是经验过程的一般名词","实用主义认为:凡是有利于我们的工作并使我们获得效果的东西就是真理,这也是真理的唯一标准"。实用主义者所说的真理论就是这样。

在我们辩证唯物论者说来,真理是客观的,没有主观真理。在他们实用主义者说来,真理是主观的,没有客观真理。

我们说,观念或思想是客观过程的反映。他们说,观念或思想是主观经验的产物。

我们说,在实践中去认识客观世界,再根据对于客观世界的规律的认识去实践,求得了符合于那个规律的效果,这认识便是真理。他们说,主观经验自己认识自己,用不着实践,只有在把主观经验组成了观念或思想以后,才拿它投到实践中去看效果,有效果的观念或思想便是真理。

我们说,实践的效果,证明我们的认识与客观对象相符合。他们说,实践的效果,证明我们的思想与主观经验相符合。

我们说,认识只有在它反映出不依存于人的意识的客观真理时,才是有用的。他们说,认识只要它是有用的,便是真理。

我们说,实践是真理的标准。他们说,效果是真理的标准。

从上面的对照来看,实用主义的真理论,完全是主观主义的,是荒谬绝伦的。它并不是什么真理论,它只是"歪理"论。这样的"歪理"论,庸俗可笑。它只是说明:想个办法,赚得到钱,这办法便是真理;打个主意,害得着人,这主意便是真理。杜威直率地认为真理是在每一种具体情况下,导致成功,带来利益的东西;每一个人都有他自己对于真理的看法。譬如说,资本家剥削工人,积累了资本,他的行动是合乎真理的;工人到资本家的工厂做工,得到了工资,他的行动是合乎真理的。又如说,一个人欺骗了另一个人,他便是执行了真理;一个人被另一个人欺骗了,那另一个人便是执行了真理。这样的真理论难道还不是"歪理"论吗?

可是实用主义者这种"歪理"论,拿来替华尔街老板服务,却是大有用处的。詹姆士很坦白地说过:"真理大部分是奠定在金融系统上的",这却是一句真话。美帝国主义者的杜鲁门主义、马歇尔计划、北大西洋公约、东南亚条约、美蒋条约、巴黎协定、实力政策、原子讹诈——这一系列的坏主意既有威胁世界和平的效果,又可以掠夺它的仆从国家和殖民地人民,这些正是实用主义者当作真理看待的东西。

实用主义的主观真理论(即"歪理"论),根源于它的信仰主义。实用主义者们认为:凡是信仰了某一观念确实于自己有好处,那观念便是真的,詹姆士在所著《实用主义》中说:"一个观念,只要我们信仰了它是有益于我们生活,就是真的。"他又说:"如果神学的观念于具体生活能有价值,它在实用主义上就是真的,就真到这个限度。"他又说:"在他方面,上帝的观念,纵然没有如数学观念的明了,却有一个实际上的大优点,就是保证一个理想的秩序可以永久存在。"他又说:"你自己个人经验,给了你一个上帝以后,上帝的名词至少给你休息日的利益。"够了! 实用主义原来是资产阶级的宗教;上帝这个观念所以是真理,就因为它能保证资本主义制度的永久存在,并能给劳动人民以休息日的利益。由此可见,实用主义的主观真理,完全是谎话,是诡辩。

五、实用主义的诡辩论与实用逻辑

依据辩证唯物论说来,在实践过程中,客观的事物不断地反映于我们的感官,就使我们得到了感性认识。为要知道客观事物的规律性,就必须通过逻辑的思维过程,把感性认识提升到逻辑认识。在思维过程中,我们根据逻辑的规律,就感性认识的材料,实行分析与综合,在分析与综合过程中,有归纳,也有演绎。我们造概念,下判断,进行推理,经过这一系列的操作,最后就到达了逻辑认识,反映出客观事物发展的规律,然后再根据这种逻辑的认识去实践。这是从感性认识到逻辑认识的科学的思维方法。

实用主义者的所说的思想方法,和我们的完全相反。实用主义者害怕反映客观世界的规律的思维,害怕形式逻辑(至于辩证逻辑,他们在根本上是否认的),因为实用主义者是否认客观世界及规律的可知性,否认科学知识的,他们认为主观经验就是一切,此外并没有客观世界。他们认为知识从经验发生,又归结于经验,即知识始于经验,终于经验。他们的思想,始终是在经验的框子中兜圈子,所谓知识只是经验自己知识自己。经验怎样自己知识自己呢?实用主义者把经验中的一部分作为思想作用(即是杜威所说的经验中所包含的思想作用),把其余部分作为思想的对象,而所谓思想作用不过是说明经验中各部分间的相互关系罢了。但是实用主义者从经验中挑选思想的对象时,是有一套手法的。詹姆士说:"一切心的作用(知识、思想等)都起源于个人的兴趣和意志;兴趣和意志定下选择的目标,有了目标方才从已有的经验里面挑选出达到这目标的方法、器具和资料。"[1]这话说得很明白,实用主义者是按照自己主观的意志定下自己的目标,然后从自己的经验中挑选出自己所需要的资料作为思想作用的对象。照这样,达到主观意志所定目标的结论以及证明这个结论所需要的资料,都已经事先挑选好了,根据那个结论去"解释事实"当然就可以"满意"了。这就是实用主义者的方法。我们来看,实用主义者的方法只是根据主观意志定目标,挑选出所需要的经验资料来引出结论,证明结论,当然用不着根据逻辑规律去思维,去反映客观事物的规律。因为实用主义者是害怕客观现实,害怕客观世界的发展规律的。正因为这样,所以他们害怕逻辑,害怕反映客观世界规律的思维。

但是,实用主义者却把自己的方法伪装为科学方法,并宣称科学方法是"尊重事实"的,他们企图用这种伪装来蒙蔽人们,使人们发生一种错觉,以为实用主义者是尊重事实的。其实实用主义者所说的"事实"只是他们经验中的事实,是依存于他们的经验而存在的事实,是根据自己的目标所挑选的事实。关于这一层,失勒在所著的《实用逻辑》中说得很明白。他说:事实之成为事实,依赖于我们承认它为事实的愿望;事实的内容,依赖于我们的解释,即

---

[1] 胡适:《实验主义》。

事实的评价。他说:"事实在未曾获得事实的资格以前,绝非事实。"这话说得多么可笑。实用主义者竟把事实分为有"资格"的和无"资格"的两部分,而事实的"资格"还须经过实用主义者的"加封"。我们这才明白,实用主义者的徒孙胡适在《我们走那条路》中,只承认中国有"五鬼"的事实,却否认有帝国主义侵略和封建军阀扰乱两个事实,这完全是由于他不承认两者有事实的"资格"。为什么呢? 他若承认这两者有事实的"资格",他便不得出合乎反革命目标的结论来。失勒还认为:"事实"作为经验的一种因素来说,永远是主观的、随意的,并且有所为才被认为是事实的,并不是真正客观的。他率直地说:"凡事实总有在某种程度上是伪造的。"实用主义者的口供很清楚,他们所说的事实是经验中的事实,而且还是伪造的。美帝国主义者屡次伪造事实,污蔑我中华人民共和国贩卖毒品,污蔑我国解放自己的领土台湾是对美国的侵略,并把我国驱逐蒋匪帮所盘踞的岛屿说成是中美开火,而要同我国谈判停火,诸如此类的伪造的事实,不可胜数。这些伪造,原来是在实用主义哲学中有其理论根据的。

实用主义者的方法只是用伪造的事实表现其主观意志及其实现的过程,没有一点科学的气息。他们是意志主义者,认为意志是宇宙人生的根本原理。他们主张意志是绝对自由的,在思想和言论上不受逻辑的规律所限制,所以反对形式逻辑;他们在行动上不受外界的规律所限制,所以主张冒险主义。这正是帝国主义者要依照主观愿望征服世界的理论根据。

实用主义者又是直觉主义者,即反理性主义者。他们宣布理性是一切邪恶的根源,要向理性进行激烈的斗争。在美国教育界,理性主义者变成了骂人的名词。直觉主义者认为单靠直觉和体验就可以把握宇宙的本质,不必借助于理性的思维能力。因此,他们反对理性,反对思维。失勒说:"思维是一种变态",他认为"每次思想必须的前提,是成为问题的境地。……我们思想,只有当我们陷于困难而不能有更好的办法的时候"①。杜威也说:"思维开始于两歧的情势,于两者不可得兼而需要抉择的情势。"这好像是说,当人们走到岔路口的时候,才去想一想看走哪条路才好。只有在这种时候才去想一下,否

---

① 失勒:《实用逻辑》。

则是用不着去想的。杜威的"思想五步法"中的第一步所说的"疑难的境地"正是说明"思想开始于两歧的情势"的意思。这是什么思想方法呀! 我们所说的思维是反映客观世界的规律性,而实用主义者所说的思维,则只是在实行主观意志的过程中偶然使用一下而已。他们所说的思想方法只是达到自己的意志所定下的目标的行动方法,决不是反映客观对象的规律的思维方法。实用主义者像那样反对思维,是有其政治作用的,这就是反对理性,剥夺无产阶级和劳动人民的思维的能力,使他们变为只做工而不思维的资本家的奴隶。

实用主义者因为害怕反映客观世界规律的思维,就不惜破坏形式逻辑。失勒曾著有《形式逻辑批判》一书,把形式逻辑的一切规律,逐条加以破坏,另行杜撰了一种"实用逻辑"。杜威也反对形式逻辑,另行杜撰了一种"思维术"。这所谓"实用逻辑"或"思维术"都是实现自己的主观意志的方法和步骤,它和科学的思维方法毫无共通之点。他们所以反对形式逻辑,主要地是害怕形式逻辑的思维的规律。他们都是诡辩家,他们的思想和言论都是不遵守形式逻辑的规律的。例如说,形式逻辑的概念是有相对的不变性的,如果没有相对的不变性,人们就不能进行逻辑的思维,这是很明白的。如果说,资本家是剥削者;同时又不是剥削者,这还有什么意义呢? 实用主义者是反对形式逻辑的概念的相对不变性的。失勒说:"概念的意义是无法确定的。"他这句话的意思,就是说,概念的意义可以随便解释,可以随便使用,可以偷换名词的意义,来进行诡辩。他们认为:如果承认概念的相对不变性,那就会妨害他们的诡辩,这也是他们反对形式逻辑的理由。

实用主义者进行诡辩时,脸厚心黑,蛮不讲理。实用主义创始人皮尔士说过,谁愿意怎样相信就怎样相信,只要你有足够的厚脸皮相信你愿意相信的东西,这个东西将为你而存在。失勒说:"人能随自己的便利而思想,而推论,不管别人怎样斥他前后不一贯或自相矛盾。"杜威说:"一切思维,凡能达到某种结论的(不管这结论是否正确),从广义说,都是逻辑的思维。"一个说,要厚着脸皮,坚持自信;一个说,言论纵使前后自相矛盾,也不要顾虑别人的斥责;一个说,错误的结论也合乎逻辑。这是什么话! 实用主义还不是诡辩论吗?

这种诡辩论正是帝国主义者所需要的。帝国主义者把对人民的残酷的压迫说成自由,把法西斯主义说成民主主义,把侵略我国台湾说成防御,把扩军备战说成保卫和平等等,——这些都是实用逻辑的具体应用。

由此可见,实用主义的实用逻辑,是帝国主义的强盗逻辑。

综合前面的批判,可作如下的概括:

实用主义是拥护帝国主义政治纲领的哲学。它是主观唯心论,是诡辩论,是资产阶级的宗教;

它反对马克思主义,仇视全世界无产阶级和劳动人民;

它宣传世界主义,主张美英帝国主义对于全世界的统治。

六、胡适为什么宣传实用主义?

实用主义是什么?前面已经说明了,现在进而说明:胡适怎样成为实用主义信徒?胡适为什么宣传实用主义?

胡适生长在官僚、地主兼资本家的家庭,自幼过着剥削阶级的公子哥儿的生活。一个人的阶级出身虽然不一定限于代表某一阶级,但就胡适一生的思想、言论和行动来论断,他确实属于买办资产阶级之列,这就说明了他的阶级立场和他的阶级出身是一致的。

根据胡适自述,他的家庭是一个"理学家庭",自幼受过理学家庭的教育,这就养成了他的反革命的意识。

胡适在 1904—1910 年之间,到上海澄衷中学和中国公学念过书,当时正是辛亥革命前夕,他没有受过革命潮流的影响,反而醉心于梁启超的"白色人种最优"的谬论,这就成了他后来高唱民族自卑论的出发点。

1907 年,美帝国主义利用中国庚子赔款招致中国学生赴美求学,把榨取中国人民的血汗钱来训练几个文化汉奸,以便利用他们做侵略中国的开路先锋。胡适走上了这条道路,就在 1910 年到美国留学去了。

胡适一踏进美国领土,好像是从地狱进到了天堂,就自惭形秽,很感慨地说:"生在可怜之时,处在可怜之国,安知死之不如生耶?"从此,他把美国崇奉为"黄金世界",崇美思想,与日俱增。

胡适是反对辛亥革命的。他说,他赞成改良,不赞成革命。他批评孙中山的民族主义是"种族成见",并且诋毁孙中山,说一百个孙中山不如一个保皇党。他把当时的武昌起义说作"党人窃据",却把清军的"复夺汉口"说作"官军获胜"。胡适这种反对民族民主革命而放弃所谓"种族成见"的主张,是与帝国主义者的殖民主义精神相吻合的。

胡适初到美国,情绪是很悲观的,他为了克服悲观情绪,就信奉了基督教。从此,他首先就和美国基督徒相往来。通过这些关系,认识了美国许多政客、学者、牧师和流氓,由于他的奴才的嘴脸,他被美国佬看重了。他听了一个大主教的话"吾邻,没有国籍界"一句话,就认为这句话是国家很好的"界说",给他的印象很深。胡适从此不要国界了。特别是当他受了杜威的教育,决定成为实用主义信徒以后,这实用主义就成了他的"生活和思想的一个向导"。从此,他由悲观主义者变为乐观主义者,活跃起来了。他到处演说,并且作文章,宣传他的"不争主义"。他说,他的"国际非攻"论文,曾经得到 50 美元的奖金。他因此很得意地认为替祖国"挣了面子",而不知他实际上替祖国丢了脸。

胡适接受了杜威的教育,就确信了世界主义。他说:"我自命为世界公民,不持狭义的爱国主义,尤不屑为感情的爱国者。"他在别的时候又说:"我本是世界主义者,从不是一个民族主义者"。

胡适的世界主义在 1915 年日本向袁世凯政府提出"二十一条"之时,有过具体的表现。当袁世凯准备接受日本"二十一条"之时,留美学界起而反对,主张与日本开战。胡适却说:"远去异国,爱莫能助"。他写了一封公开信给中国留美学生月报,指责留学生的爱国运动是"失去理智,而且近于疯狂",是"最愚蠢的道路",而"正确的道路是让我们履行自己的职责——读书"。他说,他纵使"被斥为卖国贼",也置之不顾。到了袁世凯签字的次日,他在札记中这样写着:"吾国此项对日交涉,可谓知己知彼,……能柔亦能刚,此为历来外交史所未见。"胡适的丧心病狂,于此可见。

胡适根本反对爱国,因而造成了所谓"反爱国主义"。他说,他的反爱国主义论,"经过十余次演说而来,始成为一有系统的主义"。他的结论是:"呜呼,爱国,天下许多罪恶假汝之名以行"。由于反爱国主义,就引出了他的"极端不抵抗主义"来,这是必然的归趋。

"世界公民"胡适,实际上是"美国公民",他的一切言论和行动,总是表现出中美合作,实际上是"美中合并"。他公开主张"美国应如何协助中国之发达",实际上是主张中国应附属于美国,而由美国来开发;他公开主张中国要享有和平,必须"极力提倡和平之说,与美国合力鼓吹国际道德",而实际上中美"合力"乃是中美合并。

胡适认为美国是他的"第一故乡",他以为他到了美国,就像回到了故乡一样,因而他写了"宛如游子归故乡"的诗句。他说他离开美国时,简直像是离开"家人骨肉的地方",大有不忍之意。由此可见,胡适已经自认是美国人了。

够了!胡适在美国留学 7 年,究竟把自己铸成一块什么材料,我们只要看看他的《留学日记》和《四十自述》中所记的言论,便可以作如下的肯定:

胡适是实用主义者=世界主义者,是世界公民=美国公民,是无抵抗主义者=反爱国主义者=亡国主义者,是美帝国主义走狗=文化汉奸=卖国贼。

胡适从美国来到中国的任务,是执行美帝国主义的侵略政策,由美国来开发中国,使中国变成美国的殖民地。

胡适完成上述任务的步骤是:第一步充当美中文化结婚的媒婆,第二步充当美中两国结婚的媒婆。

七、胡适怎样宣传实用主义?

胡适为了执行美帝国主义的侵略政策,首先充任美中文化结婚的媒婆,为美帝国主义征服中国的人心。

胡适供称,他在 1917 年从美国到中国的时候,"打定 20 年不谈政治的决心,要想在思想文艺上替中国政治建筑一个革新的基础"。这里所说的"思想"即是实用主义思想,所说的"文艺"即是个人主义文艺,他要用这种反动的思想和文艺来建筑中国政治的基础,确是一个征服中国人心的大阴谋。他真的这样做了。现在把他征服中国人心的几项罪恶分别说明如下。

第一，提倡亡国主义，反对爱国主义。胡适在 1918 年为《新青年》杂志编出了"易卜生主义专号"，宣传"19 世纪维多利亚时代的陈腐思想"，还说"易卜生主义代表我的人生观，代表我的宗教"。他最佩服易卜生的一段话："我所最期望于你的是一种真实纯粹的为我主义，要使你有时觉得天下只有关于你的事最要紧，其余的都算不得什么……有的时候我真觉得全世界都像海上撞沉了船，最要紧的还是救出自己。"胡适认为易卜生的这种个人主义是"最健全的个人主义"，就拿它教育青年们，要青年们在中国这只大船快要撞沉的时候先救出自己，以便把"自己这块材料铸造成器"。他反对青年"牺牲个人的自由去求国家的自由"，而主张青年先"争取个人的自由"。他每逢青年学生发动爱国运动的时候，他总是喊出"救国须从救出你自己下手！"那个反动口号来阻挠。他要青年学生学德国葛德那样，在"拿破仑的兵威逼德国最厉害的时期里，天天用功研究中国文物"。甚至在日本侵夺我国东北，更进而侵入华北的时候，他仍旧宣传他的亡国主义，阻止学生的救国运动，要他们赶快复课，努力读书，只能做合法运动。他还劝人们趁中国还没有亡的时候，赶快做点成绩出来，准备做一个有成绩的亡国奴。卖国贼胡适丧心病狂竟达到了这个程度！

胡适另一个毒害青年的罪行，是引诱青年去整理国故，要他们钻进故纸堆中，消磨爱国心，以免走上革命的道路。他的这一毒计不知陷害多少青年！

第二，宣传实用主义，反对马克思主义。十月革命一声炮响给我们送来了马克思主义，以李大钊为首的马克思主义派，宣传了马克思主义，庆祝了布尔什维克的胜利，并用马克思主义这个放之四海而皆准的普遍真理作为考察中国命运的工具。卖国贼胡适为了反抗这个大潮流起见，就发表了一篇《实验主义》的长文章，宣传实用主义来反对马克思主义。他还感到自己的力量不够，特地把他的美国老师杜威请到中国来，加强实用主义的宣传，来反对马克思主义派的革命运动。杜威来到中国以后，和他的徒弟胡适合伙唱双簧，污蔑"五四"运动为"排外"，为"感情用事"。杜威向蔡元培透露了他来到中国的目的，是为中美文化结婚做媒。他说："新旧文化之适合，可谓之新旧文化之结婚。大学的职务为做媒，使夫妻和睦，孳生蕃盛。我能在此做小媒人之职务，这是我所很欣幸的。"杜威所说的新旧文化"结婚"即是美中文化"结婚"，至于他所说做"小媒人"却是过谦,在当时他是大媒人,胡适才算是"小媒人"。从此杜威大宣传其实用主义的社会哲学和政治哲学,反对马克思列宁主义,而主张中国旧的封建主义文化和美国新的实用主义结合起来;胡适也发表《问题与主义》,宣传实用主义,反对马克思主义,主张"一点一滴地改良",反对根本的改革。这一对反革命派跑遍中国 11 个省区,合演双簧达两年零两个月之久。他们的唯一目的,就是不要中国知识分子跟着马克思、列宁走,而是要跟着杜威、胡适走,走向美国一方面去做美国的顺民。

第三,否认中国文化的价值,提倡世界主义文化。胡适认为实用主义的宣传只能征服那些赞成西方文化的人的心,而对于主张"中学为体,西学为用"那一类的人心还不容易征服,就感到对于这一类的人还有进而说服的必要。于是他就发表了《中国今日的文化冲突》的文章,主张"全盘西化",反对那些抵抗西洋文化和主张东西文化选择折中的人,对他们进行说服。他为了说服这些人,曾经写了几篇"论信心与反省"的文章和《试评所谓中国的本位文化建设》一类的文章来征服他们的心。胡适解说他所主张的"全盘西化"即是"充分世界化",表示与别人所主张的"全盘西化"不同。他所主张的"充分世界化"实际上是充分世界主义化,是充分美国化,下面还要说到。

胡适的中国文化的世界主义化的内容,主要是贬低中国文化的价值,宣传民族自卑论,以便全盘接受美国文化。

胡适对那些主张保存中国固有文化的人说:"我们的固有文化实在太贫乏了,谈不到太丰富的梦话"。又说:"在两千多年前,我们在科学上早已太落后了!从此以后,我们所有的,欧洲也都有;我们所没有的,人家所独有的,人家都比我们强。""我们必须承认我们自己百事不如人"。在这"一分像人九分像鬼的不长进的民族"中,我们只有"五鬼"、"三害"和"十一宝"。所谓"五鬼"即是"贫穷、疾病、愚昧、贪污、扰乱";"三害"即是"鸦片、小脚、八股";"十一宝"即是"骈文、律诗、八股、小脚、太监、姨太太、五世同居的大家庭、贞节牌坊、地狱活现的监狱、廷杖、板子夹棍的法庭"。胡适认为"五鬼"、"三害"、"十一宝"是使中国成为劣等民族的病源。胡适的意思好像是说,中国的文化还值得留恋吗?这样的中国还值得去爱吗?你们看,美国多好呀!于是他唤醒中国人要"反省",要"知耻","真诚的愧耻自然引起向上的努力,要发宏愿学人家的好处……"向什么地方去学呢？胡适说是要"向西去"，他绕了一个圈子之后，终于说要向美国去！

胡适拿美国做一面镜子，要"大家来照照镜子"，"照出我们自己的百事不如人"。看呀！美国有铁路25万英里，摩托车2200万辆；中国只有铁路7000英里，摩托车22000辆，"人家早已海上飞了，我们还在地下爬"。照照这面镜子，叫我们"生一点羡慕，起一点惭愧"。"不要尽说帝国主义者害了我们，那是我们自己欺骗自己的话"。胡适还认为美国的资本主义是世界"570种"资本主义中最好的一种。美国的"摩托车文明的好处真是一言难尽"，工人坐摩托车上工，农民用摩托车运鸡蛋牛奶，这比中国的人力车文明不知要高多少倍。胡适还说，美国人人都可以买股票做资本家，工人和雇员也可以买股票做资本家，所以美国是不会有社会革命的。依照胡适说来，美国真是黄金世界，中国人还不赶快归顺于它吗？媒婆的嘴把美国丈夫说得那么天花乱坠，中国妻子还不赶快嫁给他吗!?

胡适为美帝国主义征服中国人心的工作，是无微不至的，他除了公开宣传实用主义反对马克思主义以外，还提倡了资产阶级的白话文学，做了一些歪曲古典文学的考据工作，还用实用主义研究了中国哲学史和文学史等一系列的反动著作。他的这一类工作，都是直接或间接地和他那征服中国人心的工作相配合的。

胡适征服人心的思想工作，是曾收到一些效果的，当年反动阶级的知识分子和一部分青年，确实被他牵着鼻子走了的。但是无产阶级和人民群众却不曾上他的圈套，他们在中国共产党领导之下，一直是爱护着祖国，保卫着祖国的。

八、胡适的实用主义在反共和卖国方面的表现

胡适卖国的言论和行动，一直是仰承美帝国主义的意旨，并与美帝国主义的侵略措施相配合的。胡适在"五四"前后宣传实用主义和反对马克思主义，是在美帝国主义御用学者杜威的领导下进行的，这在前面已经说了。在中国共产党成立以后的第一次国内革命战争时期，胡适的卖国使命是一面反共反

人民,一面拥帝拥封建。大家知道,中国共产党所领导的新民主主义革命的对象是帝国主义和封建主义。而当时代表封建势力的是北洋军阀政府,所以喊出了"打倒军阀"的口号。胡适为了反革命,在 1922 年 5 月创办了《努力周报》,他针对着新民主主义革命,硬说帝国主义侵略对中国有很多好处,不能成为革命的对象,并说中国没有军阀存在,说不上打倒它,企图证明中国共产党所领导的革命是没有对象的革命。1925 年 5 月"五卅"惨案发生后,群众反帝国主义的潮流非常高涨,中国共产党召开了中央会议,研究了进一步反帝国主义的策略,号召全国人民举行罢工、罢市、罢课,得到了广大群众的响应,上海工商学界举行了 20 万人的群众大会,通过了反帝国主义的 17 条交涉条件。正当群众革命运动高潮之时,卖国贼胡适伙同戴季陶、虞洽卿等和英国、日本的强盗相勾结,把这个反帝国主义的统一战线破坏了。胡适在这个时期又一个反革命行动,是仰承美帝驻华使者芮恩施的意旨,勾结直系军阀吴佩孚的部下,搞了一套"好政府"计划,希望北京军阀政府成为一个宪政的政府,又主张实行"联省自治"来构成一个军阀大联合的统一局面,以便以美帝为首的新四国银行团对北京军阀政府供给借款,加重对中国人民的剥削。这便是胡适搞"好政府"主义的内幕。

在第二次国内革命战争时期,蒋介石卖国集团已经和美帝勾搭上了,胡适认为机会到来,但苦无进身之阶,于是在 1930 年创办了《新月》月刊,配合蒋匪帮的军事"围剿"来一个文化"围剿",作为对蒋匪帮的献礼。《新月》表面上是谈文学,实际上是反共反人民,拥护帝国主义和封建主义。这在他的《我们走那条路》和《介绍我自己的思想》两篇论文中,表现得非常清楚。胡适果然得到了蒋匪的青睐,就被委为东北政务委员会和农村复兴委员会的委员,他从此加入了卖国集团了,《新月》停办了。

1931 年,"九一八"事变发生以后,胡适仍旧配合蒋匪帮的军事"围剿",办起《独立评论》来了。当时蒋匪帮集中军力进行"围剿",无意对抗日本,美帝方面也无力干涉日本,采取与日本妥协的政策,希望日本容许它照旧插足中国,继续侵略。所以胡适的《独立评论》的方针是一面宣传反苏反共,一面宣传亡国主义。他的亡国主义,是主张暂时亡于日本,等待美国救援,然后再亡于美国。他约集了一些人,组织了"对日让步研究会"。他根据美帝代表在国联会议上的主张,发表了《对日外交方针》的文章,主张蒋匪帮政府根据日本在国联提出的"五项基本原则"与日本进行直接谈判,把东三省让给日本,来"确立两大民族共存共荣的基础"。当国联调查团发表李顿报告书主张国际共管满洲时,胡适立即作文表示欢迎,认为它是"一个代表世界公论的报告"。再后,"满洲国"成立了,日本又进攻华北,美帝采取了"不承认主义",胡适也跟着喊不承认"满洲国"。他还发表了《全国震惊以后》和《我们可以等候五十年》等文章,劝告中国人吸取教训,要有亡国的"雅量",要"苦志做 30 年的小学生",要"等候 50 年"。胡适在这里所说的"等候 50 年",是等候美帝起来援救,把中国从日本手里救出来。这个内幕,在他写给汪精卫的信件中透露了出来。但汪精卫是主张一次亡于日本的,胡适则是主张第一次亡于日本,第二次亡于美国,这是两个卖国贼见解不同的地方。

抗日战争爆发后,胡适还是高唱"无抵抗主义",他和汉奸陈公博、周佛海等组织"低调俱乐部",主张和日本办外交,恢复卢沟桥事变以前的状况,把华北也送给日本,以便"苦撑待变",等待美国来援救。不久,他被蒋匪任命为赴美文化专使,接着做了蒋记驻美大使,从此,他担任中美结婚的媒婆的要职,做了一些卖国的工作,但仍从国内搜集资料,大力宣传反共。他竟无耻地写信给毛泽东同志,要中共放弃武力,完全服从蒋匪帮的统治。

胡适从美国来到中国以后,由蒋匪任命为北大校长,他就任用特务陈雪屏为训导长,专事镇压爱国和拥护共产党的学生。他还被蒋匪任命为伪国大的主席,演出了"制宪"和"选总统"的丑剧,他还向伪国大提出了反共的"戡乱条例",极尽反革命之能事。

在第三次国内革命战争时期,胡适亲眼看到共产党所领导的人民革命势力浩大,蒋匪帮卖国集团即将崩溃,就呼号用第三次世界大战来解决世界共产党问题。他在 1948 年 10 月 5 日的《大公报》上发表了《两个世界的两种文化》的论文,把以美帝为首的好战的帝国主义叫作"民主自由主义大潮流",把以苏联为首的和平阵营叫作"反动的逆流",而这"反动的逆流""终究一定完全打破的,将来还是要向一个世界一个文化走",即是向着以美帝为首的"民主自由主义的大潮流"走。胡适看到自己卖国集团已经完蛋,只好把希望寄托在第三次大战,回到他的主子美国去了。

胡适逃亡以后,仍旧死不甘心,又约集了一批卖国奴才,创办了《自由中国》杂志,继续干那反苏反共和卖国的勾当,他自己做了这个杂志的发行人。他把美帝统治下的世界叫作"自由世界",把和平、民主和社会主义阵营中的各国叫作"极权世界"。他那个"自由中国"乃是"自由世界"的一部分,即美帝统治下的殖民地。

可是"自由中国"完全没有"自由",当奴才们发表了《政府不可诱民入罪》的社论后,立即遭到了蒋匪帮的谴责,这就吓得奴才们屁滚尿流,赶忙发表了《再论经济管制的措施》的社论,拥护蒋匪帮抢夺人民财产的方法,作为"赔罪道歉"了事。胡适于是撒娇撒痴,写了一封信给《自由中国》杂志社,说要"辞去发行人的衔名","表示我对于这种军事机关干涉言论自由的抗议"。胡适这一封信,竟然在那个杂志上登了出来,可见,胡适一个人在"自由中国"还是有点"自由"的。所以美国人办的海外华文报纸"有一句短评说:"自由中国的言论自由,只有胡适之先生才享受一点,别人是没有的"①。胡适原是一个媒婆呀!媒婆到女家说两句俏皮话,是不会挨打的,女家还希望媒婆帮忙哩!

胡适的梦想是要"打回大陆",是要靠第三次世界大战爆发,"可以趁火打劫地回到大陆","我们当然要回到大陆去的。我常说,远在天边,近在眼前"。胡适真在做梦啊!大陆虽然"近在眼前",却是"远在天边",你胡适永远不能相见。

胡适把希望寄托在第三次世界大战,他在《国际形势与中国前途》中,说起"自由世界"已经积极恢复了军备,"自由世界的形势已经好转,可以说,也就是我们中国国家命运的好转",他估计"自由世界"将"解放"苏联、中华人民共和国和其他各人民民主国家的近10万万人民,他们那一伙卖国集团就可以回到大陆了。这便是卖国贼胡适的梦想。

胡适追溯往事,埋怨起美国"爸爸"来了。他埋怨美国"爸爸"当年不该把蒋匪帮当作盟友看待,而不当作儿子看待。假使当作儿子看待,美国就不会把苏联请到东方来打日本,共产党就不能打倒他们卖国集团,儿子就可以把整个

---

① 见胡适:《〈自由中国〉杂志三周年会上致词》。

中国献给"爸爸"了。胡适把这种经过说成是"10年来中美关系急趋恶化的原委"(一篇论文的题目)。胡适最后自怨自艾地引出了下面的结论:

> 我要以古代民主哲学家孟子所提出关于人类关系的一个明智的原则来结束和加强我的小理论。孟子说:"父子之间不责善,责善则离,离则不详莫大焉。"……孟子所不希望存在于父子中间的情形,竟存在于一个强国政府和一个弱国政府的中间;不错,来源是出于善意的,但也是用着强烈的压力的(据说胡适此文是在美国哲学会的年会上的演辞,由《自由中国》刊登的)。

够了! 胡适等的卖国集团早已做了美国的"儿子",不必再埋怨"爸爸"了。"爸爸"不是正在想法把"儿子"送回大陆来吗。胡适,你等着吧! 你可以再等几百年的! 在一个国家千万年的生命上,几百年算得什么,你带着这个梦想去安息吧! 阿门!

梁漱溟政治思想批判[*]

（1956.7）

一

梁漱溟生长在代表地主阶级的封建官僚家庭里。据他自己说:"从社会阶级上说,曾祖、祖父、父亲三代都是从前所谓举人或进士出身而作官的。外祖父也是进士而作官的。祖母、母亲都读过不少书,能为诗文。这是所谓书香人家,世宦之家。"又说,他家"因为一连几代作官,不曾回南,已经成了北京人,空气是异常腐败的"。梁漱溟这两段话,说明了他的家世是属于"空气异常腐败"的封建的"世宦之家"。我们知道,封建官僚是代表地主阶级的。梁漱溟是不是代表地主阶级的呢? 他表白地说:"在生活习惯上或意识上,并未曾将我们限于某一阶级中。"这好像是说,他虽出身于封建官僚的家庭,却不限于代表地主阶级。但我们从梁漱溟 40 年来一贯反动的思想、言论和行动来看,可以论定:梁漱溟始终是站在地主阶级的立场的。同时,我们不要忘记,当年半殖民地半封建社会的中国地主阶级是附属于帝国主义和官僚资产阶

＊《梁漱溟政治思想批判》于 1956 年 7 月由湖北人民出版社出版,署名李达。1953 年 9 月全国政协第一届常委会第 49 次扩大会议期间,作为政协委员的梁漱溟分别在小组会和大会上发言,对党的农村政策提出了尖锐批评。毛泽东批评梁漱溟的看法不符合实际,梁漱溟不服并加以反驳。在紧接着召开的中央人民政府第 27 次会议上,毛泽东结合梁漱溟过去的表现,作了《批判梁漱溟的反动思想》的发言。1955 年 1—3 月,中共中央先后发出了《关于在干部和知识分子中组织宣传唯物主义思想批判资产阶级唯心主义思想的演讲工作的通知》和《关于宣传唯物主义思想、批判资产阶级思想的批示》。尔后,理论界掀起了批判梁漱溟思想的高潮。1955—1956 年,冯友兰、贺麟、金岳霖、任继愈、汤用彤、艾思奇、金克木、周辅成、千家驹、王若水、葛力、钟宇人、潘梓年、朱伯崑等著名学者都发表了批判文章。李达对梁漱溟思想的批判,就是在这一背景下进行的。——编者注

级的。

一个人的阶级立场,决定着他的思想、言论和行动。梁漱溟既然站在地主阶级的立场,他的思想、言论和行动究竟怎样?

梁漱溟的思想是孔子伦理学说、佛家唯识学说、柏格森生命哲学、杜威实用主义和罗素新实在论的混合物,又可以说是封建主义思想和现代资产阶级主观唯心主义思想的大杂烩。在这种大杂烩的思想中,孔子的伦理思想占居主导地位,其中的资产阶级主观唯心主义思想,是用来附会孔子学说的(例如把孔子学说附会为直觉主义)。这就表明:梁漱溟的思想是带有买办性的封建主义思想,是十足的主观唯心论。

梁漱溟出身于三代中过举人或进士而作官的"世宦之家",幼承家学,读过古圣贤书,饱受了孔子思想的熏陶,成年时进过中学,读了保皇党梁启超的《新民丛报》等书,向往于西方的政治思想,主张君主立宪,民国初年又加入过国民党。但是清朝的覆灭和民国的成立,是和清朝的忠臣、梁漱溟的父亲梁济不相容的。所以民国成立以后,梁漱溟就谨遵父命,"奉亲家居,闭户读佛书",并且离开孔家生活去"做佛家生活"。由孔家生活转到佛家生活,这是和他那位专做孔家生活的父亲相抵触的,正如他自己所说,他当时成了他父亲的"悖逆"之子。1918年,他父亲梁济在昆明自杀,遗书说是为了以身殉清朝,殉纲常名教。梁漱溟因父亲之死,大受感动,思想上有了变化,一直经过了3年之久,才完全转变过来。这所谓转变,就是他所说的"搁置向来要做佛家生活的念头,而来做孔家生活"。从孔家到佛家,又从佛家到孔家,变来变去,原来不过如此。据我的考察,梁漱溟在这个时期由佛家到孔家,不仅是为了要跟着父亲走,实在还有其政治目的。我们知道,1917年十月革命前后,中国展开了新文化运动,许多进步人士,大呼打倒孔家店,反对旧礼教,主张民主与科学,特别是当时代表工人阶级的马克思主义派李大钊等人,宣传马克思主义,庆祝布尔什维克的胜利,都用马克思主义这个放之四海而皆准的普遍真理,来考察中国的命运,终于得到了"走俄国人的路"的结论。这一股新思想的大洪流,对于代表地主阶级的孔家店的梁漱溟,是感到郁闷压迫而难堪的,所以梁漱溟就挺身出来保卫孔家店,拥护旧礼教,反对科学和民主,特别是反对马克思主义,抬出孔子来对抗马克思。他的有系统的、反动的最初著作,就是《东西文化及其哲学》。值得一提的是,中国共产党是在1921年成立的,梁漱溟那本反动著作恰在这一年10月出版,这可以说,梁漱溟从我党成立之时起,就已和我党处于对抗的地位。

《东西文化及其哲学》是梁漱溟的主观唯心论的文化史观的叙述。这种主观唯心论的文化史观,是他的一切反动理论的根据和出发点。梁漱溟认定"意欲"是文化的源泉。他说:"你要去求一家文化的根本或源泉,你只要去看文化的根源的意欲,这家的方向如何与他家的不同,你要去寻这方向怎样不同,你只要从他已知的特异采色推他那原出发点,不难一目了然。"因此他说,东方文化和西方文化的根源都是意欲,它们的不同,只是由于意欲的方向不同。梁漱溟根据他的主观唯心论的观点,把西方文化、中国文化和印度文化,列成人类文化的顺次发展的三条路向:

第一条路向——西方文化,是以意欲向前发展为其根本精神的;

第二条路向——中国文化,是以意欲自为调和持中为其根本精神的;

第三条路向——印度文化,是以意欲反身向后要求为其根本精神的。

梁漱溟说,西方人在希腊时代走上第一条路向,到了中世纪黑暗时代走上第三条路向,到了文艺复兴时代以后,仍复回转头来走上第一条路向。在第一条路向中,西洋人的意欲是向前看的,即是"向外用力"的,所以他们竞逐于外物,必然要向前争取什么东西,即向自然界争取物资,向社会争权夺利。因为这样地去"争",所以西洋人能够征服自然,发展科学和德谟克拉西。但是到了现在,西洋人走的第一条路向,已经到了尽头,必然要走到第二条路向来。中国人最初没有走完第一条路向,从两千多年前以来,就跨进了第二条路向。中国人的意欲的方向,既不向前看,也不向后看,而是"向里用力",一切"反求诸己",所以"不争"。他们小竞逐于外物,即不向自然界争取什么,也不向社会争取什么,一切"安分知足,寡欲,摄生",随遇而安,自己的意欲发生矛盾,就能自为调和。因为"不争",因为"向里用力",所以科学和德谟克拉西都不发达。这是孔家生活的最宝贵的路向。在这第二条路向中,物质文明虽然不发达,而精神生活却优越于西洋人。至于第三条路向的印度文化,是意欲的方向向后看。印度人也是"向里用力"的,但和中国人的"向里用力"不同。印度人不谈现世的人生问题,而是要超脱人生问题,他"不像中国人的安遇知足,他是努力于解脱这个生活的,既非向前,又非持中,乃是翻转向后,即我们所谓第三条路向",这即是佛家生活的路向。印度不待走完第一和第二两条路向,早就进入了第三条路向,所以印度文化比较中国文化更为早熟。

梁漱溟自认"强不知以为知",本着"佛家思想"观察世界文化的发展,虚构出上述东西文化顺次发展的三条路向,说第一路向的西方文化即将进到第二路向的中国文化(即孔家生活),而在远的将来,更将完全进到第三路向的印度文化(即佛家生活)。于是,梁漱溟根据他虚构的世界文化发展的道路,提出他自己推测世界未来文化的变迁,因而提出他自己所持的态度,特别是对于中国文化的态度。他认为西洋人已经走完了第一条道路,"外面生活虽然富丽,而内里生活却贫之至于零",因此他们不能不走到第二条中国文化的道路上来。中国文化没有走完第一条道路就过早地走到第二条道路上来,所以"不合时宜",受了很大的"病痛",但时至今日,"不合时宜的中国态度遂达其真必要之会,于是也拣择批评的重新把中国人态度拿出来"。他排斥"印度的态度",认为"丝毫不能容留",而主张"对于西洋文化是全盘承受,而根本改过,就是对其态度要改一改"。依照梁漱溟的主张,第二条路的中国文化、孔家生活的态度要保持不变,在孔家生活的态度的基础上,"全盘接受"西方文化,把第一态度"含融在第二态度的人生里面"。若问要怎样在孔家的人生态度中含融西洋的人生态度? 什么人才能做到这一步呢? 梁漱溟说,这种工作,是要孔子所说的"刚者"来做。所谓"刚者"是一种"意志高强,情感充实"的人,也是具有"罗素所谓创造冲动"的人。这样的创造冲动含融了向前的态度。只有这样的人的向前的动作,不致竞逐于外物,才能"弥补了中国人夙来缺短,解救了中国人现在厌苦,又避免了西洋的弊害,应付了世界的需要",才能"适合于今世第一和第二路的过渡时代"。梁漱溟这些玄虚的谬论,就是说,中国的精神生活是孔家生活,现在很合时宜,因为西洋人快要走到孔家生活路上来了;中国的物质生活落后于西洋人,受了很多痛苦,现在要在孔家生活的基础上,"全盘接受"西方物质文化,加以改造,防止它的弊病。照这样,中国就可以"宁息累年纷乱,可以护持个人生命财产一切权利"。这样的运动是要靠所谓"刚者"来做的。可是这样的"刚者"是孔子生前所希望看到而没有看到的人,现在到哪里去寻觅呢? 依照梁漱溟的表现,好像他自己就是这样的"刚者"。但光是梁漱溟这样一个"刚者"要使全世界都走上"孔子的路"还是不济事的,这究竟怎么办呢? 梁漱溟最后提出了他的意见,说是"要如宋明人那样讲学之风,以孔颜的人生为现在的青年解决他烦闷的人生问题,一个个替他开出一条路来去走。……只有昭苏了中国人的人生态度,才能把生机剥尽死气沉沉的中国人复活过来,从里面发出动作,才是真动,中国不复活则已,中国而复活,只能于此得之;这是唯一无二的路"。梁漱溟这类荒谬的结论,是他的一切反革命的言论和行动的基础,他后来所主张的村治主义和所设立村治主义研究院,都是从这种结论出发的。

二

前面说到,代表地主阶级的梁漱溟从中国共产党成立之时起,就与党立于对抗的地位,他在第一、第二两次国内革命战争时期中,究竟干了一些什么反革命的勾当呢? 梁漱溟在这两个时期中的反革命的言论和行动,主要表现在《中国民族自救运动之最后觉悟》和《乡村建设理论》这两部反动著作中。他的前一反动著作在 1931 年出版,其主要目的是站在国民党一边,反共、反人民,并且提出了反动的村治主义的主张。他的后一部反动著作,在 1936 年出版,其主要目的是配合蒋匪帮的军事"围剿"来实行文化"围剿",他倡导了并且实行了反动的村治主义,进行了反革命活动。

梁漱溟和共产党是势不两立的。他在从第一次国内革命战争转入第二次国内革命战争的时期,认为共产党已无能为力了。他赞成蒋匪帮的"清共""剿共",并且毒骂共产党是"土匪"、"赤匪",说"共产党杀人放火和土匪差不多",甚至把共产党比作"禽兽",由此可见,地主阶级对共产党的阶级仇恨之深了。从此,他认为村治主义的主张已经成熟,就要拿出来实行了。

现在我们来批判梁漱溟的村治主义,指斥它的反革命的本质。村治主义是地主阶级依靠帝国主义和官僚资产阶级来加强压迫和剥削农民阶级的一种反革命的大阴谋,而外表上却带上了什么"主义"或"理论"的大外套。这里且先把它的大外套剥了下来,使它现出原形。

村治主义并不是梁漱溟的新发明,在梁漱溟倡导村治主义的时候,帝国主义及其走狗们早已在中国实行了村治主义。例如,美国大王出钱而由晏阳初主办的定县中华平民教育会,南京反动政府设立的农村复兴委员会,金陵大学技术改良派,军阀阎锡山实行的村政,河南大恶霸别廷芳实行的乡村自治,等等,都属于这一类,此外,上海的银行资本家以及各种反动的杂志和报纸发表的救济农村经济的论文也很多。为什么帝国主义者、官僚资本家、军阀和地主及其走狗们都要实行村治主义或复兴农村呢? 这是由于帝国主义、封建主义和官僚资本主义多年来对于农民的压迫和剥削以及它们所制造出来的天灾人祸,使农村经济陷于崩溃,农民已无力缴纳苛捐、杂税和地租,无力购买洋货了。特别是 1929 年世界经济大危机波及了中国的农村,使农村经济更趋崩溃,帝国主义、封建主义和官僚资本主义已经无法加重其对于农村的剥削了。这便是帝国主义及其走狗们所以要倡导村治主义或乡村建设的主要原因。梁漱溟的村治主义,和前面所提到的村治主义,基本上是相同的,所不同的地方只是梁漱溟替村治主义虚构了一套反动理论。下面我们来检查他那一套反动理论。

梁漱溟说,中国政治上的第一个不通的路,是欧洲近代民主政治的路。这就是说,在中国要像欧洲那样建立资产阶级民主的国家是不可能的。关于这一点,我们也是这样承认的。但我们的见解和梁漱溟的完全相反。我们说,当时的中国是半殖民地半封建的国家,是帝国主义、封建主义和官僚资本主义的反动统治的国家。在这样的国家中,民族资产阶级受着那种反动政权的压迫,却又和帝国主义和官僚资本主义有千丝万缕的联系。它一方面需要革命,另一方面却又害怕无产阶级起来革命而宁愿和反动政权相妥协。民族资产阶级由于具有革命性和软弱性,所以它不能领导中国的民主革命,而民主革命的领导权不能不落到无产阶级手中,这就是中国共产党所领导的新民主主义革命。和我们的见解完全相反,梁漱溟说,中国不能走上欧洲近代民主政治的道路,第一是由于物资条件的不合。这是因为中国人生活的"简单低陋"、"仅足一饱的人不能过问政治,忙于生计,心思不能旁用的人,不能过问政治",因为"交通太不发达"和"工商业之不发达"。第二是由于"精神条件的不合"。这是因为中国人的人生态度,受了孔子很深的影响,"向里用力",意欲自为调和,持中,安分"知足"而"不争"(不争权夺利),对己对人,主"诚",主"敬",主

"信",主"谦",主"礼",以理制欲,以义为利,总之,中国人的伦理道德观念很强,自古皆然,"江山易改,本性难移",再加以中国没有阶级对立,没有权利观念。这是中国的"民族精神"。至于西洋人则和我们的完全相反,所以他们实行民主政治,而我们却不能仿效,因为它是和孔子的人生态度根本不相容的。所以欧洲近代民主政治在中国"永不成功在精神不合"。地主阶级梁漱溟这一些荒唐悖谬的梦话,可以说是反动透顶了。

其次,梁漱溟说,中国政治上第二个不通的路,是俄国共产党发明的路。梁漱溟诬蔑马克思的唯物史观为机械观,说这种机械观在欧洲是适用的,在中国则不适用。他说欧洲的人生态度走着第一条道路,其意欲是"向外用力",所以造出了资本主义文化。因此欧洲社会有无产阶级和资产阶级的对立和斗争,"资本主义社会孕育了社会主义社会,于其成熟之期便脱出资本主义的壳而出现了社会主义社会"。他接着说,那种机械观不适用于中国。中国的人生态度早已走上了第二条路,其意欲是"向里用力",因而中国文化已不能进于资本主义,即不能进到无产阶级和资产阶级对立的地步。所以马克思的唯物史观不适用于中国。在欧洲,经济基础决定"上层建筑",在中国则是"上层支配了下层"。他的意思,用我们的话来说,在欧洲是社会存在决定社会意识,在中国,是社会意识决定社会存在。梁漱溟只认定:在欧洲,"资本主义的覆亡,社会主义的实现是历史的必然。……马克思乃至列宁本领的高处,就在能认取这客观的形势,窥见其中的枢纽机械,善为加工而运用之,除此以外,更无其他巧妙"。因此,他认为中国社会的"文化路数历史背影绝不相同,要想抄袭共产党的方法办党以造成一大革命力量"是不可能的,"借使各种各样的手段使用,此一大力量以胡乱凑拼而实现了,但要保证它不流于反动而断送革命前途,又如何可能?"

梁漱溟根据中国人的人生态度说明共产党的路走不通以后,就进而瞎说中国共产党所领导的革命,既没有革命对象,也没有革命动力,我们知道中国共产党所领导的整个中国革命运动是由新民主主义革命进到社会主义革命,争取社会主义社会和共产主义社会的完成。新民主主义革命是工人阶级领导的、以工农联盟为基础的反对帝国主义和封建主义的革命,这个革命的对象和动力是规定得非常清楚的,但是地主阶级梁漱溟却拥护帝国主义和封建主义而反对共产党,他说"中国无非是大贫小贫,原没有几个大资本家","近代产业工人甚少,靠他革命是靠不来的"。至于农民呢,他们都有土地,因为土地久已买卖自由,土地的集散转移很快,地主农民升沉变化无定。"再加以农民散漫非常,只有个人,不成阶级,将如何期望他们革命呢?"并且,农民蔽塞、顽固,"忍饥挨饿,垂死不怨"。他们是与革命无缘的。梁漱溟依照这样的胡说,就断定共产党没有阶级基础。其次,关于帝国主义,他说:"事实上,国际资本帝国主义者原重在经济侵略;我们受他侵略既深且久,固一面吃亏愈大,而一面愈依赖于他,好似吸鸦片烟一般,烟瘾愈深且久,身体愈伤,而愈离不了他,……反倒哀恳于他:请你还是侵略我罢!"照这样,梁漱溟是欢迎帝国主义来侵略的了。至于说到拥护那代表封建主义的军阀,他更异想天开。他说:"我们遍查中国国家法律制度没有军阀这一条文。……谁亦不能指得出军阀是根据何种制度而产出,是凭借哪部律条而存在。"他认为军阀的产生没有法律根据,大家没有承认他,他会自生自灭。因此梁漱溟说:"他不劳再否认,——因他并没有被承认。他不劳再推翻,——因他并没有建立。"这真是拥护军阀的妙论。梁漱溟依照这样的胡说,就断定共产党没有革命的对象。依照他的胡说,共产党的革命既没有阶级基础,又没有革命对象,它当然就不能存在了。于是梁漱溟就拿出那个反动的村治主义法宝来企图消灭共产党了。下面我们来检查他那个反动的村治主义的内容。

三

梁漱溟所以倡导并实行村治主义,其目的在于巩固反动政府对于农民的统治,加强地主对于农民的剥削,并配合蒋介石匪帮的"清共""剿共",企图消灭阶级斗争,消灭中国共产党。梁漱溟为了达到这个目的,就依据他在《东西文化及其哲学》中所说明的主观唯心论的文化史观,来虚构村治主义的反动理论。他故意歪曲中国的历史,断言秦汉以来的中国社会不是封建社会,而是什么"伦理本位""职业分立"的社会,企图证明中国社会是没有阶级的社会。他自鸣得意地认为中国社会既然没有阶级,当然不能有阶级斗争和阶级革命,因而就不能有中国共产党的存在,其用心是非常反动毒辣的。

毛泽东同志在《中国革命与中国共产党》中指示我们,中国自周秦以来直到鸦片战争,一直是封建社会。在这种社会里,地主阶级拥有大部分土地,农民则很少土地,甚至完全没有土地。农民耕种地主的土地,地主向农民剥削地租。封建社会的主要矛盾是农民阶级和地主阶级的矛盾。封建国家是地主阶级压迫农民阶级的国家。这是很明白的。

可是,代表地主阶级的梁漱溟却要做翻案文章,硬说秦汉以后的中国社会不是封建社会,即不是阶级社会,而是无阶级的社会,即所谓"伦理本位,职业分立的社会"。何谓"伦理本位的社会"?依照梁漱溟说来,这就是以君臣、父子、兄弟、夫妇、朋友等伦理关系为本位的社会。这类伦理关系就是情谊关系,推广起来,由亲及疏,由近及远,就包含着师徒、东伙、邻右、同侪、同里、同乡等关系在内。社会中的一切人,都是由亲谊、族谊、戚谊、友谊、世谊、乡谊等情谊结合起来的。至于皇帝,则是老百姓的大哥(邦君宗子),是老百姓的朋友,皇帝和官吏同是老百姓的父母,他们"爱民如子"。这样的社会俨然是一个伦理关系的大家庭,而人对人都有其道德的义务,如君要有礼,臣要尽忠,父要慈,子要孝,兄友弟恭,夫妇和顺,朋友要信之类,真是一个很理想的社会了。其次,何谓"职业分立的社会"?依照梁漱溟说来,伦理本位社会中的人们分为士、农、工、商四种职业。他把阶级解消于职业之中。例如士是读书人,即知识分子,他们是分属于地主和农民两个阶级的。"朝为田舍郎"则属于农民阶级,"暮登天子堂"则属于地主阶级。但梁漱溟却把属于两个阶级的知识分子浑称为"士",又把地主和农民两个阶级浑称为农,地主也是农民了;其次又把手工业的店东和职工两个阶级浑称为工,把商业资本家和店伙两个阶级浑称为商。不但如此,他还把官僚列入士的职业。推广起来,皇帝也是士,因为他也读书;皇帝也是农,因为他"亲耕籍田"。皇帝和官僚都是职业,老百姓也有职业,人人各安生业。照梁漱溟这样说来,在所谓"伦理本位,职业分立的社会"中,"自天子以至于庶人,一是皆以修身为本",人人都是道德家,人人都有职业,岂不是很理想的社会吗?不单如此,梁漱溟还发明了这样的社会在经济方面是实行共产的,如说:"夫妇、父子共财,乃至祖孙、兄弟等亦共财。若义庄、义田一切族产等亦为共财之一种。兄弟乃至宗族间有分财之义,朋友间有通财之义。""我们可以看出中国社会,其经济结构隐然有似一种共产。"梁漱溟的用意是在于说明中国社会已在实行着共产,何劳共产党再来实行革命呢?梁漱溟还发明了旧日的国家是没有统治阶级的国家,说那种国家是"一人在上万人在下的局面",皇帝真是"孤家寡人",至于官僚群,则都是士人出身,在朝时爱民如子,在野时与士农工商站在一边。在这样的国家中只有皇帝一个统治者,没有统治阶级,而那些被统治的士农工商却又是皇帝的子弟,真像是天下一家。因此,梁漱溟说:"中国向来是无国家的国家;中国向来以无政治为政治。"他因而断言,在这样国家中,人民"太自由",皇帝"太不自由"。皇帝必须"兢兢业业好生维持,此时他不能与天下人为敌,只能与天下人为友",他必须"小心地勉励着向里用力,约束自己不要昏心暴气任意胡为⋯⋯这社会是何等巧妙的结构!真成了一个自天子以至于庶人壹是皆以修身为本之局"。梁漱溟把历代的专制独夫比圣人,真是奇谈与怪论。他还提出圣人般的皇帝不是用法律统治的,而是用礼浴统治的。这又在说梦话!历代专制皇帝所制定的律例,多如牛毛,那些镇压老百姓的严刑峻法(如所谓墨、劓、髡、宫、大辟、刖足、靳左右趾、断舌、腰斩、弃市、凌迟、笞、杖、流、诛三族、夷九族等),不胜枚举,梁漱溟为什么不提到呢? 总起来说,梁漱溟这一切荒谬的言论,主要是企图证明秦汉以来的中国社会不是封建社会,而是所谓伦理本位职业分立的无阶级的社会,来反对共产党所领导的阶级斗争,并用来作为反革命的村治主义的理论根据。

梁漱溟所憧憬着的理想的社会秩序,由于辛亥革命的爆发和满清皇朝的覆灭,一去不复返了。接着到来的是袁世凯的反革命和北洋军阀的混战,其次是第一次和第二次国内革命战争,还有国民党反动派内部的军阀混战。梁漱溟不辨黑白地把军阀混战叫作"乱",把辛亥革命和第一、第二两次国内革命战争也叫做"乱"。他认为这些"乱"的根本原因是旧的理想的社会秩序的崩溃而不能恢复起来。为什么旧的理想的社会秩序不能恢复呢? 这是由于"向里用力"的中国文化,接触到"向外用力"的西洋文化,即第二条路的人生态度接触到第一条路的人生态度,因而引起了很大的变化。伦理本位推翻了,首先"忠君之义打消了","父子、兄弟、朋友之间都处不合适",旧的道德完全变到反面来,"权利心重,义务念轻",社会风气完全变了。他很责备士人不能安分守贫而逐于外物,以搞钱为能事,特别是他们不知道"中国社会的组织构造为伦理本位,义务关系与西洋根本不同;……因缺乏考虑,很快地接受了西洋文化,此即中国社会破坏的开端"。梁漱溟经常埋怨辛亥革命是留日学生带头搞出来的,共产党革命是留俄学生带头搞出来的,结果,在他看来虽然碰了壁,却把他所向往的理想的旧社会破坏了。他为了"解决"中国问题,"拯救"中国民族,经过多年的苦心焦虑,就造出了一种在中国孔子的人生态度上来含融并改造西洋人生态度的理论来,结果,他从帝国主义走狗那里找到了现成的村治主义拿来实行了。

梁漱溟供称,他实行村治主义的基本目的,是在于消灭中国共产党。他认为"中国共产党的作为实是中国的一种农民运动。……要想消除共产党的农民运动,必须另有一种农民运动起来替代才可以。我们的乡村组织除了一面从地方保卫上抵御共产党外;另一面就是我们这种运动是农民运动的正轨,可以替代共产党"。他又说,只有他们的农民运动,他们的乡村建设运动,才可以消灭共产党。梁漱溟很坦白! 他们的农民运动确实和我们的农民运动不同,但要靠他们那种农民运动来消灭共产党,却是一场幻梦。

梁漱溟的农民运动或乡村建设运动,具有下面几个特点:

第一,他们的农民运动是帝国主义为他们留下了中国乡村地盘给他们搞的,不但与帝国主义无碍,帝国主义反而肯出钱怂恿他们去搞;

第二,他们是站在蒋介石匪帮政府一边,在军阀韩复榘的地盘内"改造农民",他们与"农民处于对立地位","与农民应合而合不来";

第三,土地制度不能变更,土豪劣绅不能打倒,苛捐杂税不能免除;

第四,他们搞农民运动的经费是军阀韩复榘支给的。军阀也是村治主义者,他们与军阀"彼我根本不可分"。

从上面四点来看,可以知道,梁漱溟的农民运动,确实和我们的完全相反。我们的农民运动是无产阶级领导农民阶级的革命战争,他们的农民运动是地主阶级依靠帝国主义和反动政权来压迫农民的运动。

其次,我们来检查梁漱溟的乡村组织和乡村建设的内容。梁漱溟说他的乡村组织有一个组织原理,这组织原理就是所谓"新礼俗"。他的新礼俗"就是中国固有精神与西洋文化的长处二者为具体事实的沟通调和"。他所说的"中国固有精神"即是孔子的伦理学说,他所说的西洋文化长处则是法西斯学者狄骥的"社会连带说",因而他所说的新礼俗即是孔子伦理学说和狄骥社会连带说的混合物。这个新礼俗,据说也是他的新社会组织构造的新秩序。

梁漱溟的乡村组织,除了所谓新乱俗的组织原理以外,还有所谓具体组织的新乡约。他的新乡约据说是就清朝陆乔亭的乡约加以补充修改而成的。陆乔亭的乡约分为社学、保甲和社会三部分,他的新乡约则分为教育、政治和经济建设三部分。

第一,关于教育的部分是举办乡农学校。乡农学校的构造分为校董会、校长、教员和学生。校董会和校长由豪绅地主充任,教员是村治主义知识分子,学生则多是地主富农的子弟。乡农学校所教的科目是国民党的党义;反动政府的现行法令;军事训练、拳术;资产阶级的政治学、经济学、农村经济、信用生产消费各项合作等。学校的基本精神是新礼俗。可以想见,这种学校训练出来的人,准是地主阶级的爪牙。

第二,关于政治的部分,主要地是征集壮丁,由豪绅地主组成武装队伍,用来"抵御共产党",镇压农民,并为军阀提供炮灰。因为乡农学校一面是民众训练机关,一面是下级行政机关,执行反动政府"要壮丁、要枪支、派差派款"等"一切苛虐命令"。

第三,关于经济建设部分,主要地是搞合作。在土地制度不彻底改革的前提下,贫雇农怎能和地主富农搞生产合作?岂不是废话!?至于地主富农搞的消费合作,只能加强对于贫雇农的剥削。另外,就农产物加工的那种手工业生产合作,也只有地主富农才能搞得起来,与贫雇农无缘。地富搞的信用合作,是可以吸收都市银行资本家的放款的,但放款一到地富手里就变成高利压榨中、贫农的工具。还有什么采用科学技术改良农业的计划,也只有地富才能做。如果地富真能实行这样的计划,农村生产力或者可以增加,但问题又来了,地富对贫雇农的剥削加重了,反动政府对农民的苛捐杂税加重了,由于原料输出与洋货输入,帝国主义的侵略也加强了。所以梁漱溟的农村经济建设的计划,恰恰成了奴役农民的计划。

值得一提的是,梁漱溟所得意的"从农业引发工业"的谬论。梁漱溟认为中国的工业受外国的压迫最重,农业受外国的压迫较松,是比较可以活动的,所以中国经济"要凭借农业谋翻身"。因为工业生产缺乏"资本"和"动力",

而市场又为外国人的倾销政策所侵占,所以要先发展工业生产是不可能的。至于农业的根基雄厚,"要翻身,这里比较是个凭借"。因为土地和人工都是现成的,"农业生产富于自给性",不愁没有销路。所以恢复和增进农业生产力比较"切近而容易"。所谓"要凭借农业谋翻身",就是"从农业引发工业",可以促进中国"工业化"。因为要恢复农业生产力,必须采用进步的技术来经营,这就要求"科学化"和"工业化"。"在农业前进程中,许多工业自然相缘相引而俱来。例如从土壤肥料等农业化学上问题,而引出化学工业;从农具农业机械工程,又引出机械工业等;从农产加工农产制造,亦将引出许多工业。诸如此类,都是相因而至的。更要紧的是生产力抬头,一般购买力从而增进,自有许多工业因需要之刺激而兴起。……从农业引发工业,更从工业推进农业;农业工业叠为推引,产业乃日进无疆。"这些话,就是"从农业引发工业"论的要点。但是要问:工业怎样建立?梁漱溟答说要由乡村的合作社来经营(这实际是地主富农来经营,前面已经说穿了)。再问:乡村的那种工业还只是合作社的手工业,至于那些大规模的工业由谁来举办呢?梁漱溟答说,这要"由地方团体经营,有的更由国营"。他所谓地方团体大概是指军阀的地方团体,所谓国营那就是蒋介石买办集团的国营。可是历史的事实很明白,蒋介石买办集团不但不兴办工业而且是破坏工业的,它只是替帝国主义者在中国贩卖商品并收买原料,只是发行纸币收兑金银和美钞,准备到美国做白华。至于帝国主义者则依靠这个买办集团大量倾销商品,低价收购原料,使中国农村更陷于破产。在帝国主义和买办集团统治下的中国,农村能够复兴吗?农业能够引发工业吗?若果依照村治主义做去,中国只有更加殖民地化,只有亡国。可以断言:村治主义就是亡国主义。

梁漱溟所实行的村治主义,正如他自己在"我们的两大难处"之中所说,是"挂羊头卖狗肉",是欺骗的,因而他所顾虑的一种"危机"终于到来了!抗日战争发动以后,梁漱溟就离开山东村治主义根据地,离开那些乡农学校校长逃到安全地带去了,不久,韩复榘便把梁漱溟派所预备好了的几千壮丁和枪支带走了;另一方面,含恨已久的农民们就起来把那些乡农学校校长打死了。村治主义完蛋了!梁漱溟的反革命真面目被揭穿了!

四

梁漱溟不甘心于村治主义的破产,在抗日战争时期,仍然要找机会宣传并实行其村治主义。他为了这个目的,仍然是反共反人民,拥帝拥封建。他在《答乡村建设批判》中仍然主张"军阀不能成为革命的对象",因为"军阀不凭借于法制、道德和宗教的维护,它是不倒翁"。对于帝国主义,他说:"打倒帝国主义,只可作一口号来倡说,临到事实上,我们并不以武力向帝国主义者进攻。……尤其是反帝反封建同时并进,一齐以武力反抗,为绝不可能之事。"这是他在抗日战争时期说这番话的。他在"告山东乡村工作同人同学书"中还分析过日帝国主义者侵入中国的原因,一半是由于国民党政府打内战和贪污腐化,一半是由于共产党的革命战争。"虽所犯错误不同,而其误国无二"。他反对共产党的武装斗争。他说:"共产党之所为,实不认识中国革命之本质,过分估计中国的阶级问题,滥用其破坏、斗争的手段。……共产党殆仅仅靠军事来挣持党的生命,而在政治上则是失败的。……吾人祝望中国共产党继续争取政治上的成功,今后再不要靠军事来维持党的生命。"这一段话,据说是他到延安时对毛泽东同志谈起的,至于毛泽东同志怎样驳斥他,他却不曾提起。我们知道,用"武装的革命反对武装的反革命"是中国革命的特点和优点之一。武装斗争、党的建设与统一战线是中国共产党领导革命的三个主要的经验。在半殖民地半封建的中国,"离开了武装斗争,就没有无产阶级的地位,就没有人民的地位,就没有共产党的地位,就没有革命的胜利"①。梁漱溟希望共产党放弃武装斗争,就无异于希望共产党的不存在,其用心是很毒辣的。

梁漱溟仆仆风尘,奔走国事(?),他得到蒋匪帮的允许,曾经两度飞往延安、冒充调人,实际上是做说客。他去延安,只为了两件事,一件是劝告共产党放弃武装斗争,即对于蒋匪的"剿共"不加抵抗;一件是宣传他的抗战建国和"革命的建设"的主张。梁漱溟是孔家店的人,是反对抗战、反对革命的,他所

---

① 《毛泽东选集》第二卷,人民出版社1952年版,第600—601页。

注意的事情是他来建国,他来建设。他说,"国民党——建设而不革命;共产党——革命而不建设",因此,他认为共产党的误国,和国民党的误国相同,只有他梁漱溟才能做"革命的建设"。这话全是胡说。国民党反动派是破坏建设而反对革命的,只有共产党是既能革命而又能建设,这完全是历史的事实,岂容梁漱溟歪曲!至于梁漱溟本人在山东的反革命罪行,山东的农民已经给他下了判决,他还有何面目来奢谈亡国的村治主义的建设呢?可是他却认为在山东还不曾达到亡国的目的,还要一显身手。他认为在山东的失败,是由于缺乏团体组织。他认为只有村治主义"能完成中国革命,不如是之建设即背乎革命之理由",因为要完成中国革命,只有"从农业引发工业的建设,……而农业在农村";要"从民众做功夫,……而民众在乡村";要"使社会有重心……而重心在乡村"。这样说来,抗战以后要谈建设,就只有由他用村治主义来领导了。他依据这样的自信,就写信给山东的同人同学,想把大约4000人的信徒组成一个团体,准备做那种建设工作。同时,梁漱溟自己就着手写《中国文化要义》,以便再一次挂起羊头卖狗肉,贯彻亡国主义的目的。

日本投降后,共国两党的和平民主谈判开始了,蒋匪帮为了实行缓兵之计,以便集中兵力来对付共产党,还召集了包括各党派的政治协商会议。在这一段期间,梁漱溟混迹于民主战线之中,冒充中间人,实际上是站在美蒋匪帮一边的,是"伪君子""真小人"。他对于蒋匪帮向共产党提出的苛刻的条件,认为是对的,总是劝共产党忍受让步。特别是当苏北解放区实行土改时,他质问共产党的代表说:"你们搞土改,为什么事先不通知我?"好像我们搞土改要经过他梁漱溟批准似的,真是狂妄至极!狐狸的尾巴终归是要暴露的,当他出卖共产党、出卖民主战线而向蒋匪帮上那不可告人的条陈以后,他的假面皮终于被撕破了。他在南京站不住,就回到重庆北碚写《中国文化要义》去了。事后他说"此最后一谈之失败,实失败在我手里,深感负疚无穷"。这便是他自己的供状。

梁漱溟住在北碚,坐观成败。他是幻想着蒋介石匪帮定会大获胜利的,因而他的村治主义又可以在蒋匪帮统治之下推行,所以他才专心写他的《中国文化要义》。但中国革命发展的规律打破了梁漱溟的幻想,到了1948年,胜利的一方却落在共产党和人民群众这一方面,蒋匪介石下台,李匪宗仁上台,新的"和平谈判"开始了。这个时候,梁漱溟感到大势已去,眼见得国民党的统治也要垮台了,因此他想出来急救国民党一番,就在1949年年初发表下列三篇文章。其一,他在《过去内战的责任在谁?》中说:"我写此文,意在说明两点:第一,过去内战的责任不在中国共产党。第二,今天好战者既已不存在,全国各方应该共谋和平统一,不要再打。"我们通观全文的用意,就是要共产党停止革命,不要把革命进行到底,让蒋介石匪帮整理大江以南的军队来抵制共产党,以便延长国民党的统治。过去蒋匪帮进攻人民,进攻长春、安东和张家口,梁漱溟只是劝共产党让步,现在看到蒋匪军的崩溃,他却出来摇手,叫共产党"不要再打"了,并且说好战者蒋介石已经下野,对象已不存在,还打什么?他还用一顶大帽子来压人,说"谁的力量大,谁对于国家的责任也大。谁不善用他的力量,谁就负罪于国家"。这就是说,共产党如果此时还打,不为国民党保存在大江以南的实力,就对不住国家,就要负内战的责任。梁漱溟要替国民党反动派延长生命的用意是再明显不过了。其二,梁漱溟在《和谈中一个难题》中,先是劝共产党不要惩罚战犯,只把那些战犯加上"幽厉"的谥法就得了。他的主要用意是要保存国民党。他说:"今天为国家设想,不应当让国民党完全垮台;相反地,应当盼望它再兴。但党内党外有资望之国民党员,简直没有一个干净无疵之人。"他说,只有顾孟余有资格,要请李宗仁推崇他。他的意思好像是说,顾孟余是"够资格"的党内的国民党员,他本人则是老牌的国民党员,但在1924年改组以后他没有登记,只可算是党外的国民党员,如果国民党再兴,"舍我其谁"。其三,他在《敬告中国共产党》中,措辞更为反动,他认为当时的人民解放战争,是共产党滥用武力,不是革命,而是作乱。他说:"殊不知今日之事,若说作革命,那只是一种宽泛不甚恰当的话。假如你承认这方是革命,就应该承认对方是戡乱。"他还说,他反对共产党滥用武力,以武力求统一,"我担保不会稳定,即统一必不久"。这些话,可以说是荒谬绝伦!但是,他在这篇文章中,却为自己留下了投机地步,他要求共产党容纳他这个"异己"分子,要求作共产党的一个"诤友"。梁漱溟过去做过国民党的"诤友"的,现在他要做共产党的"诤友"和"异己"分子了。要做党的"异己"就是要做党的反对者,做党的"诤友"就是要做党的批评家,梁漱溟的狂妄自大,可想而知。但是党和毛主席毕竟大度包容,本着对于知识分子的政策,不咎既往,容纳了他这个"异己",至于要做党的"诤友"他是不够资格的。

五

中华人民共和国成立以后的一个月即 1949 年 11 月,梁漱溟又一本反马克思主义的新著作《中国文化要义》出版了。这本书的"自序"注明"三十八年双十节漱溟自记"字样,孔家店的人是否含有"不奉正朔"之意,且不去管它。他在"自序"中自认是一个有思想而且是根据自己思想而行动的人,并且希望别人恭维他"是一个思想家同时又是一个社会改造运动者"。他还自命不凡地夸称他的思想见解的高超,说:"至于今日,在见解思想上,其所入愈深,其体系滋大,吾虽欲自昧其所知以从他人,其可得乎?"但我们看看他那本书的内容,仍然是过去几本书见解的复述,仍然是宣传中国社会是"伦理本位、职业分立"的社会,是无阶级社会,思想见解仍是老一套,并不曾添加什么新的东西,而梁漱溟却把这本反马克思主义的"新"著作拿到中华人民共和国来宣传来行动了。

1950 年,梁漱溟静观当时的天下大势,认为中国共产党和人民政权大约不会倒了,于是就离开四川到了北京。投机迟了一步。他原想加入中央作大官,以便大行其志,后来被推荐为中国人民政协全国委员会委员;他曾请求设立研究村治主义的机关,后来得到了很多"小米",由他自己进行研究。他对于抗美援朝运动是不赞成的,所以拒绝做抗美援朝总会的工作。从他当时的情绪说来,他还是自居于"异己"分子之列的。

1951 年 10 月 5 日,梁漱溟的《两年来我有了那些转变?》的文章在《光明日报》上发表了。他这篇文章受到了许多人士的批评,却博得了台湾蒋匪帮的称赞,说他是"大陆上唯一有骨气的人"。他这篇文章的性质如何,可想而知。这里我只就他那篇文章指出六点来。

第一点,梁漱溟说他"从清末参与辛亥革命",这句话和他在别的著作中所说的不符。辛亥革命那一年,他只有 17 岁,大概还在中学念书,他曾说当时是赞成君主立宪派的,民国初年才加入国民党,并且"奉亲家居"了,可见他并不会参加辛亥革命。那种诳话,姑且存而不论。

第二点,他说他对于中国问题的认识筑起了一个体系,"而我的行事又必本于自己之所知所信,不苟同于人,既好几十年于兹,说思想转变这句话,谈何容易?"这几句话是真的。顽固了40多年的人,到老岂容易转变?

第三点,但是他认为"共产党以阶级斗争解决中国问题",使他反对阶级斗争的见解"得到修改",他接着说:"不过点头的自是点头了,还点不下头来的,亦就不能放弃原有意见。"梁漱溟"点头"和"点不下头来的"地方,究竟在哪里,他并没有明白地说出来。直到这时,梁漱溟还是确认秦汉以后的中国社会不是阶级社会,只有"大贫和小贫"或"富和贫"之分,但共产党却"以阶级眼光观察中国社会,以阶级斗争解决中国问题。我现在觉悟到尽管中国社会有其缺乏阶级的事实,仍然要本着阶级观点来把握它,才有办法"。他所谓"点头自是点头"的地方,大概是说,共产党在没有阶级的中国社会故意制造阶级和阶级斗争,进行革命,因而取得了胜利。至于他所说"点不下头来"的地方呢,依照他的意思来说,就是共产党尽管在中国制造了阶级和阶级斗争,而中国还是缺乏阶级的。他那篇文章的主要论点,是集中于中国有没有阶级这个问题。一方面对于共产党制造阶级是"点头"的?而对于中国社会是阶级社会这一点,他是"点不下头来的"。

第四点,梁漱溟反对别人向他"宣传革命","宣传唯物"。他说:"我何尝不革命?我未尝不唯物!"我想这两句话中的"革命"二字之上漏写了一个"反"字,"物"字是"心"字之误,这是从前面的论断推想出来的。

第五点,梁漱溟在说明他的思想有了某些改变时,同时还宣传了他的反马克思主义的村治主义,企图使某些读者看了,会觉得村治主义还是有道理的,例如反动派张东荪,例如他的4000多同人和同学,还有他当年的朋友们。

第六点,梁漱溟最后有一句话值得指出。他说:"今后我做群众运动,首先要改的就是'我来领导'那个观念。"这"我来领导"四字,值得注意。梁漱溟在参加文化"围剿"的年代,是曾经代表地主阶级向共产党争夺农民运动的领导权,并且和军阀在山东演过压迫农民的罪行的。现在他说要放弃"我来领导"的观念了。他真的放弃了那个"观念"了吗?看下文便知。

总起来说,梁漱溟这篇文章的用意,就是说:关于解决中国问题的方法,你们共产党有一套,我梁漱溟也有一套,现在你们那一套成功了,但我这一套

“亦就不能放弃”。

1953年8月，在人民政协全国委员会常务委员会扩大会议席上，党提出了过渡时期总路线和实行计划经济建设的问题。这时候，梁漱溟以所谓“诤友”的资格发言了。他说建国是他多年的愿望，并且有了一套计划。他要求党把建设计划拿出来给他看，好像要由他来审查一下似的。他反对社会主义工业化，特别是反对集中主要力量发展重工业。他主张首先发展农业，改善农民生活。被打倒了的地主阶级又要来代表农民了。他说，共产党在乡村的时候，依靠农民，进到城市以后，就依靠工人，把农民抛弃了，现在“工人生活在九天之上，农民生活却在九地之下”了。于是他又抬出了“凭借农业谋翻身”和“从农业引发工业”的村治主义路线来。梁漱溟“我来领导”的观念又出现了，地主阶级要来领导社会主义建设了。孙悟空有七十二变，变来变去，一根尾巴变不了。梁漱溟也是一样，变来变去，地主阶级的尾巴终于暴露了出来。我们党在过渡时期的总路钱，是马克思列宁主义的路线，和反动阶级的村治主义路钱完全相反。我们要逐步实现国家的社会主义工业化，逐步实现对农业、手工业和资本主义工商业的社会主义的改造。只有实现这个总路线，才能在我国建成社会主义社会。这个总路线，现在全国人民都完全懂得，并且都在努力为它的实现而斗争。若依照村治主义路线走去，就会永远地只有手工经营的、分散的个体小农业，而没有国家工业化、国防现代化和农业集体化，我们不但在经济上将回复到过去半殖民地半封建状态，而且在政治上就有亡党亡国的危险。村治主义是亡国主义，我们是绝对排斥亡国的村治主义的。至于梁漱溟所说“农民生活在九地之下”的话，更是瞎说。根据报纸历年所发表的调查统计资料，全国农民生活的水平，普遍地逐年地提高了（这只要看看陈云副总理《关于粮食统购统销问题》的报告和农业部长廖鲁言的《为发展农业的生产和实行农业的社会主义而努力》的报告，就可以完全知道）。当然，农民生活水平逐步的提高，还有赖于生产力水平的逐步提高。梁漱溟说那番话的时候，他自己曾经到农村调查过没有？特别是到过他当年做过“好事”的山东那些农村调查过没有？那些地方的农民生活比解放以前提高了没有？我想他是不曾去调查过，也许是根据他过去要好的地主们的报告说那番话的。可以说，他是代表过去的地主说话的。“诤友”的“诤言”不是善意的，而是挑拨离间，企图破坏社会主义事业,破坏工农联盟,破坏统一战线。

梁漱溟原是孔家店的人,应当"向里用力",正心,诚意,修身,安分知足,意欲自为调和而"不争"。可是,他偏要在"第二人生态度"上去含融"第一人生态度",要"向外用力",要"争","争"革命倾导权,"争"农民运动领导权,又"争"社会主义建设领导权。为了要"争",就只有反共,反人民,即反革命。梁漱溟为什么既要"向里用力",又要"向外用力"呢?道理很简单:一是他是代表地主阶级的人,必然要具有孔子的人生态度;二是半殖民地的地主阶级是投靠于帝国主义的,他不能不接受他所说的第二人生态度。"向里用力"和"向外用力"两种意欲方向的结合,反映了地主阶级和帝国主义的结合。而地主阶级和帝国主义都是反共反人民的。这些便是梁漱溟多年来一贯反革命的阶级背景和理论基础。

在百家争鸣的政策下怎样对待
资产阶级的哲学和社会科学

（1956.9）

人类的知识史，好比一株活生生的知识树。在几千年漫长的岁月里，它发芽、滋长、开花、结果，但也开出许多虚花，生过许多赘疣。自从无产阶级掌握这株知识树以后，就用科学方法来培养它，摘去了那些虚花，切除了那些赘疣，使它吸收一切积极的有益的养分，排除一切消极的有害的毒素，所以它能够一年比一年地开出更灿烂的花，结成更丰盛的果。马克思主义的知识宝库，正是这样成立起来、丰富起来的。

列宁在《马克思主义的三个来源和三个组成部分》中，说明了"马克思学说是人类在 19 世纪所造成的那些优秀成果，即德国哲学、英国政治经济学和法国社会主义的当然继承者"。从这里可以知道，马克思主义与过去的哲学和社会科学是有一定的继承的关系的。但是这种继承关系并不是无条件的、无批判的。马克思是坚决地站在无产阶级立场，捍卫唯物主义，批判唯心主义的。他从德国古典哲学中取出辩证法，放在唯物主义基础上加以改造，并综合自然科学上的成就和社会实践的经验，创造了唯物主义辩证法，进一步把它应用于历史的领域，创造了历史唯物主义，给予了工人阶级一个伟大的认识工具。他从古典的政治经济学中，继承了劳动价值论，"严谨地论证并一贯发展了这一理论"，并进一步揭露资本主义制度的本质，创立了剩余价值论，因而暴露了资本主义社会发生、发展及其没落的规律，给工人阶级指出了奋斗目标。他从法国社会主义中，肯定空想主义者要消灭资本主义社会创造新世界的见解，批判他们劝导富人停止剥削来创造好制度的幻想。因此，他阐明了资本主义雇佣奴隶制的本质，指出了工人阶级是创造新社会的社会力量，因而创造了阶级斗争论和无产阶级专政论,作为工人阶级革命斗争的理论与策略。马克思主义与过去的哲学和社会科学的继承关系,就是这样。

说到这里,或许有人要问:在马克思主义出世以后,资产阶级的哲学和社会科学中,有没有进步思想或合理成分可以添加到马克思主义的知识宝库之中呢? 关于这个问题,首先应当从资产阶级的哲学和社会科学演变的过程来说明。

在资本主义上升的时代,资产阶级确实发表过许多进步思想,反映过客观真理的。如同反对封建制度和宗教迷信的 18 世纪法国唯物主义者、19 世纪初期费尔巴哈主义者和黑格尔左派,"奠定劳动价值说的始基"的亚当斯密和李嘉图,承认阶级斗争是了解法国历史关键的法国复辟时代的历史家等,都是显著的例子。但是到了资产阶级掌握了国家政权,无产阶级登上政治斗争的舞台,而马克思主义成了各国无产阶级革命行动的指南以后,资产阶级的哲学和社会科学就开始向后倒退了。特别是到了帝国主义和世界无产阶级革命的时代,这种向后倒退的征象非常显著。资产阶级哲学家坚决放弃唯物主义,崇奉唯心主义并向唯物主义进攻。资产阶级唯心主义哲学,倒退到不可知主义和怀疑主义,倒退到贝克莱主义,倒退到中世纪神学的奴婢地位。这类唯心主义哲学的流派很多,有新康德主义(把康德哲学中反动的主观唯心主义成分拼凑而成的体系)、新黑格尔主义(把黑格尔哲学中反动方面作为原理的基础)、意志主义(主张意志第一性,意志是世界的创造者)、直觉主义(主张非物质的"纯绵延性"是万物的基础,实际所谓"纯绵延性"只是精神的别名,它以神秘的直觉能力来反对理性的逻辑的认识)、经验批判主义(主张主观经验的第一性)、实用主义(经验主义的变种,实际是贝克莱主义)等等。这一类哲学是玩弄着新术语的诡计,利用着经院哲学的垃圾堆来宣传唯心主义,它们都是帝国主义的御用哲学。它们的共同目的是:在思想上反对马克思主义哲学,在政治上拥护帝国主义压迫无产阶级和劳动人民,奴役被压迫民族的政策。它们都是辩证唯物主义的死敌。试问这一类哲学还有什么进步思想或合理的成分可以采入马克思主义的知识宝库么?

其次,我们来检查资产阶级的社会科学,首先说起资产阶级的经济学。马克思在《资本论》的"第二版跋"中说:

法英二国的资产阶级,都已经夺得了政权。从此以往,无论从实际方面说,还是从理论方面说,阶级斗争都愈益采取公开的威胁的形态。科学的资产阶级的经济学之丧钟,敲起来了。从此以往,成为问题的,已经不是这个理论还是那个理论合乎真理的问题,只是它于资本有益还是有害,便利还是不便利,违背警章还是不违背警章的问题,超利害关系的研究没有了,代替的东西是领津贴的论难攻击;无拘束的科学研究没有了,代替的东西是辩护论者的歪曲的良心和邪恶的意图。

马克思在 1873 年所写的批判资产阶级经济学的这一段话,对于那个时候以后的资产阶级的各派经济学也是完全适用的,对于资产阶级其他各种社会科学(如社会学、历史哲学、政治学等等)也是适用的。资产阶级的社会科学的总的精神,就是用"歪曲的良心和邪恶的意图,"来辩护资本主义的社会制度,拥护资产阶级对无产阶级和劳动人民的压迫和剥削,"超厉害的研究"是没有的,"无拘束的科学研究"也是没有的。

我们对于资产阶级的哲学和社会科学应当采取怎样的态度呢?列宁在《唯物主义与经验主义》中替我们解答了这个问题。他说:

大体说来,经济学教授们无非是资产阶级的有学问的管事;至于哲学教授们不过是神学家的有学问的管事。马克思主义者在哲学上和经济学上的任务,就在要善于汲取和改造这些"管事们"所作出的成绩(例如,如果不利用这些管事们的著作,你们就不能在研究新的经济现象上前进一步),——并且要善于排除他们的反动倾向,善于坚持自己的路线,并且跟敌视我们的势力和阶级进行全线的斗争。

列宁在这里针对资产阶级经济学所说的话,对于资产阶级的其他社会科学也是适合的。

哲学和社会科学,在现代社会中是一些有党派性的科学,是理论上阶级斗争的阵地。在哲学战线上,辩证唯物主义者必须对资产阶级唯心主义作无情的斗争。至对于资产阶级唯心主义者们在其著作中所列举的事实资料,我们必须谨慎地挑选,因为他们所列举的事实大都对于他们自己的观点有利的,甚至是伪造的,我们不能盲目地采用。其次,他们之中,也有人做过一点研究工作的,如果他们的研究对科学确有贡献,我们应当肯定。例如罗素、怀德海等人对于两三百年间发展起来的数理逻辑的研究是有成绩的,我们肯定它,但对于他们把研究所得的结论来支持他们的唯心主义这一点,我们是要坚决加以驳斥的。数理逻辑和资产阶级唯心主义是两样东西,我们所批判的是资产阶级唯心主义而不是数理逻辑。我们只是倒掉脏水,并不倒掉婴儿。

在社会科学战线上,马克思主义者,要对资产阶级社会科学家的反动倾向,对于"敌视我们的势力和阶级进行全线的斗争"。至对于资产阶级社会科学中所搜集的事实资料,我们可以慎重选用并加以改造,便利我们自己的研究工作。还有,资产阶级社会科学家也有在某些事实的专门研究内作出个别的正确的结论,我们可以肯定它,但是他们通过唯心主义认识论所作出的一般性的结论,那是应当排斥的。

依照列宁的指示,在百家争鸣的政策下,对于资产阶级的唯心主义和资产阶级社会科学的态度,应当是这样。

6月13日,长江日报发表了我所写的《百家争鸣》一文(是在陆定一部长的报告发表以前写的),我说过资产阶级的唯心主义和资产阶级社会科学是我们批判的对象,两者在我们的百家中没有争鸣的地位,这几句话容易引起误会,要在这里补充几句。

首先,现在资产阶级唯心主义是帝国主义的御用哲学。它在哲学上,主要是反对辩证唯物主义,主张意识第一性,物质是第二性;它崇奉不可知主义和信仰主义,否认客观世界的发展规律。它在政治上,拥护帝国主义政策,反对共产党、无产阶级和劳动人民。我们批判它,就是批判它的这种反革命理论,并不是批判别的东西。在人民内部,如果有人宣传资产阶级唯心主义到学术界来争鸣,这是他的自由,但他对于学术的研究,对于社会主义事业是不能作出什么贡献的,即是说,他在百家中占不到地位的。

其次,资产阶级社会科学是为资产阶级服务的,它的任务是拥护资本主义社会秩序,否认阶级的差别,否认社会发展的规律,否认资本主义为社会主义所代替的规律;或者提倡改良主义,企图阻碍无产阶级的革命斗争,或者鼓吹法西斯主义,主张对无产阶级实行暴力的统治。我们批判资产阶级社会科学,就是批判它的这种反革命理论,并不是批判别的东西。在人民内部,如果有人拿资产阶级社会科学到学术界来争鸣,这是他的自由,但他对于学术的研究,对于社会主义事业是不能作出什么贡献的,即是说,他在百家中占不到地位的。

总起来说,在百家争鸣的政策下,人们虽然可以拿资产阶级的唯心主义和社会科学来参加争鸣,但结果是一定争不起来、鸣不起来的。我们对于资产阶级这两种科学的批判,仍要继续进行,这是不可动摇的。

陆定一同志在他的报告中说:"在人民内部,不但有宣传唯物主义的自由,也有宣传唯心主义的自由。"这一句话中所说的唯心主义,据我的体会,应当是人民内部的唯心主义,不是充当帝国主义御用哲学的资产阶级唯心主义,人民内部的唯心主义,或者是受了资产阶级思想影响,习惯于用唯心的观点和方法作治学工具,却不宣传反革命理论的唯心主义,或者是习惯于主观地、片面地、表面地看问题的那种唯心主义。人民内部的唯心主义,是和宣传反革命理论的资产阶级唯心主义不同的。

陆定一同志所说的那一段话的基本精神,是在于"克服落后,加强团结",逐步实现人民内部思想上的一致性。陆定一同志说:"我国已经有了宪法,遵守宪法是人民的义务,这就是人民内部的一致性。"这种一致性是政治上的一致性。至于说到人民内部思想上的一致性,还有时间上的距离。人民内部在思想上还没有达到一致,主要是由于人民内部还有唯物主义思想和唯心主义思想的矛盾。为要克服这种思想上的矛盾,按照社会发展的规律,在今天的社会条件下,只有通过唯物主义和唯心主义的自由宣传,通过两种思想之间的斗争和辩论,唯物主义思想才能逐步克服落后的唯心主义思想,才能逐步实现人民内部的思想上的一致性。

逐步地实现并加强人民内部的政治上和思想上的一致性,是我国建成社会主义社会的重要条件。

(原载 1956 年 9 月 3 日《长江日报》,署名李达)

《武汉大学自然科学学报》发刊词[*]

（1956.11）

科学研究工作是综合大学的基本任务之一。近年来我们朝这方面努力，初步开辟了一些途经。为了交流科学研究的成果，把我们的一分力量贡献给全国学术界，出版《武汉大学学报》这样一个刊物早就有必要了。当前党中央和毛泽东同志号召我们知识界向现代科学进军，为迅速赶上世界科学的先进水平而奋斗，出版学报就更加迫切需要了。现在我们先出自然科学版，再出人文科学版。

《武汉大学学报》的任务是什么呢？

它的任务是介绍科学研究的成果，开展学术争论，鼓励教师不断地提高科学水平。努力开展科学研究工作，提高自己的科学水平，是我们教师解决业务水平与教学要求不相适应的根本办法，也是我们迅速赶上世界科学先进水平的必由之路。向科学进军——这是摆在我们面前的严重的任务。

现在提出向科学进军的理由何在呢？

理由就在于我们正处在向社会主义过渡的伟大时期，而科学已经进到利用原子能和电子计算机的新阶级。我国正在进行规模宏伟的社会主义建设，比以前任何时代都更需要提高产生技术，都更需要发展科学和应用科学知识来为生产服务。我国科学的落后状态，是半封建半殖民地社会遗留下来的沉痛遗产。那种腐朽了的生产关系，曾经像毒蛇一样束缚了生产力的发展，科学的发展也自然要遭到厄运。在旧社会里，反动统治阶级不重视科学，不关心科

---

[*] 这是李达为 1956 年 11 月创刊的《武汉大学自然科学学报》所写的"发刊词"。——编者注

48

学力量的成长,使得我们当中许多有科学研究能力的人不能充分发挥自己的专长,对人民作出有益的贡献。在工人阶级领导的政权之下,这种不合理的情况是一去不复返了。中国共产党领导全国劳动人民逐步消灭剥削制度,建立社会主义制度,使生产力得到空前的发展,为科学提供了无限发展的条件。党十分重视和关怀我们知识分子,支持我们发挥所长,不断改善我们的物质生活条件和工作条件,鼓励我们在作好教学工作的同时努力在科学研究方面作出成绩来。而我们多数教师由于近年来不断地提高了政治觉悟,日益熟练地掌握了业务知识,都愿意为社会主义建设贡献更多的力量,好些人已经在作科学研究工作或者正在积极准备做科学研究工作,现在在党的号召下,就更有信心做好科学研究的规划,争取在一定时期内接近或达到世界科学的先进水平了。

我们应当怎样向现代科学进军呢?

我以为,首先要解决贯彻在科学研究中的世界观和方法的问题。

不论是研究社会科学还是研究自然科学,都要遇到唯物主义和唯心主义、辩证法和形而上学的对立这个共同的问题。有些人以为立场、观点、方法的问题只与社会科学的研究有关,而与自然科学的研究无关,甚至说,自然科学工作者不必掌握辩证唯物主义。这种看法是不对的。事实上,不仅在社会科学的领域中存在着两种思想体系的剧烈斗争,而且在自然科学中也存在着敌对观点的斗争。

自然科学的研究对象是自然界的种种物质运动形态,原是没有阶级性的。但是绝不可以由此作出结论,说自然科学领域内就没有资产阶级思想的活动余地。事实上,任何自然科学家,不管他自己觉得或不觉得,总是在一定的哲学观点的指导之下进行着他的科学研究工作。不受辩证唯物主义的指导,就必然要受唯心主义和形而上学的指导,要"摆脱"哲学是不可能的。关于这个问题,恩格斯在《自然辩证法》里有一段话说得很透彻,他说:

> 自然科学家相信:他们只有忽视哲学或凌辱哲学才能从哲学下面摆脱出来。但是因为他们离开了思维便不能前进一步,要思维就必须有思维规定(逻辑范畴),而这些范畴是他们不加批判地从那些早已过时了的哲学体系的残余所统治着的所谓有教养的人们的一般意识中取来的,或

是从大学必修课中所听到的一点儿哲学(这种哲学不但是一些片断的东西,而且还是属于各种不同的并且通常是最坏的学派的人们的观点的混合物)中取来的,或者是从无批判地和杂乱地读到的各种各样的哲学著作中取来的,所以他们完完全全地做了哲学的奴隶,所可惜的是大多数都做了最坏的哲学的奴隶,而那些辱骂哲学最厉害的却恰好是最坏哲学的最坏最庸俗的残余的奴隶。

他又说:

> 不管自然科学家们高兴采取怎样的态度,他们总还是在哲学的支配之下。问题只在于他们究竟愿意某种坏的时髦的哲学来支配他们,还是愿意由一种建立在通晓思维历史及其成绩的基础上的理论思维形式来支配他们。

许多自然科学家,在一定的专门领域内,能够从事实出发,发现和认识客观规律;可是,当他们对这些客观规律进行理论概括,作出哲学性的结论的时候,就往往自觉地或者不自觉地掉进唯心主义的泥坑里面去了。例如那些被列宁在《唯物主义与经验批判主义》一书中批判得体无完肤的马赫主义者中就有许多人是著名的物理学家,但他们却把电子的发现曲解为物质的消灭,把镭的发现曲解为能量不灭原理的被推翻,完全歪曲了客观实际,没有一点科学的气味。这原因就在于他们是主观唯心主义者。

正因为自然科学的发展不能摆脱哲学观点的指导,所以,现代自然科学在其发展的初期,不能不与宗教权威和信仰主义作斗争,在以后,又不能不与各种各样的资产阶级唯心主义作斗争。如生物学中的魏斯曼—莫尔根学说、物理学中的经验批判主义和唯能论、化学中的共振论和中介论、数学中的形式主义和直觉主义等等,都是自然科学中的唯心主义的谬论。由于唯心主义的侵害,就造成了科学的危机。我国科学界过去受英美资产阶级科学家的唯心主义的反动理论的影响是不小的,曾经有许多人把它当作金科玉律来向学生讲授而不自觉地受其毒害之深。只有苏联科学界才根据辩证唯物主义的指导,粉碎了资产阶级学者的种种谬论,不知道有什么科学危机,把科学大大地推向前进,取得了极其辉煌的成就。当我们学习了苏联的先进科学以后,我们一定会更加深刻地知道两种思想斗争是如何广泛地存在于一切科学部门,也一定会更加深刻地知道学习和掌握辩证唯物主义的重要性。只有掌握了辩证唯物主义,才能在科学研究过程中少走弯路,不走错路,迅速地取得成就。

掌握辩证唯物主义并不是单纯地接受就可以了,还必须展开对唯心主义的批判,清除科学中一切资产阶级思想的毒素。一面学习马克思主义哲学,一面对本门科学中存在的唯心主义反动思想异形批判,是提高学术思想水平的最好的办法。学术思想批判是建设社会主义意识形态的重要步骤,我们做科学研究工作的同志要特别重视这一点。

其次,科学研究必须结合实际,这是研究的方向问题,也是研究的方法问题。科学是从生产斗争和阶级斗争中总结出来的系统知识,又反过来积极地影响生产发展和社会进步。可是有些人以为知识是从书本中来的,是智者思维的结果,而不知道一切真知识都不过是客观实际的反映。因此,就产生出两种相反的对待科学的态度:一种是主张由书本到理论,脱离实际,这是教条主义的态度;一种是主张由实际到理论,又从理论到实际,联系实际,这是马克思主义的态度。就我们一般教师讲,重要的问题在于克服教条主义习气。教条主义的特点是轻视实践,只知道引经据典,照搬公式,以为只有某些杰出人物才能够发挥和发展理论,才能够在科学上有新的发现和新的创造,而我们普通人只能把传播和复述的作用。这种习气的恶果就在于使我们缺乏独立思考能力和创造精神,不可能把科学推向前进。我们在科学研究中要善于接受历史遗产和吸收最新的科学成果,但要反对个人崇拜。科学是不断发展的,真理是不能穷尽的,任何伟大的科学家和理论家,都不免受时代的局限,他的成就可能"空前",但绝不可能"绝后"。科学领域中有无限丰富的宝藏等待我们去发掘,已有的一切科学成就并没有也不能束缚住我们劳动的双手。我们要从掌握大量材料入手,运用辩证唯物主义的武器,进行创造性的研究,敢于发现和发明新的东西,用新的东西去代替过了时的陈旧原理。

我们高等学校教师从事科学研究的特点,是要密切结合教学;同时注意联系社会主义建设的实际。科学研究的结果,既要有利于解决实际问题,又要对提高教学质量有帮助。我国科学水平的提高,根据迫切需要来看,首先要提高技术。但技术要有根本性质的进步和革新,必须有一定的理论科学的研究做基础。我们综合大学的科学研究,主要是属于长远需要的理论研究的性质。当然,理论研究是决不可以脱离实际的。为了迅速提高科学水平,我们必须继续学习苏联先进科学,注重实验和生产实习,有计划地进行调查研究和参观,加强同实际工作部门和中国科学院的联系,确定科学研究的具体计划和远景计划,抓紧时间去做,不能空谈向科学进军。

科学研究的任务是要正确地揭示和阐明自然规律和社会规律,并把关于这些规律的知识应用到实际中去,改造自然和改造社会,为人民谋福利。如何使我们研究的结果符合于客观世界的规律性呢? 重要的方法之一就是提倡学术上的自由争辩,提倡批评与自我批评。真理是越辩而越明的。在科学研究上,最基本的条件就是要使研究的结果符合客观真理,而检验真理的标准则是实践。不能有任何的偶像崇拜,既要克服因为科学落后而可能引起的信心不足,又要反对自以为是和庸俗的相互标榜。我们要用批评与自我批评的武器推动科学研究不断前进。

我国正在进行大规模的社会主义建设,同时又处在利用原子能和电子计算机这些最新的科学成就而必然要产生科学技术革命和工业革命的前夕,这是一个在科学领域的各方面最容易产生巨人的时代。科学是在革命中发展着的,并且它本身就是革命的,只要我们在马克思列宁主义指导之下利用一切有利条件,努力以赴,我们一定能够在科学研究上不断取得新的成就。但科学研究是一条漫长的不平坦的道路,我们必须对科学研究的艰巨性有足够的估计,不怕失败,不怕困难的人,终将攀登到科学的顶峰。让我们为争取达到世界科学的先进水平而奋斗!

(原载 1956 年《武汉大学自然科学学报》第 1 期,署名李达)

《武汉大学人文科学学报》发刊词[*]

（1956.11）

中共中央提出在文艺方面和科学方面实行"百花齐放，百家争鸣"的方针以后，学术界显得更加活跃起来了。我们学校在这个时候出版人文科学学报，正好参加争鸣，让含苞已久的花朵开放出来。

关于在学术研究上如何贯彻百家争鸣的许多问题，学术界已经发表了许多好的意见。但关于在百家争鸣的政策下如何对资产阶级的哲学和社会科学的问题。似乎还讨论得不够。我想趁人文科学学报创刊的机会，就这个问题发表一点意见。

马克思主义与过去的哲学和社会科学的遗产有一定的继承关系。马克思、恩格斯站在无产阶级立场，从德国古典哲学中取出辩证法，放在唯物主义基础上加以改造，并综合自然科学上的成就和工人运动的经验，创造了辩证唯物主义和历史唯物主义，给予工人阶级一个科学的认识工具。他们从古典的政治经济学中继承了劳动价值论，并进一步揭露资本主义制度的本质，创立了剩余价值论，因而暴露了资本主义社会发展的规律，资本主义必然由社会主义所代替的规律，给工人阶级指出了奋斗目标。他们从法国空想社会主义中，肯定是消灭资本主义社会，创造新社会的见解，批判了他们劝导富人停止剥削来创造好的社会制度的幻想，指出只有无产阶级才是资本主义社会的掘墓人，因而创造了无产阶级专政的理论。马克思和恩格斯就是这样批判地继承了过去哲学和社会科学的优秀成果，创立了马克思主义的科学体系的。

---

* 这是李达为 1956 年 11 月创刊的《武汉大学人文科学学报》所写的"发刊词"。——编者注

说到这里，或许有人要问：在马克思主义出世以后，资产阶级的哲学和社会科学中还有没有进步思想或合理的成分可以添加到马克思主义的知识宝库之中呢？这个问题，应当从资产阶级的哲学和社会科学演变的过程来说明。

在资本主义上升时代，资产阶级确实发表过许多进步思想，反映过一些客观真理。如同反封建、反宗教迷信的18世纪法国唯物主义者、19世纪初期费尔巴哈主义者和黑格尔左派、奠定劳动价值说的始基的亚当·斯密和李嘉图，承认阶级斗争是了解法国历史关键的法国复辟时代的历史学家，等等，都是显著的例子。但是到了资产阶级掌握了国家政权，无产阶级登上了政治舞台，而马克思主义成为各国无产阶级革命斗争的武器以后，资产阶级的哲学和社会科学就开始向后倒退了。特别是到了帝国主义和世界无产阶级革命时代，资产阶级哲学家完全成了垄断资本的辩护士，他们用唯心主义向唯物主义实行猖狂进攻，资产阶级唯心主义哲学越来越成为不可知主义和怀疑主义、贝克莱主观唯心主义的精制品。这类哲学的流派很多，有新康德主义、新黑格尔主义、意志主义、直觉主义、经验批判主义、实用主义等等，它们都是花样翻新的帝国主义的御用哲学。它们的共同目的，就是思想上反对马克思主义哲学，在政治上为帝国主义压迫无产阶级和劳动人民、奴役被压迫民族进行辩护。它们都是马克思主义的死敌。试问这类哲学还有什么进步思想或合理成分可采入马克思主义的知识宝库之中呢？资产阶级的经济学、法律学、社会学等等也是如此。它们早已不能揭示任何真理，而堕落成为以"歪曲的良心和邪恶的意图"为资本主义制度作无耻辩护的东西了。

哲学和社会科学从来就是党派性的科学，是阶级斗争在理论战线上必争的阵地。因此，我们唯物主义者在任何时候都必须坚持对唯心主义作无情的斗争。至于资产阶级学者们在其著作中所提供的某些事实资料，大都是对于他们自己的观点有利的，甚至是伪造的，我们不能盲目地引用，必须慎重地加以选择。他们当中有些人所做的研究如果对科学确有贡献，即使是一点一滴，我们也应当肯定，并批判地吸收过来。例如罗素、怀德海等人对于两三百年间发展起来的数理逻辑的研究有一定的成绩，可以肯定它，但对于他们用研究所得的结论来支持他们的唯心主义这一点，我们是要坚决加以驳斥的。数理逻辑有它的科学价值，和资产阶级唯心主义是两样东西，我们所批判的是资产阶级唯心主义而不是数理逻辑。我们只是倒掉脏水，并不是倒掉婴儿。对唯心主义哲学如此，对资产阶级社会科学也是如此，资产阶级社会科学家有时在某些事实的专门研究内作出个别的正确结论，我们同样不妨肯定它，但是他们通过唯心主义认识论所作出的一般性的荒谬结论，则非排斥不可。

我们对于现代资产阶级的唯心主义哲学和反动的社会学说是否可以研究呢？我认为可以研究。"知己知彼，百战不殆。"要批判唯心主义的东西，首先要了解它，才能一针见血，击中要害。不懂得敌情，无的放矢，是不能真正打倒敌人的。我们学术界在批判胡适、胡风等人的运动中所写的批判文章，其中有一些是并没有击中敌人的要害的。对敌人研究得不够恐怕不能不说是造成这种现象的原因之一。我们不要害怕研究资产阶级的东西，相反地还要带着批判的武器去认真地加以研究。不消说，研究资产阶级学说的目的，只是为了便于比较、讨论和批判，而不是为了盲目肯定、扩大它的影响。马克思主义的哲学和社会科学，是战无不胜的真理，它不怕同唯心主义的任何货色比较和争论，正因为如此，所以我们要信心百倍地执行百家争鸣的方针，提倡广泛地开展学术争论，辨明是非，克服教条主义倾向，把科学研究工作迅速地向前推进。

（原载 1956 年《武汉大学人文科学学报》第 1 期，署名李达）

胡适反动思想批判

（1956.11）

一、为什么要批判胡适的反动思想

中国正处在向社会主义过渡时期中，依据党在过渡时期的总路线，我们要在三个五年计划、十五年左右(1953年起)的时期内，实现我国社会主义建设和社会主义改造，消灭一切剥削制度和剥削阶级，建成社会主义社会。这是一件伟大而艰巨的事业，同时也是一场严重而复杂的阶级斗争。

由于资本主义包围的存在，国内外反革命派破坏我们社会主义事业的方法是多种多样的，他们最重要的方法之一，就是用资产阶级思想反对马克思主义思想，用唯心主义世界观反对唯物主义世界观。他们用这样的方法来阻碍社会的进步，阻碍科学和文化的进步，阻碍建设事业的发展，并且腐蚀劳动人民，直到腐蚀党和国家的工作干部。因此，党认为要在六万万人口的国家中建成社会主义社会，就必须在一切工作干部中，在知识分子和广大人民中，宣传辩证唯物主义和历史唯物主义思想，批判资产阶级唯心主义思想，并在这个思想战线上取得胜利。如果没有这个战线上的胜利，社会主义建设和社会主义改造的事业，就将受到严重的阻碍。

我们的新国家成立不久，许多工作干部、知识分子和劳动人民，都曾受过旧时代各种非工人阶级思想的熏陶，宗教、迷信、唯心主义的世界观、历史观和人生观的思想还有广泛而深刻的影响，在各种学术和文化的领域中，唯心主义毒素还远远没有清除。我们许多工作干部和知识分子，还不善于区别唯物主义和唯心主义，还没有掌握辩证唯物主义这一犀利的思想斗争武器去批判各种唯心主义思想，甚至习惯于同唯心主义思想和平共处，甚至于被唯心主义思想所俘虏。因此,党在思想工作中的基本任务,就是宣传唯物主义思想,反对唯心主义思想,使一切工作干部和知识分子都能够懂得思想和客观存在的关系,懂得思想、意识是客观存在的反映,懂得根据社会现实生活的发展规律来进行工作,从而提高自己的理论水平和政治觉悟,以便在实际工作中学会运用马克思列宁主义的理论武器,改进党和国家的工作;同时使广大的人民群众脱离资产阶级思想的影响,提高他们的社会主义建设而奋斗的觉悟程度,便于形成以马克思列宁主义为基础的政治上和思想上的一致。只有全国人民这样的政治思想上的一致,才能取得思想战线上的胜利,保证社会主义事业的完成。

但是,思想改造,特别是知识分子的思想改造是一个长期过程,必须有步骤地来进行。1951年10月所发动的对知识分子思想改造运动的直接目的,是清除封建的、买办的、法西斯的思想,同时也开始了对资产阶级思想的批判。但在各个学术和文化领域中清除资产阶级唯心主义思想的运动,是在1954年10月才展开的。这一运动,首先是从批判那些代表资产阶级唯心主义思想的人物开始的。这些受到批判的代表人物是俞平伯、胡适、梁漱溟和张东荪等人。俞平伯对于古典文学《红楼梦》研究的错误观点,是受了胡适的反动思想的毒害,俞平伯本人接受了文学界的批判,检讨了自己的错误思想。由于这一次的批判,就在基本上划清了在古典文学研究中的资产阶级唯心主义和马克思主义的唯物主义的界限。但是,受了胡适反动思想的毒害的,不止俞平伯一人,实在还有很多人。胡适反动思想的毒害,不单蔓延于文学方面,并且还蔓延到哲学、历史学、教育学、国故学和其他社会科学方面。在这些方面,受了胡适害毒的人也是很多的。为了肃清胡适在学术和文化方面所散布的反动思想毒素,帮助那些受过毒害的人们纠正自己的唯心主义观点,并向广大人民宣传马克思主义的唯物主义,我们的思想斗争的锋芒不能不集中于那个反动派胡适。

胡适的资产阶级唯心主义思想,是中国资产阶级唯心主义思想各种流派中最主要的一派,也是影响最大的一派。胡适自称是实用主义的忠实信徒,他把这种反动的唯心主义伪装为科学的方法,散播在旧中国的许多学术和文化部门,并且用这种思想在通俗形式下讨论各种实际问题,来扩大实用主义的影响。他在1917年到1948年的时期内,在反动政府统治区的学术论坛上,横行了三十多年,他那种善于骗人的反动思想和反动言论,俘虏了极大部分的知识分子,并且通过这些知识分子转而影响了很多的青年群众。他当年所写的著作,曾经风行一时,其中有些著作并且由反动统治区的大学和中小学当作教材采用。由此可见,胡适反动思想的流毒,深而且广,甚至当我们思想界大举揭露了胡适的反动的全面貌的时候,还有一些受了他的毒害的人为他辩护,说胡适在政治方面虽然反动,而在学术方面却有贡献。这样的人简直不知道胡适在学术上的反动思想和在政治上反动思想的密切联系,可知他们受毒之深了。胡适在政治方面的反动活动是他一生的中心工作,而在文学等方面所散布的反动思想,则是配合他的中心工作的。

现在,胡适在学术和文化各方面所散布的反动思想,在基本上已经完全揭露出来了,我这篇东西,只就胡适在政治方面所散布的反动思想,作一次综合性的报道。

二、胡适反动思想的基础——实用主义

胡适说:"我是一个实用主义的信徒,于是发愤要想谈政治。"又说:"我谈政治只是实行我的实用主义。"实用主义者为什么一定要谈政治呢? 胡适又说:"实用主义自然也是一种主义,但实用主义只是一个方法。""一个方法"的信奉者为什么一定要谈政治呢? 为要解答这两个问题,我们不能不检查那个实用主义。

胡适在他自己所写的《实用主义》中说:"詹姆士(W.James)说实用主义不过是思想的几个老法子换上了一个新名目。"这究竟是些什么老法子呢? 胡适解释说,希腊诡辩论者"勃洛太哥拉(Protagoras)是实用主义的远祖"。他在另一个地方又说,实用主义是综合皮尔士(C.S.Peirce)、席勒(F.C.S.Schiller)、杜威(J.Dewey)、倭斯伐(Ostwald)、马赫(Mach)等人学说的总论。此外,詹姆士在他自己所写的《实用主义》中确认贝克莱是实用主义者。依照詹姆士和胡适的供认,实用主义的血统关系非常明白,它原来是两千多年前以来的诡辩论者、主观唯心主义者的一切反动哲学的集大成。实用主义既然是一切反动哲学的集大成,它的反动性一定超越了它的前辈。我们且来分析实用主义的

内容。

首先,实用主义在解决哲学的基本问题上,是主张意识的第一性和物质的第二性的。詹姆士说:"贝克莱对于物质的批评是绝对的实用主义的。我们所知道的物质是我们所得的颜色、形态、硬度等的感觉,这些感觉恰恰就是物质这个概念所具有的价值。"詹姆士直率地承认实用主义是极端的经验主义。

实用主义者还替他们的主观经验取了一个别名,叫作"实在"(这和唯物主义所说的客观实在即物质世界的意思是相反的)。他们把"实在"当作塑料,可以用它来塑造世界。詹姆士说:"实在好比一块大理石,任由我们雕成什么像。"胡适接着解释说:"世界是经过我们自己的创造工夫的。"席勒也说:"世界是可以塑造的。"实用主义者这种"世界可塑性"的观念,为帝国主义者创造世界帝国的幻想作了哲学的说明,同时也是帝国主义思想家宣传世界主义的根据。

实用主义者还把庸俗进化论引入他们的"实在"(即经验)之中,说他们用"实在"创造出来的世界是一点一滴一分一毫地长成的,因而从这里引出他们的"改良主义"的人生观。胡适解释说,这种"改良主义"又是一种拯救世界的"淑世主义"。拯救什么世界呢? 这当然是要拯救行将死亡的资产阶级世界。詹姆士说:"假如那造化的上帝对你说,我要造一个世界,保不定可以救拔你。……这个世界是一种真正冒险事业,危险很多,但是也许有最后的胜利。"从这里,我们可以听到杜勒斯的"战争边缘"的冒险主义的叫声。

实用主义者既然否认客观世界,就必然陷入不可知论,詹姆士屡次宣称世界的认识是不可能的。他说:"我宁可相信我们人类对于全世界的关系,和我们的猫儿狗儿对于人世生活的关系一般。"又说:"我们在世界上也许是同猫儿狗儿在我们的图书馆中一般。它们看见书,听见人讲话,但嗅不出其中任何意义。"这就表明实用主义者完全否认了世界及其规律的可知性,不承认客观真理。实用主义者既然是不可知论者,就必然陷入信仰主义。詹姆士说:"猫儿狗儿每日的生活可以证明它们有许多理想和我们相同,所以从宗教经验的证据看来,也可相信比人类更高的神力是实有的,并且这些神也朝着人类理想中的方向努力拯救这个世界。"资产阶级为了挽救自己的死亡,除了实行冒险主义以外,便只有求救于上帝了。这便是资产阶级哲学情愿回到中世纪神学的奴婢地位的由来。

现在来谈谈实用主义的真理论。实用主义者既然否认客观真理是客观现实在意识中的反映,他们所说的真理只能是主观的真理。詹姆士说得很明白:"真理只是经验过程的一般名词。"这所谓真理,完全是主观的虚构。胡适也供认着:"真理原来是人造的,是为了人造的,是因为它们大有用处,所以才给它们'真理'的美名的。我们所谓真理,原不过是人的一种工具,真理和我手里这张纸,这条粉笔,这块黑板,这把茶壶,是一样的东西,都是我们的工具。"依照实用主义者的说法,凡是可以收得效果,得到利益的任何观念、主意、计划、方案等东西,都是真理。譬如说,出个主意,害得着人,这主意便是真理;想个办法,赚得着钱,这办法便是真理。实用主义的真理论,完全是为资产阶级的利益服务的。詹姆士明白地说过:"真理大部分是奠定在金融系统之上的。"这确是一句真话。美帝国主义者的杜鲁门主义、马歇尔计划、北大西洋公约、东南亚条约、美蒋条约、巴黎协定、实力政策、原子讹诈——这一系列的坏主意既有威胁世界和平的效果,又可以掠夺它的仆从国家和殖民地人民。这些正是实用主义所宣传的真理。

这里再来检查实用主义者捏造主观真理的方法。实用主义者认为主观经验就是一切,此外没有客观世界。他们认为知识从经验发生,又归结于经验。他们的思想始终在经验的框子中兜圈子,他们所说的知识,只是经验知识而已。实用主义者把经验中的一部分作为思想作用,把另一部分作为思想对象。所谓思想作用不过是说明经验中各部分间的关系罢了。实用主义者怎样说明他们的主观经验中各部分间的关系呢?詹姆士说:"一切心的作用(知识、思想等)都起源于个人的兴趣和意志;兴趣和意志定下选择的目标,有了目标方才从已有的经验里面挑选出达到这目标的方法、器具和资料。"这话说得很明白,实用主义者捏造真理的方法首先是按照自己的兴趣和意志定下自己的目标,然后从经验中挑选所需要的资料作为思想作用的对象。照这样,达到预定目标的结论和证明这结论的资料都已预先准备好了,于是根据那个结论去解释事实当然就可以满意(即有效果)了;因而那个结论便是真理了。

实用主义者都是诡辩家,他们的思维方法都是诡辩术,他们的言论都是不遵守形式逻辑的规律的。因此,他们害怕形式逻辑,反对形式逻辑,而另行编造一种"实用逻辑"来代替它。胡适把杜威的思想五步法简约为思想三步法，即"细心搜求事实，大胆提出假设，再细心求实证"。这就是实用主义的方法。实用主义者把这样的方法伪装为科学方法，并宣称科学方法是"尊重事实"的。但实用主义者所说的"事实"只是他们经验中的"事实"，是根据自己的目标所挑选的"事实"。正如席勒所说，事实之成为事实，依赖于我们承认它为事实的愿望；事实的内容依赖于我们的解释，事实在未曾获得事实的资格以前，绝非事实。这话说得很明白，实用主义者所挑选的事实，是他们所承认的有"资格"的事实，至于认为没有"资格"的事实，他们是要加以否认的。这种方法，完全是诡辩术。例如胡适当年根据自己的意志，定下了自己的反革命目标（反对中国共产党所领导的反帝国主义反封建主义的革命）。他按照那个反革命的目标，挑选出"贫穷、疾病、愚昧、贪污、扰乱"这五种事实，这些是他所认为有"资格"的事实。至于帝国主义侵略和封建主义压迫的事实，他认为是没有"资格"的事实，坚决地否认它们的存在。于是他断定说，中国共产党所领导的革命，并没有革命的对象，还是实行改良主义，一点一滴地去消除那"贫穷、疾病、愚昧、贪污、扰乱"的事实罢[①]。胡适还把他的思想三步法再缩短为两步法，即"大胆的假设，小心的求证"，连"细心搜集事实"那一步也删去了。有时他甚至把"小心的求证"那一步也不要，只剩下"大胆的假设"作为他的思想方法，例如他在日本侵入中国以后，提倡"工作的人生观"，劝别人不管国家兴亡，只管努力工作，他大胆地提出了一个假设说，假设"中国暂时亡了，我们也要留下一点工作成绩，叫世界上知道我们还不是绝对下等的民族"。他只是这样地提出了这么一个假设，并不曾"小心的求证"。这便是所谓实用主义方法的具体应用。我们看，这不是诡辩的方法是什么？

实用主义者还有一种本领，就是脸皮厚，闭着眼睛瞎说，不惜颠倒黑白，混淆是非。他们只是厚着脸皮讲歪理，不顾别人耻笑，表面上有一套说法，里面有另一套说法，例如杜威主张对革命的人民实行"粗暴的肉体上的强迫"，表面上却又虚伪地高唱自由和民主。他们经常伪造事实，说假话。我们对于他们的言论，只要从反面去理解，准不会错。他们说的民主准是独裁，他们说的

---

① 胡适：《我们走那条路？》。

自由准是压迫。这称诡辩的方法,就是实用逻辑。美帝国主义者在国际舞台上所说的话就是应用这种诡辩术的。它说别国侵略,实际上是自己实行侵略;它说的"反颠覆",实际上是自己实行颠覆;它把侵略我国台湾说成是防御,把扩军备战说成是保卫和平;等等。由此可见,这种实用逻辑,简直是强盗逻辑。

综合前面的检查,可作如下的概括:

实用主义是世界主义,它是拥护帝国主义政策的哲学;它是主观唯心主义的世界观,它的方法是诡辩术。它反对马克思列宁主义,反对无产阶级和劳动人民;它主张冒险主义,企图进攻以苏联为首的社会主义阵营。

三、世界主义者胡适

现在我们来检查胡适留学美国期间怎样变成实用主义者即世界主义者的过程。

胡适生长在官僚、地主兼资本家的家庭,自幼过着剥削阶级的公子哥儿的生活,受过理学家庭的教育,养成了反革命的意识。他在中学求学的时代,正是辛亥革命的前夕,却不曾接受革命潮流的影响,反而醉心于梁启超的"白色人种最优"的谬论,培养了他自己的民族自卑感。

1907年,美帝国主义者利用中国庚子赔款招中国学生到美国求学,想在留美学生中训练一些文化汉奸,以便利用他们作为侵略中国的开路先锋。胡适在1910年走上了这条道路,到美国留学去了。

胡适一踏进美国领土,自己觉得好像从地狱进到了天堂,就自惭形秽,他很感慨地说:"生在可怜之时,处在可怜之国,安知死之不如生耶?"从此,他把美国崇奉为"黄金世界",崇美思想,一天一天地滋长了。

胡适是反对辛亥革命的。他说,他赞成改良,不赞成革命。他批评孙中山的民族主义是"种族成见",并且诋毁孙中山,说一百个孙中山不如一个保皇党。他把当时的武昌起义说作"党人窃据",却把镇压革命的清军的"复夺汉口"说作"官军获胜"。胡适这种反对民族民主革命而放弃所谓"种族成见"的主张,是与帝国主义者的殖民主义的精神相吻合的。

胡适初到美国,情绪是很悲观的,他为了克服悲观情绪,就信奉了基督教。

从此,他首先就和美国基督教徒相往来。通过这些关系,他认识了美国许多政客、学者、牧师和流氓,由于他的奴才的嘴脸,他被美国佬看重了。他听了一个大主教的"吾邻,没有国籍界"一句话,就认为这句话是国家的很好的"界说",给他的印象很深。胡适从此不要国界了。特别是当他受了杜威的教育,决定成为实用主义信徒以后,这实用主义就成了他的"生活和思想的一个向导",从此,他由悲观主义者变为乐观主义者,活跃起来了。他到处演说,并且做文章,宣传他的"不争主义"。他说,他的《国际非攻》论文,曾经得到50美元的奖金。他因此很得意地认为替祖国"争了面子",而不知他实际上替祖国丢了脸。

胡适接受了杜威的教育,就确信了世界主义。他说:"我自命为世界公民,不持狭义的爱国主义,尤不屑为感情的爱国者故。"他在别的时候又说,"我本是世界主义者,从不是一个民族主义者。"

胡适的世界主义在1915年日本向袁世凯政府提出"二十一条"之时,有过具体的表现。当袁世凯准备接受日本"二十一条"的亡国条约之时,留美学生界起而反对,主张与日本开战。胡适却说,"远去异国,爱莫能助"。他写了一封公开信给中国留美学生月报,指责留学生的爱国运动是"失去理智,而且近于疯狂",是"最愚蠢的道路",而"正确的道路是让我们履行自己的职责——读书"。他说,他纵使"被斥为卖国贼",也置之不顾。到了袁世凯签字之次日,他在札记中这样写着:"吾国此项对日交涉,可谓知己知彼,……能柔亦能刚,此为历来外交史所未见。"胡适的丧心病狂,于此可见。

胡适根本反对爱国,因而造成了所谓"反爱国主义论"。他说,他的反爱国主义论,"经过十余次演说而来,始成为一有系统的主义"。他的结论是:"呜呼,爱国,天下许多罪恶假汝之名以行。"由于反爱国主义,就引出了他的"极端不抵抗主义"来,这是必然的归趋。

"世界公民"胡适,实际上是"美国公民",他的一切言论和行动,总是表现出中美合作,实际上是美中合并。他公开主张"美国应如何协助中国之发达",实际上是主张中国应附属于美国,而由美国来开发;他公开主张中国要享有和平,必须"极力提倡和平之说,与美国合力鼓吹国际道德",而实际上中美"合力"乃是中美合并。

胡适认为美国是他的"第一故乡",他以为他到了美国,就像回到了故乡一样,因而他写了"宛如游子归故乡"的诗句,他说他离开美国时,简直像是离开"家人骨肉的地方",大有不忍之意。由此可见,胡适已经自认是美国人了。

够了！胡适在美国留学七年,究竟把自己铸成一块什么材料,我们只要看看他的《留学日记》和《四十自述》中所记的言论,便可以作如下的肯定:

胡适是实用主义者＝世界主义者,是世界公民＝美国公民,是无抵抗主义者＝反爱国主义者＝亡国主义者,是美帝国主义走狗＝文化汉奸＝卖国贼。

胡适从美国来到中国的任务,是执行美帝国主义的侵略政策,由美国来开发中国,使中国变成美国的殖民地。

胡适完成上述任务的步骤是:第一步充当美中文化结婚的媒婆,第二步充当美中两国结婚的媒婆。

四、胡适怎样宣传世界主义?

胡适为了执行美帝国主义的侵略政策,首先充任美中文化结婚的媒婆,为美帝国主义征服中国人心。

胡适供称,他在 1917 年从美国到中国的时候,"打定 20 年不谈政治的决心,要想在思想文艺上替中国政治建筑一个革新的基础"。这里所说的"思想"即是实用主义思想,所说的"文艺"即是个人主义文艺,他要用这种反动的思想和文艺来建筑中国政治的基础,确是一个征服中国人心的恶毒大阴谋。他真的这样做了。现在把他征服中国人心的几项罪恶分别说明如下:

第一,提倡亡国主义,反对爱国主义。胡适在 1918 年为《新青年》杂志编出了《易卜生主义专号》,宣传"19 世纪维多利亚时代的陈腐思想",他说"易卜生主义代表我的人生观,代表我的宗教"。他最佩服易卜生的这样一段话:"我所最期望于你的是一种真实纯粹的为我主义,要使你有时觉得天下只有关于你的事最要紧,其余的都算不得什么……有的时候我真觉得全世界都像海上撞沉了船,最要紧的还是救出自己。"胡适认为易卜生的这种个人主义是"最健全的个人主义",就拿它教育青年们,要青年们在中国这只大船快要撞沉的时候先救出自己,以便把"自己这块材料铸造成器"。他反对青年"牺牲个人的自由去求国家的自由"，而主张青年先"争取个人的自由"。他每逢青年学生发动爱国运动的时候，他总是喊出"救国须从救出你自己下手!"那个反动口号来阻挠。他要青年学生学德国葛德那样，在"拿破仑的兵威逼德国最厉害的时期里，天天用功研究中国文物"。甚至在日本侵夺我国东北，更进而侵入华北的时候，他仍旧宣传他的亡国主义，阻止学生的救国运动，要他们赶快复课，努力读书，只做合法运动。他还劝人们趁中国还没有亡的时候，赶快做点成绩出来，准备做一个有成绩的亡国奴。卖国贼胡适丧心病狂竟达到了这个程度!

胡适另一个毒害青年的罪行，是引诱青年去"整理国故"，要他们钻进故纸堆中，消磨爱国心，以免走上革命的道路。他的这一毒计不知陷害多少青年!

第二，宣传世界主义，反对马克思主义。十月革命一声炮响给我们送来了马克思主义，以李大钊为首的马克思主义派，宣传了马克思主义，庆祝了布尔什维克的胜利，并用马克思主义这个放之四海而皆准的普遍真理作为考察小国命运的工具。卖国贼胡适为了反抗这个大潮流起见，就发表了一篇《实用主义》的文章，宣传实用主义来反对马克思主义。他还感到自己的力量不够，特地把他的美国老师杜威请到中国来，加强实用主义的宣传，来反对马克思主义派的革命运动。杜威来到中国以后，和他的徒弟胡适伙唱双簧，诬蔑"五四"运动为"排外"，为"感情用事"。杜威向蔡元培透露了他来到中国的目的，是为中美文化结婚做媒，并且劝告蔡元培也做媒。他说："新旧文化之适合，可谓之新旧文化之结婚。大学的职务为做媒，使夫妻和睦，孪生蕃盛。我能在此做小媒人之职务，这是我所欣幸的。"杜威所说的新旧文化结婚即是美中文化结婚，至于他所说做"小媒人"却是过谦，在当时他是大媒人，胡适才算是"小媒人"。从此杜威大宣传其实用主义的社会哲学和政治哲学，反对马克思列宁主义，而主张中国旧的封建主义文化和美国新的实用主义结合起来;胡适也发表《问题与主义》的论文，宣传实用主义，反对马克思主义，主张"一点一滴地改良"，反对根本的改革。这一对反革命派跑遍中国 11 个省区，合演双簧达两年零两个月之久。他们的唯一目的，就是不要中国知识分子跟着马克思列宁走，而是要跟着杜威胡适走，走向美国一方面去做美国的顺民。

第三，否认中国文化的价值，提倡世界主义文化。胡适认为实用主义的宣传只能征服那些赞成西方文化的人的心，而对于主张保存中国封建文化那一类的人心还不容易征服，就感到对于这一类的人还有进而说服的必要。于是他就发表了《中国今日的文化冲突》的文章，主张"全盘西化"，反对那些抵抗西洋文化的人，对他们进行说服。他为了说服这些人，曾经写了几篇《论信心与反省》的文章和《试评所谓中国的本位文化建设》一类的文章，来征服他们的心。胡适解说他所主张的"全盘西化"即是"充分世界化"，表示与别人所主张的"全盘西化"不同。他所主张的"充分世界化"实际上是充分世界主义化，是充分美国化，下面还要说到。

胡适的中国文化的世界主义化的内容，主要地是贬低中国文化的价值，宣传民族自卑感，以便全盘接受美国文化。

胡适对那些主张保存中国固有文化的人说："我们的固有文化实在太贫乏了，谈不到太丰富的梦话。"又说："在两千多年前，我们在科学上早已太落后了！从此以后，我们所有的，欧洲也都有；我们所没有的，人家所独有的，人家都比我们强。""我们必须承认我们自己百事不如人"。在这"一分像人九分像鬼的不长进的民族"中，我们只有"五鬼"、"三害"和"十一宝"。所谓"五鬼"即是"贫穷、疾病、愚昧、贪污、扰乱"，"三害"即是"雅片、小脚、八股"，"十一宝"即是"骈文、律诗、八股、小脚、太监、姨太太、五世同居的大家庭、贞节牌坊、地狱活现的监狱、庭杖、板子夹棍的法庭"。胡适认为"五鬼"、"三害"、"十一宝"是使中国成为劣等民族的病源。胡适的意思好像是说，中国的文化还值得留恋吗？这样的中国还值得去爱吗？你们看，美国多好呀！于是他唤醒中国人要"反省"，要"知耻"，"真诚的愧耻自然引起向上的努力，要发宏愿学人家的好处……"向什么地方去学呢？胡适说是要"向西去"，但他绕了一个圈子之后，终于说要向美国去！

胡适拿美国做一面镜子，要"大家来照照镜子"，"照出我们自己的百事不如人"。他说："看呀！美国有铁路25万英里，摩托车2200万辆；中国只有铁路7000英里，摩托车22000辆"，"人家早已海上飞了，我们还在地下爬"；"照照这面镜子，叫我们生一点羡慕，起一点惭愧。不要尽说帝国主义者害了我们，那是自己欺骗自己的话"。胡适还说：美国的资本主义是世界"570种"资本主义中最好的一种;美国的"摩托车文明的好处真是一言难尽",工人坐摩托车上工,农民用摩托车运鸡蛋牛奶,这比中国的人力车文明不知要高多少倍。胡适还说:美国人人都可以买股票做资本家,工人和雇员也可以买股票做资本家,所以美国是不会有社会革命的。依照胡适说来,美国真是黄金世界,中国人还不赶快归顺于它吗? 媒婆的嘴把美国丈夫说得那么天花乱坠,中国妻子还不赶快嫁给他吗!?

胡适为美帝国主义征服中国人心的工作,是无微不至的,他除了公开宣传实用主义反对马克思主义以外,还提倡了资产阶级的白话文学,做了一些歪曲古典文学的考据工作,还用实用主义研究了中国哲学和文学,写了许多反动著作。他的这一类工作,都是直接或间接地和他那征服中国人心的工作相配合的。

胡适征服人心的思想工作,是曾收到一些效果的,当年特殊阶级的知识分子和一部分青年,确实被他牵着鼻子走了的。但是无产阶级和人民群众却不曾上他的圈套,他们在中国共产党领导之下,一直是爱护着祖国,保卫着祖国的。

五、胡适的世界主义在反共和卖国方面的表现

胡适卖国的言论和行动,一直是仰承美帝国主义的意旨,并与美帝国主义的侵略措施相配合的。胡适在"五四"前后宣传实用主义和反对马克思主义,是在美帝国主义御用学者杜威的领导下进行的,这在前面已经说了。在中国共产党成立以后的第一次国内革命战争时期,胡适的卖国使命是一面反共反人民,一面拥帝拥封建。大家知道,中国共产党所领导的新民主主义革命的对象是帝国主义和封建主义。而当时代表封建势力的是北洋军阀政府,所以喊出了打倒军阀的口号。胡适为了反革命,在 1922 年 5 月创办了《努力周报》,他针对着新民主主义革命,硬说帝国主义侵略对中国有很多好处,不能成为革命的对象,并说中国没有军阀存在,说不上打倒它,企图证明中国共产党所领导的革命是没有对象的革命。1925 年 5 月"五卅"惨案发生后,群众反帝国主义的潮流非常高涨,中国共产党召开了中央会议,通过了进一步反帝国主义的

策略,号召全国人民举行罢工、罢市罢课,得到了广大群众的支持,上海工商学界举行 20 万人的群众大会,通过了反帝国主义的 17 条交涉条件。正当群众革命运动高潮之时,卖国贼胡适伙同戴季陶、虞洽卿等和英国、日本的强盗相勾结,把这个反帝国主义的统一战线破坏了。胡适在这个时期又一个反革命行动,是仰承美帝驻华使者芮恩施的意旨,勾结直系军阀吴佩孚,搞了一套"好政府"计划,希望北京军阀政府成为一个宪政的政府,又主张实行"联省自治"来构成一个军阀大联合的统一局面,以便以美帝为首的新四国银行团对北京军阀政府供给借款,加重对中国人民的剥削。这便是胡适搞"好政府"主义的内幕。

在第二次国内革命战争时期,蒋介石卖国集团已经和美帝勾搭上了,胡适认为机会到来,但苦无进身之阶,于是在 1930 年创办了《新月》月刊,配合蒋匪帮对革命势力进行的军事"围剿"来一个文化"围剿",作为对蒋匪帮的献礼。《新月》表面上是谈文学,实际上是反共反人民,拥护帝国主义和封建主义。这在他的《我们走那条路》和《介绍我自己的思想》两篇论文中,表现得非常清楚。胡适果然得到了蒋匪的青睐,就被委为东北政治委员会和农村复兴委员会的委员,从此他加入了卖国集团,《新月》停办了。

1931 年"九一八"事变发生以后,胡适仍旧配合蒋匪帮的军事"围剿",办起《独立评论》来了。当时蒋匪帮集中军力对革命势力进行"围剿",无意对抗日本,美帝方面也无力干涉日本,采取了与日本妥协的政策,希望日本容许它照旧插足中国,继续侵略。所以胡适的《独立评论》的方针是一面宣传反苏反共,一面宣传亡国主义。他的亡国主义,是主张暂时亡于日,等待美国援救,然后再亡于美国。他约集了一些人组织了"对日让步研究会"。他根据美帝代表在国联会议上的主张,发表了《对日外交方针》的文章,主张蒋匪帮政府根据日本在国联提出的"五项基本原则"与日本进行直接谈判,把东三省让给日本,来"确立两大民族共存共荣的基础"。当国联调查团发表了李顿报告书主张国际共管满洲时,胡适立即作论文表示欢迎,认为它是"一个代表世界公论的报告"。再后,"满洲国"成立了,日本又进攻华北,美帝采取了"不承认主义",胡适也跟着喊不承认"满州国"。他还发表了《全国震惊以后》和《我们可以等待五十年》等文章,劝告中国人吸取教训,要有亡国的"雅量",要"苦志做 30 年的小学生",要"等候 50 年"。胡适在这里所说的等候"30 年"或"50年",是等待美帝起来援救,把中国从日本手里救出来。这个内幕,在他写给汪精卫的信件中透露了出来。但汪精卫是主张一次亡于日本的,胡适则是主张第一次亡于日本,第二次亡于美国,这是两个卖国贼见解不同的地方。

抗日战争爆发以后,胡适还有高唱"无抵抗主义",他和汉奸陈公博、周佛海等组织了"低调俱乐部",主张和日本办外交,恢复卢沟桥事变以前的状况,把华北也送给日本,以便"苦撑待变",等待美国来援救。不久,他被蒋匪任命为赴美文化专使,接着做了蒋匪驻美大使,从此,他担任中美结婚的媒婆的要职,做了一些卖国的工作,但仍从国内搜集资料,大力宣传反共。他还写信给毛泽东同志要中共放弃武力,完全服从蒋匪帮的统治。

胡适从美国来到中国以后,由蒋匪任命为北京大学校长,他就任用特务做训导长,专事镇压爱国和拥护共产党的学生。他还被蒋匪任命为伪国民大会的主席,演出了"制宪"和"选总统"的丑剧,又向伪国民大会提出了反共的《戡乱条例》,极尽其反革命之能事。

在第三次国内革命战争时期,胡适亲眼看到了共产党所领导的人民革命势力浩大,蒋匪帮卖国集团即将崩溃,就呼号用第三次世界大战来解决世界共产党问题。他在 1948 年 10 月 5 日的大公报上发表了《两个世界的两种文化》的论文,把以美帝为首的好战的帝国主义叫作"民主自由主义大潮流",把以苏联为首的和平阵营叫作"反动的逆流",而这"反动的逆流""终究一定完全被打破的,将来还是要向着一个世界一个文化走",即是向着以美帝为首的"民主自由主义的大潮流"走。但是胡适终于看到自己的卖国集团已经完蛋,只好把希望寄托在第三次世界大战,回到他主子的美国去了。

胡适逃亡到海外以后,仍旧死不甘心,又约集了一批卖国奴才,创办了《自由中国》杂志,继续干那反苏、反共和卖国的事情,他自己做了这个杂志的发行人。他把美帝国主义统治下的世界叫作"自由世界",把以苏联为首的社会主义阵营各国叫作"拯救世界",他们那个卖国集团的"自由中国",乃是"自由世界"的一部分,即美帝的殖民地。

胡适的梦想是要打回中国大陆,是要靠第三次世界大战爆发,"可以趁火打劫地回到大陆"。他说:"我们当然要回到大陆去的。我常说,远在天边,近在眼前。"胡适真正做梦！你胡适如果投降，当然允许你回到大陆，否则，大陆虽然"近在眼前"，却是"远在天边"。

胡适很希望第三次世界大战早日爆发起来，他在《国际形势与中国前途》的论文中，说起"自由世界"已经积极地恢复了军备，"自由世界的形势已经好转，可以说，也就是我们中国国家的命运的好转"。他说，"自由世界"将"解放"苏联、中华人民共和国和其他人民民主国家近十万万人民。因此，他们的卖国集团就可以回到大陆了。这真是胡适的梦想。

胡适追溯往事，很埋怨美国"爸爸"。他在《十年来中美关系急趋恶化的原委》的论文中，埋怨美帝当年不该把蒋介石卖国集团当作盟友看待，而不把他们当作儿子看待。假使把他们当作儿子看待，美国就不会把苏联请到东方来打日本，共产党也不会打倒他们的卖国集团，儿子就可以把整个中国交给"爸爸"了。胡适最后自怨自艾地作出了下面的结论：

> 我要以古代民主哲学家孟子所提出关于人类关系的一个明智的原则来结束和加强我的小理论。孟子说："父子之间不责善，责善则离，离则不祥莫大焉。"……孟子所不希望存在于父子中间的情形，竟存在于一个强国政府和一个弱国政府的中间；不错，来源是出于善意的，但也是用着强烈的压力的。

中国有一句辱骂卖国贼的古话是"认贼作父"，现在，胡适亲口喊出了美国"爸爸"。胡适早年在美国留学的时候，反对爱国，宁愿做卖国贼，现在他老了，还是做卖国贼。卖国、卖国，这是胡适的终生事业。

1956.5.14

（原载 1956 年《武汉大学人文科学学报》第 1 期，署名李达）

纪念伟大的孙中山先生[*]

（1956.11）

今天是我国伟大的民主主义革命家、我国人民革命的先行者孙中山先生诞生90周年纪念日，我们全国人民，以及许多国家中的进步人士，都怀着崇敬、怀念而又欣慰的心情来纪念这位革命的伟人。这种心情是完全可以理解的。因为人们都知道，孙中山先生是一个真正的革命家，他经历了许多艰难和险阻，遭受了许多的打击和挫败，为着中国人民的独立自由和富强康乐而不屈不挠地奋斗了40年，并且在最后找到了他的真正的朋友——苏联和中国共产党，坚决地接受了苏联的帮助，与中国共产党建立了亲密的合作，把革命斗争一直坚持到他最后的一次呼吸。孙中山先生的一生，就是革命奋斗的一生，追求真理的一生。孙中山先生以他毕生的努力梦寐以求的崇高理想，现在，在他的忠实朋友中国共产党的领导之下，已经光辉地实现了。在这个时候我们来纪念孙中山先生，追忆他对于中国革命事业的功绩，学习他伟大的革命精神，是有非常重大的意义的。

孙中山先生是一个无限忠诚于自己的祖国，对革命事业具有不息的热忱的革命家。他从小亲眼看到我们这个伟大的民族在清帝国的封建统治的压迫和外国帝国主义的侵略下遭受着侮辱和摧残，就孕育了强烈的革命意识。不久以后，他就得出了结论：要救中国，首先就应当推翻清帝国的反动统治，建立民主共和国。他冒着反动统治的憎恨和许多落后人物的指摘、非难和嘲笑，在几乎是孤立无援的情况下开始了革命活动。接着，他又组织了10次以上的武

---

* 本文是1956年11月李达在武汉大学纪念孙中山诞辰90周年座谈会上的讲话。——编者注

装起义,无论怎样失败受挫,流血牺牲,他决不灰心,一直到推翻了清帝国为止。此后,他又领导了讨袁、护法,与国内各种反动势力作坚持的斗争。十月革命胜利和中国共产党诞生后,他又主持了国民党的改组,宣布了三大政策,修改了三民主义,为北伐准备条件,继续坚持革命斗争,直到他弥留的时候,他还断断续续地喊出了"和平……奋斗……救中国!"的伟大遗言。这种为中国革命事业奋斗到底的精神,是中国人民永远不能忘记的!然而正因为孙中山先生是一个坚强的革命家,所以他无论在生前死后都有许多敌人。帝国主义反对他,国内的封建买办势力反对他,国民党内代表封建买办势力的右派也反对他。他刚刚一死,就有不少的右派人物出来歪曲他的精神,讥笑他的"缺点"。伟大的人民文豪鲁迅先生痛斥了这批人,指出中山先生乃是真正的"战士",而这些说风凉话的右派不过是"苍蝇",他尖锐地讽刺道:"有缺点的战士终究是战士,完美的苍蝇也终究不过是苍蝇"。鲁迅先生在《孙中山先生逝世一周年》这篇文章里说:"无论如何,中山先生一生的历史具在,站出世间来就是革命,失败了还是革命;中华民国成立之后,也没有满足过,没有安逸过,仍然继续着进行近于完全的革命的工作。直到临终之际,他说道:革命尚未成功,同志仍须努力。"鲁迅先生的这一段切实有力的话,是对于孙中山先生毕生为革命事业奋斗的伟大精神的公允的评价。

由于无限忠诚于自己的祖国,由于对革命事业具有不息的热忱,因而孙中山先生在他一生的活动中充满着热烈地追求真理的精神。当他开始进行革命活动的时候,他还没有一个反帝反封建的明确纲领,他曾经苦心孤诣地学习西方资产阶级国家,想在推翻了清帝国之后在中国建立资产阶级的共和国。但是当帝国主义的侵略行为使他渐渐感到自己的想法不对以后,他就放弃了原来的想法,另外探寻能够拯救中国的真理。在1905年他就明白地指出向欧美各国学习是行不通的了,他说:"欧美强矣,其民实困,……社会革命,其将不远",又说欧美各国乃是"由少数人把持文明幸福"的"不平等世界"。他痛恨殖民主义,指出这种极少数人压迫极多数人的殖民主义是"非常残酷,可恶已极!"孙中山先生也看出了封建土地所有制是中国贫弱的根源之一,因而提出了"平均地权"的主张。辛亥革命后,由于国民党内右派的阻挠,孙中山先生的主张一直不能实行,他找不到鼓舞、支持、赞助他的革命事业的力量,他几乎走到绝望的境地,然而他并没有停止摸索和追求。正在这个时候,十月革命胜利了,中国共产党成立了,中国革命的面貌为之一新。伟大的孙中山在这个重要的历史关头,表现了一个坚定的革命家的追求真理的英雄气概,他欢欣鼓舞地庆祝苏联的诞生,热烈地欢迎中国共产党同他合作。一心为祖国谋福利的孙中山,从他三十多年来四处碰壁的惨痛经验中深深地认识到了只有社会主义的苏联才是中国革命的真正的朋友,他极其诚恳地说:"中国革命的目的和俄国相同。……中国和俄国革命都是走一条路,所以中国和俄国不只是亲善,按革命的关系实在是一家"。又说:"法美共和国皆旧式的,今日唯俄国为新式的,吾人今日应造成一最新式的共和国。""吾国今日之革命,非以俄为师,断无成就。"他以革命家应有的勇敢坦率精神,承认了他自己以往领导的从同盟会一直到中国国民党的 30 年的革命活动就其结果来说是失败了。因此他本着"自知之明,自决之勇",在苏联和中国共产党的帮助下,改组了国民党,确定了联苏、联共、扶助工农的革命的三大政策,以革命的精神重新阐释了他的三民主义。

他的民族主义,就是对外废除不平等条约,"联合世界上以平等待我之民族共同奋斗";对内实现境内各民族间的平等。他的民权主义,就是实现"为一般平民所共有,非少数人所得而私"的民主政治。他的民生主义,就是"节制资本"和"耕者有其田"。这些主张与中国共产党在民主革命时期的纲领,即最低纲领,基本上是一致的。现在,在中国共产党的领导下,孙先生的理想不仅已经完全实现,而且还远远地超过了。我们不仅废除了一切不平等条约,而且把帝国主义在我国的一切势力全部肃清了。不仅实现了境内各民族在政治生活的完全平等,而且正在迅速地消灭历史上遗留下来的经济上文化上不平等的状况。不仅实现了"非少数人所得而私"的民主政治,而且实现了作为无产阶级专政的特殊形式的人民民主专政。不仅实现了"节制资本"和"耕者有其田",而且马上就要把资本主义所有制通过公私合营改变为全民所有制,把小生产者的个人所有制改变成劳动人民的集体所有制。对于持反对态度的右派分子,孙中山先生是和他们坚决斗争的,谁反对三大政策,他就要开除谁的党籍。他的儿子孙科曾经发表过反苏反共的言论,他就坚决把孙科的名字从中央委员的名单里勾掉了。这种追求救国救民的真理的精神,是可歌可泣的！由于他的坚持，国民党的改组终于完成了，一时中国革命的面貌也就显得生机蓬勃，气象万千。不幸国民党的右派分子在孙中山先生死后不久，立即暴露了自己的真面目。孙中山先生叫他们联苏、联共、扶助工农，做一个革命派，他们却反苏、反共、屠杀工农，完全做了帝国主义和封建主义的走狗，把孙中山先生的伟大革命精神糟蹋得不成样子。这些人常常口诵"三民主义"和"总理遗嘱"，自称为孙中山先生的信徒，其实他们是孙中山先生的叛徒。听说这些人也在开会纪念孙中山先生，不知道他们在纪念会上扪心自问的时候将作何感想。我想，倘若他们并不打算放下屠刀，悔过自新地真正做孙中山先生的信徒的话，那么他们的纪念会又有什么意义呢？

我们的党对于伟大的孙中山先生作了崇高的历史评价，中国人民对于孙中山先生是无限尊敬的。孙中山先生的革命功绩和思想言论，乃是我们中华民族的极可珍贵的遗产，我们有责任继承和发扬这一份珍贵的遗产，学习孙中山先生热爱祖国，坚持革命，追求真理，修正错误的伟大精神，为把我国建设成为一个伟大的工业化的社会主义国家而奋斗！

（原载 1956 年 11 月 19 日《新武大》第 214 期，署名李达）

中华人民共和国宪法讲话[*]

（1956.11）

---

　　[*]　《中国人民共和国宪法讲话》于1956年11月由人民出版社出版，署名李达编，其第一、二章的内容曾被收入人民出版社1988年8月出版的《李达文集》第四卷。——编者注

第一章　宪法及宪法之史的考察

（1953.10）

第一节　宪法、国家与法律的意义

一、宪法是国家的根本法律

宪法是国家的根本法律,它表现一国的统治阶级的意志,巩固统治阶级专政。

宪法和普通法律不同。

第一,宪法是国家最基本的法律,它规定一个国家的国家制度和社会制度的基本原则、国家机关的组织与活动的原则以及公民的基本权利和义务。所以宪法只规定国家最基本最重要的问题,它并不涉及一般的问题。正因为宪法所规定的是国家的最基本最重要的问题,所以它就成为立法机关进行日常立法活动的根据。立法机关必须根据宪法所规定的国家的立法原则,来制定各种法律。

第二,宪法的法律效力和普通法律不同。因为宪法是国家的根本法律,是日常立法活动的根据,所以普通法律的内容必须符合于宪法。如果普通法律的内容和宪法相抵触,它就没有法律效力。这就是说,宪法具有最高的法律效力。

第三,宪法的制定和修改的程序,也和普通法律不同。宪法的制定和通过,有由国家的立法机关通过的,也有由特别召集的专门机关(如立宪会议、国民会议、制宪会议)来通过的。有的时候,在通过宪法时还要举行关于是否赞成宪法的全民投票。对于宪法的修改,通常规定有一种特别程序。这种特别程序和修改普通法律的程序不同,例如立法机关修改宪法时,通常要有全体代表的三分之二的多数票通过。至于修改普通法律,通常只要有全体代表过半数通过就可以了。

以上是宪法所具有的、和普通法律不同的一些特点。

我们所研究的宪法是作为国家根本法的宪法,它是在近代初期资产阶级革命取得胜利并掌握了政权以后才被制定出来的。依照初期资产阶级的说法,宪法如不规定代议制、分权制和公民权利等条款,就不成其为宪法。在这种意义上的宪法,是近代以前的奴隶主国家和封建国家所没有的。宪法这个名词原是我国的旧名词,是指"典章"和"法度"说的,尚书中所说的"监于先王成宪"和国语中所说的"赏善罚恶,谓之宪法",那是指普通法律说的。宪法的拉丁字是 Constitutio,是确立、确认的意思。这个名词在罗马帝国的立法中应用过,那是表示皇帝的各种建制和诏命,当时并没有概括社会生活和国家生活一切方面的统一的书面文件的这种宪法。在欧洲封建时代,"宪法"一词有时用来表示封建主的各种特权和政治自由,那时只有个别的宪法性法令,是对个别城市和团体的权利的书面规定。这就是表现剥削阶级利益的宪章。所以近代意义的宪法即作为国家根本法的宪法,在奴隶时代和封建时代是不曾有过的。

宪法虽然是国家的根本法律,但它仍然是一种法律,仍是特定阶级的国家用以统治被统治阶级的工具。法律是一国的统治阶级制定出来用以巩固阶级专政的武器。国家没有法律就不能行使统治,法律离开国家就等于空文。因此,当我们研究这个作为国家的根本法律的宪法时,必先研究国家和法律的意义。

二、国家与法律的意义

国家是社会分裂为阶级以后才产生的。阶级分裂是国家成立的根本条件。当社会分裂为阶级的时候,少数的人们独占着生产资料,多数的人们被剥夺了生产资料,少数独占着生产资料的人们对多数被剥夺了生产资料的人们进行着残酷的剥削和压迫,于是阶级间必然因利害冲突,引起阶级斗争。阶级斗争发生以后,那独占着生产资料的阶级,为了巩固生产资料的私有制,为了扩张经济剥削的范围,不能不利用自己的优势创造出特殊的强制机关,来镇压多数无生产资料的阶级。这种强制机关的工具就是军队、警察、宪兵、特务、法庭、监狱等等。这种强制机关就是国家。所以国家是阶级斗争不可调和的产物,是剥削阶级统治被剥削阶级的机关。

国家是阶级社会的政治的上层建筑,国家的基础是社会的经济结构,即生产关系的总和。这些生产关系在阶级社会中就是阶级关系,即剥削者和被剥削者的关系。所以国家的内容也就是阶级关系,即统治者和被统治者的关系。经济结构的阶级实质是怎样,国家的阶级实质也是怎样。哪一个阶级在经济上占统治地位,它在政治上也占统治地位。

作为剥削者社会的政治的上层建筑的国家,总是为剥削者阶级的利益服务,为剥削者阶级巩固剥削制度,巩固生产资料私有制的生产关系,今天资本主义的生产关系早已反动透顶,早已严重地阻碍着生产力的发展,阻碍着社会的进步。但是,由于资产阶级还掌握着国家权力,实行着暴力的统治,并且还企图通过他们的国家权力来维持资本主义的生产关系。所以被统治的工人阶级必须根据各种不同情况进行各种形式的革命斗争,推翻资产阶级的国家,创造自己的新国家,建立社会主义的生产关系。

剥削者阶级的国家的活动,表现在两种基本职能之上。一个是内部的并且是主要的职能,即是少数剥削者压迫被剥削者多数。一个是外部的也是次要的职能,是靠侵略他国领土来扩大本国统治阶级的领土,即扩大剥削的地盘;或者是保护本国领土即保护原有的剥削地盘,防止他国统治阶级来侵犯。从前的奴隶制国家和封建国家曾经是这样,现在的资产阶级国家也是这样。

现在来说到法律。法律是国家所必要不可缺的工具,是剥削者阶级镇压人民的武器。法律以国家的存在为前提。如果没有国家,法律的效力就等于零;反之,如果没有法律,国家就不能完成自己的职能。

法律和国家一样,同是社会的上层建筑。法律是国家的统治阶级按照自己阶级的意志制定的。统治阶级意志的内容由自己阶级的物质生活条件所决定,即由那种于自己阶级有利的经济关系、生产关系所决定。所以法律是人和人之间的一定的经济关系、生产关系的表现,主要地是用法律形式固定起来的财产关系的表现。某一阶级社会中法律规范的制度以及和它相配合的各种法律机关,就成为一定经济基础上的法律的上层建筑。因此,在经济上和政治上占统治地位的剥削阶级,把自己的意志规定为法律,通过国家的各种强制机关(包括军队、警察、法庭、监狱等等),施行于整个社会,主要地施行于劳动人民,以达到镇压被剥削阶级的目的。

法律不仅表现某一种社会中的财产关系,并且又以保护和巩固这种财产关系为目的:它不仅巩固于统治阶级有利的经济制度,并且还巩固于统治阶级有利的政治制度,即巩固某一统治阶级专政及其在社会中的领导作用。法律为了统治阶级的利益,还把它的影响扩展于社会关系各方面。

法律是一定的经济关系、生产关系的反映。在某一定社会中占统治地位的生产关系怎样,这一社会的法律、法律观点和法律制度也就是怎样。

以上仅就各种剥削者阶级的国家和法律的意义作概括的说明,至于社会主义的国家和法律,属于另一范畴,下面还要说到。

第二节　奴隶制的国家和法律

在原始公社制度之下,生产资料公有,社会上没有阶级的差别,所以还没有国家。当时领导各氏族、各部落或部落集团的人是由全体人民选举的。公社执行着一定的社会职能,保护公共财产,组织公共劳动,调解氏族间或部落间的纠纷,监督各种习惯和宗教仪式的遵守,保卫本族人不受外族人侵害。这种社会机关并不是独立于氏族或部落之上的特殊强制工具,即是说还不是国家。因为没有国家,所以也没有法律。当时人和人之间的关系的调整,是依靠于世代相传的传统习惯的。这些习惯是从社会的物质生活条件中产生出来的。人们应该做什么和不该做什么,什么是好事和什么是坏事,都由习惯来确定,所以习惯能代表公社中全体成员的利益。在当时,人们如果破坏了习惯,就要受众人的指责,并且这还是很少见的事情。在原始公社时代,没有国家和法律,却有那样和平的社会秩序,这完全是由于生产资料公有,社会没有阶级的差别。

但是,原始公社发展到了后期时代,由于社会生产力的发展,人们有了剩余生产物,由于剩余生产物的增多,各氏族或各部落为了发展生产就要求有更多的劳动力,当时能够供给这种劳动力的人就是种族战争中所捕得的俘虏。

这类俘虏在从前是斩尽杀绝的(因为没有多的粮食养活他们),现在把他们当作生产的奴隶了。从这时起,社会便分裂为奴隶主和奴隶两个阶级。往后更由于生产资料私有制的形成,各氏族内部的成员也分裂为富人和穷人,穷人也逐渐沦为富人的奴隶了。于是原始社会就转变为奴隶制社会,最初的国家——奴隶制国家出现了。

在奴隶制社会中,极少数奴隶主独占着生产资料,大多数奴隶一无所有。奴隶是彻底的被剥削者,是连自己的身体、自己的劳动力也不能自有的完全的一无所有者。奴隶是被主人当作生产资料看待、当作只能说话的工具、只能说话的牲口看待的。在这种情形下,大多数的奴隶必然不能忍受极少数奴隶主的剥削,必然起而反抗,激成残酷的阶级斗争。所以奴隶主阶级(大都是公社末期的民军统帅、酋长、族长一类)就创造出各种强制机关来镇压领土以内的居民。这些强制机关就是国家。这种国家的主要任务在于镇压奴隶,在于强迫他们劳动。所以国家从它成立的时候开始,就成为阶级矛盾不可调和的产物,它是阶级斗争的结果,是一个阶级压迫另一阶级的机关,即奴隶主统治奴隶的机关。

阶级和国家出现以后,法律就随着产生了。有国家必然有法律。在从前公社时代,应该做什么和不该做什么,什么是好事和什么是坏事,是由传统的习惯来确定的。现在不同了,阶级的利害完全是敌对的,人们的行为好或坏,正义或非正义的意义完全不同了。从前没有私有财产,所以没有盗窃、侵占和争夺的行为,现在有了私有财产,那些行为都有了,因而规定财产关系的行为规范、调整人和人之间的关系的规范,就由统治阶级制定出来了。在这些规范中,法律是最主要的。但在奴隶制国家中,法律公开保障上层奴隶主的统治和特权,保护奴隶主和上层自由民的财产,保证他们对于无产自由民和奴隶的剥削。至于奴隶在法律上不算是人,只当作物看待,不要说起保护人身的法律,就是关于杀人的法律,对于奴隶也不适用。奴隶主对于奴隶可以任意打死杀死,不算犯法,如果某一奴隶主打杀了别的奴隶主的奴隶,可用牲口或财物赔偿。所以奴隶制国家的法律是奴隶主阶级的意志的表现,它保护奴隶主的利益,并巩固奴隶制度。

奴隶制社会比较原始社会是进步的。奴隶主利用多数奴隶的劳动力和比较进步的工具,组织农业和手工业的生产,使得生产力提高了。同时,奴隶主中的一部分人,靠奴隶的劳动过日子,有了必要的闲暇可以研究自然和社会,因而发展了哲学和科学,创造了古代的灿烂的文化。但是奴隶制经济是没有出路的经济,当它的生产力发展到了顶点的时候就开始下降了。因为奴隶首先过着牛马一样的生活,在主人鞭笞之下劳动,他们的劳动能力是很低的,这就阻塞了生产技术的进步;其次,奴隶因不堪主人的残酷的虐待,常常爆发起义,以致遭到统治阶级大规模的屠杀,奴隶的人数日益减少;再次,奴隶主阶级因为奴隶来源枯竭,经常发动对邻国掠夺奴隶的战争,引起国力的消耗。所以奴隶和奴隶主的阶级斗争的结果,两个阶级同时消亡。奴隶主转变为封建地主,奴隶得到一半的解放转变为农奴,于是奴隶制社会转变为封建社会了。

第三节　封建的国家和法律

封建社会的两个主要阶级是地主阶级和农民阶级。农民以外,还有手工业者和商人,身份大致和农民相同。封建社会的生产关系,就是地主阶级对农民阶级的压迫和剥削。建筑在这种生产关系之上的封建国家,是地主阶级统治农民阶级的国家。

中国的封建制度,自周秦以来一直延长了三千年左右。但由于地主阶级占有土地的制度和对于农民剥削的方式的不同,封建国家的政体也略有不同。大概在西周到战国的时代,土地是归各级封建领主(即王、公、侯、伯、子、男各级)所领有,各级领主把土地交与农民耕种,从农民榨取劳役地租和实物地租。公侯伯子男各级领主,虽然在名义上共戴一个周王,但实际上是自己领土内的一国之主,所以这时期是诸侯割据称雄的时代。到了战国以后,土地变为可以买卖的商品,于是在封建领主之下,又出现了民间地主。从此以后,民间的豪绅地主兼并土地,富者田连阡陌,贫者土无立锥,无土地的农民变为地主的佃农了。农民一方面要向民间地主缴纳地租;另一方面又要对领主(最大地主即皇帝)缴纳田赋及其他贡税,并负担劳役,地主对农民的剥削是更加繁重了。秦始皇统一中国以后所建立起来的专制主义的中央集权的封建国家,可以说是建筑在这样的剥削制的生产关系之上的,它仍然是地主阶级统治农民阶级的国家。

封建的法律,在秦代以前是由各国的领主制定的,在秦代以后是由皇帝制定的。法律的目的是保障封建的生产关系,巩固地主阶级专政。皇帝即是国家(所谓"朕即国家")。皇帝所说的话就是法律(所谓"金口玉牙"、"言出法随")。刑法非常残酷(有所谓墨、劓、剕、宫、大辟、轵左右趾、断舌、弃市、凌迟、斩腰、笞、杖、流等罪名),农民所受的压迫是不可以言语形容的。

农民因为受到地主阶级的残酷的剥削和压迫,常常举行起义以反抗地主阶级的统治,从秦代的陈胜、吴广直到清代的太平天国,大大小小数百次起义,都是农民的革命战争。只因为农民不能代表新的生产方式,没有新兴的无产阶级来领导,所以每一次的革命总是被地主阶级所利用,成为他们转朝换代的工具(农民的革命只有在无产阶级和共产党领导之下才能推翻封建统治,获得解放,这是中国革命史所证明了的)。

封建时代农民的阶级斗争,是历史发展的动力。每一次农民的起义和战争,都打击了当时的封建统治,因而也就多少推动了社会生产力的发展。

在封建社会中,从农民中分化出一些手工业者和商人。秦汉以后,工商业逐渐发达起来,从 10 世纪到 18 世纪之间,许多大规模的手工作坊和大规模的商业经营都继续出现,国外贸易也很发达,按照历史发展的规律,中国的封建社会也会慢慢地发展到资本主义社会,但是落后了一步,资本主义社会首先在欧洲出现了。

欧洲的封建的国家和法律,同样完全是地主阶级统治农民阶级的机关和工具。欧洲的封建国家也经历了领主割据时代发展为专制主义的中央集权的封建国家。但这样的封建国家和中国的有所不同。欧洲从 15 世纪以来,工商业的资产阶级已经创造了资本主义的生产方式,它的经济势力逐渐地超过了土地贵族,专制主义的中央集权的政权是王权勾结资产阶级来压制土地贵族的政权。庞大的中央的官僚机构和常备军,大部分是靠工商业的税收来维持,所以这样的政权也不能不支援资产阶级到海外开拓市场,夺取殖民地,实行有利于商品经济发展的各种政策。但是封建统治阶级所以维持资产阶级,是为了多多榨取工商税款增加国库和私库的收入。在政治方面,封建的专制政治却更加趋于反动,一切立法行政大权完全操在国王、贵族和僧侣手中,对于资产阶级的要求就可以完全不顾。因此,英国国王把那个曾经允许资产阶级参加的国会停止召开了,法国国王把那个曾经允许资产阶级参加的三级会议也停止召集了。专制政治发展到了这样的地步,资产阶级就完全被剥夺了参与政权的机会。在经济方面,贵族和僧侣享有种种特权,可以不缴纳税款,资产阶级却要缴纳种种苛捐杂税。像这样的封建的压迫和剥削,是资产阶级所不能长此忍受的,在经济上已经占居统治地位的资产阶级,必然要在政治上占居统治地位,所以 17 世纪的英国资产阶级革命和 18 世纪的法国资产阶级革命,先后爆发了。由于资产阶级革命的胜利,封建国家就让位于资产阶级国家。

第四节　资产阶级国家和宪法

一、资产阶级宪法

资产阶级国家是资本主义社会的上层建筑。资本主义社会有两个主要阶级,即资产阶级和无产阶级。资本家独占着生产资料,靠剥削劳动者发财致富,劳动者被剥夺了生产资料,专靠出卖劳动力取得工资以维持生活。此外,还有手工业者和农民也是劳动人民,也受资产阶级的剥削。建筑在这种基础之上的国家,是资产阶级统治无产阶级和其余劳动人民的工具。

资产阶级的国家和法律,和封建制的、奴隶制的国家和法律比较起来,有一个特别不同的地方,就是资产阶级在推翻封建国家掌握政权以后,制定一个宪法作为国家的根本法;这个根本法规定国家制度和社会制度的原则,规定国家机关的组织和活动的原则,此外还规定公民的种种的权利和义务。国家的组织形式是按照宪法组成的,一般法律也是按照宪法制定的。这种意义的宪法,在从前封建时代和奴隶制时代,确实不曾有过。特别是资产阶级宪法确立了所谓民主制度,规定了公民的基本权利,如所谓公民在法律上平等,所谓言论、出版、集会、结社、居住迁徙等自由以及参与政治的权利之类,这和封建制度比较起来,当时曾经是社会发展的巨大进步。但这种进步也只是暂时的,随着无产阶级登上政治舞台,资产阶级宪法中所表现的民主制的局限性、片面性和欺骗性就完全暴露了。

资产阶级所以需要宪法,其主要目的是巩固资产阶级革命的胜利成果,巩固生产资料的资本家所有制,并实行资产阶级专政。同时还在宪法中把自己阶级的自由和平等粉饰为"全民"的自由和平等,以便愚弄无产阶级和劳动人民,行使其统治权。

资产阶级宪法是以资本主义民主制为基础的宪法。斯大林在《关于苏联宪法草案的报告》中指出资产阶级宪法有下面五个反动的特点。

第一,资产阶级宪法巩固资本主义的经济制度,即巩固生产工具和生产资料的资本主义所有制,巩固人对人的剥削制度。资本主义社会分裂为两个极端的对立:在一个极端上是大多数的被剥削者,他们为资本家劳动,过着贫穷困苦的生活;在另一个极端上是极少数的剥削者,他们专靠劳动者所提供的剩余价值,过着穷极奢侈的生活。资产阶级各国的宪法反映着这种经济制度,用立法手续把这种经济制度固定起来。

第二,资产阶级宪法巩固着资产阶级对于国家的领导,即巩固资产阶级专政。建筑在资本主义社会之上的国家,总是资产阶级统治无产阶级的机关,宪法所以需要,是为了把有利于资产阶级的社会秩序固定起来。各个资产阶级的宪法,对于政府组织的规定,有采取内阁制的,也有采取总统制的。在采取内阁制的国家,内阁由议会中的多数党组织;在采取总统制的国家,总统由公民选举或由议会选举。但是资产阶级的选举法对于公民的选举权利规定了许多限制(财产限制、居住限制、文化程度限制以及缴纳候选人保证金等),使得劳动人民无法行使选举权,这在实际上取消了劳动人民真正参加政治生活的权利。并且当着进行选举的时候,资产阶级利用各种宣传工具,对选民实行欺骗、威胁、利诱和暴力,来达到选出自己阶级的总统和国会议员的目的。所以资产阶级民主就是资产阶级专政,这是资产阶级宪法所保障的。

第三,资产阶级宪法是民族主义的宪法,即各统治民族的宪法。在资产阶级国家中,各个民族、种族彼此不能平等;有享受完备权利的民族,也有一种无完备权利的民族。还有第三种民族或种族,例如殖民地方面,他们所有的权利比那些无完备权利的民族更少。过去希特勒德国对于犹太人的大屠杀,现在美帝国主义对于有色人种的迫害,英帝国主义和法帝国主义等对于殖民地人民的镇压,都是鲜明的实例。

第四,资产阶级宪法取消或限制人民的民主权利和自由。资产阶级宪法可分两类。第一类宪法直接否认公民的民主权利和自由,或者事实上把公民的民主权利和自由化为乌有。第二类宪法标榜民主主义原则,但同时又加上许多限制和条件,把公民的民主权利和自由损伤无余。

第五,资产阶级宪法通常是以规定公民的形式权利为限,却不注意实现这些权利的条件,实现这些权利的可能,实现这些权利的物质条件。

资产阶级宪法中所宣称的自由和平等,是以私有财产为基础的。所谓平等是财产上的平等,所谓自由是财产上的自由。

就平等说,劳动者和资本家之间、农民和地主之间,是决不能有平等的。

就言论自由、集会自由、出版自由来说,无产阶级不能拥有适当的会场,良好的印刷所和充分的印刷纸张,也无法实现这些自由。所以资产阶级的民主只是供极少数人享受的民主,供富人享受的民主。资产阶级宪法所规定的自由和权利,只是资产阶级所享受的东西,对于无产阶级来说,那样的规定完全是虚伪的。

由此可见,资产阶级宪法是资本主义社会的法制的上层建筑,它巩固资本主义的经济制度、剥削制度,巩固资产阶级专政。它是资产阶级统治无产阶级的武器。

二、无产阶级争取民主的斗争

资产阶级宪法规定国家机关的组织和活动的原则,是所谓三权分立。这就是把国家权力分为立法、行政和司法三部门,立法权由国会行使,行政权由行政机关行使,司法权由法院行使。各机关各自独立,不相侵犯。但国家权力本身是统一的东西,所谓三权分立只是一个虚构。

资产阶级国家权力的根本特征,实际上不是三权分立,而是行政权压倒一切,就是以行政权为中心把立法权和司法权集中起来。资产阶级国家发展的历史事实,就表现这一过程。资产阶级首先掌握国会权力,然后把这个权力放在行政权之下,来保障统治的地位。所以资产阶级根据多年的政治经验,知道了要确立自己阶级的统治,必须掌握中央集权的行政机关。所以资产阶级内部互相斗争的各派,总要抢夺这个巨大的行政机关,才能取得胜利。谁夺得了这个行政机关,谁就掌握了国家的权力。国家权力的集中化,是资本集中所产生的历史的结果。资本的集中推进无产阶级的团结,和这一样,国家权力的集中,对于无产阶级的政治力量的结成,也有很大的效果。

资产阶级国家权力的重心虽然已经由国会移到了行政机关,但资产阶级却仍然宣称国民有主权,国会就是它的代表。事实上,国家的权力已由议会移到行政机关,一切国家大事都由行政机关主持,国会已变为"清谈馆"。行政机关不管国会议员们如何清谈,议出了什么议案,总是一样地行使它的统治的权力。

资产阶级国家权力的重心虽然已由国会移到了政府,资产阶级却牢牢地把持国会的大门,不让工人阶级选派代表进去。所以工人阶级利用民主主义的原则,实行争取参加政权的斗争。这样的争取民主权利的斗争,一直经过了数十年之久,资产阶级总是不肯放松,甚至演出过屠杀工人的惨案。直到工人阶级的势力成长,使得资产阶级受到威胁之时,资产阶级才允许实行所谓普遍选举。所以资产阶级实行的普遍选举制,还是无产阶级斗争的结果,也是无产阶级的成熟的测验器。从此无产阶级就利用这种所谓普遍选举权,选派自己的代表到资产阶级的国会中,宣布自己阶级的政见;同时也知道组织自己阶级的政党,领导工人群众对资产阶级作政治斗争。所以列宁在《论国家》的讲演中说:"资产阶级的共和制度,国会和普选制,——所有这一切,从全世界社会发展方面来看,都是一种巨大的进步。人类是向资本主义进展了,也只有资本主义,由于有城市的文化,才使被压迫无产阶级有可能来认识自己的地位,并造成全世界的工人运动,造成现时在全世界上包括有千百万工人的政党,即自觉地领导群众斗争的社会主义党。没有国会制度,没有选举制度,则工人阶级就会不能有这样的发展。"

正因为资产阶级的国会制度、选举制度对无产阶级具有这样重大的意义,所以马克思、列宁主义者非常重视国会斗争。列宁在 1920 年就严肃地批判了德国"左派"共产党人对应否参加资产阶级国会所采取的轻浮态度,指出了他们排斥国会斗争的错误,列宁坚决主张无产阶级必须参加国会的选举,参加国会讲坛上的斗争(作为例外的特殊场合除外),利用这种斗争来揭露资产阶级,教育、启发工人与农民群众。

随着历史的向前发展,国会斗争在现时代的意义更加增大了,由于国际舞台产生了剧烈的变化,社会主义阵营已日益巩固和发展,社会主义思想正在全世界千千万万劳动人民中间迅速地传播与成长,而资本主义世界却正处于危机状态,右翼资产阶级政党及其所组成的政府却不断地遭到破产。在这种情况下,某些资本主义国家的工人阶级,如果把劳动农民、知识分子和一切爱国力量团结在自己的周围,就有可能取得国会的稳定多数,使国会变成真正代表人民意志的工具,并创造为保证基本的社会改革所必须的条件。因此,通过国会手段过渡到社会主义就成为完全可能的了。马克思列宁主义认为向社会主义的过渡,并不一定在任何情况下都必须经过国内战争,经过武装起义。马克思列宁主义经典著作家早就教导我们,向社会主义过渡可以采取多种多样的形式。列宁说过:"一切民族都将走到社会主义,这是不可避免的,但是走法并不完全一样,在民主的形式方面,在无产阶级专政的形式方面,在社会生活各方面的社会主义改造的速度方面,每个民族都会有自己的特点。"①现实的国际政治生活已完全证实了列宁这一原理的正确性,在社会主义前进的道路中,除了苏联人民根据苏维埃形式建成了社会主义以外,欧洲人民民主国家根据自己特定的历史条件,采取了人民民主的形式,并取得了建设社会主义的辉煌成就。我们伟大的祖国在过渡到社会主义的形式方面作出了许多独特的贡献,我们国家采取了对资本主义进行逐步的社会主义改造的方针,正沿着和平的道路胜利地走向社会主义。

苏联共产党第二十次代表大会,正确地分析了现时的国际局势,科学地总结了世界无产阶级革命斗争的新的经验,作出了重要的原则性的结论:认为在某些资本主义国家里,在工人阶级及其先锋队的领导下,有可能利用国会这个工具改变社会政治制度;但在那些资本主义还很强大并且拥有庞大的军事警察机构的国家,反动势力必然要进行顽强的抵抗,工人阶级就必须进行尖锐的阶级斗争才能过渡到社会主义。这个结论是以战无不胜的马克思列宁主义的学说为根据的,同时又创造性地丰富和发展了马克思列宁主义。这个结论不仅有理论的意义,而且有纲领的性质,它对国际无产阶级的革命斗争具有深刻的、现实的、指导的作用。

---

① 《列宁全集》俄文第四版第 23 卷,第 58 页。

三、资产阶级国家的法西斯化和宪法的破产

资产阶级国家进到了帝国主义时代,发生了特征的变化,这就是它的法西斯化。我们知道,帝国主义是垂死的资本主义,是资本主义的最后阶段,是无产阶级世界革命的前夜。在这个阶段上,资本主义的垄断组织和资产阶级国家合流的过程愈益加强了,垄断资本主义日益变成国家垄断资本主义了。国家机构不仅是采取半公开的、间接的形式服从垄断资本家,并且完全地、直接地服从垄断资本家。例如在美国,总统是垄断资本家抬举出来的,政府各部长是由垄断资本家和他们的代理人分别担任的。资产阶级的国家机构庞大到了臃肿的程度。资产阶级国家机构的加强,首先是扩大海、陆、空军,扩充侦察机关和特务机关、官、吏、警察和宪兵队,即扩大镇压和暴力机关。

资产阶级国家转变为垄断资本专政的国家,从 19 世纪末叶起,已经明白地、具体地表现了出来,到了第一次世界战争以后,这种倾向越发向前发展,表现为法西斯主义了。

随着自由竞争的资本主义转变为垄断资本主义,资产阶级的民主主义就转变为法西斯主义。法西斯主义是垄断资本主义上面的政治的上层建筑。由于无产阶级世界革命运动潮流的高涨,由于世界资本主义总危机的加深,资产阶级已不能照从前那样用虚伪的民主主义的方法去统治无产阶级了。于是资产阶级露出了狰狞的面孔,扯破了掩护资产阶级专政的民主的遮羞布,干脆取消人民的民主权利和自由,走上公开的恐怖的法西斯专政,来镇压工人阶级、共产党和进步分子的道路。所以法西斯主义是一般民主的否定,是资本主义的软弱性和腐朽性的表现,是资产阶级再不能用虚伪的民主方式实行统治的证明。

资产阶级取消民主的手段,是修改宪法,或者颁布一些反动法律,取消宪法中的民主原则和人民的民主权利。例如 1926 年墨索里尼统治的意大利颁布了《国家防卫法》,1933 年,希特勒统治的德国颁布了《保卫人民及国家法》,对于政治犯罪和反法西斯制度的犯罪,都实行死刑和极残暴的镇压。至于公民的民主权利和自由已经完全取消了。美帝国主义者跟在希特勒匪帮之后,制定了一系列的法西斯法律。例如迫害共产党的《史密斯法》,限制工人

罢工权的《塔夫脱—哈特莱法》,准备陷害共产党人和进步人士的《麦卡伦法》,迫害非美国籍公民的《麦卡伦—华尔特法》。此外还组织了"联邦调查局"和"非美活动调查委员会",专门压迫共产党、工人阶级、有些民族和进步的爱好和平的民主人士,把公民最起码的权利和自由都取消了。资产阶级所宣称的"最民主"的美国宪法,已经完全等于废纸。正如斯大林在苏共第十九次代表大会的演说中所说:"从前,资产阶级高唱自由主义,拥护资产阶级民主的自由,从而在人民中间为自己树立了声望。现在,连自由主义的影子也没有了。所谓'个人自由'已经不再存在了,——现在,仅仅那些拥有资本的人们才被承认有个人权利,而其他的一切公民则被当作只适于供剥削的人料。人权平等和民族平等的原则被践踏了;这种原则已代之以从事剥削的少数人享有充分权利而公民中被剥削的大多数人则毫无权利的原则。资产阶级民主的自由这面旗帜已被抛弃了。"

由此可见,资产阶级宪法在实际上已经破产,但资产阶级仍不敢公开取消宪法,仍然空喊民主和自由,这完全是为了拉拢工人贵族和小市民,为了和右翼社会党合作一同欺骗无产阶级。所以资本主义国家中的无产阶级和马克思列宁主义政党,必须高举民主自由这面旗帜,为争取实现宪法所规定的民主自由而斗争,更重要的是必须动员一切力量,为推翻资产阶级国家和建立社会主义国家、为废除资产阶级宪法和制定无产阶级宪法而斗争。在这一方面,苏联工人阶级以自己的行为为我们提供了光辉的榜样。

第五节　苏维埃社会主义国家和宪法

一、苏维埃社会主义国家

十月革命胜利以后,俄国无产阶级在苏联共产党领导之下,彻底摧毁了地主资产阶级的国家机器,建立了无产阶级专政。无产阶级专政是新的国家形式,即无产阶级国家,它和所有从前的国家类型根本不同。无产阶级国家,按照它的阶级内容、国家的组织形式、历史任务和在社会发展中的作用来说,都和从前一切剥削阶级的国家根本不同。

无产阶级国家的产生,标志着全世界历史上最深刻的转变。数千年来,国家都是剥削者阶级统治被剥削的劳动人民的工具,都是保障人剥削人的制度。只有在无产阶级级夺取政权以后,被剥削阶级才变成了统治阶级,历史上才第一次出现了不是保证剥削制度而是以消灭剥削制度为目的的国家。无产阶级利用国家权力镇压已被推翻的剥削阶级的反抗,把无产阶级革命进行到底,消灭阶级,达到共产主义的完全胜利。所以无产阶级专政是一种新的国家形式,同时又是由国家到无国家的过渡形式。

斯大林在《列宁主义的几个问题》中说,无产阶级专政有下列三个基本方面。

(一)利用无产阶级政权来镇压剥削者,保卫国家,巩固与其他各国无产者间的联系,保证世界各国革命底发展和胜利。

(二)利用无产阶级政权来使被剥削劳动群众完全离开资产阶级,巩固无产阶级与这些群众的联盟,吸收这些群众来参加社会主义建设事业,保证无产阶级对这些群众实行国家领导。

(三)利用无产阶级政权来组织社会主义制度,消灭阶级,保证过渡到无阶级的社会,无国家的社会。

以上三个方面,是不可分离地联系着的,如果缺少其中的某一方面,在资本主义包围的环境中,就可以使无产阶级专政不复成为专政。但这并不是说这三个基本方面的比重在任何时候都是不变的,随着无产阶级专政的发展,那三个方面的比重也有所不同。

苏维埃国家的发展,已经历了两个主要阶段:第一阶段包括从十月革命起到消灭剥削阶级止这一段时间;第二阶段所包括时期是从消灭城乡资本主义分子起直到现在。

在第一个发展阶段中,苏维埃国家的基本任务就是镇压已被推翻的那些阶级的反抗,组织国防来抵御武装干涉者的侵犯,恢复工业和农业,准备起消灭资本主义分子的条件。这就实现了两个基本机能:第一个职能就是镇压国内已被推翻的阶级。这个职能和从前剥削者阶级国家的内部职能不同。因为从前剥削者阶级国家是为剥削者少数镇压被剥削者多数,而苏维埃国家却是为劳动者多数镇压剥削者少数。第二个职能就是保卫国家以防外来的侵犯。这个职能也和从前剥削者阶级国家的外部职能不同。因为从前剥削者阶级国家反对外来的侵犯则是为了保护剥削者少数的财富和特权。苏维埃国家反对外来的侵犯则是为了保护劳动者多数的胜利品。苏维埃国家还有第三个职能,就是国家各机关的经济组织工作和文化教育工作。这个职能的目的,在于发展社会主义新经济的萌芽,并用社会主义精神重新教育人民。这种职能是社会主义国家所特有的新职能。但是这一职能在这个时期还没有得到重大的发展。

在第二个发展阶段中,苏维埃国家的基本任务就是在全国组织社会主义经济,消灭资本主义分子最后的残余,组织文化革命,组织保卫国家的完全现代式的军队。在这个时期中,国家的职能已经有了改变。因为剥削制和剥削者的消灭,已没有什么人必须加以镇压了。代替镇压职能的,是国家防范那些偷窃侵吞人民财富者而保护社会主义公产的职能。武力保护国家以防外来侵犯的职能,仍然是完全保存着,并且加强了。国家机关的经济组织工作和文化教育工作的职能仍然保存着,并且充分地发展了。所以在这个阶段的国家的基本任务,就是进行和平经济组织和文化教育工作。至于武装部队、惩罚机关和侦察机关主要地是用以对付外部敌人的。

随着苏维埃国家的发展和它的机能的复杂化的程度,随着社会主义经济体系的完全胜利,随着剥削制度和剥削阶级的完全消灭,苏维埃国家变成了工农社会主义国家。至于在国家机关的组织形式及其活动的分工方面、在公民的权利和义务方面,都改变得和它的社会主义经济基础完全相适合了。社会主义民主制已经扩展到社会生活的一切方面,历史上第一次出现了与现实相符合的全民的国家,并向着共产主义前进了。

二、苏维埃宪法及其发展

苏维埃宪法是从俄国无产阶级的革命斗争进程中,随着阶级矛盾成熟程度而成长起来的,它是无产阶级的革命和建设的历史经验的总结。苏维埃宪法的诞生和发展,是和苏维埃国家发展的两个阶段密切地联系着的。1918年的苏俄宪法和1924年的苏联宪法,和苏维埃国家发展的第一阶段相联系;1936年的苏联新宪法和苏维埃国家发展的第二阶段相联系。

1918年的苏俄宪法是在苏维埃产生之后的第一年产生的。苏维埃的产生虽然没有根据任何宪法,但在苏维埃政权成立以后,却逐渐积累了宪法原则的现实基础。在1917年10月到1918年6月的时期内,苏维埃政权颁布了几个具有宪法意义的重要法令:《土地法令》、《和平法令》、《俄国各族人民权利宣言》、《工人监督条例》、关于资本主义工业、运输业和银行国有化的法令、《劳动者和被剥削人民权利宣言》、关于解散立宪会议的法令、关于苏维埃的权利及义务的训令等。这些法令产生了一些宪法原则。这些原则可归纳为下列四项:(一)摧毁旧的国家机器,建立新的苏维埃国家;(二)摧毁旧的经济制度,建立社会主义经济制度;(三)取消民族压迫和宗教压迫,宣布各民族的自由和平等;(四)规定公民的权利和义务。以上这些原则都已为1918年的宪法所采用了。

1918年的苏俄宪法是世界史上第一次出现的无产阶级宪法,它记载着无产阶级群众反抗国内和全世界范围内的剥削者的斗争经验和组织经验。它巩固了无产阶级为推翻资产阶级建立苏维埃国家而斗争的成果,巩固了为争取和平而进行民主斗争的成果、农民夺取地主土地的斗争的成果和被压迫民族为争取民族解放和民族平等而斗争的成果。

1918年苏俄宪法的要点是:(一)建立社会主义所有制,作为改造其他非社会主义经济成分的物质基础和领导力量;(二)确立无产阶级专政;(三)规定国家机关的组织形式及其活动的原则;规定最高国家权力机关为全俄苏维埃代表大会,最高国家管理机关为人民委员会;一切国家机关都实行民主集中制;(四)宣布民族平等;(五)规定公民的基本权利和义务,并对公民的权利给以物质保证。这个宪法还指出了苏维埃政权进行社会主义建设的总任务,消灭剥削制度和阶级对抗,建成社会主义社会。所以这个宪法就成为动员并组织一切劳动人民为社会主义而斗争的伟大力量。

在1918年到1920年期间,苏维埃国家的劳动人民在组织社会主义生产的过程中,又和帝国主义武装干涉和地主资产阶级白卫的叛乱,进行了三年的英勇战争,取得了伟大的胜利。大资产阶级和地主阶级完全消灭了。从1921年起,苏维埃国家就开始走上和平经济建设的轨道,实行新经济政策,来恢复备遭破坏的国民经济。各民族的工人和农民在共产党领导之下,推翻了民族内部的剥削者,先后成立了苏维埃社会主义共和国。各共和国之间发生了友好合作的关系,在战胜了苏维埃政权的敌人以后,基于社会主义建设和国防建设的任务,必须在经济、政治、军事互助的基础上调整各族人民兄弟的合作,同时都感到有联合成为苏维埃社会主义共和国联盟的迫切需要,于 1922 年 12 月,在列宁的领导下,成立了苏维埃社会主义共和国联盟(即苏联)。于是,苏维埃国家就成为一个伟大的多民族国家。苏联成立以后,在 1924 年 1 月,第二次全苏联苏维埃代表大会通过了第一个苏联宪法。这个宪法所固定起来的,是成立统一的、联盟的、多民族的苏维埃社会主义工农国家,是成立新的全苏联的国家机关。在这个宪法中,载明了按自愿和平权原则,联合成为一个国家联盟的苏维埃各族人民和平共处与兄弟合作的基础。这个宪法为苏维埃国家的社会主义工业化和农业集体化,为消灭城乡资本主义因素和展开反富农的斗争,为进一步扩展社会主义民主制和推行社会主义文化教育,都起了很大的作用。

1924 年以后,苏联人民在苏共领导之下,实现了社会主义工业化和农业集体化,完成了第一个五年计划,又进行第二个五年计划,到了 1936 年,苏联国民经济的面貌完全改变了,资本主义成分已经完全消灭,社会主义经济体系在全部国民经济中取得了全盘的胜利。生产工具和生产资料的社会主义所有制,在一切经济部门中都已成为不可动摇的基础。一切剥削者都被消灭了。于是全体居民中,就只有新型的工人阶级、新型的农民阶级和新型的知识分子,他们都是在社会主义社会中享有平等权利的一员。各民族中间互不信任的心理已经完全消失了,互相友爱的感情已经发展了,因此形成了各族人民在统一的联盟国家体系中真正兄弟合作的关系。于是,苏联人民在建成了社会主义社会的基础以后,接着就是要建成一个和基础相适应的上层建筑。这件事情,由 1936 年的苏联新宪法实现了。苏联新宪法的通过,意味着苏维埃社会主义的政治和法律的上层建筑,已经和经济基础相适应了。

三、苏联新宪法的基本特点

苏联新宪法是胜利了的社会主义国家的宪法,是以扩展的社会主义民主制原则为基础的新宪法。依照斯大林同志在《关于苏联宪法草案的报告》中所指出的,苏联新宪法有下列六个特点。

第一个特点:固定了社会主义社会制度。从十月革命到社会主义体系完全胜利这一段历史,是苏联劳动人民在苏联共产党领导下消灭资本主义建成社会主义的历史。苏联新宪法就是这一段历史的记录总结。它用记录的体裁,说明社会主义在苏联胜利的事实,说明苏联劳动群众摆脱资本主义奴隶制度而得到了解放的事实,说明扩展的最彻底的民主制在苏联胜利的事实。所以它是把事实上已经争得的社会主义胜利的成果,用立法手续固定起来。

第二个特点:巩固了社会主义基本柱石。苏联新宪法以资本主义制度消灭和社会主义胜利的事实为出发点,以社会主义原则和社会主义的基本柱石为主要基础。这些柱石就是:社会主义经济体系及社会主义生产工具与生产资料所有制;土地、森林、工厂及其他生产工具和生产资料概为国家财产;苏联的经济生活受国家所定国民经济计划的决定和指导,增进社会财富,提高劳动民众的物质和文化水平,并加强国防能力;劳动为每个有工作能力的公民按"不劳动者不得食"原则履行的义务和光荣职责;实行"各尽所能,按劳取酬"的社会主义原则;劳动权、休息权、受教育权等等。苏联新宪法就是依据于这类社会主义柱石的。它反映这些柱石,用立法手续把这些柱石固定起来。

第三个特点:确定苏联为工农社会主义国家,对于社会的国家领导权(专政)属于先进的工人阶级。由于剥削阶级的完全消灭,苏联只有全新的两个非常友好的阶级,即工人阶级和农民阶级(新的劳动知识分子,从工农出身,并为工农服务),此外并没有别种人民。宪法所以需要,是为了把对于劳动群众惬意而有利的秩序固定起来。

第四个特点:确认一切民族和种族的完全平等。苏联新宪法具有深刻的国际主义性质。它认为各个民族和种族,不论在肤色、语言、文化水平或国家发展水平方面的区别,不管它们现在和过去的状况如何,不管它们强弱怎样,都应在一切经济生活、社会生活、国家生活和文化生活方面,享有同等的权利。

第五个特点:规定一切公民都有平等权利。苏联新宪法对于公民的权利,不附带任何条件和限制。它不承认男性和女性、"久居者"与"暂居者"、受教育者与未受教育者有权利上的区别,而认为一切公民都有平等权利。决定每个公民在社会上的地位的,不是财产状况、不是民族出身、不是性别、不是职位,而是各人的能力和各人的劳动。

第六个特点:保证并扩大对于公民实现权利和自由的物质条件。苏联新宪法关于公民的权利和自由的规定,并不以形式的规定为限,而是着重保证着实现权利和自由的物质条件。为了保证劳动人民便于实现言论、出版、集会、游行和示威的自由,则供给印刷所、纸张、公共场所、街道、交通工具及其他一切为实现此种权利所必需的物质条件。为了公民有劳动权、休息权、年老、疾病和丧失劳动能力者有享受物质保证权、受教育权等;宪法规定公民权利的各条都分别列举了各项物质的保证。为了妇女在一切方面和男子有平等权利,宪法也列举了各种物质保证。因此,苏联新宪法所表现的民主主义,并不是一般的"通常的"、"公认的"民主主义,而是社会主义民主主义。正因为社会主义民主主义保证着苏联各民族各种族人民的物质和文化生活的不断提高,保证他们的平等的民主权利能够完全实现,所以全苏联人民能够实现精神上和政治上的统一,能够用积极的创造性的劳动、高度的警觉和无限的忠诚,来巩固社会主义制度,保卫社会主义祖国,发扬崇高的爱国主义和国际主义的精神。

苏联新宪法是世界上最彻底的民主的宪法,它在思想上武装着苏联劳动人民,变成了伟大的物质力量,它动员并组织一切工人、农民和知识分子为建成共产主义社会而斗争。

苏联新宪法反映了全世界无产阶级和劳动人民的共同利益和共同愿望,具有极深刻的国际主义的性质。这个宪法证明着:"凡在苏联所已实现的东西,是在其他国家里也可能完全实现的。"这个宪法对于苏联各族人民来说,是他们在为人类解放而斗争的战线上胜利的总结,而对于各资本主义国家和殖民地人民来说,则是他们的指路明灯和行动纲领。

社会主义阵线中各人民民主国家的宪法,都是社会主义类型的宪法。这些国家都处在到社会主义的过渡时期中,各自有其特殊的特点,它们到达于社会主义的具体步骤不尽相同,但凡是在苏联所已实现的东西,在这些国家里也可能完全实现。

中华人民共和国宪法是属于社会主义类型的宪法,这是本书所要说明的主题。

第二章　我国宪法是社会主义类型的宪法

第一节　我国宪法是历史经验的总结

一、我国宪法是中国人民百多年以来英勇斗争的历史经验的总结

自从 1940 年的鸦片战争以后,以英国为首的各个帝国主义国家,接二连三地侵入中国。它们在一方面促使中国封建社会解体,促使中国发生了资本主义因素,把一个封建社会变成半封建社会;在另一方面,它们又残酷地统治着中国,把一个独立的中国变成了一个半殖民地的中国。中国变成了半封建半殖民地的社会以后,帝国主义和封建主义就结合起来,统治着中国人民,使中国人民受着双重的压迫和剥削。

帝国主义和封建主义相结合,把中国变成为半封建半殖民地的过程,同时是中国人民反帝国主义和反封建主义的过程。从鸦片战争、太平天国运动、中法战争、中日战争、戊戌政变、义和团运动、辛亥革命、五四运动、五卅运动、第一次国内革命战争、第二次国内革命战争、抗日战争、第三次国内革命战争到中华人民共和国的成立——这是中国人民一百多年来英勇斗争的历史。

在 1840 年的鸦片战争到 1894 年的中日战争的期间,许多先进人物,为了救中国,为了改变自己国家的命运,努力去寻找真理。他们努力学习西方资产阶级的政治和文化,以为西方资产阶级那些东西很可以救中国。他们在学习那些东西以后,就企图按照西方资产阶级国家的模型来改变中国的国家制度和社会制度。所以在 1894 年被日本战败以后,中国出现了代表资产阶级的改良派和革命派。改良派以康有为为首,革命派以孙中山为首。改良派主张中国要仿效日本或俄国那样,实行君主立宪,不必根本改变封建制度,而资产阶级可以参加国家政权,来发展资本主义。改良派这种运动遭到了清廷以慈禧

太后为首的反动派的镇压而失败了。

孙中山革命派坚决反对改良派的运动，主张中国要学美国或法国那样，实行民主立宪，推翻清朝的政府，建立资产阶级共和国。革命派这种主张，在中日战争失败以后，博得了广大的人民的支持。革命势力得到了迅速发展，终于在1911年10月10日爆发了辛亥革命。

辛亥革命推翻了清朝的统治，结束了中国两千多年来的封建帝制，建立了中华民国和以孙中山为首的革命的临时政府。但是当时孙中山的革命派没有反对帝国主义和封建主义的党纲，没有广泛地发动和组织可以依靠的人民大众的力量，因而不能取得对于帝国主义和封建主义的彻底胜利。他们所代表的资产阶级软弱无力，终于和北洋封建军阀袁世凯相妥协。辛亥革命流产了。

从1912年起，北洋封建军阀统治着中国，临时约法被袁世凯取消了，"中华民国"变成了名不副实的空招牌。袁世凯干过一幕洪宪帝制败亡以后，接着统治中国的仍是各派封建军阀。各国帝国主义者为了在中国争夺势力范围，加紧对中国人民的侵略，就各自支持一派军阀连年不断地进行内战，使中国陷入极端混乱的局面，使人民受到严重的压迫和剥削。在这段时期中，孙中山领导的革命派虽然进行了反对北洋军阀政府的斗争，但是没有得到成功。

在辛亥革命以前和辛亥革命以后的若干年间，中国一切有志救国的人还只能按照资本主义的方法去寻找中国的出路。到了第一次世界大战和俄国十月社会主义革命以后，中国人开始看到了西方资本主义的日趋没落，并且看到了社会主义的万丈光芒。1919年5月4日，中国发生了伟大的反对帝国主义和封建主义的革命运动。在这个时候，中国工人运动开始高涨起来。中国人民中的先进分子开始确信：能够解决中国问题的不是资本主义的道路，而是社会主义的道路。先进分子的这种正确的信念，很快地变成了广大群众的信念。1921年，中国建立了马克思列宁主义的工人阶级的政党——中国共产党。从此，中国就开辟了革命的新局面，中国革命成为工人阶级领导的人民民主革命，即新民主主义革命，成为世界社会主义革命的一部分，并且得到社会主义苏联的援助。

在这个时候，伟大的革命家孙中山，从多年奋斗的经验中，认识了要达到救国的目的，"必须唤起民众，及联合世界上以平等待我之民族共同奋斗"。

他终于勇敢地采取了联苏、联共、扶助工农的三大政策,改组了国民党,同中国共产党建立了反帝反封建的联盟,展开了新的革命斗争。

1927年,中国国民党和中国共产党联合进行的北伐革命战争正在走向胜利的时候,蒋介石国民党背叛了孙中山的政策,背叛了革命。从此以后,中国革命的领导责任就完全由中国工人阶级和它的政党中国共产党单独担负起来了。从此,中国革命所表现的深刻性、彻底性和广大的群众规模,为以前一切革命运动所完全不能比拟。中国人民经过第二次国内革命战争、抗日战争和第三次国内革命战争,逐步地创造了坚强的人民革命军队和广大的革命根据地,并在革命根据地里面建立了统一战线的人民民主政权,进行了各种社会改革,得到了丰富的革命经验。长期的革命斗争证明,中国共产党指出的由新民主主义到社会主义的道路是唯一能救中国的道路。这条道路在全国人民中树立了极高的信仰。在第二次世界大战结束以后,中国人民终于战胜了美帝国主义支持的蒋介石反动派,在1949年取得了人民革命的伟大胜利。

上述一百多年以来的中国人民革命斗争的历史经验,特别是中国共产党领导中国人民革命斗争的历史经验,已经总结在1949年中国人民政治协商会议所制定的共同纲领之中,现在又总结在中华人民共和国宪法之中了。

二、我国宪法是中国近代关于宪法问题和宪政运动的经验的总结

我国宪法是一百多年来中国人民革命斗争的历史经验的总结,同时也是近60年来中国关于宪法问题和宪政运动的历史经验的总结。前面说过,自从1894年对日战争失败以后,中国出现了以康有为为首的改良派和孙中山为首的革命派。康有为派期望清帝学习俄国彼得大帝和日本明治天皇的维新变法,企图把大清帝国改变为君主立宪的国家。因此,他们在1898年曾扮演过一幕"百日维新"(即戊戌变法)的历史剧,结果遭到了慈禧太后一派的镇压而失败了。这一次变法的失败,表明了清朝专制政府是不允许人民有民主和自由,而民主和自由必须由人民群众用革命手段去实现的。所以这一次变法运动的失败,斩断了人民要求反动统治阶级恩赐宪法的幻想,因而促进了人民群众的民主革命运动的发展。

孙中山的革命派始终反对君主立宪而主张推翻清朝政府实行民主立宪

的。孙中山的革命派早在甲午战争前夜就组织了兴中会,发出了"驱除鞑虏,恢复中国,创立合众政府"的誓词,于 1895 年爆发了第一次的广州起义,于 1900 年爆发了惠州起义。到了庚子义和团反帝运动失败以后,腐朽透顶的清朝政府跪倒在国际帝国主义者之前,更加促进了民主革命潮流的高涨。当时革命知识分子出版了很多传播革命思想的刊物,革命派和保皇派(即康有为派)的论战非常尖锐。革命的理论斗争,随着革命危机的发展,逐渐转化为革命的实践和组织斗争。于是孙中山所领导的兴中会,就在 1905 年的光复会、华兴会合并,成立了同盟会,揭举了"驱除鞑虏,恢复中华,建立民国,平均地权"的革命纲领,扩大了革命党的组织基础(联络了哥老会、三合会等)。特别是日俄战争和俄国 1905 年的革命,给中国革命带来了很大的影响。从这个时候起,革命党人到处策动了武装起义;广东、广西、山东、河南等省的农民自发的抗捐抗粮的暴动达数千起之多;都市中的资产阶级反对清朝政府卖国借款和争回筑路开矿权的运动也日益激昂。这一切运动标志着革命的总危机已趋于成熟了。

在这个时候,清朝政府看到了革命势力的高涨威胁着自己的统治,就想用立宪的招牌来欺骗人民,于 1906 年采纳了载泽"欲防革命,舍立宪无他道"的条陈,宣布所谓"预备立宪",并发布了一道上谕,说什么"大权统之朝廷,庶政公之舆论",晓谕全国臣民做"尊崇秩序,保守和平"的奴仆,并且说"民智未开",要经过一段预备期间才能实施宪政。直到 1908 年革命危机更趋严重之时,清廷才公布了钦定的《宪法大纲》,并规定在 9 年之后才实行。这个《宪法大纲》把君主和臣民划分为主奴两个对立的部分,皇上有无限的威权,而臣民却负担奴隶义务,至于臣民的权利,君主则可以随时用法律取消。这完全是清廷欺骗人民的鬼把戏。

只有保皇党歌颂清廷恩赐宪法,非常活跃,他们组织了帝国宪政会和政闻社为清廷散布立宪烟幕,策动一部分官僚、士绅和资本家组织了许多类似的团体,如宪政筹备会、预备立宪公会、宪政公会、自治公会等,大肆活动。他们要求迅速召开国会,实行君主立宪,希望清朝皇帝万世一系永远君临中国,因而避免革命。但是这班君主立宪派尽管如何闹得乌烟瘴气,而"大权"仍"统之朝廷","庶政"迄未"公之舆论",他们只做了反动的清朝政府的反革命的别动队。

但是孙中山领导的同盟会却用革命斗争来回答清廷欺骗的预备立宪,并用理论斗争来打击君主立宪派的反革命的别动队。从此民主革命的潮流日益高涨,终于爆发了辛亥革命。但在辛亥革命已经爆发之后,冥顽暴戾的清朝皇帝还想用一纸立宪空文,即所谓"十九信条",企图使"大清皇帝统治大清帝国,万世一系,永永遵戴"。但是专制独夫这最后一张王牌也不能挽救皇朝的覆灭,那"十九信条"也只能成为宪政运动史中的一篇资料。

辛亥革命爆发以后,各省代表在南京开会,产生了《临时政府组织大纲》,并根据这个大纲选举了南京临时政府,民国元年元旦,孙中山就任临时大总统,嗣后颁布了《中华民国临时约法》。这个约法可说是具有资产阶级宪法雏形的临时约法。当然,从民主政治的观点来看,临时约法的缺点很多。它是在仓促中产生的,也不是由人民所选的代表制定的,其中有革命党人,也有过去的立宪党人,所以它的漏洞和缺点很多,最主要的缺点是它的第二章的规定:"本章所载人民之权利,有认为增进公益、维持治安或非常紧急必要时,得依法律限制之。"这样的规定给蹂躏民权者以借口来取消人民的权利。孙中山当时并未曾理会这个宪法,他说"因为我以为执行这个宪法只是一年半载的事情,不甚要紧。"①所以他在《五权宪法》中又说:"在南京订出来的约法里头,只有'中华民国主权属于国民全体'那一条是兄弟所主张的,其余都不是兄弟的意思,兄弟不负那个责任。"《临时约法》虽然缺点很多,但它是人民用革命手段推倒清朝政府以后制定的,它还算得是资产阶级民主共和国宪法。

自从资产阶级与封建军阀妥协,袁世凯做了临时大总统以后,那个《临时约法》就被袁世凯撕毁了。袁世凯感到《临时约法》限制了他的独裁,就用种种毒辣的办法逼迫当时宪法会议先制定《大总统选举法》,并派遣军警数万包围国会选举他做正式大总统。其第二步是捕杀宪法会议中的革命分子,并利用一班坏蛋曹汝霖、陆宗舆、杨度、张绍曾、王家襄、吴景濂、张伯烈等反革命分子来操纵宪法会议,匆忙地写出了所谓《天坛宪法草案》即《中华民国宪法草案》。这个宪法草案是在反革命分子操纵下草拟的,人民的权利和自由一律

---

① 《孙中山全集·五权宪法》。

加以法律的限制,实际上人民是没有权利和自由的。但就今这样一种宪法草案,袁世凯也感到碍手碍脚,结局他还是破坏了这个制宪工作,解散了那个国会,另行组织了御用的约法会议,制定一个御用约法即所谓《中华民国约法》。这《中华民国约法》把大总统的权力扩大到专制皇帝的权力一样,人民的权利和自由完全由法律所限制,这简直是独裁的宣言。这个新约法虽然满足了袁世凯的独裁欲,但那个《大总统选举法》只规定大总统的任期为 5 年,袁世凯还未能满意,于是那些御用党徒又制定新选举法,把大总统的任期改定为 10 年,并得连任。这样,袁世凯可以做终身总统了,但他仍以为未足,终身总统还比不上皇帝,于是索性做起洪宪皇帝来。结果如何呢?云南的讨袁军一发动,那赫赫不可一世的民贼就进入坟墓了。由此可见,民主的观念已在中国人民头脑中生根,任何要把中国拉回到帝制时代去的企图都必定失败,后来的张勋的复辟,正和袁世凯称帝一样,也迅速地覆灭了。

袁世凯死后,北洋军阀第二号头子段祺瑞自任内阁总理,拥戴黎元洪代行总统职权,利用他作为过渡的傀儡。段祺瑞害怕《临时约法》和旧国会不利于独裁,就把已经复会的旧国会解散了,因而引起张勋复辟的一幕怪剧。从此以后,段祺瑞和研究系政客搞出了"安福国会"(即"安福俱乐部")。孙中山则在南方张起了护法旗帜,但因有军阀、官僚、政客等反动势力参加,缺乏群众的基础,仍是旧式的革命运动,其失败是必然的。所以孙中山后来也说:"护法断断不能解决根本问题。"

护法运动失败之后,北京军阀政府所统治的区域里,各省军阀高唱联省自治并主张制定自治省宪,假自治之名行割据之实。此外,在北京方面,直系军阀曹锟、吴佩孚赶走了段祺瑞以后,就演出了恢复法统的怪剧,后来猪仔头子吴景濂和四百多猪仔议员演出了一幕贿选总统的大丑剧,曹锟用了几百万银元就当选为总统,登上了宝座。这时候,全国舆论界对曹锟和他的走狗都作了猛烈的抨击。猪仔议员们为了遮羞起见,还在 5 天之内写出了所谓《中华民国宪法》。这就是一般人所说的"曹锟宪法"。当时孙中山所领导的国民党和中国共产党都反对了这个"猪仔宪法"。这个"猪仔宪法"公布以后不过一年,曹锟的政府就垮台了。

中国人民所进行的第一次国内革命战争打垮了北洋军阀,结束了北洋军阀反动的制宪丑史,但是新军阀的统治、新军阀的制宪丑史又开始了。

1927 年,蒋介石反动集团背叛革命以后,在南京组织了反动的国民政府,实行法西斯的独裁,大规模地屠杀革命人民,他是根本不需要宪法的。后来国民党内部的反蒋派即改组派和西山会议派为了争权夺利,曾结合阎锡山和冯玉祥,树起了"护党救国"的旗帜,并在北平举行了扩大会议,写出了《中华民国约法草案》,表示着与蒋介石的个人独裁有所不同。这只是第一次国内革命战争以前争法统和制宪的旧戏的重演,人民并不相信它。这个"约法草案"随着阎冯的失败而一同消失了。

1927 年以后,中国人民在中国共产党领导之下,坚决地进行着推翻蒋介石反动政府的革命斗争,从不曾希望刽子手能够放下屠刀而颁布什么约法或宪法。但在蒋介石反动统治之下,也有一部分资产阶级和所谓"学者"、"名流",却要求反动的南京政府实行一点"民主",同时蒋介石也为了制止各派军阀的反抗运动,并缓和资产阶级改良派的不满,不得已才搞出了一套巩固法西斯统治的《中华民国训政时期约法》,把屠杀人民的罪行更加合法化了。

1931 年春季,国民党反动派内部发生了分裂,广州方面举行了非常会议,另组政府;这年夏季,大水漫延十余省,约有一万万人被卷入惨绝人寰的灾难之中,反动政府坐视不救,民怨沸腾;"九一八"日本帝国主义侵占我国东北,接着在 1932 年的"一·二八"又侵入了上海,全国人民喊出了抗日救国和反对南京政府的呼声。在这个时候,国民党反动派感到自己一党的专政摇摇欲坠,于是就玩弄起"停止训政,实施宪政"的欺骗人民的把戏来,企图用宪法的名义来巩固法西斯的统治,1936 年发布的所谓"五五宪章",就是这个目的的表现。

1937 年抗日战争爆发以后,全国人民都要求团结一致共同抗日,都要求实施真正的民主宪政,但是蒋介石反动派却不顾广大人民和一切民主党派的要求,终于在 1946 年,召开了一个由国民党反动派一手包办的"国民大会",在这个大会上通过了法西斯专制的所谓"宪法",使那个反动政府披上合法的外衣,以便利用那个伪宪法来发动内战,进攻人民。蒋介石终于套上了被称为猪仔国会的那条绞索,做了曹锟第二,在伪宪法颁布后不到三年,他的统治就彻底垮台了。

在另一方面,中国人民在中国共产党的领导之下,展开了反帝、反封建的革命斗争。展开了实施真正民主宪政运动的斗争。从"五四"运动一直到国民党反动统治覆灭与中华人民共和国成立,都是中国人民反帝反封建革命斗争与争取实现民主宪政的斗争的历史。

"五四"运动是中国新民主主义革命的开始和旧民主主义革命的终结,从此中国无产阶级登上了政治斗争的舞台,接着它的先锋队——中国共产党成立了,它领导了新民主主义革命运动。"孙中山在绝望里,遇到了十月革命和中国共产党。孙中山欢迎十月革命,欢迎俄国人对中国人的帮助,欢迎中国共产党和他合作。"①于是中国革命史就进入了第一次国内革命战争的时期。

自从 1927 年蒋介石背叛革命,第一次国内革命战争失败以后,中国共产党领导工人阶级、农民阶级及小资产阶级群众进行第二次国内革命战争,建立了红色政权。1931 年 12 月 1 日,第一次苏维埃大会在瑞金举行,选举中央苏维埃,毛泽东当选为主席。这个大会通过了一个新宪法即《中华苏维埃共和国宪法大纲》。依据这个宪法大纲建立了中华苏维埃共和国,确定了工农联盟的政治制度。政治机构,以村苏维埃为基层,在村苏维埃之上,有区苏维埃、县苏维埃、省苏维埃、中央苏维埃。最高权力机关是全国苏维埃代表大会,大会闭幕后,最高权力属于苏维埃中央执行委员会。各级苏维埃的代表采间接选举制。凡属工人,农民、红军战斗员以及一切依靠自己劳动为生的人和他们的家属,不分男女,只要年满 16 岁都有选举权和被选举权。这个宪法大纲显示了工农共和国的雏形。它是工人阶级和人民群众用革命斗争的力量夺取得来的。它是中国历史上第一个真正人民的宪法。由于这个宪法大纲的实行,中国共产党开辟了人民政权的道路,积累了民主宪政的经验。

"九一八"事变发生以后,日本帝国主义侵入了东北、华北和华东,中华民族和日本帝国主义之间的矛盾成为主要的矛盾。在这个时期,阶级关系有了新的调配,中国共产党为了争取千百万群众进入抗日民族统一战线,及时地提出了"人民共和国"的口号代替"工农共和国"的口号。1937 年 8 月,中国共产党提出了十大救国纲领,其中第四项是主张"召集真正人民代表的国民大

---

① 毛主席:《论人民民主专政》。

会,通过真正的民主宪法,决定抗日救国方针,选举国防政府"。而国防政府必须采取民主集中制。中国共产党的主张,得到各民主阶级、各民主党派、各人民团体的赞同,从1939年起就对国民党反动派展开了要求实施真正民主宪政的运动。由于国民党反动派的反对、阻挠与破坏,民主的宪政运动在全国范围以内没有得到实现,但是在抗日根据地内,已经建立了抗日民族统一战线政权,组织了边区各级参议会代表人民行使国家权力。抗日民族统一战线的政权,在动员一切民主力量反对日本帝国主义方面起了很大作用;同时它还为我国民主宪政的实现积累了经验,创造了条件。

抗日战争胜利以后,中国共产党主张在我们国家里成立民主的联合政府,领导全国人民把中国建成一个独立、自由、民主、统一和富强的新国家。但是国民党反动派却坚持分裂,发动了反革命内战,于是党又领导着中国人民进行了第三次国内革命战争。在这个时期里,党在坚持与发展抗日根据地的基础上,建立了解放区人民政权,并根据民主集中制原则普遍地召开了以工人阶级为领导的各革命阶级的人民代表会议。1946年4月23日,陕甘宁边区第三届参议会在党中央和毛主席的关怀与领导下,通过了陕甘宁边区宪法原则。这个宪法原则以法律的形式确认了边区、县、乡人民代表会议(参议会)为人民管理政权机关,并规定人民普遍、直接、平等、无记名地选举各级代表,各级代表选举政府人员;各级政府对各级代表会负责,各级代表对选举人负责。这个宪法原则还规定了边区人民的权利以及边区的经济和文化的基本政策。由于这个宪法原则的实施,党更进一步地开辟了人民政权的道路,积累了民主宪政的经验。

总起来说,从前清戊戌百日维新以来近60年宪政运动的历史,对我们表明了:(一)人民民主的宪法,是全靠人民用革命斗争的手段,推翻反动统治,建立自己的政权以后,才能制定出来。这样的宪法是决不能希望反动统治阶级恩赐的。反动统治阶级一贯地对人民实行血腥的、残酷的独裁,它是决不需要宪法的,它只有在人民革命势力高涨威胁到自己的反动统治的时候,才玩弄什么宪法的把戏,企图愚弄人民,来延长自己的反动统治。清朝皇帝、北洋军阀和蒋介石国民党所制造的伪宪,都是在这种情况之下演出来的。但所得的结果,它不但不能延长自己的统治,反而加速了自己的灭亡。(二)在半殖民地半封建的国家里,中国资产阶级具有革命性和软弱性的两个方面,它没有能力领导人民战胜帝国主义和封建主义的联合力量,因而不能使中国变为资产阶级共和国。所以辛亥革命所产生的临时约法,虽然具有资产阶级共和国宪法的性质,但由于当时资产阶级和北洋军阀头子袁世凯相妥协,袁世凯篡夺了国家权力,临时约法被撕毁,使名不符实的中华民国从此进入了各派北洋军阀统治的时期。(三)在半殖民地半封建的中国,只有工人阶级及其政党能够领导人民大众推翻帝国主义和封建主义,建立人民自己的宪法。

以上,近六十年来关于宪法问题和宪政运动的经验,已经总结于1949年的《共同纲领》之中,现在又总结于《中华人民共和国宪法》之中了。

三、我国宪法是新国家成立以来新的历史经验的总结

1949年,中国人民政治协商会议所制定的共同纲领,起了临时宪法的作用。这个共同纲领总结了中国人民一百多年以来英勇斗争的历史经验,特别是近三十年来中国共产党领导人民革命斗争的历史经验和人民革命根据地的经验,总结了近六十年来关于宪法问题和宪政运动的历史经验,确定了中华人民共和国应当实现的各方面的基本政策。这个《共同纲领》,中央人民政府和地方各级人民政府坚决地执行了。新中国成立时间虽不长,我们的国家却起了巨大的变化。

第一,我国已经结束了在帝国主义统治下的殖民地和附属国的地位,成了一个真正独立自主的国家。1949年中国人民政治协商会议开幕的时候,毛泽东同志庄严地宣告:"占人类总数四分之一的中国人从此站立起来了。"从1950年起,全国人民发动了抗美援朝运动,支援中国人民志愿军协同朝鲜人民军打败了美帝国主义侵朝部队,迫使它不能不缔结朝鲜停战协定,更加加强了我国的独立地位。1954年,由于我国和苏联的协力,在日内瓦会议上使法帝国主义者缔结了印度支那停战协定。这显示了我国在国际舞台上的大国的身份。我国已经同苏联和各人民民主国家一起,成了保卫世界和平的坚强堡垒。

第二,我国已经彻底推翻了三千年来的封建主义统治。我们在全国绝大部分地区实行了土地改革,把地主的土地分配给无地少地的农民,因而消灭了

地主阶级,铲除了封建主义的剥削制度。

第三,由于共同纲领所规定的民族政策的实施,我们各民族之间,已经消除了历史传承下来的互相歧视和互不信任的情况,并且在反对帝国主义和内部人民公敌的基础上,已经团结为自由平等的民族大家庭,因而实现了全部大陆的空前的统一的局面。

第四,我国人民已经获得了自由和权利,发扬了高度的民主主义。从中华人民共和国成立之时起,中国人民政治协商会议执行了全国人民代表大会的职权,选举了中央人民政府委员会,并付以行使国家权力的职权。在全国各地方,经常召开了各级的各界人民代表会议,并由各界人民代表会议逐步代行人民代表大会的职权。全国人民在这一方面积极地参加了民主政治生活,积累了民主建政的经验,认识了人民代表大会制是人民行使国家权力的最好的政治组织形式。同时,由于实行了土地改革及其他社会改革,经过镇压反革命运动和抗美援朝运动等,人民群众已经组织起来了。

第五,由于劳动人民发挥了高度的热情和创造能力,加上伟大盟国苏联的援助,我们已经在很短的期间内,恢复了被帝国主义和国民党反动派所破坏了的国民经济。从1953年起,我们已开始了第一个五年计划经济建设。社会主义的国营经济飞速发展,国民经济的命脉已经掌握在国家手中了。截至1952年,即制定宪法的前夕在全国工业总产值中,国营工业约占53%,合作社营和公私合营工业约占8%,私营工业约占39%。特别是从1953年起,141项大规模企业正在新建与扩建。由此可见,国营工业在全国现代工业中已占压倒的大优势。1953年,国内市场商品批发总额中,国营与合作社营商业约70%;在对外贸易总额中,国营部分约占92%。在农业方面,到1953年10月,全国参加互助合作的农户,约占农村总户数的43%,其后还陆续增加;农业生产合作社,到1954年秋季已增加到32万个。国家银行是社会主义的,交通运输等部门中的社会主义成分都占着绝对的优势。至于资本主义工商业,多数已变为国家资本主义的中级形式,其中已有12%改变为公私合营的国家资本主义的高级形式。

以上这些巨大变化,说明我们国家在成立以后的5年时间内,在政治、经济等各方面已经取得了新的胜利,这一系列新的历史胜利,就要求有一个新的宪法把它总结起来。

1953 年 1 月 13 日,中央人民政府委员会第二十次会议通过的《关于召开全国人民代表大会及地方各级人民代表大会的决议》中,决定成立以毛泽东同志为首的中华人民共和国宪法起草委员会,进行宪法起草工作。

1954 年 3 月,宪法起草委员会接受了中国共产党中央委员会提出的宪法草案初稿。这个初稿。经过在北京和全国各大城市的各民主党派、各人民团体和社会各方面的代表人物共八千多人,用两个多月时间,进行了认真的讨论。宪法起草委员会根据这个初稿作了修改,提交中央人民政府委员会作为宪法草案批准公布,交付全国人民讨论。全国人民就这个宪法草案进行了两个多月的讨论,参加讨论的人数有一亿五千多万人,大家对于这个宪法讨论表示热烈的拥护,并提出了很多修改和补充的意见。宪法起草委员会又就这个草案作了修改,由中央人民政府委员会讨论通过,然后再提交第一届全国人民代表大会第一次会议庄严地通过后,作为中华人民共和国宪法正式颁布。这个宪法就把我们新国家成立以来的新的历史经验总结起来了。

作为新国家成立以来新的历史经验的总结的我国宪法,是在正确地执行了共同纲领,取得了伟大的胜利的基础上制定出来的,所以它和共同纲领有着密切的关系。

我们的宪法是以共同纲领为基础的。这就是说,共同纲领中所规定的各项根本原则,例如总纲以及有关政权制度、经济制度、民族关系等主要部分,经过历年的实行,证明为完全符合我国人民的利益和要求,并且已有显著的成功和效果。这些部分都已在宪法中肯定下来了。又如,新国家成立以来的各种重要法令所具体化了的共同纲领的一些原则,以及由这些法令所产生的一些原则,也在宪法中采用了。

我们的宪法不仅以共同纲领为基础,而且又是共同纲领的发展。这就是说,共同纲领中原有的规定,由于政治上、经济上的新的胜利,加添了新的内容。例如共同纲领中规定合作社经济是半社会主义性质的经济,但现在则已出现了完全社会主义性质的合作社经济,这就必须在宪法中重新加以规定;又如共同纲领中关于国家制度的规定,关于公民权利的规定,现在也有了新的内容,也必须在宪法中重新加以补充。除此以外,共同纲领中有些已经过时了的东西,或者可以在宪法中省略的东西,现在就没有写在宪法中了。

我们的宪法是共同纲领的发展,还表现在它把共同纲领中关于建设社会主义的原则的规定,更加具体化,更加明确化了。它充分地反映了我国人民建设社会主义的共同愿望,它已经把建成社会主义确定为我们国家的法定目标。

由此可见,我国宪法不仅是历史经验的总结,而且还是全国人民为建成社会主义而斗争的旗帜。

第二节　我国宪法是全国人民为建成社会主义而斗争的宪法

一、我国宪法确定建成社会主义为我们国家的法定目标

中国共产党所领导的整个中国革命运动,是经由新民主主义革命转变到社会主义革命,争取社会主义和共产主义社会的最后完成。中国人民经过长期的英勇奋斗,终于在中国共产党的领导下,打倒了强大的国内外敌人,取得了反对帝国主义、封建主义和官僚资本主义的人民革命的伟大胜利,建立了自己的中华人民共和国。中华人民共和国的成立,标志着新民主主义革命的胜利结束和社会主义革命的开始。社会主义革命的过程即是由新民主主义社会过渡到社会主义社会的过程。新中国成立以后,我国人民胜利地进行了改革土地制度、抗美援朝、镇压反革命分子,恢复国民经济等大规模的斗争。为有计划地进行经济建设,为逐步转变到社会主义社会准备了必要的前提条件。

根据这一现实,我国《宪法》庄严地宣布:“从中华人民共和国成立到社会主义社会建成,这是一个过渡时期。国家在过渡时期的总任务是逐步实现国家的社会主义工业化,逐步完成对农业、手工业和资本主义工商业的社会主义改造。”这就充分地反映了国家在过渡时期的根本要求和广大人民建设社会主义的共同愿望,从此,建成社会主义已成为我们国家的法定目标,建成社会主义已成为全国人民必须遵守不得违反的法律了。

我国宪法在确定建成社会主义社会的法定目标的同时,还明白规定了我们国家建成社会主义的具体步骤。根据宪法的规定,我国国民经济的社会主义改造是通过和平的道路来实现的。所谓通过和平的道路实现国民经济的社

会主义改造,即是说国民经济的社会主义改造是通过国家机关自上而下的领导与发动,广大群众自下而上的拥护与支持来实现的。我国《宪法》规定:"中华人民共和国依靠国家机关和社会力量通过社会主义工业化和社会主义改造,保证逐步消灭剥削制度,建立社会主义社会。"根据这一规定,国家机关将按照实现国家在过渡时期总任务的具体政策,有计划地采取各种措施,领导社会主义事业的进行;同时国家机关在进行这项工作的时候,还必须和社会力量相结合,即必须依靠人民群众的社会主义觉悟,依靠人民群众的积极的响应、赞助和参加。在党和国家机关领导与发动下,我国人民建设社会主义的积极性已日益提高了。从 1955 年夏季起,社会主义改造,也就是社会主义革命就以极广阔的规模和深刻的程度展开起来了。正如毛泽东主席所指出的:"目前我国正处在伟大的社会主义革命高潮中。……大约再有三年的时间,社会主义革命就可以在全国范围内基本完成。"

关于通过和平的道路建成社会主义的问题,毛泽东主席在 1956 年 1 月 25 日召开的最高国务会议上曾经作了重要的说明,他指出:"我们进行社会主义革命所用的方法是和平的方法。对于这种方法,过去在共产党内和共产党外,都有许多人表示怀疑。但是从去年夏季以来,由于农村中合作化运动的高潮和最近几个月以来城市中社会主义改造的高潮,他们的怀疑已经大体解决了。在我国的条件下,用和平的方法,即是说用教育的方法,不但可以改变个体所有制为社会主义的集体所有制,而且可以改变资本主义所有制为社会主义所有制。"毛泽东主席的这段话,有力地说明了我们国家通过和平道路建成社会主义社会的政策的正确性和有效性。

我国宪法不只是明确规定了建成社会主义社会的法定目标,建设社会主义的具体步骤,而且还说明了我国实现社会主义建设和社会主义改造的三个保证条件,即国内统一战线、国际统一战线和国内各民族的大团结。下面我们就分别地说明这几个保证条件。

二、巩固人民民主统一战线

建成社会主义社会是我国宪法所确定了的目标。为了贯彻宪法的实施,达成这个法定的目标,除了上述的必要条件和物质基础以外,我们还具备了三个保证条件——国内统一战线、国际统一战线和国内各民族的大团结。

国内统一战线即是中国共产党所领导的各民主阶级、各民主党派、各人民团体的广泛的人民民主统一战线。这个统一战线是以工农联盟为基础而又较工农联盟更为广泛的联盟,即劳动人民同可以合作的非劳动人民之间的联盟。中国新民主主义革命的胜利是和这个统一战线密切联系着的。中国共产党从建党的初期起,就领导了和组织了这个统一战线。这个统一战线在反帝国主义反封建主义的新民主主义革命过程中,发挥了巨大的作用。1949 年成立的中国人民政治协商会议全体会议就是这个统一战线的组织形式,它在普选的全国人民代表大会召开以前,执行全国人民代表大会的职权,制定了共同纲领和中华人民共和国中央人民政府组织法,选举了中央人民政府委员会,并付之以行使国家权力的职权。新国家成立以来,中国人民政协全国委员会和各省市协商委员会在各种社会改革运动中,在抗美援朝运动中,在协助政府动员人民参加政治、经济、文化各方面斗争中,在巩固和扩大统一战线工作中,在进行思想改造工作中,都发挥了重要的作用。

在第一届全国人民代表大会第一次会议已经召开以后,中华人民共和国宪法已经颁布,共同纲领的基本内容已经列入宪法;中国人民政协全体会议代行全国人民代表大会职权的任务已经结束。但是中国人民政治协商会议,作为团结各民族、各民主阶级、各民主党派、各人民团体、国外华侨和其他爱国民主人士的人民民主统一战线的组织,仍然需要存在。正如《宪法》序言中所说:"今后在动员和团结全国人民完成国家过渡时期总任务和反对内外敌人斗争中,我国人民民主统一战线将继续发挥它的作用。"因此,我们的任务就是要根据党中央所提出的共产党和各民主党派长期共同存在,互相监督,首先是对共产党起监督作用的方针,来继续巩固和扩大人民民主统一战线,进一步加强中国共产党的核心领导作用。中国人民政治协商会议在中国共产党领导下,将继续通过各民主党派、各人民团体的团结,更广泛地团结全国各族人民,共同努力,克服困难,为建设一个伟大的社会主义国家而奋斗。

1954 年 12 月,中国人民政治协商会议第二届全国委员会第一次全体会议,通过了中国人民政治协商会议章程。这个章程规定了参加各单位和个人共同遵守的七项准则:

（1）拥护中华人民共和国宪法，全力贯彻宪法的实施。

（2）巩固工人阶级领导的、以工农联盟为基础的人民民主制度；加强社会主义经济力量在国民经济中的领导地位。

（3）协助国家机关，推动社会力量，实现国家关于社会主义工业化和社会主义改造的建设计划。

（4）密切联系群众，向有关国家机关反映群众的意见和提出建议。

（5）在全国各族人民中加强团结工作，发扬爱国主义精神，提高革命警惕性，保卫国家建设，坚持对国内外敌人的斗争。

（6）继续巩固和发展中国同苏维埃社会主义共和国联盟、同各人民民主国家的牢不可破的友谊，增进中国同一切爱好和平的国家的友谊，加强中国人民同全世界爱好和平的人民的友谊，反对侵略战争，保卫世界和平，维护人类的正义事业。

（7）在自愿的基础上学习马克思列宁主义的理论，积极学习国家的政策，提高政治水平，展开批评和自我批评，努力进行思想改造。

从上述七项准则来看，人民民主统一战线在国家过渡时期中的作用是很重要的。现在，中国人民政治协商会议在各省、各自治区、各直辖市和市都设有地方委员会，都是人民民主统一战线的地方组织。参加这个组织的全国各人民团体的千百万群众都已经组织了起来，成为这个统一战线的坚强而广大的基础。在中国共产党领导之下，这个统一战线必将成为我国实现社会主义建设和社会主义改造的一个必要条件。

三、加强各民族间的大团结

加强各民族间的大团结，是实现国家在过渡时期的总任务的重要条件之一。

我国是一个统一的多民族的国家，除汉族以外，还有几十个少数民族，聚居、散居或杂居在广大的国土中。各个少数民族和汉族一样，都是勤劳勇敢的民族。各民族人民用自己的辛勤劳动和相互间的团结合作，创造了各民族的历史和文化，对我们伟大祖国的缔造都有重要的贡献。但是在过去很长的历史时期中，因为反动统治阶级一直实行着民族压迫政策，各民族的地位是不平等的,少数民族人民的痛苦,较汉族人民更为深重。毛泽东主席在《论联合政府》中说:"国民党反人民集团否认中国有多民族存在,把汉族以外的各少数民族称之为'宗族'。他们对于各少数民族,完全继承满清政府和北洋军阀政府的反动政策,压迫剥削,无所不至。1943 年对于伊克昭盟蒙族人民的屠杀事件,1944 年直至现在对于少数民族的武力镇压事件,以及近几年对于甘肃回民的屠杀事件,就是明证。"至于中国共产党则是主张:"帮助各少数民族的广大人民群众,包括一切联系群众的领袖人物在内,争取他们在政治上、经济上、文化上的解放和发展,并成立维护群众利益的少数民族自己的军队,他们的语言、文字、风俗、习惯和宗教信仰,应被尊重。"1949 年,新国家成立以后,我们政府根据共同纲领关于民族政策的规定,保障了各少数民族在各方面享受着和汉族平等的权利。我国各民族已经在平等、自愿的基础上建立了新的友好合作的关系,实现了各民族人民的大团结,给祖国各项建设创造了有利条件。正如宪法序言中所说"我国各民族已经团结成为一个自由平等的民族大家庭了"。

一百多年以来,我国各民族共同遭受了帝国主义的压迫。帝国主义者经常进行各种阴谋,企图破坏我们各民族间的团结,实行其所谓分而治之侵略政策。自从新民主主义革命胜利和中华人民共和国成立,我国各民族都从帝国主义压迫下得到了解放。但是帝国主义者仍在处心积虑,妄想破坏我们各民族的团结,企图重新奴役我国各民族。因此,我们各民族必须提高警惕,加强团结,巩固祖国的统一。同时,我们对于各民族内部的人民公敌,也必须予以歼灭,以免他们和帝国主义勾结,企图在中国复辟。我国各民族必须紧紧地团结在一起,共同反对国内外的敌人,为建设伟大的祖国而努力。

目前妨碍我们各民族紧密团结的东西,是大汉族主义思想和地方民族主义思想。这两种思想都受了过去的反动统治阶级的影响,必须予以肃清。大汉族主义思想的表现是:不尊重少数民族的风俗习惯,不尊重少数民族的语言文字,不承认少数民族有宗教信仰的自由和管理自己内部事务的权利,不尊重少数民族的干部,不相信他们有工作的能力,因而在政策上犯有急性病,在作风上强迫命令、包办代替等等。这样的思想和行为,必然会起破坏民族团结的作用。另一方面,在各少数民族中也存在着一种地方民族主义思想。这种思想的表现是:保守、排外,看不见祖国的伟大和进步,安于现状,阻碍着自己民族的前进。这种思想和行为,同样也妨害各民族间的团结,并且有害于自己民族的利益。这两种思想上的偏向,必须在克服和防止大汉族主义思想倾向的基础上,加以消除。汉族人民和汉族干部必须全心全意为兄弟民族服务,遇事要和少数民族干部商量,要相信他们的能力,帮助他们提高,纠正独断专行、包办代替的作风。少数民族人民和干部,也要扩大眼界,欢迎进步,努力向前。双方只有用自我批评和自我改造的方法,克服大民族主义和地方民族主义的偏向,才能加强各民族间的团结。

建设社会主义社会,这是我国国内各民族的共同目标。只有社会主义才能保证每一个民族都能在经济上和文化上有高度的发展。我们的国家是有责任帮助国内每一个民族逐步走上这条幸福的大道的。但由于我国各民族发展的不平衡,在帮助各少数民族发展经济和文化的建设事业中,特别是在社会主义改造的问题上,必须充分注意各少数民族地区的经济状况、阶级结构和风俗习惯上的一切特点,即不能机械地以在汉族地区可用的方法和步骤搬用到情况不同的其他少数民族地区去。所以《宪法》序言中规定:"国家在经济建设和文化建设的过程中将照顾各民族的需要,而在社会主义改造问题上将充分注意各民族发展的特点。"这个规定,正如刘少奇同志在《宪法草案报告》中所说:"在什么时候实行社会主义改造以及如何实行社会主义改造等等问题上,都将因为各民族发展情况的不同而有所不同。在这一切问题上,应当容许各民族人民群众以及在各民族中同人民群众有联系的公众领袖们从容考虑,并按照他们的意图去作决定。"

宪法关于各民族在平等基础上友好互助合作的规定,保证着各民族的大团结必将继续加强,一切民族内部和外部的敌人必将趋于消灭,一切反动统治时代遗留下来的大民族主义和地方民族主义的思想必将遭到清算。同时,国家将照顾各民族的特点和要求,帮助各少数民族发展政治、经济和文化事业,使落后民族进到先进民族的行列,一同进到社会主义时代。全国各民族的大团结的巩固和加强,是把我们国家建成为社会主义国家的保证。

四、国际统一战线与和平外交

毛泽东同志在《论人民民主专政》中说,中国人民革命取得了两个重要的和基本的经验。其一是国内统一战线即中国人民民主统一战线。其二是国际统一战线，这就是："在国外，联合世界上以平等待我之民族及各国人民共同奋斗。这就是联合苏联、联合各新民主国家、联合其他各国的无产阶级及广大人民，结成国际的统一战线。""在帝国主义存在的时代，任何国家的真正的人民革命，如果没有国际革命力量在各种不同方式上的援助，要取得自己的胜利是不可能的。胜利了，要巩固，也是不可能的，伟大的十月革命的胜利和巩固，就是这样的，斯大林早已告诉我们了。第二次世界大战打倒三个帝国主义国家并建立各新民主国家，也是这样。人民中国的现在和将来，也是这样。"所以毛泽东同志在中国人民政协第一届全体会议的开幕词中又说："在国际上，我们必须和一切爱好和平自由的国家和人民团结在一起，首先是和苏联及各新民主国家团结在一起，使我们的保障人民革命胜利成果和反对内外敌人复辟阴谋的斗争不致处于孤立地位。只要我们坚持人民民主专政和团结国际友人，我们就会是永远胜利的。"事实证明：我国新民主主义革命的胜利和中华人民共和国的成立、巩固与发展，都是和以苏联为首的世界各国革命力量的支援分不开的。

国际统一战线是马克思、恩格斯、列宁的无产阶级国际主义原则的具体表现。所以任何一国的真正人民革命，都必能得到国际革命力量的支援。过去我国的新民主主义革命，苏联给了我们慷慨无私的援助，在抗日战争的后期，如果没有苏联出兵东北来使我们革命势力与之相配合，我们的抗日战争的胜利是不会那样迅速实现的。中华人民共和国成立的第二天，苏联政府就首先承认了中华人民共和国，同我国建立了外交关系；同时保加利亚、匈牙利、朝鲜民主主义人民共和国、捷克斯洛伐克、罗马尼亚、波兰、蒙古、德意志民主共和国、阿尔巴尼亚、越南民主共和国等十个兄弟国家，都很快地和我国建立了外交关系。1955年和南斯拉夫的邦交也已经建立了。从此，以苏联为领导的，包括十亿人口的和平、民主、社会主义阵营的力量更趋于坚强了，1950年2月缔结的《中苏友好同盟互助条约》，就是这个阵营的强有力的支柱。这个阵营是世界马克思列宁主义事业的胜利的标志，它已经成为世界历史发展的主导力量。

有六亿人口的中华人民共和国，从它成立的时候起，就进入了社会主义革命的过程,它的总任务是要在中国消灭资本主义剥削制度,建成社会主义社会。这对于帝国主义者是一个致命的威胁。特别是美帝国主义者不甘心于它在中国的失败,企图卷土重来,再度奴役我国人民。所以它在1950年发动侵朝战争并占领我国台湾,企图进而侵入我国大陆。美帝国主义侵朝战争失败以后,还没有受到教训,就伙同几个仆从国家组织东南亚侵略集团,并伙同蒋介石反动集团缔结所谓美蒋共同防御条约,阴谋发动侵略我国的战争,阴谋在中国进行反革命的复辟。所以,我们为了粉碎美帝国主义的侵略阴谋,为了保障我国社会主义革命事业的胜利,保卫国家的安全与世界的和平,我们必须巩固并加强我国和苏联以及各人民民主国家的友谊团结。加强这个友谊团结,是我国建成社会主义的必要条件。

当我国结束了国民经济的恢复工作以后,从1953年起进入了大规模建设时期。我们的任务是要争取在几个五年计划之内,把我国建成为一个伟大的社会主义国家。但由于我国经济落后,工业基础薄弱,技术干部缺乏,等等,困难是很多的。这些困难,我们自己固然要努力去克服,但也需要国际朋友的援助和支持。在这个时期,我们特别得到了苏联的巨大无私的援助。在我国五年计划执行之初,苏联政府就慷慨地允诺帮助我国建设141项企业。这些企业,构成我经济建设事业的骨干,它们将为我国国家工业化和国防现代化奠定巩固的基础。

1954年10月,中苏两国发表了《关于中苏举行会谈的公报》,公布了中苏两国政府关于中苏关系和国际形势各项问题的联合宣言、关于对日本关系问题的联合宣言、关于旅顺口海军根据地问题的联合公报、关于现有的中苏合办股份公司问题的联合公报、关于科学技术合作协定的联合公报,和关于修建兰州—乌鲁木齐—阿拉木图铁路的联合公报。此外还签订了苏联贷给我国52000万卢布长期贷款的协定,签订了关于苏联帮助我国新建15项企业和扩大原有协定所规定的141项企业设备的供应范围的议定书。此外苏联人民还赠送我国人民以组织大型谷物农场的机器和装备(我们用来办了一个30万亩的国营友谊农场)。1956年4月,苏联部长会议副主席米高扬来我国进行访问时,又与我国签订了关于援助我国发展某些工业部门的协定,这项协定规定建设55个新的工业企业,作为对于以往签订的正在建设中的156个项目的补充。这些联合宣言、联合公报和协定,在政治上更加巩固了《中苏友好互助同盟条约》,加强了远东安全与世界和平的保障;在经济上,苏联给了我国以"真正的帮助和技术精湛的帮助"。这正如斯大林同志说过的:这种合作的基础"是互相帮助和求得共同经济高涨的真诚愿望"。从这些友谊的行动中,我国人民再一次深刻地体会到苏联人民永远是我们最可靠和最忠实的朋友。在我们沿着社会主义道路前进的时候,永远都会得到苏联政府和人民的友好合作和积极援助。这是一种兄弟般的真正友好的和真正建设性的援助。

新中国成立 5 年来,我国同各人民民主国家也签订了各种经济协定和文化协定,发展了真诚友好合作的关系。同时,我国对于几个兄弟国家的事业也尽可能地提供了一些帮助。这些互助与合作的友好关系,大大地加强了和平、民主与社会主义阵营的力量。这些事实,在我国宪法中已经固定了下来,在序言中规定着:"我国同伟大的苏维埃社会主义共和国联盟、同各人民民主国家已经建立了牢不可破的友谊,我国人民同全世界爱好和平的人民的友谊日见增长,这种友谊将继续发展和巩固。"

我国在社会主义建设的过程中,需要一个长期和平的环境来进行经济和文化的建设工作,使我国的生产力和文化水平有更高的发展,这是我国人民的共同愿望。所以保卫世界和平,是符合于我国人民和兄弟国家人民的利益的,也是符合于世界其他各国人民的利益的。我国的和平外交政策,完全是从我国人民的利益出发的。我国的和平外交政策就是"根据平等、互利、互相尊重主权和领土完整的原则同任何国家建立和发展外交关系的政策"。这种外交政策,已经获得很大的成绩,我们同苏联和各人民民主国家建立外交关系以外,还和其他十几个国家建立了外交关系。今后凡是赞成我国的外交政策的国家,我国都愿意和它建立外交关系。

1954 年,中印两国总理联合声明和中缅两国总理联合声明,一致指出了"互相尊重领土主权、互不侵犯、互不干涉内政、平等互利、和平共处"的五个原则,是不同的社会制度和政治制度的各国间建立友好合作关系的基础。这个和平共处的五个原则,除了美帝国主义和它的几个仆从国家以外,绝大多数的国家都是完全赞同的。我国将和那些赞同这五个原则的国家建立外交关系。我国的和平外交政策已经写在我国宪法之中,永无更改,正如宪法序言中所说:"在国际事务中,我们坚定不移的方针是为世界和平和人类进步的崇高目的而努力。"

我们完全相信,我们国家过渡时期的总任务,如同宪法序言中所指出的,依靠以中国共产党为领导的人民民主统一战线,依靠国内各民族的友爱互助和团结,依靠我国和伟大的苏联、各人民民主国家、全世界爱好和平人民的友好团结,一定能够胜利地实现。国内和国外的一切反动势力对于我们建设事业所进行的阴谋破坏,一定要被我们的胜利的铁拳打得粉碎。

第三章　我国的国家制度和社会制度

第一节　我们国家的性质和政治制度

一、我们国家的性质

《宪法》是国家的根本大法。我们人民民主专政的中华人民共和国,是中国共产党和工人阶级领导全国人民战胜了帝国主义、封建主义和官僚资本主义才建立起来的,我们中华人民共和国宪法是这种阶级斗争的产物,并且是这种阶级斗争胜利成果的记录。所以属于社会主义类型的我国宪法,首先要规定国家的阶级基础。国家的阶级基础,就是毛泽东主席所说的"社会各阶级在国家中的地位",也就是刘少奇同志所说的"国家的性质"。

《宪法》第一条规定:"中华人民共和国是工人阶级领导的、以工农联盟为基础的人民民主国家。"这就是说:我国的国体,我国国家的性质,是工人阶级领导的和以工农联盟为基础的人民民主国家。

毛泽东同志在《中国革命和中国共产党》中指出:中国工人阶级和各国工人阶级一样,都具有基本的优点,即与先进的经济形式相联系,富于组织性和纪律性,没有占有的生产资料。但除此以外,还有许多特出的优点。其一,中国工人阶级深受帝国主义、资产阶级、封建势力的三重压迫,而这些压迫的严重性的残酷性,是世界各民族中少见的,因此它在革命斗争中比任何别的阶级都来得彻底和坚决(极少数工贼除外)。其二,中国工人阶级开始走上革命舞台,就受到马克思列宁主义政党——中国共产党的领导,所以它能成为中国社会中最有觉悟的阶级。其三,中国工人阶级大多数由破产农民出身,它和广大的农民(主要地是贫农和中农)有天然的联系,便利于他们和农民结成亲密的联盟。因为中国工人阶级具有这些特出的优点,所以它能够成为具有远见、大公无私并且最富于革命彻底性的阶级,成为能够领导中国人民革命的唯一的阶级。

中国工人阶级的历史使命,是推翻帝国主义、封建主义和官僚资本主义在中国的统治,完成新民主主义革命,在中国建成社会主义社会和共产主义社会。这个历史使命,除了工人阶级以外,再没有而且也不能有任何别的阶级能够担当得起来。中国革命的历史证明:工人阶级通过共产党的领导,经过长期的革命斗争,终于取得了新民主主义革命的胜利,建立了人民民主专政的中华人民共和国。在中华人民共和国成立以后,工人阶级就领导着我们的新国家进入社会主义革命的过程,在短短的几年期间,取得了一系列的政治上、经济上的新胜利,为社会主义建设和社会主义改造创造了物质基础和各种必要条件。这就表明,我们的国家,只有在工人阶级的领导下,才能实现社会主义和共产主义。所以为了巩固我国人民已经取得的胜利果实,为了完成社会主义革命的伟大事业,必须继续巩固和加强工人阶级对于国家的领导。

工人阶级领导中国革命所以能够取得伟大的胜利,是和它所领导的工农联盟分不开的。工人阶级虽然是一个最有觉悟性和最有组织性的阶级,但如果不团结广大的劳动人民,是不可能取得胜利的。中国农民阶级占全国人口的绝大多数,他们都是劳动人民。他们在解放以前,都受着帝国主义、封建主义、资产阶级特别是官僚资产阶级的剥削,都没有政治权利。他们不但能够参加反帝国主义革命和土地革命,并且能够接受社会主义。他们都是工人阶级的天然的最可靠的同盟者,都是重要的革命的动力。他们只有在工人阶级的领导之下,才能得到解放。工人阶级也只有在工人阶级的领导之下,才能得到解放。工人阶级也只有和农民结成坚固的联盟,才能领导革命到达胜利。中国工人阶级从领导中国革命的时候起,就和农民结成了巩固的联盟。我国新民主主义革命的胜利,完全是依靠工人阶级领导下的工农联盟的力量才取得的。

工人阶级领导下的工农联盟,不单是新民主主义革命胜利的保证,并且是社会主义革命胜利的保证。我们的国家,有了工农联盟做基础,人民民主的专政就更趋于坚强和巩固,能够克服一切困难并战胜国内外一切敌人;有了工农联盟做基础,就能够保证工人阶级对于这个联盟的领导,一同进入社会主义时代。现在,我国正在逐步过渡到社会主义社会的过程中,从 1953 年起,我国已进入大规模经济建设时期,进一步巩固联盟就显得更加重要了。工人阶级面前只有一条道路,这就是社会主义。农民的经济是站在十字路口的经济。农民一方面是劳动者,他们是可能跟着共产党走社会主义道路的;另一方面又是私有者,他们又有可能走资本主义的道路。因此,工人阶级必须领导农民走社会主义的合作化的道路,使他们克服资本主义倾向,来巩固作为劳动者的农民和工人阶级之间的联盟。

工农联盟是我们国家的基础。为要巩固国家的基础,必须巩固工农联盟。要巩固工农联盟,其一,要加强社会主义工业化,用价廉物美的生产资料和生活资料供给农民,用新式农具、农业机器和电力供给农民,把个体的、分散的农业改造为集体生产的大规模的大农业,来不断提高收获量,提高农民生活的水平。同时,农民也必须增加生产,并把农产品卖给国家,支援工业建设。其二,要巩固工农联盟,必须发动农民自愿地组织互助组和合作社,来增加农产品的收获量,更多地支持工业建设,改善农民生活。只有农业的合作化,才能阻止农业中资本主义的发展,并且同社会主义的工业和商业结合起来,所以政府和工人阶级要对组织起来的农民给以思想上的指导和物资上的援助。同时,农民也要沿着互助合作的道路前进。其三,要巩固工农联盟,必须对农村中的资本主义分子和农民中的自发的资本主义倾向,进行斗争。如果不进行这种斗争,就会助长农村中和农民中的资本主义的发展,以致破坏工农联盟。其四,要巩固工农联盟,必须加强党的组织工作和教育工作。农村党组织是工人阶级先锋队在农村中的堡垒,必须使农村党员克服农民思想,时刻记得自己已是工人阶级先锋队的光荣战士,担负起自己在农业的社会主义改造中,在巩固工农联盟中的重大任务。我们所组织的工农联盟织,不是随便的一种工农联盟,而是在工人阶级领导下,为建成社会主义而斗争的联盟。通过工人阶级先锋队加强工人阶级对于工农联盟的领导,是巩固工农联盟最重要的保证。同时,党组织要采取适当的方式,结合实际情况,在工人和农民中进行工农联盟的教育和提高社会主义觉悟。要使工人懂得,如不和农民结成巩固的联盟,就不能取得社会主义革命的胜利;要使农民懂得,如没有工人阶级的领导,就不能摆脱剥削和贫困,走上繁荣幸福的境地。只有加强和巩固工人阶级领导下的工农联盟,才是实现国家在过渡时期的总任务的保证。

在我国劳动人民中,除工人和农民以外,还有城乡手工业者和其他非农业的个体劳动者(如挑夫和车夫等),为数也是不少。他们是依靠劳动过活的,或者是主要地依靠劳动过活的。工人阶级必须团结他们,如同团结农民一样,以便领导他们一同走上社会主义的道路。团结这些劳动人民,是属于工农联盟范畴之内的。

属于工农联盟范畴之内的还有知识分子。知识分子从各种不同的社会阶级出身,并不是一个独立的阶级或阶层。他们同劳动人民结合,就成为劳动人民的知识分子;同资产阶级结合,就成为资产阶级的知识分子;同封建买办阶级结合,就成为反动的知识分子。

解放以前,我国的知识分子除一部分接近帝国主义、地主阶级、官僚资产阶级,并为他们服务以外,一般地都受帝国主义,封建主义和官僚资本主义的压迫,他们具有很大的革命性,特别是其中广大的比较贫苦的知识分子,更能与工农群众打成一片,参加与拥护革命,他们在新民主主义革命斗争中常常起着先锋的和桥梁的作用。因此,毛泽东同志对知识分子的估价是很高的,他说:"革命力量的组织和革命事业的建设,离开革命的知识分子的参加,是不能成功的"。①

解放以后,党采取了各种有效措施,对旧知识分子进行了巨大的团结、教育与改造工作,提高了他们的思想觉悟与业务能力,他们中间的绝大部分已经成为国家机关的工作人员,已经为社会主义服务,已经是属于工人阶级的一部分了。党在团结、教育与改造旧知识分子的同时,还尽了很大的力量,培养了大量的新的知识分子,其中已有相当数量是出身于劳动阶级的。这些事实标志着我国知识分子的面貌已经发生了根本的变化,而这种变化对于推进我国社会主义事业的发展,具有非常重大的意义。

但是,不可否认,我国的知识分子无论是数量方面、业务水平方面、政治觉悟方面,都赶不上社会主义建设急速发展的需要。因为在社会主义建设中,生产技术的提高,科学的发展与科学知识的利用,和以前的任何时代比较起来,

---

① 《中国革命和中国共产党》。

都更加迫切的需要。而知识分子的作用也就和任何以前时代比较起来,都更加重大了。为适应国家建设急速发展的需要,党正在积极地领导着知识分子,以扩大他们的队伍,提高他们的政治觉悟与业务水平。我们相信在党的领导下,我国工人、农民、知识分子在社会主义建设事业中所形成的兄弟般的联盟,将日益得到发展和巩固。我们相信,依靠这个联盟,我们国家将会很快地建成一个伟大的社会主义共和国,毛主席曾说"我们将以一个有高度文化的民族出现于世界"。

刘少奇同志说:"工人阶级领导和以工农联盟为基础,标志着我们国家的根本性质。这就表明我们的国家是人民民主国家。人民民主国家和资本主义国家,在性质上是完全不同的两类国家。在资本主义国家里,无论怎样标榜'民主',终究只是占人口中极少数的资产阶级居于国家的统治地位。在我们这里,最大多数的人民才真正是国家的主人。"①

工人阶级对于国家的领导是经过它的先锋队中国共产党来实现的。中国共产党是一个有纪律的、有马克思列宁主义武装的、采取自我批评方法的、联系人民群众的党。党通晓社会发展的规律,按照客观规律决定自己的政策,同时,它又善于在实际斗争中吸取人民群众的经验,使自己的政策符合于人民群众的利益,所以它能够领导人民取得新民主主义革命的胜利,又能够领导人民向着社会主义社会胜利前进。

党对于国家机关的领导,是经过在国家机关中的党员的工作,使国家机关接受党的政策,把它变为国家的政策,来实现领导的。所以党领导国家机关,并不是说党直接管理国家事务,也不是说可以把党和国家机关看作一个东西。党组织的职能和国家机关的机能是分不开的。党对国家机关的领导是思想的领导,政策的领导,不是行政的领导。

党对国家机关的领导可以分为三方面来说明:(一)党对国家机关工作的性质和任务给以确定的指示;(二)通过国家机关及其工作部门实施党的政策,并对它们的活动实行监督;(三)党挑选或提拔忠诚而有能力的党和非党的干部到国家机关中去工作。

---

① 《宪法草案报告》。

党是国家机关的领导核心,正因为有党的领导,才能保证国家机关的组织与活动的正确性和统一性,才能实现国家在过渡时期的总任务。

二、我们国家的政治制度——人民代表大会制

宪法规定了我们国家的性质以后,接着就规定我们国家的政治制度。政治制度就是毛泽东主席所说的政体。政体是与国体相符合的。我们的国体既然是工人阶级领导的人民民主国家,我们的政体就必然是工人阶级领导的人民民主的政治制度,即由人民组织一定的政权机关行使国家权力的制度。《宪法》第二条规定:"中华人民共和国的一切权力属于人民。人民行使权力的机关是全国人民代表大会和地方各级人民代表大会。"这条规定和宪法中其他条文的一些规定,表明着我们国家的政治制度,是人民代表大会制度。

人民代表大会制度表现着我国长期的革命传统。当革命还只在局部地区取得胜利的时候,就曾经依据人民代表大会制度的原则,建立了革命的国家机关。在中华人民共和国成立的时候,由中国人民政治协商会议共同纲领肯定了这个制度,并规定了逐步推行的办法。新国家成立以来,已在全国范围内召开了地方各级各界人民代表会议,并由各界人民代表会议逐步代行人民代表大会的职权。宪法总结了5年以来国家机关工作的经验和各级各界人民代表会议的经验,对我们国家政治制度作出了更加完备的规定。这样的政治制度是和我们国家的性质相联系的。采用这个政治制度,就能够便利人民群众行使自己的权力,便利人民群众,通过这样的政治组织参加国家管理的工作,因而能够充分地发挥人民群众的积极性和创造性,共同建设社会主义。

《宪法》第二条第二款规定:"全国人民代表大会、地方各级人民代表大会和其他一切国家机关,一律实行民主集中制。"这就是说明民主集中制是人民代表大会制最基本的原则。毛泽东主席在《新民主主义论》中做过很精辟的说明,他说:"这个制度即是民主集中制。"他又在《论联合政府》中说明了这个民主集中制,他说:"它是民主的,又是集中的,就是说,在民主基础上的集中,在集中指导下的民主。只有这个制度,才既能表现广泛的民主,使各级人民代表大会有高度的权力,又能集中处理国事;使各级政府能集中地处理各级人民代表大会所委托的一切事务,并保障人民的一切必要的民主活动。"

民主集中制贯彻着从中央到地方的一切国家机关。就民主方面说,人民选举自己的代表组织地方各级人民代表大会和全国人民代表大会,并有权撤换自己的代表。代表受选民或原选举单位的监督。全国人民代表大会有权选举或决定国家最高领导人员,并且有权罢免他们。地方各级人民代表大会有权选举地方各级人民委员会的组成人员和法院院长、检察院检察长,并且有权罢免他们。广大人民群众有充分可能来监督一切国家机关,并直接参加国家活动。就集中方面说,一切国家机关都贯彻着少数服从多数、下级服从上级、地方服从中央的原则。全国一切国家机关都服从全国人民代表大会。由于实行民主集中制,就能使中央实现集中的统一的领导,而地方也可以根据当地的具体条件发挥其主动性和创造性。

由此可见,我国宪法中所表现的民主是高度的民主,集中是高度的集中;在高度民主基础上的集中,在高度集中领导下的民主。正因为有高度民主的基础,全国人民的意志才能有高度的集中,最高的国家机关才能集中全国人民的力量,使全国人民在中央领导下实现政治的统一,巩固人民民主专政,把我国建设成为一个伟大的社会主义国家。也只有高度集中的领导,才能保证人民群众能够发扬高度的民主,使人民群众发挥自己的智慧和劳动热情,为社会主义事业而奋斗。

以上所说,是民主集中制的主要内容,也是人民代表大会制这种政治制度的基本特点。我们这种政治制度,具有下述几点无可比拟的优越性。

第一,人民代表大会制最便于广大的人民群众参加民主生活和国家管理,最便于集中人民群众的意见和要求,这就能使我们的国家机关具有最广泛的群众基础。

第二,正因为具有最广泛的群众基础,我们的国家机关就能够具有最高的威信,最大的号召力量和组织力量。无论在什么时候,国家机关的一切法律、法令和决议都能够得到人民群众的热情拥护和坚决执行。无论在什么条件下,国家机关都能直接号召群众,得到人民群众的响应和支持。全国人民在中央领导下,就成为一个统一的整体。

第三,全国人民代表大会是立法机关,又是执行机关,实现着立法权和行政权的统一。地方各级人民代表大会是议事机关,又是工作机关,实现着议行合一。这就表明:人民代表大会制是以国家权力的统一行使为出发点的。正因为我们工人阶级领导的国家能够实现全国人民意志的统一,所以一切国家机关都以实现全国人民的统一意志,完成国家统一的任务为目的,因而一切国家机关的活动必须统一,国家权力的行使必须统一。

第四,根据人民代表大会制组成的一切国家机关,虽然能够在民主的基础上形成人民的政治一致性,但不能因此取消或者缩小批评和自我批评。批评和自我批评,是我们民主生活中一个极重要的表现。在一切国家机关中,工作上的缺点和错误总是常有的,必须充分运用批评和自我批评的武器,不断地克服那些错误和缺点,推动国家机关的工作,清除官僚主义和命令主义,使国家机关经常保持同群众的密切联系,正确地反映人民群众的意志,因而才能经常保持人民的政治一致性。

第五,宪法规定,全国人民代表大会和地方各级人民代表大会都有适当的少数民族代表名额,并切实保障少数民族的平等权利,多方照顾少数民族的利益;在少数民族聚居地区实行区域自治,建立自治机关。这就表明,人民代表大会制度能够团结国内各民族,实现中央的集中领导,形成统一的不可摧毁的力量。

以上这些优越性,表现着我们的人民代表大会制是真正的人民民主的政治制度,这种政治制度是和我们国家的性质紧密地结合着的,就是说,只有在工人阶级领导的国家中,才能有这样的真正的人民民主的政治制度。

我国的政治制度那些优越性,是任何资本主义国家所没有,而且也不可能有的。我们在第一章中,曾就资产阶级的宪法做过详细的分析,只要对照一看,便可知道。资产阶级的国会制,和我们的人民代表大会制完全相反。资产阶级的国会议员中,绝大多数是资产阶级的代表,他们是用欺骗、虚伪和苛刻限制的选举法,用强暴、胁迫、收买的手段选举出来的,工人阶级和劳动人民很难选出自己的代表送进国会去。并且那些资产阶级的议员并不对选民负责,也不受选民监督,他们只是为资产阶级办事,专门制造一些反动法律来压迫工人阶级和劳动人民。资产阶级的政治制度标榜所谓立法、行政和司法的"三权分立"制,而在实际上,行政权高于一切,完全由垄断资本家所掌握;国会的资产阶级议员除了通过一些剥削人民和压迫人民的法律外就专门愚弄老百姓而从事空谈;司法部门完全受行政所指挥,工人阶级和劳动人民的权利和利益不但受不到宪法和法律的保护,而且还要受到司法部门粗野横暴的违法行为所侵害。资产阶级国会坚持民族不平等的原则,把国内和它们所统治的殖民地内的各民族划分为有完备权利的民族、没有完备权利的民族和根本没有权利的民族三种,有完备权利的民族是统治者,其余两种民族是被统治者,所以资产阶级国会是所谓"优等"民族压迫所谓"劣等"民族的国会,是民族主义的国会。最后要谈到的,是资产阶级的政治制度中的"中央集权制"。这种"中央集权制"是官僚主义集中制,它的主要表现是以国家管理的严格集中去限制并束缚人民群众的积极性。中央机关的官吏们站在地方机关之上发号施令,要地方机关"等因奉此"地去执行,完全扼杀了地方机关的主动性和创造性。这完全是资产阶级在国家机关及其组织活动方面的反动性。最奇怪的是:当我国宪法草案公布的时候,香港的资产阶级反动刊物说我们的"这种人民代表大会制乃是中央集权的制度"。这些反动分子们只知道少数大封建主或大资本家的专制的集中,因而要把那种官僚主义的中央集权制比拟于我们民主集中制来攻击我们。他们根本不知道我们中华人民共和国是工人阶级和人民群众当家作主的国家,我们人民为了保障自己的民主权利,保障自己的政权,保障社会主义的建设,必然要把自己的意志和力量,集中到人民代表大会,经过人民代表大会制统一和集中行使国家的权力,这就说明了我们的民主集中制。这是和资产阶级的中央集权制或官僚集权制根本不同的。

我们的人民民主制度,体现着我国广大人民政治上的统一。根据人民代表大会制建立起来的国家机关,是人民自己行使权力的机关,它能够巩固人民民主专政,并保证我国通过和平的道路,消灭剥削和贫困,建成繁荣幸福的社会主义社会。

三、人民民主政权的职能

根据人民代表大会制度组成的国家机关,是人民民主专政的最有效的武器。人民民主专政的国家机关,为了完成国家在过渡时期的总任务,必须坚决地彻底地执行如下的三个职能:

第一,镇压一切反革命派和卖国贼;

第二,组织国防力量,防御帝国主义进攻,保卫人民祖国;

第三,社会主义的经济组织工作和文化教育工作。

第三个职能是人民民主政权的最重要的职能。《宪法》序言表明:"中华人民共和国的人民民主制度,也就是新民主主义制度,保证我国能够通过和平的道路消灭剥削和贫困,建成繁荣幸福的社会主义社会。"这就是说,我们的人民民主政权是在我国建成社会主义社会的根本保证,而建成社会主义社会乃是人民民主政权的最重要的职能。

我们的新国家从成立之日起,就运用人民政权,在城市立即着手没收一切官僚资本主义企业,归人民的国家所有,建立了社会主义的国营经济,建立了社会主义的国家银行;同时在全国范围内,着手建立社会主义的国营商业和合作社商业。在农村进行土地制度的改革,没收地主的土地分配给无地和少地的农民,消灭了封建的剥削制度,解放了农村的生产力。国家还实现了一系列的恢复国民经济的财政经济政策,为争取财政经济的基本好转而斗争。截至1952年,国民经济恢复工作基本上完成了,社会主义经济在国民经济中的比重增长了,它的领导作用确立了而且加强了。从1953年起,我国已从经济恢复阶级段进入有计划地经济建设和有系统地改造非社会主义经济成分的阶段。这就是说,国家在过渡时期的总任务已经明确化和具体化了。从此,人民民主政权的社会主义的经济组织工作,就是逐步实现国家的社会主义工业化和逐步实现对农业、手工业和资本主义工商业的社会主义改造,就是要在我国建成社会主义社会,消灭城乡资本主义。这个总任务的完成,在我国是具有切实保证的。这些保证就是人民民主政权,工人阶级领导下的工农联盟和我们的人民民主统一战线。

社会主义的经济组织工作必然伴随着社会主义的文化教育工作,两者是相辅而行的。前者的发展能够促进后者的发展,后者的发展又能促进前者的发展。在过渡时期中,国家的经济工作和文化教育工作的根本目的,是创造社会主义的物质条件和精神条件。

我们要在六万万人口的大国中建成社会主义社会,如果没有社会主义的文化教育革命,是不可想象的。我国国民的文化是落后的,在全国人口中占绝大多数的工人和农民中,文盲要占大多数;我国的科学研究事业还很不发达。

并且新国家成立不久,大多数人带着旧时代的非工人阶级的思想意识进到新时代来。为要在我国建成社会主义,国家必须对全国人民进行普遍的社会主义思想教育,必须进行扫除文盲工作,逐步提高人民的文化水平;必须发展科学、文学、艺术和其他文化事业。工人阶级是社会主义建设的领导者,仍须继续提高共产主义的觉悟,并且要学习科学和技术。"严重的问题是教育农民。"目前农村工作的基本任务,是开展以互助合作为中心的农业生产运动,逐步对农业实行社会主义改造。为要实现这个任务,必须提高农民的文化水平,加强对农民的社会主义教育,使他们脱离资产阶级的影响。其次,科学、教育、文学艺术的工作者,近年来在思想改造方面已经有了一些成就,接受了社会主义思想的领导,批判了资产阶级思想,但仍须学习马克思列宁主义,学习苏联先进经验并结合我国实际情况,对祖国社会主义建设作积极的创造性的贡献,并为祖国培养出合格的社会主义干部。还有民族资产阶级也必须接受社会主义教育,在社会主义改造事业中尽自己一分力量。国家只有对广大人民进行社会主义的文化教育工作,才能使他们脱离资产阶级思想的影响,积极地参加社会主义建设。

为了巩固人民民主专政,保障社会主义事业,国家必须镇压国内已被推翻的帝国主义走狗、官僚资产阶级和地主阶级。对于这些敌人,要剥夺他们的政治权利,只许他们规规矩矩,不许他们乱说乱动。他们绝不会甘心于自己阶级的死亡,必然要利用一切机会或勾结帝国主义者来破坏我们的社会主义建设,企图使我们的事业归于失败,使反动统治复辟。所以《宪法》第十九条规定:"中华人民共和国保卫人民民主制度,镇压一切叛国的和反革命的活动,惩办一切卖国贼和反革命分子。"

还有,帝国主义者自从被我国人民赶出中国大陆以后,无时无刻不想卷土重来以奴役我们。特别是当我们要建设社会主义消灭资本主义的时候,帝国主义者决不会袖手旁观,而要千方百计来破坏我们,进攻我们。现在美帝国主义者用军事力量威胁我们,盘踞我国的台湾,伙同蒋介石反动集团,企图进攻中国大陆,其目的无非是要使中国成为它的殖民地。这在我国人民是时时警惕着的。所以《宪法》第二十条规定:"中华人民共和国的武装力量属于人民,它的任务是保卫人民革命和国家建设的成果,保卫国家的主权、领土完整和安全。"

第二节　我国是统一的多民族国家

一、我国是多民族的大国，多民族建成一个统一的国家完全符合各民族的利益

中国是一个多民族的大国，人口总数已达六亿以上，汉族人口占居绝大多数。汉族以外，还有蒙、藏、回、维吾尔、哈萨克、塔塔尔、柯尔克孜、土、彝、苗、瑶、僮、仲家、民家、傈僳、拉祜、纳西、哈尼、佤、黎、高山、布依、侬、羌、侗、水家、景颇、朝鲜、满、傣、塔吉克等七十多个少数民族。这些少数民族的人口总数将近有四千万。他们分布在全国各个地区，特别是分布在国防边境地带，他们的经济、文化发展程度虽然各不相同，但是都有长久的历史，都是我们伟大祖国的成员，都对我们伟大祖国的缔造有着巨大的贡献。因此，正确地解决民族问题对我们国家来说，具有很重大的意义。

那么我们要采取什么样的具体形式来解决民族问题呢？这要看我国的内部情况和外部情况来决定。斯大林在《马克思主义和民族问题》一书中教导我们说："在解决问题时，不仅要估计到国内的情况，而且要估计到国外的情况。"

我国各民族的内部情况在解放以前是：一方面由于反动统治者推行民族压迫政策，各少数民族处于被压迫、被奴役、被剥削的地位，他们在政治上，经济上和文化上都陷于落后状态。他们和汉民族的地位是不平等的，他们相互之间的地位也是不平等的，这种民族压迫的存在，激起了各被压迫的少数民族的反抗，因而产生了复杂的民族问题，造成各民族之间的隔阂与仇视。在另一方面，由于各民族人民（包括汉族人民和各少数民族人民）经过了长期的接触，发展了经济的合作与文化的交流，产生了一定的联系。同时又由于反动统治者实行民族压迫的目的，是为了实现阶级压迫，巩固反动统治，所以它必然要压迫各民族人民，成为各民族的共同敌人。此外，还由于我国各民族在历史上曾经多次遭受外来侵略，这些外来的侵略者为的是要奴役我国各民族人民，所以它们也是我国各民族人民的共同敌人。在反对本国反动统治者与外来侵略者的斗争中，我国各民族人民，就密切地联系起来了。特别是帝国主义侵入

中国,蒋介石反动统治建立以后,在中国共产党近三十多年来领导的民族民主革命运动中,各民族的命运更加紧密地联结起来了,各民族人民更加团结起来了。因而我国各民族人民之间又存在着团结合作的因素。在毛泽东主席和中国共产党领导下,从汉族人民发展和壮大起来的,并有许多少数民族人民参加了的人民大革命和人民解放战争,打倒了共同敌人,使大陆上的汉族和各少数民族人民都得到了解放。解放以后,新的国家成立了;这个国家是工人阶级领导的人民民主专政的国家,因此成为我国各民族人民友好合作的大家庭。我国民族关系从此根本改变了,从民族压迫时代改变为民族平等时代。产生民族隔阂与仇视的因素已经根本消除了,各民族团结与合作的因素已经空前地加强了。因此,目前我国各民族的内部情况就是:民族压迫制度已经废除了,民族团结已经加强了,民族平等已经有了保障。

我国的外部情况是:各族人民面临着以美帝国主义为首的帝国主义者的侵略威胁,帝国主义者还千方百计地企图卷土重来,重新奴役中国各民族人民,帝国主义者和它的走狗还在我国各民族之间进行挑拨离间的罪恶活动,阴谋破坏我国各民族的团结合作关系。

从上面所说的国内外情况来看,我国各民族建成一个统一的多民族国家是完全可能的,而且也是完全必要的。

所谓多民族建成一个统一的国家,就是说在我们国家以内,不包含有任何独立的国家组织,在我们国家以内,只有一个最高国家机关系统,一切地方国家机关,连同实行民族区域自治的地方自治机关,都从属于它,受它的领导与监督,全国各个地方,连同实行民族区域自治的地方,都是我们国家统一不可分割的整体。

我国多民族建立统一的国家之所以完全可能,是因为各民族的团结合作关系已经形成而且日益巩固,在这个基础上,就能够把各个民族容纳在一个统一的大家庭里面;我国多民族建立统一的国家之所以必要,是因为只有这样才能使我国各族人民共同防御帝国主义的侵略,共同求得政治上的进步与经济上的繁荣,才能符合我国各民族的共同利益。刘少奇同志在《中华人民共和国宪法草案报告》中说:"中华人民共和国成立,使中国各民族都从帝国主义压迫下得到了解放,但是帝国主义者仍在处心积虑,妄想分离我国各民族,借以达到他们重新奴役我国各民族的目的。面对着帝国主义者这种侵略阴谋，我国各民族都必须提高警惕，不要给帝国主义者进行这种阴谋以任何机会。我国各民族都必须加强和巩固我们祖国的统一，必须紧紧地团结在一起，共同为建设伟大的祖国而努力。宪法宣布中华人民共和国是统一的多民族国家，并且宣布各民族自治地方都是中华人民共和国不可分离的部分，显然，这样的规定是完全必要的，是完全符合我国各民族的共同利益的。"

二、国家在过渡时期关于民族问题方面的基本政策

我国多民族建立一个统一的多民族国家，是为了完成党在过渡时期关于民族方面的总任务。这个总任务就是要：巩固祖国的统一和各民族的团结，共同来建设祖国的大家庭；在统一祖国的大家庭内，保障各民族一切权利方面的平等；实行民族区域自治；在建设祖国的共同事业中，逐步地发展各民族的政治、经济和文化，逐步地消灭历史上遗留下来的各民族间事实上的不平等，使落后民族得以跻于先进民族的行列，逐步过渡到社会主义社会。这个总任务已在我国宪法中确定下来了，也就是说它通过国家根本法的形式变成了国家的政策。现在就把这个政策分别在下面加以说明。

第一，实行民族平等：要加强与巩固各民族之间的团结，必须实现民族平等，所以实行民族平等是我们党对民族问题的根本主张。

1949 年 10 月 1 日宣告成立的中华人民共和国，是工人阶级领导的人民民主专政国家。正因如此，它就能够根据民族平等的精神来解决民族问题，使我国成为各民族人民友好合作的大家庭，使我国民族关系从此根本改变，从民族压迫时代改变为民族平等时代。中国人民政治协商会议所制定的《共同纲领》的民族政策一章中，首先就肯定了"中华人民共和国境内各民族一律平等"的原则，这一原则在团结各民族为一个自由平等的大家庭这一伟大事业上，起了极重要的作用。

新中国成立以来，我人民政府和民族工作干部，正确地执行了共同纲领所规定的民族政策，已经建立了民族平等的关系，凡属妨害民族平等和民族团结的行为是一律禁止的。1951 年，政务院颁布指示，把带有歧视或侮辱少数民族性质的称谓、地名、碑碣、匾联等都加以处理了。在公民权利方面，已经实现

了民族平等的原则。这样就使得我国的民族关系得到了进一步的改善。在这个基础之上,我国《宪法》规定:"各民族一律平等。禁止对任何民族的歧视和压迫,禁止破坏各民族团结的行为。"从此,实行民族平等就成了我国各民族必须遵守的、坚定不移的宪法原则。

第二,巩固民族团结:加强个民族间的大团结,是实现国家在过渡时期总任务的重要条件之一。如果没有各民族间的团结,那么包括少数民族地区在内的祖国的一切建设事业的发展是不可能的。目前,我国各民族已经空前地团结起来了,但是阻碍民族团结的因素仍然存在。帝国主义者还在不断地寻找机会,勾结各民族内部的人民公敌,进行挑拨、离间,企图破坏我国各民族的团结,以达到使反动统治在我国复辟的目的。而历史上遗留下来的资产阶级民族主义思想,如大汉族主义和地方民族主义思想,对巩固民族之间的团结关系也有很大的害处。因此,刘少奇委员长在关于中华人民共和国宪法草案的报告中教导我们:"……为着继续加强民族的团结,不仅要反对帝国主义和民族内部的人民公敌,也要反对大民族主义和地方民族主义。"

第三,实行民族的区域自治:民族的区域自治,是中国共产党运用马克思列宁主义解决中国民族问题的基本政策。这个基本政策早已写在共同纲领之中。它是解决中国民族问题的钥匙。是实现民族平等的根本保证。

民族的区域自治,是中华人民共和国领土之内的、在中央人民政府统一领导下的、以少数民族聚居区为基础的区域自治。这是一个总原则和大前提。一切聚居的少数民族,依据这个总原则和大前提,都有权利实行民族的区域自治,建立自治区和自治机关,按照本民族大多数人民及与人民有联系的领袖人物的志愿,管理本民族的内部事务。这就是少数民族当家做主的权利。

新中国成立以来,中央人民政府大力地推行了民族区域自治,到1956年1月,全国已经建立的民族自治地方共有73个,其中自治县45个,自治区和自治州28个。这些自治地方规模较大的,有内蒙古自治区、新疆维吾尔自治区、桂西僮族自治区、桂西侗族自治区、四川藏族自治区、海南黎族、苗族自治区、湘西苗族自治州、西康藏族自治州、凉山彝族自治州、云南西双版纳傣族自治州、吉林延边朝鲜族自治州等。西藏自治区正在建立中。

在建立了民族自治区的少数民族聚居区,都出现了历史上空前未有的新气象,各自治区的民族都实现了自己当家做主的权利,自治区的政治、经济、文化、教育等建设事业都按照各民族自己的意志逐渐地发展起来了,人民的生活都得到了改善并且逐渐提高,人民的政治觉悟提高了,内部的团结加强了,爱国主义的热情高涨了,对于毛主席和中国共产党增加了无限的热爱,对伟大祖国这一个自由平等的民族大家庭表现了坚定的信任。所有这些事实,表明了民族的区域自治政策是伟大的、正确的,它能够恰当地解决我国国内的民族问题,能够巩固各民族的团结与合作,实现民族平等,保证中国民族共同走向繁荣幸福的社会主义社会。

第四,帮助少数民族发展政治、经济和文化的建设事业:推行民族区域自治还不等于根本解决了民族问题。我国各少数民族由于长期地受反动统治阶级的压迫、剥削与摧残的结果,在经济上、文化上一般还处于比较落后的状态。这种落后现象的存在,就使得少数民族在享受平等权利方面,必然要受到事实上的限制,必然要产生事实上的不平等现象。所以要彻底解决民族问题,就必须帮助少数民族发展其政治、经济和文化的建设事业。新中国成立以来,在中央的巨大帮助下,少数民族地区各方面的工作,特别是经济和文化建设事业,都有了显著的发展。在经济建设方面,仅在 1954 年至 1955 年一年之内,内蒙古自治区的工业产值就增加了 24.5%,新疆维吾尔自治区增加了 19.3%,其他许多民族自治地方的工业产值都有所增加;在文化教育事业方面,西藏地方1952 才成立第一所小学,到 1956 年上半年就已发展到 31 所,并且还准备设立中学。内蒙古自治区和新疆维吾尔自治区不但设立了专业学院,而且正在筹备成立综合大学,1955 年一年以内,用少数民族文字出版的报纸有 21 种,杂志 32 种,书籍 1000 多种,700 多万册;少数民族地区的卫生事业,也有相应的发展。所有这些,都说明少数民族的经济文化状况已经发生了巨大的变化,已经为消灭少数民族的落后现象与实现各民族事实上的平等权利奠定了初步的基础,创造了良好的条件。

国家在过渡时期关于民族问题方面的基本政策的确定,是为了顺利地推动少数民族地区的民主改革和社会主义改造。在执行这些政策的时候,人民政府坚持了长期团结教育少数民族各方面的上层人士的方针,坚决地保护了少数民族人民的宗教信仰和宗教寺庙,充分地照顾了少数民族地区各方面的特点,不断地克服了保守思想与急躁情绪,"慎重稳进"地采用和平协商办法,开展了土地改革与发展畜牧业经济的工作,并在条件具备的地区进行了农业和畜牧业的社会主义改造。从1955年起的一年以内,就将近有3000万人口的少数民族地区完成了土地改革,在1956年春耕以前,完成了土地改革的绝大部分地区已经基本上实现了半社会主义或社会主义的合作化。由此可见,我国少数民族地区的民主改革和社会主义改造工作的开展是顺利的、健康的,我国少数民族人民正在和汉族人民一道向社会主义迈进。这是我们统一的多民族国家里民族政策的伟大胜利。

第三节　我国过渡时期的经济制度及其向社会主义过渡的步骤

我国过渡时期的经济制度,如《宪法》第五条所说,主要地有下述四种生产资料所有制:

(1)国家所有制,即全民所有制;

(2)合作社所有制,即劳动群众集体所有制;

(3)个体劳动者所有制;

(4)资本家所有制。

国家的即全民的所有制,是社会主义的所有制,宪法规定矿藏、水流,由法律规定为国有的森林、荒地和其他资源都属于全民所有。此外,它还包括着由国家经营的工厂、矿井、电力站、铁路及其他各种运输业、邮电等企业。农业方面的国家所有制,是国家建立的农业机器站、农业技术推广站和国营农场等。在流通领域内是国营商业。银行和绝大部分的对外贸易都由国家掌握。

以国家所有制为基础组织起来的经济,是国营经济。国营经济是社会主义经济。国营经济中的一切生产资料以及生产出来的劳动产品,都属于国家和全民所有,所以在国营企业中劳动的工人们,已经不是为资本家劳动的被剥削者。工人们为国家和人民而劳动,也就是为自己而劳动,因而成了企业的主人。企业中的生产管理和经营计划,都是由工人们自己掌握的。新国家成立以来,国营经济在工人阶级领导下,日益成长和壮大,已成为整个国民经济的领导力量,是国家实现社会主义改造的物质基础。

合作社所有制,包括一般的消费合作社、农村供销合作社、农村信用合作社、农业生产合作社和手工业生产合作社。此外,还有农村的临时互助组和常年互助组,是最简单的合作形式。其中常年互助组已有合作社所有制的萌芽。

以合作社所有制为基础组织起来的经济,是合作社经济。合作社经济有两种形式。一种是劳动群众集体所有制的经济,社中主要生产资料属于全体社员所有,社中的一切劳动生产物除向国家缴纳一定的税款和提存一定的公积金以外,其余由社员按劳分配。这种合作社经济是社会主义经济。例如高级的农业生产合作社和手工业生产合作社,就属于这一类。另一种是劳动群众部分集体所有制的合作社经济是半社会主义经济,社中的生产资料只有一部分属于全体社员所有。这种合作社经济是半社会主义经济。例如入社的农户把自己的土地、牲畜或农具作股分红的农业生产合作社,以及社中的生产资料只有一部分归全体社员所有的手工业生产合作社,都属于这一类。

个体劳动者所有制是土地和其他生产资料的小私有制。这类个体劳动者包括千百万农民和手工业者。农村中特别普遍的手工业、城市中的小商店、小作坊,也属于这一类小私有制。以个体劳动者所有制为基础的经济特点是:一方面,个人占有生产资料;另一方面又以个人劳动为基础,一般是并不剥削别人。这种小私有制的经济在我国是很多的,它们是小商品经济,不可避免地会产生出资本主义分子。

资本家所有制是生产资料的资本主义所有制。它包括城市资本主义的工业企业、交通运输业、商业资本的企业、农村的富农经济。属于这种私有制形式的,还有雇佣工人的手工业作坊和数量相当大的手工业工厂。在资本主义经济中,资本家独占生产资料,专事剥削雇佣劳动,企业的生产物完全归资本家所有,劳动者只取得低微的工资生活。企业中的管理和经营,完全由资本家掌握,劳动者无权过问。资本家唯利是图,只知道生产商品出售,也不知道在市场能否销售。资本家总是依照自己最能赚钱的想法,决定自己投资的方向、企业的规模和生产的数量。资本家只要是看到了某一种行业能够多赚钱,就把资本投到那一种行业去。所以,资本主义生产不能按照社会的需要而有计划地进行,而只能是盲目的、无计划的。资本主义生产这种无政府状态,是和我们国家有计划的经济建设不相容的。因此,国家对于资本主义工商业,必须进行社会主义的改造。

以上是我国目前存在着的四种主要的生产资料的所有制。

也许有人要问:我国国家资本主义经济是一种什么样的所有制的经济?我国国家资本主义经济,不是单纯的一种所有制的经济,而是国家所有制和资本家所有制在各种复杂形式上的经济联盟。在公私合营的高级国家资本主义经济中,有国家的投资,也有资本家的投资,即是有国家所有制,也有资本家所有制。在中级形式和低级形式的国家资本主义经济中,企业归资本家所有,还是资本家所有制,但在加工、订货、统购、包销和经销、代销等形式上,私营资本企业已经和国营经济发生联系,已经走上了国家资本主义的轨道。

所以我国目前现实地存在着的主要的生产资料所有制,是《宪法》第五条所肯定的四种所有制。但是按照宪法的基本精神来说,这四种所有制在我国国民经济中的地位并不是完全一样的,并不是可以一同进入社会主义的。宪法所要巩固并使之发展的所有制,第一是国家所有制,即全民所有制,它是社会主义所有制;第二是合作社所有制,即劳动群众集体所有制,它是社会主义所有制的另一种形式。至对于个体劳动者所有制和资本家所有制,是要实行社会主义的改造的。这就是说,国家在过渡时期的总任务,是要发展国家的即全民的所有制的国营经济和劳动群众集体所有制的合作社经济;要把劳动群众部分集体所有制的合作社经济改变为劳动群众集体所有制的合作社经济;把农民和手工业者以自己劳动为基础的个体劳动者所有制的经济改变为劳动群众集体所有制的合作社经济;把资本家所有制的经济改变为全民所有制的经济。做一句话说,宪法对四种所有制的规定的基本精神,反映着国家在过渡时期的总任务的实质,就是使生产资料的社会主义所有制成为我国国家和社会的唯一的经济基础。

但在我国的过渡时期中,当着生产资料的非社会主义所有制还没有改变为生产资料的社会主义所有制以前,国家是要依照法律“保护农民的土地和其他生产资料所有权”,“保护手工业者和其他非农业的个体劳动者的生产资料所有权”,“保护资本家的生产资料所有权和其他资本所有权”(这里所说的“其他资本”,主要地是指商业资本说的)。宪法这样的规定,是与我国过渡时期的实际的经济生活相符合的。在社会主义所有制还没有成为我们国家和社会的唯一经济基础以前，保护个体劳动者的生产资料所有权，可以鼓励个体劳动者改善经营，增加生产，并可以推动他们走上互助合作的道路；保护资本家的生产资料所有权，可以使他们发挥其有利于国计民生的积极作用，可以鼓励他们走上国家资本主义的道路。

在过渡时期中，国家既然依照法律保护个体劳动者和资本家的生产资料所有权，当然也依照法律保护他们的生产资料的继承权。《宪法》第十二条规定"国家依照法律保护公民的私有财产的继承权"，其中私有财产包括着生活资料和生产资料的，即是说，个体劳动者和资本家的生产资料、生活资料的继承权，国家也依照法律给以保护的。《宪法》第十三条规定："国家为了公共利益的需要，可以依照法律规定的条件，对城乡土地和其他生产资料实行征购、征用或收归国有。"根据这一条规定，个体劳动者和资本家的生产资料，也可以由国家依照法律规定的条件，征购、征用或收归国有。这一条的规定是完全符合于个人利益服从社会利益、局部利益服从全体利益的原则的。

但是到了社会主义所有制成了我国国家和社会的唯一的经济基础以后，一切生产资料都归全民所有或集体所有，生产资料的私有权及其继承权就不存在了。那时候，公民的各种生活资料的所有权，国家是坚决地给以保护的。《宪法》第十一条规定："国家保护公民的合法收入、储蓄、房屋和各种生活资料的所有权。"这一条规定，不单是在过渡时期中完全适用，就是在将来进到社会主义社会以后也是完全适用的，不过那时候的合法收入是劳动所得、储蓄、房屋和各种生活资料所有权都是以劳动作基础的。但是，公民的私有财产虽然受到国家的保护，倘若有人利用私有财产投机倒把，囤积居奇，捣乱市场，破坏生产，等等，那便是破坏了公共利益，国家就要予以法律上的制裁。所以《宪法》第十四条规定："国家禁止任何人利用私有财产破坏公共利益。"

从宪法各条的规定看来，国家一方面要依法保护农民、手工业者和其他非农业的个体劳动者的生产资料的所有权；另一方面要鼓励他们根据自愿原则组织生产合作，把个体劳动者的所有制改造为社会主义所有制。这本来是一个矛盾。这个矛盾反映了我国过渡时期中客观存在的矛盾。我们正在大规模地实行有计划的经济建设，而小私有者，特别是农民的小商品生产却是落后的、分散的,这显然是一个矛盾。并且农民一方面是劳动者,他趋向于社会主义;另一方面是私有者,他趋向于资本主义,这是小私有制经济内部的矛盾。我们工人阶级领导的,以工农联盟为基础的国家,为了克服这些矛盾,必须采用说服、示范和援助的方法,鼓励和指导农民自愿地联合起来,走互助合作的道路,即社会主义的道路,使落后的分散的农业成为巨大的农业,使它能够成为实行积累,能够实现扩大再生产的农业,并以此而改造国民经济的农业基础。所以对农业和手工业的社会主义改造是国家在过渡时期的总任务的一个重要部分。

其次,国家一方面要依照法律保护资本家的生产资料所有权及其他资本所有权;另一方面又要对资本主义工商业实行社会主义的改造,要逐步以全民所有制代替资本家所有制。这本来也是一个大矛盾。"这正是反映着客观生活中存在的矛盾。在我国过渡时期,既有社会主义,又有资本主义,这两种所有制的矛盾就是客观存在的矛盾。同时,资本主义工商业在现阶段一方面有它的有利于国计民生的作用,另一方面又有它的不利于国计民生的作用,这又是资本主义工商业本身客观存在的矛盾。我们解决社会主义同资本主义矛盾的政策,就是一方面允许资本家所有制存在,利用资本主义工商业有利于国计民生的作用,采用过渡方法,准备条件,以便逐步以全民所有制代替资本家所有制。"①宪法所规定的关于过渡到社会主义社会的一些具体步骤,就是为了要正确地解决这些矛盾。

第四节　优先发展国营经济

"国营经济是全民所有制的社会主义经济,是国民经济中的领导力量和国家实现社会主义改造的物质基础。国家保证优先发展国营经济。"②

国营经济包括国营的工业、交通运输业、农业和商业等部门。依据社会主义工业化的方针,在优先发展国营经济的任务中,还须优先发展国营工业。国营工业是社会主义工业,它对于整个国民经济的发展,是能够起决定作用的领

①　刘少奇同志关于中华人民共和国宪法草案的报告。
②　《宪法》第六条。

导力量。只有发展社会主义工业，才能加强社会主义改造的物质基础，才能改造并代替资本主义工业；才能支持社会主义商业，改造并代替资本主义商业；才能用新的技术改造个体的农业和手工业，才能使我国由工业不发达的落后的农业国变为工业发达的先进的工业国。

实现国家的社会主义工业化的中心环节，是发展国家的重工业，以建立国家工业化和国防现代化的基础。

重工业是包括机械工业、金属采冶工业、电力工业、采煤工业、石油工业、基本化学工业等生产资料的工业。在重工业的各部门中，机械工业在工业化的过程中起着特别重大的作用，它是重工业的心脏。机械工业的作用，大约可能划分为下列五项：

（1）它能够制造出各种车床、各种工作母机和其他各种器材，供给各种工业以现代化的技术装备。机械工业越是发达，各种工业的生产规模就越能扩大，技术水平就越能提高；

（2）它能够制造各种动力设备。这些设备的增加，就能增加各种工业，交通运输业、农业和发电站的动力供应；

（3）它能够制造机车、车厢、汽车、轮船等，使交通运输业走向现代化。现代化的交通运输是发展工业、农业、商业等的必要条件；

（4）它能够制造拖拉机和其他各种农业机器。有了足够的拖拉机和其他各种农业机器，就可以实现农业的机械化和集体化；

（5）它能够制造飞机、坦克、大炮、军舰和各种现代化的武器，促进国防现代化。

由此可见，机械工业对于国家的工业化是特别重要的。但是要发展机械工业，就必须发展其他各种重工业。机械工业的主要材料是钢铁。因此，首先就要发展钢铁的采冶工业。不仅机械工业需要钢铁，并且各种基本建设以及铁路、火车、轮船、汽车、国防设备等也都需要钢铁。所以钢铁的生产，在很大的程度上，决定整个国民经济的生产设备能否扩大的物资条件。如果不大量地发展钢铁工业，国家的工业化就根本不能实现。钢铁工业可以说是工业基础的基础。

机器工业的材料，除钢铁外，还需要各种有色金属，如铜、铝、镍、锑、钨、锰等。因此,有色金属的采冶工业也是实现工业化所必要的。

各种现代工业都必须有动力设备,因此必须发展电力工业,供给各种工业以动力。建立强大的动力基地,是发展工业的最重要的前提。要发展电力工业,如利用水力资源,就要建立水力发电站。此外就是开采煤炭来建立火力发电站。

煤是工业的真正食粮,不单是发电要用它,就是金属冶炼、火车行驶、窑业、炼焦、取暖等等也必须用它。为要实行工业化,必须扩大煤矿的开采。

燃料之中,除煤以外,还有液体燃料,这就是石油。石油在工业、运输业和机械化农业各方面用途是很大的。所以石油工业在重工业中特别重要。

基本化学工业,对于各种工业,农业和其他生产部门都有重大的用途。例如水泥、火药、炮弹、枪弹、化学染料、化学肥料等,是发展工业和农业等所必需的。至于酸类和碱类的制造,是一切化学工业的基础。

由此可见,机械工业、金属采冶工业、电力工业、采煤工业、石油工业、基本化学工业等重工业部门,对于国家的社会主义工业化具有重大的意义。只有发展重工业才能使全部工业、交通运输业和农业的发展和改造,获得必需的技术装备,所以重工业是实现社会主义工业化的基础。

其次要发展国营轻工业。轻工业包括纺织、印染、造纸、橡胶、制革、制糖、火柴、纸烟、医药等部门。轻工业在社会主义工业化过程中,主要有下列两方面的作用。第一,发展轻工业,能够满足人民不断增长的物质生活和文化生活的需要。某些用作生产资料的轻工业品(如橡胶),还可以供应其他工业部门。轻工业的发展和城乡贸易的开展,可以适应农民出售农产品和买进工业品的需要,这对于巩固工农联盟有很大的作用。第二,发展轻工业能为国家工业化积累资金。轻工业一般具有投资较少、获利较多、资金周转较快的特点,所以它在为国家工业化积累资金方面,担负着重大的任务(例如,1953 年国营纺织工业上缴给国家的利润中,单只超过计划的部分,就可以新建一个 5 万锭子的纺织厂)。

我国工业发展的速度很快,截至宪法颁布的 1954 年拿几项最重要的工业产品的产量和 1949 年的产量比较一下,我们可以看到以下动人的数字。在重工业方面:电力 110 亿度,等于 1949 年的 2.6 倍;原煤 7993 万吨,为 1949 年的 2.6 倍;生铁 296 万吨,为 1949 年的 12.5 倍;钢 222 万吨,为 1949 年的 14 倍;水泥 460 万吨,为 1949 年的 7 倍。在轻工业方面:棉纱 460 万件,为 1949 的 2.6 倍;机制纸张 55 万吨,为 1949 年的 5.1 倍。1955 年,我国的工业生产又有显著的发展,在重工业方面:电力 122 亿 7800 万度,比 1954 年增加了 12%;原煤 9360.4 万吨,比 1954 年增加了 17%;生铁 363 万吨,比 1954 年增加了 23%;钢 285.3 万吨,比 1954 年增加了 28%。在轻工业方面:因自然灾害的关系,原料供应不足,所以棉纱的生产比 1954 年稍为降低了一些,至于机制纸张则生产了 58.9 万吨,比 1949 年增加了 6%。这些产量看来还是很少的,但发展状况表明,我们国家现在已经取得了很大的成就,将来一定还会取得更大的成就。

其次,现代工业的总产值在工农业生产总产值中的比重迅速上升。在 1949 年,这个比重大约是 17%,而在 1954 年现代工业为 33%,加上工场手工业、合作化手工业和个体手工业已达 50%。1955 年现代工业在工农生产总值中的比重已上升到 34%。生产资料的产值在工业总产值中的比重迅速上升。1954 年消费资料的产值为 1949 年的 3.1 倍,而生产资料的产值则为 1949 年的 5.7 倍。1955 年消费资料的生产,因农业原料供应不足,增长速度较慢,同 1954 年比较只增加了 1%,而生产资料的生产则比 1954 年增加了 17%。生产资料的产值在工业总产值中的比重,在 1949 年为 28.8%,到 1955 年已上升为 46%。国营、合作社营与公私合营的工业的产值在工业总产值中的比重迅速上升。这一比重,在 1949 年为 37%,到 1954 年已上升为 75.1%。至于资本主义工业的产值在工业总产值中的比重仅占 24.9%。据国家统计局公报,1955 年由于国家对资本主义工业开始实行全行业公私合营,社会主义和半社会主义的工业所占比重继续增长。在全国工业总产值中,国营工业占 63%,合作社营工业占 5%,公私合营工业占 16%,私营工业只占 16%。而私营工业总产值中,国家加工、订货、统购、包销和收购的产品价值占 82%。由此可见,社会主义工业在全国工业中已经占据压倒的优势,成为整个国民经济的领导力量。我国在第一个五年计划期间,新建和改建的重大工业建设项目,在限额以上的有 600 多个(在限额以下的有 2000 多个),苏联协助我国建设的 156 个项目就是其中的骨干。预计这些项目完全建成投入生产后,就可以打下国家工业化的基础。

其次是发展国营交通运输业。交通运输包括运输业和邮电业,它们都是国民经济中不可缺少的重要部门。运输业的作用是在于通过铁路运输,内河运输、海上运输、汽车运输和航空运输等运送各种货物和旅客,由一个地方到另一个地方。邮电业的作用在于利用传递书信、电报、电话等实现各地人们相互间的通讯联络。交通运输业对于我国社会主义工业化具有重大的意义。

运输业是一种先行的建设事业。要加速国家的工业建设并建设新的工业基地,必须建筑公路,敷设铁路,等等,以保证各种建筑器材、机器装备,以及一切物资的及时供应,使工业建设能够顺利进行。也只有运输业发达了,才能充分地利用全国各地的资源来推动工业的建设。其次,工农业生产的进行,也离不开运输业。一个工业部门与另一个工业部门、工业与农业相互之间的生产资料的互相供应,必须依靠运输业。还有,城市与城市、城市与乡村间的物资交流,也必须依靠运输业。我国领土辽阔,物资丰富,生产部门繁多,随着工农业生产的发展和人民消费需要的增长,运输的任务也会越发繁重,必须发展运输业,才能完成运输的任务。

其次说到邮电业,它可以帮助异地的产业部门、机关、部队、团体和个人相互间各方面的联系、思想的交流,又可以加速国家政策法令的传达等等,都是非常重要的。所以发展邮电业,是我国社会主义建设事业的一个重要部分。

新国家成立后,我们迅速地修复了被蒋介石反动派所破坏的公路,铁路和运输工具,并且新建了许多公路和铁路。到1956年5月底,铁路正线的通车里程为27362公里。宝鸡成都线已经接轨、兰州新疆线正在建筑中。到1956年4月,全国公路通车总里程已达183000公里。工程艰险、意义重大的康藏、青藏两公路已经通车。海上运输和内河航运也都有发展。在邮电事业方面,建立了以北京为中心的通信网,基本上适应了国家和人民的需要。在运输业方面,也有很大的发展。但随着建设事业的发展,必须继续发展交通运输业,以适应国家工业化事业的需要。

再次是发展国营农业。国营农业是社会主义性质的农业企业。国营农业包括国营农场、农业机器拖拉机站、抽水机站、农业技术推广站等。

1955年,全国国营机械农场已有106个,耕地面积约404万亩。国营机

143

械农场是以国家的生产资料装备起来的,建立在高度科学技术的基础之上的大规模生产的农业企业。它在国家的农业经济中居于领导地位。在农业的社会主义改造过程中具有示范作用。

国营机械农场采用科学的经营管理方法和苏联先进的农耕技术,一切田间工作都用机器操作,能够提高职工劳动效率,增加粮食产量,能够大量而集中地为国家供应商品粮食和其他农产品。因此,它在农业生产中显出了很大的优越性。在我国数千年来一直是分散经营的小农经济的国家中,出现了数万亩到数十万亩一个的、运用高度科学技术的大规模农场是一个具有历史意义的大变革。通过机械农场的建场工作和经营管理工作,可以培养出大批的技术干部,积累起工作经验,为我国农业集体化准备条件。

国营机械农场虽然能够为国家供给大量的粮食和其他农产品,但在目前的条件下,还不能大量发展机械农场。因为大量发展机械农场需要大量资金,会影响重工业的投资,并且我国目前的机械工业还不能出产大量的各种农业机器供大量发展机械农场之用。所以机械农场的发展,只能逐步进行,一方面固然要适应国家的需要,一方面又要根据可能的条件。在今后两三年以内,要努力巩固现有农场,有计划地建立新的农场,积极地为将来大量建立农场和垦殖荒地做准备。

国营机械农场对于农民是最实际的示范教育。事实证明,凡属参观过机械农场的农民,特别是附近的农民,知道了机械农场的各种好处,都愿意加入合作社。

农业机器拖拉机站,也是社会主义的农业的企业之一。它装备有各种农业机器,通过企业合同,有代价地为组织起来的农民进行耕作。这对于促进农业生产和农业合作社的发展是很有作用的。

此外还有社会主义性质农业事业的机构,如各省的农事试验场租专区、县级的示范繁殖场(过去称为地方国营农场),其主要任务是通过科学技术的试验示范,帮助农民不断提高产量,增加收益,促进农业互助合作的发展。到1953年为止,全国已有农事试验场150处,耕地16万余亩,职工1万余人,示范繁殖场2000余处,耕地87万余亩,职工5万余人。

其次农业技术推广站在全国范围内已普遍推广,1953年已建站3600多个,共有干部 28000 余人。它的任务是总结群众先进生产经验,推广科学技术,促进互助合作的发展。这种站将来可转为农业机器拖拉机站,其干部将成为机器拖拉机站的技术专家。

以上几个机构都属于国营农业的范围。发展这些机构,可以促进农业生产的发展,并为农业的社会主义改造提供技术干部。

最后是发展国营商业。

商业是我国向社会主义过渡时期中结合工农业不可缺少的纽带,是促进工农业生产、满足城乡人民需要、巩固工农联盟的重要环节。随着工农业生产的发展,必须扩大商品的流转,使工业品和农业品能够迅速地到达消费者手中,才能满足人民日益增长的需要,才能刺激工农业进一步发展,才能使国民经济生活充分地活跃起来。但我们所要发展的商业是社会主义的国营商业和合作社商业。

国营商业能够有计划地扩大工业品推销,加强农业品收购,保证工业原料和出口物资的供应,因而促进工农业生产的发展,并且有计划地满足国家和人民日益增长的需要。它还能为国家积累建设资金,加速国家的工业化。合作社商业受国营商业所领导,在推销工业品和收购农业品方面,在满足广大的城乡人民的需要方面,是国营商业最有力的助手。

我国国营商业已经掌握着有关国计民生的主要商品的全部,并且管制了全部对外贸易。供销合作社和消费合作社,在 1954 年,已有基层社 32000 余个,社员 17000 余万人。国营商业和合作社商业在社会商品零售总额中已占 57.9%,在批发总额中的比重已占 89.3%。1955 年国营商业和合作社商业的机构数比 1954 年增加了 9%,国营商业、合作社商业和国家资本主义商业在全国纯商机构的商品零售总额中所占比重,已增至 82%,国营商业和合作社商业在全国纯商业机构的商品批发总额中所占比重已增至 95%。

由于计划收购和计划供应工作的发展,由于加工、订货、包销、收购等工作的推广,国营商业对于全国商业活动各方面的领导力量更加强大了。在这个基础上,国营商业必须继续发展,并加强对于合作社商业的领导与合作,以便集中力量领导国家市场,有计划、有步骤地对资本主义商业进行社会主义的改造。

从上面所说的看来,我们可以知道,国家只有优先发展国营经济,才能使社会主义成分日益成长与壮大,加强它对于国民经济的领导力量,才能具备雄厚的物质基础,对于农业、手工业和资本主义工商业进行社会主义的改造。

第五节　对农业和手工业的社会主义改造

一、对农业的社会主义改造

在土地改革胜利完成以后,我国的封建剥削制度消灭了,农业的生产力得到了解放。但在我国农业中,小农经济还占着绝对优势。小农经济是落后的、分散的,一家一户就是一个生产单位,土地分成小块经营,农具是古老的,耕耘靠用人力畜力,收获量很低,不能很快地扩大耕地面积。小农经济对自然灾害无力抵抗,不少农民每年还遭受轻重不同的灾害。在小农经济基础上,许多的农民由于生产不足而不能自给,还有些缺粮户需要帮助。这样的小农经济不能满足人民和工业化事业对于粮食和原料作物日益增长的需要。同时,小农经济是不稳固的,时刻向两极分化,有的人因受天灾人祸而贫困破产,有的人利用投机买卖和放债等方法来剥削别人而变成富农剥削者。因此,为要使农民摆脱贫困,使工业获得迅速的发展就必须按照社会主义的原则来逐步改造我国的农业,把我国农业中广泛存在的个体农业改造为规模巨大的先进的集体农业,农业中采用拖拉机和其他农业机器,采用化学肥料,使用科学耕作方法,采用机器来进行灌溉和发展水利事业,扩大耕地面积,这样就可以提高农业生产,保证国家计划经济建设的需要,保证工业化事业的需要,并能使农民生活逐步地提高。

对农业的社会主义改造,必须经过合作化的道路,必须依靠贫农(包括土地改革后变为新中农的老贫农),巩固地与中农联合,逐步发展互助合作。互助合作运动,是中国共产党领导广大农民群众由小规模生产的个体经济经过互助合作组织逐步变为先进的大规模生产的集体所必经的道路。

"在中华人民共和国成立以前,在22年的革命战争中,中国共产党已经有了在土地改革之后,领导农民,组织带有社会主义萌芽的农业生产互助团体的经验,那时在江西是劳动互助社和耕田队,在陕北是变工队,在华北、华东和东北各地是互助组。那时,半社会主义和社会主义的农业生产合作社的组织,也已经个别地产生。例如,在抗日时期,在陕北的安塞县,就出现了一个社会主义性质的农业生产合作社。不过这种合作社在当时还没有推广。

中国共产党领导农民要广泛地组织农业生产互助组,并在互助组的基础上开始成批地组织农业生产合作社,是在中华人民共和国成立以后。"①这就说明:当我国人民革命还只在局部地区取得胜利的时候,中国共产党早已领导农民走上互助合作的道路。新国家成立以后,我国农村的互助合作运动更进入了新的发展阶段。

我国农民的互助合作运动,遵循着如下的路线:

(1)临时互助组。这是最初级的农业生产互助合作形式。它的主要特点是临时性或季节性的互助,参加这种互助组的农户的生产资料是完全私有的,但他们在生产中已有了共同劳动的性质,也就是有了社会主义的萌芽。

(2)常年互助组。这是比临时互助组较高的农业生产互助合作形式。参加这种互助组的农户,常年合伙生产。有的组已开始结合农业和副业,有的组还实行某些技术的分工,有的组还有一部分公有的农畜和农具。这种常年互助组比较临时互助组含有较多的社会主义萌芽。

(3)农业生产合作社。社员把土地作股入社,由社统一使用。这种农业生产合作社,就农民仍有土地私有权和其他生产资料的私有权、农民得按入股的土地分受一定的收获量、并得按入股的农具和牲畜取得代价这些条件来说,它保存着私有的性质。但在另一方面,土地、工具和牲畜由社统一使用、共同劳动、计工取酬、按劳分红、并有某些公共财产。就这些条件来说,这种农业生产合作社,可能是半社会主义性质的,即是农民群众部分集体所有制的半社会主义经济。

(4)集体农庄。这是高级的农业生产合作社。农庄中的生产资料属于庄员集体所有(如自置的机器、农具等)和全民所有(如土地),它依靠农业机器站和国营农场的帮助,能够利用最新的技术设备进行大规模生产,能生产更多的农产品。农庄由庄员管理,全部产品归农庄所有,除向国家缴纳税款、支给

---

① 毛泽东:《关于农业合作化问题》。

农业机器站替它工作的代价、提出一部分公积金外,其余按照每个庄员劳动的数量和质量分配给全体庄员。庄员个人还可以经营副业(养家禽、种菜等),把副业产品自由出卖。集体农庄是完全社会主义的合作社经济,即是农民群众集体所有制经济。

由此可见,我国农民的互助合作运动发展的具体道路,一般地是由小到大,由少到多,由低级到高级,这就是说:由带有社会主义萌芽的互助组到农民群众部分集体所有制的半社会主义的农业生产合作社,到农民群众集体所有制的社会主义的高级农业生产合作社(集体农庄)。这种依次发展的互助合作的道路,是国家逐步实现对农业的社会主义改造的具体道路。其中农业生产合作社是组织个体农民走向农民群众集体所有制的过渡形式。

农业生产合作社比较互助组具有十大优越性,因为农业生产合作社(一)能够解决互助组中难以解决的矛盾,特别是关于共同劳动和分散经营的矛盾;(二)它能够提高土地的利用率和劳动效率;(三)它能够集中和组织较多的人力和较大的财力、物力,因而能够较快和普遍地利用新的农业技术,在逐步扩大农业的再生产方面可以表现出比较充足的力量;(四)它能够更多地发展副业生产;(五)它实行一定的按劳分配制度,可以鼓励农民对于劳动和学习技术的积极性和创造性;(六)它能够加强贫农和中农的团结,有效地向农村资本主义活动和贫富分化的现象作斗争;(七)它能够更容易地和国营的社会主义经济相结合;(八)它能够带动互助组的发展,又为进一步发展合作社开辟道路;(九)它能够成为使农民受到爱国主义和集体主义教育的很好学校;(十)它能够引导农民再继续前进,逐步过渡到高级的完全的社会主义的农业生产合作社,它是改变个体农民的私有制为集体农民公有制的很适当的桥梁。由于农业生产合作社具有上述种种优越性,所以它能够成为组织个体农民走向农民群众集体所有制的过渡形式。

国家对农业的社会主义改造所采取的步骤,一般是引导个体农民由互助组进到农业生产合作社,再由农业生产合作社进到高级农业生产合作社。当然这里所说的步骤,只是一般的步骤,并不是说每一个个体农民在合作化的道路上都必须经过这样的步骤。不管是经过一般的步骤,或者不经一般的步骤,国家对于一切农业生产合作社的发展都要给以鼓励、指导或帮助。

　　农业生产合作社的生产规模较大,农民原有的生产管理经验、技术知识以及自身的经济条件,都是感到困难的。因此,国家必须在技术、人才、财政、生产管理等方面,给予大力的帮助。当我们国家的工业化正在开始的时候,国家当然不可能供给全国的农业生产合作社以大量的农业机器和化学肥料,用全盘的农业机械化来促使它们迅速发展。但在国家工业化未实现以前,国家对于农业合作化事业,已经给了很多的指导和帮助。例如供应农民各种商品肥料;推广新式步犁;供给喷雾器和农药;试办拖拉机站、马拉农具站、抽水机站;设置农业科学研究所、农业技术推广站、畜牧兽医站等。在帮助农业生产合作社培养骨干、技术员方面,省、专区或县都举办了短期训练班。至于财政方面的援助,则是由国家银行供给低利贷款。

　　随着农业生产合作社的大量发展,国家的援助工作就进一步加强了。在建设社会主义工业的同时,国家在可能范围内,要尽量制造和推广新式农具,增补和改良旧式农具,逐渐加设机器拖拉机站、抽水机站、新式农具站等,来帮助农业生产合作社提高生产量;要尽量供应农业生产合作社所需要的生产资料和生活资料,并为它推销农产品;指导农业生产合作社改进生产管理、制订生产计划;帮助它进行农田基本建设(如兴修农田水利、整理土地等)和发展多部门的经济;帮助它改进农业技术;等等。这一切指导和帮助的工作,对于农业生产合作社的发展起着重大的推动作用。

　　在发展农业合作化的工作中,必须坚持根据农民自愿原则。即当农民还不认识互助合作的好处,对于互助合作的道路还存有怀疑和顾虑的时候,就必须对他们进行耐心的说服教育,来解除他们的怀疑和顾虑,发动他们走合作化的积极性。进行说服教育的最有效的办法是典型示范,农民是最讲实际的人,"眼见是实,耳闻是虚"。单靠一般的宣传不易生效,如果采用培养典型,树立榜样的方法,就能带动周围的农民前进。例如农民参观了成绩好的合作社,参加了交流经验的互助合作代表会,经过一番评比,他们就会觉悟到互助合作确实比单干好,他们就会自觉自愿地走上互助合作的道路。几年来我们国家采用说服教育的办法很有成效,大大地提高了农民的觉悟,启发了他们互相合作的积极性,促进了全国农村中新的社会主义群众运动的高潮的到来。

　　但是在这个高潮到来的时候,有些同志从资产阶级、富农或者具有资本主义自发倾向的富裕中农的立场出发,对农业合作化问题存在着右倾保守思想。正如毛泽东同志所指出的:"我们的某些同志却像一个小脚女人,东摇西摆地在那样走路,老是埋怨旁人说:走快了、走快了。过多地评头品足,不适当的埋怨,无穷的忧虑,数不尽的清规和戒律,以为这是指导农村中社会主义群众运动的正确方针。"毛泽东同志指出了这种方针的错误,并教导我们:应当爱惜农民和干部的任何一点微小的社会主义积极性,而不应当去挫折它。还教导我们必须认清事物的本质和主流,相信广大农民是愿意在党的领导下逐步地走上社会主义道路的,相信党是能够领导农民走上社会主义道路的。同时还提出了正确的指导方针,这个方针就是:全面规划、加强领导。①

全党和全国人民在毛泽东同志的指示下,已经解决了在农业的社会主义改造速度方面的右倾保守思想问题,于是农业合作化运动便得到了飞速的发展,到 1955 年 12 月下旬,全国已有 60% 以上的农户,即 7000 多万户,到 1956 年 1 月底,全国已有 78% 的农户,即 9281 万多户响应中共中央的号召,加入了半社会主义的农业生产合作社。到 1956 年 5 月底止,加入合作社的农户数增至 11013 万户以上,占全国农户总数的 91.2%;其中有 7472 万多户加入高级形式的合作社,占全国农户总数的 61.9%。现在社会主义的农业集体经济在我国农村中已占绝对优势,小农经济已基本上被改造过来,预计 1956 年冬或 1957 年春再有一个高潮,就可以在全国绝大多数省份内实现高级形式的合作化。

国家对于个体农民,不但要鼓励他们根据自愿的原则组织生产合作社,并且还要鼓励他们组织供销合作社和信用合作社。

为了使农民与资产阶级割断联系,为了使农民不受私商的剥削,使农民自己不至于变成私商,必须鼓励农民组织供销合作社。供销合作社是在国营经济帮助下的商业组织,是社会主义性质的经济组织。它以合理的价格供给农民所要买进的东西,收购农民所要卖出的东西。有了供销合作社,农民所要买进和卖出的东西,不必经过私商,可以避免私商的剥削。同时国家还鼓励农民自愿地组织信用合作社,并由国家银行给以领导和扶持,使成为社会主义的信

---

① 毛泽东:《关于农业合作化问题》。

用组织。这种信用合作社经营储蓄和借贷业务,农民有多余资金可以存款生息,农民缺乏资金时可用低利取得贷款。有了信用合作社,可以消灭农村的高利贷,促进农业生产的发展和农民生活的改善。所以农村的供销合作社和信用合作社,是农村中发展社会主义成分和消灭资本主义剥削的工具。

至于富农经济是农村中的资本主义经济。国家对于富农经济采取限制和逐步消灭的政策。

刘少奇同志在关于我国宪法草案的报告中说,我国的富农经济原来就不发达。在土地改革时,富农出租的一部分土地已被分配。在土地改革后,由于农村中的生产合作、供销合作和信用合作的发展,由于国家对于粮食和其他主要农产品实行统购统销,富农经济已经大大地受到了限制。土地改革后,农村中虽然又产生了一些新富农,但一般说来,富农经济不是上升而是下降的。现在富农每人平均占有的土地比一般农民占有的土地只多一倍。过去的富农现在多已不雇工人或少雇工人,放高利贷的减少了,经营商业的也受到了很大限制。所以,在我国,可以用合作化和限制富农经济发展的办法,逐步消灭农村中的资本主义。当然,斗争是不可避免的,富农的破坏活动是不可忽视的,在许多地方都发现有富农抵抗统购统销和破坏互助合作的事实。对于有破坏行为的分子,必须加以处罚。但根据我国整个政治经济情况来看,今后可以不需要发动一次像土地改革那样的特别运动来消灭富农。将来对于那些已经放弃剥削行为的原来的富农,可以在当在农业生产合作社已经巩固的前提下,根据一定的条件,并在取得农民允许以后,让他们分别加入合作社,继续加以改造。

二、对手工业的社会主义改造

我国原是手工业非常发达的国家,手工业生产品供应城乡居民生产资料和生活资料的需要,已有悠久的历史。尤其是各种特殊工艺品,精致美观,称为绝艺,表现着我国劳动人民的高度的智慧和创造性。但在过去反动统治时代,帝国主义的洋货倾销,官僚资本家的垄断原料和统制成品,封建地主的重利盘剥,使得我国手工业者陷于破产、衰败和毁灭的境地。自从中华人民共和国成立以后,在整个国民经济恢复时期中,手工业生产也有了很大的发展,在我国国民经济中占有很大的比重。根据近似的估计,全国手工业劳动者约有

2000万人左右(连同他们的家属计算,全国靠手工业劳动生活的人数是很多的),生产总值超过100亿元。若把农民手工业副业的产值计算在内,手工业产值约占工农业生产总值20%以上。手工业为城乡居民制造着许多必需的产品,如金属器皿、铁木农具、棉毛纺织、榨油、制糖、造纸、缝纫、食品、编织、机械、化学、印染、陶瓷、花边、刺绣、漆雕、伞、扇及其他用品等等。特别是农村的广大农民在生产资料和生活资料的需要上,手工业产品占60%到80%。由于我国目前还不能大量发展现代化的轻工业,而人民的购买力和对于各种日用品的需要却日益提高,所以我国的手工业虽有一部分已经为工业所代替,但仍有很大的部分仍有存在价值和发展余地。即使到了社会主义时代,有些手工业也仍然是机器工业不可缺少的助手,因此,组织手工业经济的力量,发挥其对国营大工业助手的作用,满足国家和人民的需要,对于国家工业化具有重大意义。并且,手工业生产能够容纳广大劳动者,可以解决劳动者就业问题,可以为国家培养技术工人,为工业化准备力量。

但是,手工业者是劳动者,又是私有者。他们因为是劳动者,资金短少,在买进原料和推销成品方面,常常遭受商业资本和高利贷资本的剥削而陷于贫困;因为是私有者,是小商品生产者,所以常常用剥削消费者的方法,抬高价格,粗制滥造,放高利贷,牟取暴利,自发地向资本主义发展。小商品生产的资本主义的自发倾向,每日每时都在滋长着。手工业者的两极分化(即少数人发财,多数人贫困)是不可避免的。其次,个体手工业的生产是分散的、落后的,产量小,质量低,成本高,不能利用新的技术,不能提高生产。

为了杜绝手工业的资本主义的自发倾向,为了克服手工业生产的分散性、落后性和盲目性,改善手工业的经营,纳入国家计划的轨道,国家必须对个体手工业进行社会主义的改造,引导手工业劳动者走社会主义的道路。

国家对个体手工业的社会主义改造,也是要经过合作化的道路,把手工业劳动者的个体所有制改变为集体所有制。把手工业者逐渐组织到各种形式的手工业合作社中去,这是国家对手工业实行社会主义改造的唯一的道路。

1950年以来,全国各地已经开始组织手工业合作社。截至1956年1月,全国各地已经组织手工业合作。截至1956年1月,手工业劳动者加入各种形式的手工业合作社的人数达200万人。我国手工业合作化,有以下三种形式:

　　第一，手工业生产小组。这是广泛地组织手工业者的一种低级形式。这种小组还有两种不同的形式：一种是由人数很少的手工业工人自愿联合起来，聚集股金，租借生产工具，集体生产；另一种是把独立的手工业者或家庭手工业者组织起来，由供销合作社、消费合作社用加工订货方式，供给原料和推销成品，但生产仍然是分散进行的，合作社商业只能在供销上给以扶持，还不能在生产上加以改造。

　　第二，手工业生产供销社。这是由许多个体小生产者或几个生产小组组织起来的。它的特点是手工业者们建立自己的供销机构，统一地向供销、消费合作社或国营企业购买原料，推销产品，承揽加工订货。这种手工业供销合作社，已不是单纯的贸易机构，而主要的是生产机构。它是手工业生产小组的领导机构，它的作用是加强小生产者的联系，把供销、消费合作社和生产小组间的加工订货关系，逐步改变为经济关系，并使小组的公共积累集中起来。有了公共的积累，就可以购置公共的生产工具，首先把生产过程中的某些环节改为集中的生产，然后再由部分的集中生产发展为全部生产过程的协作分工。这时手工业供销合作社就转变为手工业生产合作社了。手工业供销合作社是集体所有制的半社会主义经济，它是由手工业生产小组到手工业生产合作社的过渡形式。

　　第三，手工业生产合作社。这是城市和乡村的独立生产的手工业者和家庭手工业劳动者的自愿联合，并在国营经济的领导和帮助下集中在一起从事集体生产的合作工厂。这种生产的组织能够实行合理的分工协作，提高劳动生产率；能够改进手工工具，提高技术，逐步采用机器生产。手工业生产合作社是目前我国各种形式的手工业合作社中较高级的形式。在这类手工业生产合作社中，还有两种形式：一种是社中的生产资料还不是全部归社员集体所有，它是手工业劳动群众部分集体所有制的半社会主义经济；另一种是社中生产资料全部归社员集体所有，这是手工业劳动群众集体所有制的社会主义经济。

　　由此可见，我国手工业合作化的具体步骤是经由手工业生产小组发展到手工业生产供销社，再由手工业生产供销社发展到半社会主义的以至社会主义的手工业生产合作社。这就是逐步实现对手工业的社会主义改造的一般过程。

对手工业的社会主义改造,除了从经济方面进行改造外,还要从政治方面、思想方面进行改造。在手工业生产合作社中,必须进行长期的耐心教育工作,清除资本主义思想,反对宗派主义、行会主义的作风,并与小生产者的自发倾向作斗争。

国家对于个体手工业者,也要给以指导和帮助,使他们改善经营。前面说过手工业者一方面是劳动者,一方面是私有者,为要引导他们走上合作的道路,也必须用说服、示范和国家援助的方法,使他们觉悟到组织起来比单干好,社会主义比资本主义好,因而自愿地组织至手工业合作社中去。国营商业和各地供销合作社必须和手工业者建立密切的关系,为他们提供原料,推销产品,这样就可以从供销方面帮助手工业者组织起来。只有广大的手工业劳动者认识了走合作化道路是唯一正确的道路,就必然积极地参加手工业生产合作社,1956 年 1 月 11、12 日,北京市有 53800 多手工业者参加了各种形式的手工业生产合作社,加上以前入社的 3600 多手工业者,就已经全部合作化了。在北京市的影响下,全国的手工业者已经掀起了合作化的高潮,国家对手工业的社会主义改造,很快地就要基本完成了。

第六节 对资本主义工商业的社会主义改造

一、国家对资本主义工商业的政策

对资本主义工商业的社会主义改造,是国家在过渡时期的总任务的重要组成部分。中华人民共和国成立以来,国家对于资本主义工商业采取了利用、限制和改造的政策:利用资本主义工商业有利于国计民生的积极作用,限制资本主义工商业不利于国计民生的消极作用和对资本主义工商业逐步实行社会主义的改造。

资本主义工商业有哪些积极作用必须利用呢?这是因为中国的私人资本主义还是一个不可忽视的重要力量。根据 1952 年的调查,资本主义工商业内部还有 380 万职工,资本主义工业产值占全国工业总产值的 40% 左右,由于我国经济现在还很落后,社会主义工商业还不能很快地代替现有资本主义工商业,在革命胜利以后,一个相当时期内,还需要尽可能地利用它们的积极性,借以增加工业产品的供应,通过税收和公积金为全国家积累工业化的资金,扩大商品的流转,维持劳动者的就业,训练技术工人和管理人员,以利于国民经济的向前发展。

资本主义工商业有哪些消极作用必须限制呢? 这是因为资产阶级的本质是唯利是图,它必然对国计民生起破坏作用,所以国家对这类破坏作用必须加以限制,才能使资本主义工商业能有利于国计民生而不致危害国计民生。当然,限制不可以过分,以免损害私营工商业的积极性。但如果没有适当的限制或限制不够,资产阶级唯利是图的劣根性就要发作,国计民生就要受到破坏,以致像 1951 年那样,"五毒"泛滥,猖狂进攻,使人民政府不得不发动"五反"运动。"五毒"行为是资本主义工商业的落后性与破坏性的最集中的表现。这就是国家对资本主义工商业采取限制政策的根据。

国家在过渡时期的总任务,对于资本主义工商业不仅利用和限制,最重要的是实行社会主义的改造,逐步把资本主义的所有制改变为国家的即全民的所有制。国家所以必须对资本主义工商业实行社会主义的改造,这是因为资本主义所有制与社会主义所有制之间的矛盾,资本主义所有制与资本主义的生产社会性之间的矛盾,资本主义生产的无政府状态与国家有计划的经济建设之间的矛盾,资本主义企业内部的工人与资本家之间的矛盾,都是不可克服的矛盾。由于上述各种矛盾的存在,这些企业的设备利用率和劳动生产率很低,成本很高,资金滥费,扩大再生产的能力很少,甚至没有,因而影响到工业产品在市场上供不应求,影响到国家计划受到破坏。如果不改变这种情况,这个广大部分的社会生产力就不可能获得充分的合理的发展,就不可能适应国计民生的需要,我国社会主义工业化就不能全部实现。所以对资本主义工商业的社会主义改造,是完全必要的。

国家对资本主义工商业实行社会主义改造,是完全可以做到的。因为:第一,我国已建立起工人阶级领导的人民民主专政的政权,这个政权已经建立了强大的社会主义国营经济,掌握了国民经济的命脉。我们具备了改造资本主义工商业的雄厚的政治与经济力量。第二,过去几年来,社会主义经济的优越性已经充分地表现出来;同时资本主义经济的腐朽性、破坏性以及对国计民生不利的方面,则已经暴露无遗。这就使得广大人民,首先是资本主义企业内部的工人和职员纷纷要求改造资本主义经济。我们已经有了改造本主义工商业的群众基础。第三,我国民族资产阶级是在半殖民地半封建社会中生长起来的,他们一方面受着帝国主义、封建主义、官僚资本主义的限制和压迫,在一定时期和一定程度上,保持着反帝反封建的革命性;另一方面他们又并没有和帝国主义、封建主义完全割断经济上的联系,没有彻底反帝反封建的勇气。所以这个阶级是带有两重性的阶级。他们对于新民主主义革命常常采取中立的态度,他们的一部分代表人物在某些时机还参加了相当的革命斗争,而在新民主主义革命胜利后,又承认工人阶级的领导地位,并在工人阶级领导之下参加了经济恢复工作和各种爱国运动。经过工人阶级对他们的不法行为进行了多次严重的斗争,经过工人阶级对他们不断地进行教育以后,许多资本家已经提高了认识,他们逐渐地认识到社会主义确是大势所趋,人心所向,因而表示愿意接受社会主义改造。由此可见,对资本主义工商业实行社会主义改造,不但是十分必要,而且有完全可能。

对资本主义工商业的社会主义改造的步骤,是通过各种形式的国家资本主义转变为社会主义。我国过渡时期的国家资本主义经济,是在我国人民民主专政的国家政权领导下的国家资本主义,就是在人民政府管理下的、用各种方式和国营经济联系和合作的、受工人阶级监督的资本主义经济。这种国家资本主义已经不是普通意义下的资本主义,而是一种特殊的资本主义,即是工人阶级领导下的新式的国家资本主义,它带有若干(有几种不同情况)社会主义性质。

二、国家资本主义的形式

新国家成立以来,国家对于资本主义企业早已实行了国家资本主义的措施,鼓励和指导它们走上国家资本主义的道路。国家资本主义发展了多种具体形式,按照它们与社会主义经济相联系和结合的程度,可以区分低级形式、中级形式和高级形式,这里就各种形式的内容和特点,分别加以说明。

国家资本主义的低级形式是收购和经销、批购零销。收购是国家在一定条件下,收购私营工厂的一部分产品;经销是国营商业和合作社商业与私营商店订立合同,私营商店用现款向国营商业和合作社商业购货,并且按照规定的价格零售,赚取批发和零售之间的差额利润;批购零销和经销基本相同,但是计划性上还不如经销。这是资本主义工商业开始靠拢国营经济,为国营经济服务的形式,是资本主义经济成分与社会主义经济成分合作的萌芽。单就这种低级形式来说,它已具有一般资本主义工商业所没有的优点,它已开始限制了资本主义生产经营的盲目性,使资本主义受到国家的控制和监督,因而开始走上了国家资本主义轨道。但私营工商业与国营经济的这种合作关系是不固定的。

国家资本主义的中级形式是加工、订货、统购、包销、代销、专业代销、代购、公私联购以及代进代出、公私联营等。加工是由国家供给原料或半成品,委托私营工业在一定时间内,按照规定的成品的质量等标准,进行加工,制成成品交给国家,国家按照规定给予私营工业一定数量的工缴费;订货是国家规定产品的规格、数量、质量、向私营工业订货,必要时,由国家预付私营工业一部分购买原料的资金,或用配售方式供给一部分原料,私营工业依照国家的规定进行生产,将制成品交付国家,领取货款;统购是国家规定某些私营企业所生产的有关国计民生的重要产品,都由国家贸易机关统一收购,这些企业不得把这类产品在市场上自行出售;包销是国家和资本家订立合同,规定私营工业的产品在保持一定的规格和质量的条件下,于一定期间内,全部交由国营贸易机关代为销售;代销是国营贸易机关把国家的商品,委托私营商店代为销售,私营商店必须缴存一定的保证金,并且按照国营商业规定的计划和价格,出售代销的商品,获得规定的手续费,专业代销也是属于代销的一种,不过私营商店在接受专业代销以后,就不能自行经营其他业务;代购是国家贸易机关委托私营商店按规定的品种、规格数量和价格,代购土特产品,获得规定的手续费;公私联购是在国家贸易机关领导之下,组织私商按规定的公私资金比例,收购计划与收购地区,共同到产地收购土特产;代进代出是国营商业根据需要,指定品种规格数量,委托私营进出口商代向国外市场(资本主义国家)收购或推销商品;公私联营是国营商业组织私营进出口商,对某一宗或若干宗进出口业务,进行公私联合经营。

上述国家资本主义的各种中级形式,使得国家逐步地加强了对大部分私营工商业的原料供应产品销售和商品供应的掌握，在不同程度上，把它们的生产纳入国家计划的轨道，限制着它们生产与经营的无政府状态的消极作用，发挥了它们有利于国计民生的积极作用。经过这些形式，私营工商业中的共产党组织和工会组织对于生产经营的领导和监督加强了，或多或少地促进了这些企业的各项改革；经过这些形式，企业中的工人群众感到自己是为国家的需要而劳动（虽然有一部分是为资本家劳动），增加了劳动热情，因而提高了劳动生产率；经过这些形式，企业中的资本家不单可以分得合理的利润，并且更为直接地受到了爱国守法和服从国营经济领导的教育。由此可见，国家资本主义的中级形式，是国家对资本主义工商业进行利用、限制和改造的重要步骤，并为这些企业向国家资本主义的高级形式的发展准备了条件。

但是国家资本主义中级形式，在发展社会生产力方面，仍有不可克服的障碍。因为中级形式的企业仍为资本家所有，企业的经营管理仍采取资本主义方式，所以公私矛盾、劳资矛盾和其他许多矛盾都不能获得有效的处理。在公私关系上，虽然有一部分资本家在人民政府和国营经济领导下能服从国家的利益，表现了他们的积极性，但仍有一部分资本家却唯利是图，他们虽然接受了加工、订货、统购、包销、代销、代购等等，但不按照国家的要求，不按量、按质、按时间完成任务。同时，他们也不改善经营管理，不改进技术，他们有的甚至有"五毒"行为。此外，在劳资关系上，由于资本主义的经营管理方式以及由此产生的工资制度和工时制度的混乱状态，妨害着职工群众的劳动热情和生产革新精神的提高，使这些企业在生产经营方面起着很大的消极作用。这些矛盾的存在和发展，限制了劳动生产率的提高和社会生产力的发展，限制了国家对供应计划的掌握，也限制了对资本主义及其代理人的教育和改造。因此，国家必须鼓励并指导这些工商业由国家资本主义的中级形式逐步发展为高级形式，即公私合营形式。

国家资本主义的高级形式是公私合营，这种形式有个别公私合营和全行业公私合营两种。个别公私合营是由国家或公私合营企业投资，并且由国家派遣干部，同资本家进行合营的企业；全行业公私合营是在全行业安排生产和全行业改组的基础上进行的，在全行业公私合营的情况下，全行业的企业改组成为一个企业单位，统一领导、统一生产经营、统一调配人力物力和财力，统一计算盈亏。

当国家资本家中级形式或一般资本主义企业转变为公私合营的时候,企业的生产关系发生了下列各种重要的变化:第一,企业由私有改变为公私共有,社会主义成分在企业内部同资本主义成分合作,并且居于领导地位。在合营企业中,私人股份的合法权益依然存在并且受到保护。但资本家处于公方领导之下,改变了他们在私营时期支配企业的地位。第二,合营企业的经营管理不再采取资本主义方式,而逐步向国营企业看齐,完全以发展生产、保证需要和国家计划的要求为指导方针。第三,工人在企业中的地位改变,公方和职工群众联合一起居于领导地位,因此,职工群众对于企业采取主人翁的态度,劳动积极性和劳动生产率都大大提高了。第四,资本家及其代理人得到公方直接的、经常的领导和教育,得到职工群众的帮助和监督,因而有可能在实践中学习新事物和新思想,逐步改造自己,正确地发挥自己的才能和积极作用。第五,在盈余分配上,企业利润除少部分用来拨付股息红利和适当改善职工福利外,大部分根据国家计划,用来发展生产。

公私合营企业在生产关系上所发生的如上的变化,使得它变成了半社会主义性质的企业,具有国家资本主义中级形式所不能比拟的优越性。这种优越性是同社会主义成分本身的优越性及其在企业中的领导地位和领导作用分不开的。但在公私合营企业中,生产资料的全民所有制和资本家所有制的根本矛盾,还没有完全的解决,需要以后逐步加以解决。公私合营企业是便于进行双重改造的形式,即便于改造资本主义企业和改造资产阶级分子,并使两种改造结合起来进行的形式。随着双重改造的不断进行,公私合营企业中的社会主义成分将不断增长,就能够从容地、妥善地准备好条件,使公私合营企业转变为社会主义企业,即以全民所有制代替资本家所有制。

新中国成立以来,我们在对资本主义工商业进行社会主义改造方面,取得了很大的成绩。在1955年上半年,根据22个省的统计,加工订货的产值已经占私营工业总产值的78.8%;而根据北京、天津、上海等12个大中城市的统计,加工订货的产值已经占私营工业总产值的85.3%。公私合营的工业企业在1955年上半年已经达到1900多户,公私合营工业产值同私营工业产值相较,已经差不多达到三与五之比。在商业方面,凡是国营和合作社营商业已经掌握货源的私营主要行业,基本上已纳入国家资本主义轨道。但是应该承认,党和人民政府在改造资本主义工商业方面的工作做得还很不够,还落在需要和可能的后面。特别是在国家的社会主义工业化获得飞速的发展,农业合作化的高潮已经到来的时候,更加感到对资本主义工商业的改造工作有进一步推进的必要。因为国家的社会主义工业化和农业合作化的发展,就要求资本主义工商业适应这个发展,要求资本主义工商业提高产品质量,增加产品数量,制造新产品、降低成本、加速商品流通、保证产品供应。但是在资本家所有制之下,在国家资本主义的低级、中级形式之下,在一个企业一个企业进行公私合营的情况之下,这些要求就很难实现。因此,必须在过去几年工作的基础上,把对资本主义工商业的社会主义改造工作推进到一个新的阶段,即在一切私营企业中分别地在各地区实行按行业的全部公私合营阶段。

为什么要把对资本主义工商业的社会主义改造推进到全行业公私合营的新阶段?就是因为实行全行业的公私合营,不但优越于各种初级与中级形式的国家资本主义经济,而且它和个别的企业公私合营比较起来,也具有更多的优越性:第一,它更有利于贯彻、实现对私营工商业的全面规划、统筹安排的方针;第二,它能在全行业中树立社会主义成分的领导地位,并能根据社会主义原则进行经营、管理,进行改革;第三,它打破了企业与企业之间的局限,能统一调配与合理使用各企业的人力和物力;第四,它可以解决实行个别公私合营时国家干部配备缺乏的困难,克服实行个别公私合营时国家资金分散浪费的现象;第五,它能够加快国家对资本主义工商业的社会主义改造的速度,因而能够适应国家社会主义工业化、农业合作化高潮的要求。因此,全行业公私合营就成了我们目前改造资本主义工商业的基本形式,成为我们对资本主义工商业进行社会主义改造的具有决定意义的重大步骤。

在党和政府全面规划、加强领导之下,全行业公私合营的工作已经取得了巨大的成就,从1956年1月10日,北京市第一个实现了全市资本主义工商业的全行业公私合营,为全国作出了榜样。各地工商业者都在"向首都看齐,跑步奔向社会主义"的口号下,掀起了社会主义改造的最高潮,到1956年1月27日,全国已经有118个大中城市(包括中央直辖市、省辖市)和193个县城的资本主义工商业全部实行了公私合营,到1956年6月,除少数边疆地区以外,全部资本主义工商业都实行了公私合营。

在实行全行业公私合营的条件下,企业的生产资料已经掌握在国家手里了,企业的经营管理已经是按照社会主义原则进行了,而资本家的四马分肥利润已经改成了定息,即资本家的股息红利已经固定在一定的比率之上,已经受到了严格的限制。这样的公私合营企业,在性质上和国营企业基本上没有什么差别了。因此,我们所取得的全行业公私合营的胜利,就是我们改造资本主义工商业中具有决定意义的胜利,它为最后完成对资本主义工商业的改造,准备了良好的条件。

国家对资本主义工商业的社会主义改造所取得的巨大胜利,并不是在风平浪静的情况下取得的,它经过了一场深刻的阶级斗争。

三、国家资本主义是过渡时期阶级斗争的新形式

我国过渡时期社会中的主要矛盾,是社会主义成分与资本主义成分的矛盾。这个矛盾表现为工人阶级对资产阶级的阶级斗争。这个斗争就是社会主义革命,就是要消灭资本主义剥削制度,建成社会主义社会。但在我们工人阶级领导的人民民主国家中,政权掌握在人民手中,社会主义国营经济,已经日益壮大,已经成为整个国民经济的领导力量,而资本主义经济在我国已经不占重要地位。同时,我国工人阶级又和民族资产阶级存在着联合的关系。所以我们可以依靠国家机关和社会力量,对资本主义工商业逐步实行社会主义改造,即在一个相当长的时间,通过各种形式的国家资本主义,使资本家所有制转变为全民所有制。但在这个过渡的时期中,工人阶级对资产阶级的斗争,仍然是继续着的,国家对资本主义工商业采取利用、限制和改造的政策,使之经由国家资本主义转变为社会主义,这就是工人阶级对资产阶级的斗争的一种新形式。因此,在实现国家对私营工商业的利用、限制和改造的政策的过程中,我们对于资产阶级中愿意接受社会主义改造并按照国家计划发展生产的进步分子,应当继续加强团结;对于资产阶级中的一切爱国守法分子,应当继续保持联系;对于这一切分子,必须进行爱国主义教育和国家政策的教育。同时,我们还必须克服资本家所必然会采取的各种形式的反抗,来保障社会主义事业的继续进行。

目前,资产阶级中愿意接受社会主义改造的进步分子,虽然是越来越多了,但反对社会主义改造的分子还是有的。并且,在已经加入了国家资本主义中级形式的资本家,也还采取着不同程度的反抗,例如他们在加工、订货、统购、包销各方面,有偷工减料,粗制滥造,以坏顶好,虚报成本,抬高工缴和利润等违法的行为。又如,在已经加入公私合营的资本家,也有"合公营私"的违法行为。这些都是资产阶级对工人阶级的斗争。为了制止资本家这类反抗的斗争,"国家禁止资本家的危害公共利益、扰乱社会经济秩序、破坏国家经济计划的一切非法行为"。这就是说,国家对于那些违法和进行破坏活动的资本家是要加以处罚的。这就是工人阶级对资产阶级斗争的形式。

为了实现国家对资本主义工商业的社会主义改造,国营经济要通过各种形式加强对私营工商业的领导;政府要加强对私营工商业的管理;工人要按照国家的政策,协助资本家改善经营管理,降低成本,增加积累,并按照需要和可能增加生产;工人要监督资本家遵守国家法令,遵守公私合同和劳资合同,遵守国家财政纪律,防止资本家的收买、腐蚀和进攻,并防止和检举不法资本家的"五毒"行为;国家要督促和教育资本家使其接受人民政府的管理,接受国营经济的领导和工人群众的监督,接受国家对资本主义工商业的改造政策。

国家资本主义是对资本主义工商业的社会主义改造的第一步,而其第二步是把国家资本主义经济改变为社会主义经济。只要胜利地完成了第一步,社会主义改造的事业就比较容易进行。随着社会主义工业化的前进和社会主义经济优势的加强,随着国家对整个国民经济控制的加强,随着农业和手工业的合作化的发展以及它们与资本主义间的联系的缩小和消灭,随着国家资本主义企业中国家资金和国家管理力量的增大,随着人民对于社会主义的认识和要求的发展,国家就可以逐步地把国家资本主义经济转变为社会主义经济。

毛泽东主席在1950年6月中国人民政协全国委员会第二次会议上说:"只要人们在革命战争中,在革命的土地制度改革中有了贡献,又在今后多年的经济建设和文化建设中有所贡献,等到将来实行私营工业国有化和农业社会化的时候,人民是不会把他们忘记的,他们的前途是光明的。"刘少奇同志在关于我国宪法草案的报告中说:"资本家只要明白了大势所趋,愿意接受社会主义改造,不违法,不破坏人民财产,那么,他将得到国家的照顾,将来的生活和工作将得到适当的安排,他的政治权利也不会被剥夺。这同我们对待地主阶级的政策是有区别的。所有这些,即工人阶级的国家领导权和工农的巩固联盟,社会主义经济在国民经济中的领导地位,国内统一战线的关系,并加上有利的国际条件,就是我国所以能够通过和平道路消灭剥削制度,建成社会主义社会的必要条件。"

第七节　国民经济计划化

一、社会主义经济规律在我国国民经济中的作用

党在过渡时期的总路线,是根据社会经济发展的规律制定的。新国家成立以来,我们的人民民主政权,接受党的指示,制定了国家在过渡时期的总任务,首先利用生产关系一定要适合生产力性质这个经济规律,把一切官僚资本主义生产资料收归全民所有,建立了社会主义的生产关系(社会主义国营经济),使生产力获得了空前的发展。同时又利用这个经济法则,对于农业、手工业和资本主义工商业,逐步实行社会主义的改造,即是逐步把这些非社会主义的生产关系改造为社会主义的生产关系,来促进生产力的发展。由于利用生产关系一定要适合生产力性质这个经济规律,组织社会主义的生产,所以我们能在短短的几年期间,有了社会主义的国营工业与合作社工业,还有半社会主义的公私合营的国家资本主义工业。特别是社会主义的国营重工业,有许多是采用最新式的技术装备起来的。例如,鞍山钢铁公司的大型轧钢厂、无缝钢管厂、薄板厂,阜新的海州露天煤矿等,都是采用苏联的最新技术设备装置起来的。这可以说,我们是要逐步在高度技术的基础上发展社会主义生产的。

为什么要发展社会主义生产呢?其目的何在?正如斯大林所说,社会主义生产的目的,和资本主义生产的目的根本不同。资本主义生产的目的是取得利润。只有在保证完成取得利润这一任务的情况下,资本主义才需要消费。因而人民的需要就从资本主义的视野中消失了。在资本主义社会里,人是服从于垄断组织榨取最大限度利润这一残酷的法则的。因而人民注定要遭受苦难、贫穷、失业和流血的战争。至于社会主义的生产的目的,不是利润,而是人及其需要,即最大限度地满足整个社会经常增长的物质和文化的需要。在社

会主义条件下,社会生产在人类历史上第一次处于社会有意识的控制之下,并为劳动者服务来满足他们日益增长的需要。

同样,我国社会主义生产的目的,也是为了人及其需要。例如1952年,国营工业企业工人的实际工资比1949年提高了75%,自1952年以后逐年均有增加,如1955年工资总额即比1954年增加12%。解放以后的6年时间内,就有258万余人由政府介绍就业或安置到农村生产。国家每年支出大批款项为工人修建新的休养所和疗养院,供给工人休养和疗养;支出大批劳动保险费为工人解决切身问题。至于全国人民的购买力也大大提高了,1953年的社会商品零售总额达325亿元,为1950年的1.8倍,1954年又比1953年增加了12%左右,1955年即使是因为受了上年大水灾的影响,社会商品零售总额仍然比1954年增加了3%。在文化方面,全国小学生原有2800多万人,到1955年增加到5310多万人;1955年,全国工人农民业余学校中,工人参加学习的达284万人,农民则达到5000万人左右;全国中学和大学的学生人数都有显著的增加。这些都是由于生产的发展能够满足人民日益增长的物质和文化需要的明证。

由此可见,社会主义的基本经济规律,已在我国社会主义的经济部门中产生,并发生作用了。这个基本经济规律就是:"用在高度技术基础上使社会主义生产不断增长和不断完善的办法,来保证最大限度地满足整个社会经常增长的物质和文化的需要。"这就是说:"保证最大限度地满足整个社会经常增长的物质和文化的需要,就是社会主义生产的目的;在高度技术基础上使社会主义生产不断增长和不断完善,就是达到这一目的的手段。"虽然我国还不是社会主义社会,社会主义的基本经济规律,还不能像在苏联社会主义社会中那样获得发生作用的广阔场所,我们的社会主义生产也还不是都在高度技术基础上那样增长和完善,但由于我国的政治经济制度是属于社会主义类型的,社会主义国营经济已成为整个国民经济的领导力量,所以社会主义的基本经济规律已在整个国民经济中起着领导作用了。

以生产资料公有制为基础的社会主义经济,包含着许许多多的企业部门,这些企业部门互相联系,互相依存,形成一个统一的国民经济的整体。基于社会主义的基本经济规律的作用和要求,各企业部门的发展,必须是互相协调,依着一定计划按一定的比例去发展。如同工业和农业、生产资料和消费资料、工业与商业之间,必须在发展中保持一定的比例,社会的生产才能互相协调地不断增长,才能表现社会主义基本经济规律的要求。因为一切生产资料是公有的,而社会主义生产的目的是满足社会的需要,所以各企业部门的生产是能够保持一定的比例的,绝不至有盲目的脱节的现象发生。由于社会主义基本经济规律的要求,国民经济的整体中各企业部门有计划地按着一定的比例发展,这是客观的必然性。这就是说,国民经济有计划(按比例)发展规律,乃是客观的社会主义的经济规律。这个经济规律是从社会主义的基本经济规律的要求产生的。它符合于那个基本经济规律,并表现那个经济规律的目的与任务。

二、国民经济计划与国民经济有计划(按比例)发展规律的关系

社会主义的巨大的国民经济,必须按照国民经济有计划(按比例)发展规律,制定出符合于这个规律的要求的经济计划来指导国民经济的发展,才能使社会主义生产不断增长,才能提高人民的物质和文化生活的水平。苏联几个五年计划的伟大成就,都是由于正确地反映了国民经济有计划(按比例)发展规律的要求,由于它在各方面适合于社会主义基本经济规律的要求。

苏联人民利用社会主义基本经济规律和国民经济有计划(按比例)发展规律,制定国民经济计划,实行计划经济的先进经验,是我国实行计划经济的光辉的榜样。当然,我国还处在过渡时期,在过渡时期开头的几年内,要实行计划经济是有一些困难的。第一,我国存在着的资本主义经济,其生产的无政府状态是和社会主义的计划经济相矛盾的。但这个矛盾是可以克服的。国家对于资本主义经济正在实行利用、限制和改造的政策,大部分资本主义企业已进到公私合营的国家资本主义形式,已经纳入了国家计划的轨道。国家对于其他资本主义企业,有计划地实行加工、订货、统购、包销等形式,也可以逐步使他们转变为公私合营企业,逐步把它们纳入国家计划的轨道。第二,我国还存在着个体劳动者经济,特别是汪洋大海一般的小农经济,它们都是落后分散的,它们在生产上带有很大的盲目性,这和国家计划是相矛盾的。但这个矛盾也还是可以克服的。国家用鼓励和援助的方法使小农经济组织生产合作、供销合作和信用合作并加强国营经济对于农村的领导,实行着重要农产品的统

购统销政策并执行着合理的价格政策,断绝它们和资本主义的联系。这些措施,可以限制小农生产的盲目性,扩大国家计划对于个体经济的影响。第三,我国国民经济组织程度还很差,国营经济内部的组织还不够十分严密;我国还缺少准确的统计资料,还不能制定完善的计划。但是我们可以估计到这些困难,做好必要的准备。我们有党和毛泽东主席的领导,有工人阶级的热诚的积极的劳动,有强大的国营经济的领导,我国的计划经济建设是完全有可能的。

我国的计划经济建设,不但是可能的,而且是必要的。因为:第一,社会主义基本经济规律和国民经济有计划(按比例)发展规律,在我国社会主义经济中已经产生出来,并且起着作用,我们必须自觉地利用这些经济规律来发展国民经济,所以只有实行国民经济计划化,才能适合于这些经济规律的要求,在发展生产的基础上保证人民的需要。第二,社会主义建设和社会主义改造,是在我国建成社会主义社会的总任务,国家必须用统一的经济计划来指导。第三,只有在国家计划的领导下,合理地利用国家的资源、资金和人力,避免这些力量的浪费,才能加速国民经济的发展。第四,只有在国家计划的领导下,采取苏联先进的经验,先发展重工业,才能用很快的速度促进国家的工业化。若果没有国家计划的领导,那就会先发展轻工业而不先发展重工业,就会不能生产新的技术设备装置自己的工业,这不但延缓国家的工业化,而且要专门依靠外国供给装备,工业上不能独立。这就会变成放任国民经济的自流发展,既不能发展社会主义经济成分,也不能改造非社会主义经济成分。所以要实现国家工业化和社会主义改造,必须实行计划经济。

由此可见,我们能够实行计划经济,必须实行计划经济。我国社会主义经济已成为我国国民经济的领导力量,国民经济有计划(按比例)发展规律已成为起主导作用的规律,并且逐渐扩大其作用范围。所以我国必须利用这个经济规律,使国民经济各部门互相协调地、有计划的按比例发展。所以《宪法》第十五条规定:"国家用经济计划指导国民经济的发展和改造,使生产力不断提高,以改进人民的物质生活文化生活,巩固国家的独立和安全。"

三、我国第一个五年计划的基本任务与精神实质

国民经济计划,不但要在各方面适合社会主义基本经济规律的要求,并且

首先要正确地反映国民经济有计划(按比例)发展规律的要求。我国的第一个五年计划,是针对我国目前的具体情况,依据党在过渡时期的总路线制定出来的,在制定过程中,还参考了苏联的先进经验,它在各方面都适合与反映了这两个经济规律的要求。

根据党在过渡时期的总路线制定出来的我国第一个五年计划,它的基本任务概括地说来,"就是:集中主要力量进行以苏联帮助我国设计的 156 个建设单位为中心的、由限额以上的 694 个建设单位组成的工业建设,建立我国的社会主义工业化的初步基础;发展部分集体所有制的农业生产合作社,并发展手工业生产合作社,建立对于农业和手工业改造的初步基础;基本上把资本主义工商业分别地纳入各种形式的国家资本主义的轨道,建立对于私营工商业的社会主义改造的基础"。围绕着这些基本任务,我国第一个五年计划还规定了 12 项具体任务。① 根据这些基本任务和具体任务,我们可以把第一个五年计划的基本精神归纳如下:

第一,它是为我国社会主义工业化奠定初步基础的计划:为了建成社会主义社会,我们必须积极地实行社会主义工业化的方针,在实现这个方针的时候,我们的首要任务就是要迅速地建立和扩建电力工业、煤矿工业和石油工业;建立和扩建现代化的钢铁工业、有色金属工业和基本化学工业;建立制造大型工作母机、动力机械、矿山机械和汽车、拖拉机、飞机的机械制造工业。一句话就是要进行以重工业为主的工业基本建设。因为只有首先建设我国的重工业,才能把我国国民经济从技术极端落后的状况推进到现代化技术的轨道,也才能在这个基础上改造我国国民经济原来的面貌。第一个五年计划正确地估计到发展重工业的重要意义,在投资比例上保证了重工业的发展,它以工业投资的 88.8% 投入了重工业的建设,因而就保证了不断地扩大再生产,保证了国民经济的不断高涨。在这个计划完成之后,我国的工业总产值要比 1952 年增加 98.3%,现代化工业的工业总产值中的比重将增加到 36%,各种经济成分的比重,也将起着显著的变化,国营经济的比重将大大增加。那时候,我国社会主义工业化的初步基础就已经奠定起来了。

① 参见《中华人民共和国发展国民经济的第一个五年计划(1953—1957)》第一章。

第二,它是国民经济各部门按比例发展的计划:为了保证国民经济的全面发展,第一个五年计划充分地注意到国民经济各部门的比例关系:其一,它保证了生产资料的生产占优先地位,集中了主要精力来发展重工业,同时随着重工业的建设,还相应地发展了轻工业,发展了为农业服务的新的中小型工业企业,以供给城乡人民生产上、生活上的日益增长的需要;其二,大力地发展农业,对农业进行初步的技术改良,提高单位面积产量,尽可能地开垦荒地以保证农业生产的增长;其三,使工业生产与农业生产之间保持一定的比例,使工业能充分供给农业以生产资料与生活资料,使农业供给工业以粮食和原料;其四,在工业各部门中,在采掘工业与加工工业,电力生产与电力消费、基本建设与建筑材料之间,在各个相互联系的部门之间,保持一定的比例关系,在农业各部门中,在粮食生产与原料生产之间,保持一定的比例关系,在扩大再生产过程中,生产与消费、消费与积累,生产消费与个人消费、扩大生产基金与国家储备基金之间,保持一定的比例关系,使相互联系的各个部门能够密切地配合起来;其五,相应地发展交通运输业,建设铁路,发展内河和海上航运,扩大公路的修建和邮电事业的建设、以适应工业建设、工业生产和商品流通的发展和需要;其六,相应地发展商业,使销售与贸易网的发展和商品流转之间,保持一定的比例关系,以促进城乡内外物资的交流;其七,相应地培养建设人才,特别是在生产上对工程技术人员,熟练劳动者的需要与对这些干部的培养之间,保持一定的比例关系,使国家能够获得建设社会主义所必需的人才。

第三,它是进行社会主义改造的计划:为要建成社会主义,就必须解决个体经济和工业化之间的矛盾,解决资本主义经济和社会主义经济之间的矛盾。在制定第一个五年计划的时候,我国小农经济在农业经济中还占绝对优势,个体手工业、个体运输业、独立小商业等还大量存在,资本主义经济在国民经济中也还占相当大的比重。从这一实际情况出发,我国第一个五年计划规定:在农业方面,推动农业生产的合作运动,以部分集体所有制的农业生产合作社为主要形式,来初步地改造小农经济,同时注意发挥单干农民潜在的生产力量;在个体手工业、个体运输业、独立小商业等方面,根据国家统筹安排的方针,按照不同行业的情况,分别地用不同的合作形式把它们逐步组织起来,使它们有效地为国家和社会的需要服务;在资本主义经济方面,正确地贯彻利用、限制和改造的政策,根据需要和可能,基本上把资本主义工商业分别地纳入各种形式的国家资本主义轨道。从这里我们就可以看出,在完成第一个五年计划的过程中,我国各种社会经济成分的关系,将有所改变,社会主义经济成分在国民经济中将有很大增长,而其他经济成分将相应地缩小其在国民经济中原有的比重,社会主义经济成分在国民经济中的领导地位将更趋于巩固。

第四,它是逐步提高人民物质文化生活水平的计划:人民革命和社会主义建设的根本目的,是要逐步地提高人民的物质和文化生活水平。我国的第一个五年计划为达到这一目的,对提高人民的物质生活的文化生活的水平,曾有专门的一章加以规定。根据这一章的规定,在提高物质生活方面,随着国家经济事业和文化教育事业的发展,五年以内全国一共要增加工人职员 422 万人;随着生产的不断增长和劳动生产率的不断提高,五年以内国营企业、合作社营企业、公私合营企业、国家机关、人民团体和文化教育卫生部门的工人职员的平均工资要增长约 33%;随着农业生产的发展,农民收入的增加,五年以内农民的购买力要将近提高一倍;此外,人民的居住条件也将有所提高,人民保健事业也将获得进一步发展。在提高文化生活水平方面,国家根据需要和可能,发展普通学校教育,广泛地开展干部和工农群众的业余教育,此外,还努力发展出版与发行工作,发展电影、广播、文学艺术等事业,为人民文化生活水平的提高创造各种有利条件。由此可见,我国第一个五年计划,将使我国人民的生活更加美满、更加幸福。

第五,它是促进少数民族经济文化发展的计划:我国第一个五年计划规定要继续加强国内各民族之间的经济和文化的互助和合作,促进各少数民族的经济与文化事业的发展。它根据各少数民族地区的不同和条件的差异,规定了在工业、农业、交通运输、卫生和文化教育等事业方面的建设工作:在工业方面,国家直接在少数民族地区兴建大的工业基地有包头钢铁基地、新疆有色金属和石油公司以及各地的电力站和煤矿工业等,国家并帮助少数民族地区地方工业的发展,如修建小型电厂、铁工厂、农具厂、皮革厂、纺织厂、水泥厂等等;在农牧业方面,推广较原有农具进步的农具,发放贷款、兴修水利、改进工作方法;改进牲畜品种、进行防疫和治疗牲畜疫病,介绍进步的饲养方法;在交通运输方面,修建铁路和公路,如修建兰州到新疆线、集宁到二连线、包头到兰州线、牙克石森林线等铁路，修建通辽至林西公路、康藏公路马尼岗果到拉萨段、青海西宁到玉树公路、青藏公路以及新疆、西藏、青海、西康、云南、贵州和其他少数民族地区的公路；在卫生与文化教育方面，也给予了应有的关注，使之能获得很大的发展。

从以上所说基本任务与基本任务与基本精神中，我们可以知道我国第一个五年计划，是符合各族劳动人民的长远利益的，它是我们国家实现过渡时期总任务的带有决定意义的纲领。

四、劳动是建设社会主义的基础

社会主义建设和社会主义改造，是我国人民最繁重、最艰巨而又最光荣的事业。第一个五年计划固然是实现国家过渡时期总任务的一个重大步骤，但是，在我们这样一个大国里情况是复杂的，国民经济原来又很落后，要建成社会主义社会，并不是轻而易举的事。我们可能经过三个五年计划进入社会主义社会，但要建成一个强大的高度社会主义工业化的国家，还需要有若干年的艰苦努力才能达到。正因为我们要完成的历史任务是这样繁重而艰巨，我们的事业就非常伟大和光荣。我们全国人民必须在中国共产党的领导之下，加紧努力，以坚定的一致的步伐，逐步地发展国民经济，逐步地实现过渡时期的总任务。

党的领导作用，是国家过渡时期总任务彻底胜利的保证。在党的领导下，一切有劳动能力的公民必须建立社会主义的劳动态度，为实现国家的经济计划而努力。

我们知道，劳动创造了人类，创造了人类世界。人类的历史，是从事物质生产的劳动群众的历史。苏联的社会主义社会是劳动人民的劳动创造出来的，这对于我们是一个光荣的榜样。

但是在剥削者阶级的社会中，剥削者把劳动看作是下贱的事，把劳动者看作是最下贱的人；他们把自己的剥削行为看作是高贵的事，把自己抬高为高贵的人。他们散布轻视劳动的思想，认为劳动者是天生下来供他们剥削的人料。在剥削者阶级的社会中，劳动者为剥削者而劳动，劳动的果实被剥削者剥削了去，自己却过着吃不饱、穿不暖的日子，简直和牛马一般。在这样的社会中，劳动者变成了被剥削的奴隶,劳动变成了苦役。在解放以前的旧中国,情形也是一样,劳动的人民受着帝国主义者、官僚资产阶级和地主阶级的重重的压迫和剥削,劳动变成了劳动人民的苦役。最奇怪的是,大多数失了业的劳动人民就是要找那种苦役来维持牛马般的生产也不可得。这是我们亲身经历过的事情。

自从中国人民革命取得了胜利,建立了中华人民共和国以后,劳动人民大翻身,做了国家的主人了。劳动人民,在党的领导下,要用自己的劳动努力生产,消灭剥削和贫困建成繁荣幸福的社会主义社会。于是劳动已不是痛苦的服役,而是光荣的豪迈的事情了。我们在国营经济各部门劳动的职工们,是为建设社会主义而劳动,为国家、为社会,同时也为自己而劳动,绝不是为资本家而劳动。我们在国家资本主义工商业中和在资本主义工商业中劳动的职工们,虽然在各种不同的程度上还存在为资本家而劳动,但我们是在为了逐步改变资本家所有制为全民所有制这个社会主义改造事业而劳动,这和过去仅仅是为资本家而劳动,有所不同。至于农民们全都是为国家为自己而劳动,再也不是为地主、为反动统治阶级而劳动了。并且,在工人阶级领导下,农民们都将进到社会主义社会。由此可见,在我们人民民主国家中,一切劳动人民的劳动,都是为了要建成社会主义社会这一共同的目的。因此,我们一切劳动人民,都要建立起社会主义的劳动态度,为实现这一共同目的而奋斗。

所谓社会主义的劳动态度,包含着下列几个方面:第一,要深刻地认识:社会主义是建筑在劳动的基础之上的,离开了劳动就决不能有社会主义。因此,每一个公民要了解劳动和建设社会主义的密切联系,树立劳动光荣的思想,积极地参加劳动生产。第二,要以国家主人翁的态度发挥劳动热情,认真做好本岗位的生产工作,要密切地关心集体事业,爱护公共财产。要诚实地劳动,不仅关心产品的数量,还要关心产品的质量。第三,要发挥劳动的积极性和创造性,挖潜力,找窍门,改进技术,不断地提高劳动生产率。第四,要自觉地遵守劳动纪律。

一切劳动人民都必须树立社会主义的劳动态度,才能完成国家的经济计划。最近几年来,我国劳动人民在党的教育和培养下,已经涌现了成千成万的工业和农业的劳动模范,在国家机关工作人员中也出现了许多工作模范。他们在生产和工作中,都发挥了积极性和创造性。同时,国家对于劳动人民的积极性和创造性,也是多方给以鼓励的。1950年8月,中央人民政府政务院曾经颁布了《关于奖励有关生产的发展、技术改进和合理化建议的决定》。这个决定推动了劳动人民的创造才能。1954年3月,中央人民政府农业部颁发了1952年"爱国丰产金星奖章"奖给最突出的农业模范。同时,党和人民政府对各方面的劳动模范也进行过各种表扬和奖励。1954年8月,中央人民政府政务院又颁布了《有关生产的发明、技术改进及合理化建议的奖励暂行条例》,鼓励各方面的职工和科学技术工作者的积极性和创造性。由此可见,劳动人民的创造才能是受到国家的关怀和重视的。所以《宪法》第十六条规定着:"劳动是中华人民共和国一切有劳动能力的公民的光荣的事情。国家鼓励公民在劳动中的积极性和创造性。"

为了工业、农业和其他各种经济工作的顺利发展,还必须有教育、文化、卫生、行政、司法、外交、国防等项工作的配合。因此,所有在这些方面服务的人员的劳动,包括一部分自由职业者的劳动,也都是国家建设计划中所不可缺少的,他们的创造才能也同样受到国家的关怀和奖励。

为了实现国家的建设计划,全国人民已经贡献出自己的辛勤劳动,取得了伟大的成就。根据过去三个年度执行计划的结果和1956年年度的计划指标来预计,可以肯定地说,我们国家已经能够提前完成和超额完成第一个五年计划了。现在摆在我们面前的任务,就是进一步发挥全国人民的积极性,动员一切积极因素和潜在力量,为提前完成和超额完成第一个五年计划而努力。

第四章　国家机构

第一节　我国国家机构的系统及其
组织与活动的基本原则

一、我国国家机构的系统

"中华人民共和国的一切权力属于人民。人民行使权力的机关是全国人民代表大会和地方各级人民代表大会。"《宪法》这一条规定首先就说明了：我国的人民代表大会制是以国家权力的统一行使为出发点的。在工人阶级领导的国家里，全国人民的意志是统一的，人民代表大会是人民的统一意志的直接表达者，所以国家权力必须由人民代表大会统一行使。《宪法》规定：全国人民代表大会是最高国家权力机关，地方各级人民代表大会是地方国家权力机关。这样，全国一切国家权力机关就构成了由全国人民代表大会领导的统一体系。

但是，国家权力的统一行使，并不否定国家权力在其实现上有多种多样的形式。所以我国的人民代表大会制把行使国家权力的活动划归国家权力机关，把参加实现国家权力的其他活动划归其他国家机关。因此，我国宪法明确地划分了各个国家机关的权限，规定了每个国家机关的组织与活动的程序，确定了各个国家机关之间的相互关系。我国国家机关活动的基本形式，有下列五大项：

（1）最高国家权力机关的活动；

（2）最高国家行政机关的活动；

（3）地方国家权力机关的活动；

（4）审判机关的活动；

(5)检察机关的监督活动。

这些国家机关活动的形式,都是和人民代表大会制密切联系着的。全国人民代表大会和地方各级人民代表大会是全部国家机关的主干,它们建立其他一切国家机关,并赋予这些国家机关以职权;同时采取各种方式,经常监督这些国家机关的工作。所以我国一切国家机关的活动形式,都是由人民代表大会制决定的。

由此可见,我国的国家机构包括着国家权力机关、国家行政机关、法院和检察院等一切中央与地方的国家机关。

我们中华人民共和国是工人阶级领导的、以工农联盟为基础的人民民主国家。国家的历史使命是依靠国家机关和社会力量,通过社会主义工业化和社会主义改造,保证逐步消灭剥削制度,建成社会主义社会。由于我们国家的性质和它的历史使命根本不同于资产阶级国家,根本不同于国民党反动派统治下的旧中国。因此,我们就不能因袭一切旧的国家机构。我们国家的国家机构,是在马克思、列宁主义关于打碎旧的国家机器的原理的指导下,用革命的手段在被打碎了的国民党反动派的国家机构的废墟上重新建立起来的。

为了符合我们国家的性质,完成我们国家的历史使命,我们不但要用革命的手段打碎旧的国家机构,建立新的统一的国家机构,而且还要用革命的精神废弃旧的国家机构中的反动的工作作风与官僚气习,使我们的国家机构根据民主的原则进行组织与活动。

二、我国国家机构组织与活动的基本原则

我国国家机构的组织与活动原则是民主的,这些原则有很多,其中最基本的有以下几个。

第一,人民群众参加国家管理的原则。

人民群众参加国家管理,是国家民主化的重要标志。在一个真正的民主国家里,人民不仅应当有权参加投票,选举代表参加国家机关的工作,而且还应当有权直接管理国家。

我们国家是人民群众能够参加国家管理的真正的民主国家。在我们国家里,人民群众参加国家管理有很多形式,这些形式归结起来,可以分为以下

几种:

(1)参加国家权力机关的活动:即通过民主的选举运动,当选为全国人民代表大会和地方各级人民代表大会的代表,代表人民行使国家权力。在我们国家里,有600万以上的人民代表,参加了国家权力机关的活动,这些代表都是人民群众的优秀子弟和代表人物,他们在旧社会里是不能管理国家大事的,现在被吸收到国家权力机关中来了。

(2)担任各种国家机关的职务或参加其他辅助性机关的工作:如担任国家行政机关的领导人员或一般干部,人民法院院长、审判员、陪审员,人民检察院检察长、检察员等;参加城市居民委员会的工作。

(3)参加各种群众性的组织,帮助国家机关的日常工作:如参加职工会、妇女会、青年团、合作社等,作为国家机关的助手。

(4)参加表现自动精神的生产运动或劳动群众代表会议:如参加劳动竞赛、合理化建议,参加劳动模范代表会议,社会主义建设积极分子会议。

(5)监督国家机关的活动:如通过社会团体、各种会议、报刊,揭露国家机关工作的缺点,提出改进意见。

由于通过以上各种形式吸收了人民群众参加国家管理,我国国家机构便建立了广泛的群众基础,便有最高的威信,最大的号召力量与最大的组织力量。

第二,民族权利平等的原则。

我国是一个多民族国家,要使各个民族在建设社会主义的共同事业中发挥自己的力量,作出最大的贡献,就必须实行民族平等的原则。

我国宪法确定了民族平等的原则,这个原则贯彻在整个国家生活、政治生活、经济生活、文化生活、社会生活等各个方面,当然也贯彻在国家机构的组织与活动里面。

我国国家机构组织与活动中的民族平等原则,在各民族平等地参加国家管理方面明显地反映出来。在我们民主的选举制度中,没有民族与种族的任何限制,而且特别照顾少数民族的权利,这就保证了各民族都有适当名额的代表参加国家权力机关的工作。在国家行政机关和其他国家机关中,各民族的权利平等是它们活动的重要原则之一;同时,在这些机关里面,还有许多少数民族的干部担任职务。在人民法院里面,各民族有平等的权利进行诉讼。所有这些都说明了我国国家机构的组织与活动中,切实地保证了各民族平等地参加国家管理的权利。

除了一般国家机构保障民族平等原则的实现以外,我们国家还采取了民族区域自治作为解决民族问题的基础政策,在民族区域自治的地方成立了民族自治地方的自治机关。依照宪法的规定,这些自治享有充分的自治权利,可以根据民族的特点来管理本民族地方的事务。同时在自治机关中,我们紧紧地掌握了干部民族化这个中心环节,培养了大批少数民族干部,使少数民族在政治生活的实践当中,锻炼成为自己管理自己事务的坚强力量。

由于贯彻了民族平等的原则,我国国家机构就能吸引各民族参加国家管理,就成为帮助各少数民族发展经济和文化,共同建设社会主义的有效工具。

第三,民主集中制原则。

民主集中制是我国国家机构的组织基础,也是我国国家机构进行活动的根本原则,它是高度的集中与广泛的民主相结合的制度。

全国人民把属于自己的国家权力集中于地方各级人民代表大会和全国人民代表大会,由全国人民代表大会统一和集中地行使最高国家权力。国家其他的机关及其领导工作人员和行政负责人员,都由人民代表大会选出,并可由它罢免,一切国家机关都贯彻着部分服从全体,下级服从上级,地方服从中央,这就是高度的集中制。因为我们国家的权力是属于人民的,它保证能够统一全体人民的利益,集中全体人民的意志;同时又因为我们国家是在资本主义包围依然存在的情况下建设社会主义,必须把全国人民的意志和行动统一起来,以便统一使用人力和物力,保卫和平建设,加快建设的速度。因此,实行高度的集中制是完全可能和必要的。

但是,高度的集中必须建立在充分地发扬民主的基础上面,我国国家权力机关的代表由人民选出并可由人民罢免,其他国家机关由人民代表组成的国家权力机关选出,并可由它罢免,一切国家机关都采用会议方式讨论或决定国家事务,贯彻着少数服从多数的原则,一切国家机关工作人员必须倾听群众的意见,接受群众的意见。这就说明我国实行的集中制是"民主基础上的集中",也说明我国实行的民主制是"集中指导下的民主"。

我国国家机构组织与活动中的民主集中制原则,也表现在国家机关内部实行集体领导制方面。所谓集体领导,就是说,国家机关的领导人员对于有关政策性和原则性的问题,要进行集体讨论,共同研究,然后作出决议。如有不同意见,可以展开争论,开展批评与自我批评,以便统一认识,防止一切决议的偶然性和片面性的成分。因为只有集体讨论,在做任何决议时,就能估计到一切正面和反面的意见,估计到领导骨干的多方面的经验和知识,估计到党与非党群众的经验。只有经过集体讨论作出决议,才能保证它的正确性,才能顺利地贯彻实施。

贯彻集体领导制,同时就是贯彻民主集中制。国家机关中如果能够贯彻集体领导制,就能够防止命令主义和分散主义的发生,就能够纠正个人包办和个人决定问题的偏向,同时就能够充分发扬民主,依靠集体智慧和集体经验,作出正确的决定,把工作做得更好。

民主集中制在我国的各个国家机关中是采取不同的形式来实现的,但是不管它采取何种形式,都能充分地发挥人民群众的政治积极性和劳动热忱,都能发挥人民群众的智慧和创造能力;都能保证中央对地方的统一领导,保证地方在中央的统一领导下,能在自己的职权范围内发挥主动性和首创精神。

第四,人民民主法制的原则。

我国国家机构贯彻着人民民主法制的原则,即一切国家机关在它的组织与活动中必须严格地遵守与执行法律。

我国的各个国家机关都是贯彻人民民主法制原则的机关,它们采取着不同的形式来贯彻这个原则。如全国人民代表大会根据宪法所规定的程序修改宪法,制定法律,这就是说它一方面制定人民民主法制的基础,另一方面又要受人民民主法制原则的领导;国家行政机关的活动是在法制基础上进行的,它的一切活动必须是适法的,必须以法律为依据,并且是为了执行法律,它必须根据国家权力机关所规定的程序和职权范围进行工作;人民法院的活动是根据法律进行的,它必须通过自己的审判工作把法律运用到具体事件中去;检察机关的活动,必须根据法律的要求,对国务院所属各部门、地方各级国家机关、国家机关工作人员和公民是否遵守法律进行监督。

在我国国家机构的组织与活动中,贯彻人民民主法制原则是完全必要的,因为我国法律是反映以工人阶级为领导的中国人民意志的,它是巩固人民民主专政,加强社会主义建设的有力武器,如果国家机关不严格遵守与执行法律,便会破坏人民自己的意志,削弱人民民主专政,阻碍社会主义建设。正因为严格与执行法律占有如此重要的地位,所以我们国家不但要求一切国家机关贯彻人民民主法制,而且还制定有许多贯彻这一原则的具体保证,如人民法院与人民检察院的监督,国家机关内部的监督、社会群众团体的监督以及党组织的监督等都是保证贯彻这一原则的有效形式。除此以外,我国宪法还规定公民对于任何违法失职的国家机关工作人员,有向各级国家机关提出书面控诉或口头控诉的权利,这一规定,对保证人民民主法制原则的贯彻,具有非常重大的作用。

第五,国家机关的革命工作作风。

全心全意为人民服务是我国一切国家机关所必须树立的革命工作作风。国家机构要做到全心全意为人民服务,就必须密切联系群众,了解群众的要求,倾听群众的意见,接受群众的监督。因此,群众路线的工作方法就是树立革命工作作风的根本性的问题。毛泽东主席在《关于领导方法的若干问题》中说:"从群众中集中起来又到群众中坚持下去,以形成正确地领导意见,这是基本的领导方法。"这种领导方法在国家机关中应用起来,就可以防止脱离群众的官僚主义的作风,而能够集中群众意见,总结群众经验,然后再去领导群众。

毛泽东主席《在延安文艺座谈会上的讲话》中说:"革命的政治家们,懂得革命的政治科学或政治艺术的政治专门家们,他们只是千千万万的群众政治家的领袖,他们的任务在于把群众政治家的意见集中起来,加以提炼,再使之回到群众中去,为群众所接受、所实践,而不是闭门造车自作聪明,只此一家,别无分店的那种贵族式的所谓'政治家',——这是无产阶级政治家同腐朽了的资产阶级政治家的原则区别。"在国家机关中负担领导工作的人员,都应当成为无产阶级的政治家,贯彻从群众中来到群众中去的领导方法。

国家机构要树立革命工作作风,除了应根据群众路线进行工作以外,还必须开展批评与自我批评,不断地揭露一切缺点,并改正那些缺点。

刘少奇同志在《关于中华人民共和国宪法草案的报告》中指出:"在我们

的一切国家机关中,工作中的缺点和错误总是有的,因此,在全国人民代表大会的会议上,在地方各级人民代表大会的会议上,在一切国家机关的会议上和日常活动中,都要充分发扬批评和自我批评。我们必须运用批评和自我批评的武器来推动国家机关的工作,不断地改正缺点和错误,反对脱离群众的官僚主义,使国家机关经常保持同群众的密切联系,正确地反映人民群众的意志。如果没有充分的批评和自我批评,也就不能达到和保持人民的政治的一致性。压制批评,在我们的国家机关中是犯法的行为。"这就说明了开展批评与自我批评在我国国家机构中的重要意义。

由于贯彻了以上的组织于活动的民主原则,我国广大的人民群众就有了认真办事的、艰苦奋斗的、联系群众的、真正民主的国家机关。但是,在这里我们应该特别强调指出,这些原则是在党的领导下贯彻的,党的领导是我国国家机构根据民主的原则进行组织和活动的基础。

第二节　中国共产党是我国国家机构的领导核心

一、中国共产党是我国国家机关的领导力量

国家机构是实现国家权力的组织形式,而且仅仅是一种组织形式。一切的形式都是由它的内容来决定的。国家机构的内容就是它的阶级实质,就是它掌握在那一个阶级手里,由那一个阶级来领导的问题。同是一种形式的国家机构,由于它的内容不同,领导它的阶级不同,它往往产生完全相反的作用。苏联人民革命的历史,最清楚地说明了这点。谁都知道,掌握在苏联工人阶级手中,由苏联共产党领导的苏维埃,过去是建设社会主义,现在是建设共产主义的有力武器。但是在 1917 年 7 月的时候,由于苏维埃被孟什维克与社会革命党人所掌握、所领导,它就成了资产阶级临时政府的附属物,成了反革命反对革命的工具。苏维埃国家还发生过这样的事情:在喀琅施塔叛乱发生的时候,反革命罪魁米留可夫等也"拥护"苏维埃,但是他们所拥护的是不要共产党人参加的苏维埃,他们的目的,就是要利用苏维埃作为反革命的工具。由此可见,国家机构的领导问题是最重要的、根本性的问题。

我国国家机构的领导力量是中国共产党。毛泽东同志在第一届全国人民

代表大会第一次会议开幕词中指出："领导我们事业的核心力量是中国共产党。"我国国家机构只有在中国共产党的领导下，才能具有无穷的生命力，才能沿着一个正确方向胜利前进。

为什么我国国家机构一定要由中国共产党来领导呢？这首先是因为中国共产党是中国工人阶级与劳动人民中最忠实、最勇敢、最觉悟和最守纪律的代表集合起来，它是中国工人阶级先进的有组织的部队，是中国工人阶级组织的最高形式，所以它能代表工人阶级来行使领导权；同时因为中国共产党是在马克思、列宁主义基础上建设起来的，它和人民群众有密切的联系，它能正确地了解社会发展的规律，了解人民群众的需要，并善于依据社会发展的规律，人民群众的需要来决定自己的政策，所以它能够博得劳动人民的无限信任、支持和拥护；此外，还因为中国共产党有着铁的纪律，掌握了批评与自我批评的武器，所以它能够经常保持高度的团结和统一，经常克服与改正自己的缺点和错误，因而使自己经常是战无不胜的力量。

中国革命的历史，已经充分证明了中国共产党是光荣的、正确的、伟大的党。在我们国家里，过去没有过任何一个别的政党，能够像中国共产党一样，领导着中国人民取得反对帝国主义、封建主义和官僚资本主义的人民革命的伟大胜利；现在也不可能有任何一个别的政党，能够像中国共产党一样，领导着中国人民走上社会主义的道路，取得更伟大的社会主义革命的胜利。

目前，全国的社会主义建设与社会主义改造的高潮已经到来了，这个高潮给国家机构带来了更加艰巨的任务。这就要求加强党对国家机构的领导作用，以保证我国国家机构能够适应形势的发展，完成自己的任务。

二、中国共产党对我国国家机关领导的内容

中国共产党领导我国国家机构，这是坚定不移的原则。但是这种领导不是直接指挥，也不能包办代替。在资本主义国家里，资产阶级政党往往有一个由极少数人领导的秘密内阁存在，它们在垄断资本家的指使下，直接指挥国家机构，包办国家机构的工作。这种情况在我们国家是不容许存在，也不可能存在的。早在第二次国内革命战争时期，毛泽东同志在《井冈山的斗争》中，就指出了"党在群众中有极大的威权，政府的威权却差得多。这是由于许多事

情为图省便,党在那里直接做了,把政权机关搁置一边"的缺点,并指出说:"以后党要执行领导政府的任务;党的主张办法,除宣传外,执行的时候必须通过政府组织。国民党直接向政府下命令的错误办法,是要避免的。"毛泽东同志的这一指示,是中国共产党领导国家机构时所必须遵循的原则。

党对国家机构的领导究竟表现在哪些方面?究竟应该怎样根据毛泽东同志指示的精神加以贯彻?关于这个问题,我们可以分三方面来说明:

(1)党对国家机构工作的性质和方向给予正确的指示。

党的指示规定了政治路线与工作方向,它是国家机构获得正确的工作路线与方针、政策的根本保证,因此,这样的指示是完全必要的。但是,党对国家机构工作性质和方向的指示,不是向国家机构发出的,而是向国家机构的党组织与党员发出的,即通过党的宣传教育和国家机构里面党组织与党员的工作,把党的指示变为国家机构的方针、政策。在贯彻党的指示过程中,如果非党干部对指示的精神还不够了解,甚至怀疑它的正确性的时候,党组织与党员必须对他们采取说服教育的办法,和他们进行充分的协商酝酿,必要的时候,还必须善于等待,一切采取强迫命令的方式使国家机构接受党的指示的做法,都是错误的。

我国国家机构的一切重大措施,没有一件不是在党的领导下进行的,没有一件不是以党的指示作根据的。例如:我国国家机构进行工作的总政策,就是以党在过渡时期的总路线为根据的。党在提出了过渡时期的总路线以后,就向一切国家机关和全国人民进行了广泛的宣传和教育,使之认清我国建设社会主义的美好前途,明了我国建设社会主义的具体步骤。在一切国家机关工作人员和全国人民认识了党在过渡时期总路线的正确性的基础上,全国人民代表大会就在自己所制定的宪法中,把这条总路线确定为法定目标。这样就使党在过渡时期的总路线成为国家机构进行工作的指南,成为国家机构进行工作的总政策。又如:我国发展国民经济的第一个五年计划,即是在党的创议和领导下制定的。1955年3月11日中国共产党全国代表会议修正通过了党中央提出的第一个五年计划草案;6月10日党中央致信国务院,请加以讨论,并请在通过之后提交第一届全国人民代表大会第二次会议审议;6月18日国务院全体会议第十二次会议,讨论并一致通过了这个草案,把这个草案提请第一届全国人民代表大会第二次会议审议决定;7月30日第一届全国人民代表大会第二次会议通过了这个计划,并作出决议责成国务院和各级国家机关采取有效措施,保证按期完成和超额完成这个计划。从此,党关于发展国民经济计划方面的指示,就成了国家机构按照计划进行工作的根据。又如:我国一切国家机关为迎接社会主义建设与社会主义改造事业的高潮,都在加强领导,实行全面规划,这就是以党中央和毛主席关于农业合作化问题的指示作根据的。1955年7月31日,毛泽东同志在省委、市委和区委书记会议上《关于农业合作化问题》的报告中指出:在全国农村中,新的社会主义群众运动的高潮就要到来。全党要根据"全面规划、加强领导"的方针,领导农业合作化运动的发展。1955年10月11日,中国共产党第七届中央委员会第六次全体会议(扩大),根据毛泽东同志的报告作出了相适应的决议。这个报告和决议,就是我国国家机构进行农业合作化工作的根据。最近几月以来,全国范围内社会主义事业的全面的高潮已经到来了,因此,"全面规划,加强领导"已成为我国国家机构一切工作的方针。

由于中国共产党对国家机构的工作性质和方向给予了确定的指示,所以我国一切国家机关能够组织与动员全国人民,朝着一个统一的社会主义的目标胜利前进。

(2)党对国家机构的活动进行监督。

党的指示为国家机构所接受,并成了国家机构的方针、政策以后,党的政策就要通过国家机构来实现了。这时党应该动员全体党员用自己的模范行动,带动国家机关的全体干部,认真贯彻和执行国家机构的方针、政策。不仅如此,为了保证这些方针、政策的正确执行,党还应该对国家机构的活动进行监督。

但是,我们必须明确认识:党对国家机构的活动进行监督,并不是说党在国家机构之上,发号施令,也不是说党组织可以干涉国家机关的工作,监督国家机关的工作人员的行为。我们所说的这种监督,主要是通过国家机关中的党组织和党员实际参加政策的执行与工作的检查来实现的。例如:国家机关的党员干部,在政策的执行与工作的检查中,若发现本机关或个别工作人员工作中的缺点和错误,一方面可以提出自己的意见,另一方面应向党组织汇报,党组织则应将汇报上来的情况及时加以整理,并进行分析和研究,找出缺点和错误产生的原因,提出克服与改正的办法,然后,提交国家机关首长,以帮助他整顿工作。又如:国家机关的党组织和党员,定期讨论机关首长关于机关工作和任务的报告,以熟悉工作情况,帮助机关首长改进机关工作。如果国家机关行政首长的意见与该机关党组织的意见不符合的话,党组织不能强迫行政首长接受自己的意见,只有把自己的意见汇报给上级党委,通过上级党委讨论研究之后,与该国家机关的上级机关协商酝酿,然后由国家上级机关作出决定,用行政命令的形式指令该国家机关贯彻执行。

除了通过党组织与党员实际参加对政策的执行与工作的检查以外,党还可以借助于职工会、青年团以及其他社会团体,对国家机构的活动进行监督。如青年团在党的直接领导下,即可对国家机构的各种措施、决定及其执行情况进行检查,发挥其党的战斗的助手的作用。

由于中国共产党对我国国家机构的活动进行了监督,我国国家机构就能经常根据民主的组织与活动原则进行工作,不断地克服缺点、改正错误,使自己能正确地执行政策。

(3)党为国家机构选拔忠诚而有能力的干部。

国家机构的任务,是依靠干部组织与动员群众去完成的。因此,干部的配备对国家机构来说,具有头等重要的意义。党在这个重要的问题上,体现了自己对国家机构的领导作用,选拔了忠诚而有能力的干部,担任国家机构的重要职务。

党为国家机构挑选与提拔干部时,是从整个国家和人民的利益出发的,是以德才兼备作条件的。它所挑选与提拔的对象,不限于优秀的党员,而且还包括着无数的优秀的非党人士。同时党所选拔的干部,不能用指令方式派到国家机构去工作,只能用民主协商的方式向国家机构推荐。如在我国国家权力机关的选举过程中,党即通过与民主党派、社会团体进行协商,进行联合提名的方式,向人民群众提出优秀的党员和非党的积极分子作为代表候选人,使人民群众能够表达自己的自由意志,选出自己的优秀代表参加国家权力机关;又如:在组织、选举或任命其他国家机关及其工作人员时,党即与这些国家机关的同级权力机关及其上级机关进行民主协商、酝酿和讨论,然后决定适当的人选。

为了保证国家机构能够按照工作的需要,不断地得到德才兼备的干部的补充,党必须在经常工作中善于发现党内与党外的优秀干部,大胆地提拔到各级机关的领导岗位;同时为了提高国家机关的工作质量,顺利地完成任务,党还必须用社会主义原则教育干部、培养干部,使国家机构不断地涌现出大批忠诚于社会主义事业而又有高度工作能力的工作人员。正是因为中国共产党在发现优秀的干部与培养干部方面,做了巨大的工作,所以它能够为国家机关选拔德才兼备的工作人员,使之基本上适应客观形势发展的需要,胜利地完成有计划的社会主义建设与社会主义改造事业。

第三节　全国人民代表大会

一、全国人民代表大会是最高国家权力机关

《宪法》第二十一条规定:"中华人民共和国全国人民代表大会是最高国家权力机关。"为什么说全国人民代表大会是最高国家权力机关呢? 要了解这个问题,首先要了解国家权力的意义。国家权力就是对社会实行领导的阶级在政治上的统治权。为要行使这种统治权,就必须要有一套国家权力机关。我国人民行使国家权力的机关是全国人民代表大会和地方各级人民代表大会。我国是工人阶级领导的国家,人民群众的利益是共同的,意志是统一的,所以人民能够在民主的基础上,把属于自己的全部国家权力集中于人民代表大会,由人民代表大会统一行使。这就是说国家的一切重大问题,都经过人民代表大会去讨论,并作出决定。地方性的重大问题,经过地方各级人民代表大会讨论和决定,地方各级人民代表大会就是地方国家权力机关;全国性的重大问题,则经过全国人民代表大会讨论和决定,全国人民代表大会就是最高国家权力机关。

全国人民代表大会是人民主权的体现者,它代表全国人民的意志,行使全部国家权力。全国人民代表大会行使的国家权力,是依靠它的职权来实现的。依照宪法的规定,全国人民代表大会的职权可以划分为三大项:

第一,国家立法权。《宪法》第二十三条规定:"全国人民代表大会是行使

国家立法权的唯一机关。"只有全国人民代表大会才有立法权,才有权修改宪法,制定法律并监督宪法的实施,其他任何国家机关都没有这项权力。我们的法律是表现工人阶级和人民群众的意志的,同时又是表现国家权力的,立法权的行使正是最高国家权力机关行使国家权力的首要的职能,因而也就在这一方面统一和集中了国家的权力。

第二,最高领导权和最高监督权。依照宪法的规定,全国人民代表大会有权选举全国人民代表大会常务委员会的组成人员,选举中华人民共和国主席和副主席,决定国务院总理和国务院组成人员的人选,决定国防委员会副主席和委员的人选,选举最高人民法院院长和最高人民检察院检察长。并且,全国人民代表大会还有权罢免由它所选举所决定的上列领导工作人员。

其次,全国人民代表大会常务委员会、国务院、最高人民法院、最高人民检察院,都要向全国人民代表大会负责并报告工作。还有,中华人民共和国主席所行使的重要职权,一般都是由全国人民代表大会及其常设机关常务委员会所决定的。

由此可见,全国人民代表大会拥有对其他国家机关的最高领导权和最高监督权,其他国家机关都要根据全国人民代表大会的决定进行工作。这就表明了全国人民代表大会是统一和集中地行使国家权力的。

第三,最高决定权。依照宪法规定,全国人民代表大会有决定经济、政治、和平与战争等重大问题的职权,即决定国民经济计划、审查和批准国家的预算和决算、批准省、自治区和直辖市的划分,决定大赦,决定战争和和平的问题。至于其他国家重大问题,则因为全国人民代表大会不能经常开会,便交由它的常设机关常务委员会去决定和处理。除此以外,全国人民代表大会还有权行使它认为应当由它行使的其他职权,这就是说,它可以根据人民的意志行使宪法所未列举的其他职权。由此可见,全国人民代表大会不仅是立法机关,并且是工作机关,它实现着国家权力的高度集中。

全国人民代表大会是通过会议的方式行使职权实现国家权力的。依照宪法的规定,全国人民代表大会会议每年举行一次,如果全国人民代表大会常务委员会认为必要,或者有1/5的代表提议,可以召集临时会议。全国人民代表大会会议是由全国人民代表大会常务委员会负责召集的。全国人民代表大会每一届的第一次会议,因为本届全国人民代表大会常务委员会还没有选出,便由上一届全国人民代表大会常务委员会负责召集。全国人民代表大会在每一次会议开始的时候,要选出本次会议的主席团和秘书长,通过本次会议的议程。主席团互推若干人轮流担任执行主席,主持会议。为了有组织、有准备地把会议开好,全国人民代表大会的代表按照选出代表的单位,分别组成代表小组。各代表小组在会议举行以前,就会议准备事项交换意见,在会议举行期间,就全国人民代表大会主席团提出的事项进行小组讨论,然后在全体会议上进行讨论,并作出决定。全国人民代表大会在讨论和决定问题时,充分地表现了自由讨论与民主协商的精神。

全国人民代表大会所行使的职权中,有一项具有特别意义的职权,这就是立法权。全国人民代表大会的立法活动是分作四个阶段进行的,全部立法程序都体现出人民民主的精神。

立法活动的第一阶段是法律议案的提出:根据全国人民代表大会组织法的规定,提出法律议案的权利属于中华人民共和国主席、副主席,全国人民代表大会代表、主席团、常务委员会和各委员会,国务院。这些机关和个人在提出法律议案时,都是以人民的意见和要求做根据的。

立法活动的第二阶段是法律议案的讨论:法律议案提出之后,由全国人民代表大会主席团提请全国人民代表大会会议讨论,或者交付有关委员会单独审查或者联合审查后提请全国人民代表大会会议讨论。讨论过程中,代表有充分的自由,它的特点是发言人的意见一致,同时对政府与个别工作人员工作的缺点可以进行尖锐的批评。

立法活动的第三阶段是通过法律议案:法律议案经过代表们充分地、自由讨论之后,即进行表决。宪法的修改由全国人民代表大会 2/3 的多数通过,一般法律由全国人民代表大会以全体代表的过半数通过。表决法律议案的特点是代表能够完全自由地表达自己的意志。代表们的意见完全一致。

立法活动的第四个阶段是公布法律:法律议案被通过以后,就成为法律,由中华人民共和国主席命令公布。主席公布法律是一种职权,而不是一种批准手续。

由此可见,在全国人民代表大会的全部工作程序中,都表现了它的民主性与优越性,它的全部工作都是在团结、友爱、互助的基础上,在自由讨论、民主协商的基础上进行的。它体现着我国人民的共同利益和统一意志。

依照我国的宪法的规定,全国人民代表大会每届任期四年,在任期届满的两个月以前,全国人民代表大会常务委员会必须完成下届全国人民代表大会代表的选举。如果遇到不能进行选举的非常情况,全国人民代表大会可以延长任期到下届全国人民代表大会举行第一次会议为止。

二、全国人民代表大会常务委员会

全国人民代表大会是采用会议的方式进行工作的。它的代表人数众多,他们都来自不同地区和不同工作岗位,会议日期是有一定的。在这样的情况下,就需要建立一个常设的机关,履行自己的职责,完成自己的任务。这样的常设机关,就是全国人民代表大会常务委员会。

全国人民代表大会常务委员会,由委员长、副委员长若干人、秘书长、委员若干人组成。这些组成人员的人选由每届全国人民代表大会第一次会议选出。它的任期和全国人民代表大会相同。

全国人民代表大会常务委员会职权,依照宪法的规定,分为下列五项。

第一,是属于全国人民代表大会组织工作的职权,即主持全国人民代表大会代表的选举,召集全国人民代表大会会议;

第二,是解释法律和制定法令。

第三,是属于监督国家机关与任免国家机关工作人员的职权,即监督国务院、最高人民法院和最高人民检察院的工作;撤销国务院同宪法、法律和法令相抵触的决议和命令;改变或者撤销省、自治区、直辖市国家权力机关的不适当的决议;在全国人民代表大会闭会期间,决定国务院副总理、各部部长、各委员会主任、秘书长的个别任免;任免最高人民法院副院长、审判员和审判委员会委员;任免最高人民检察院副检察长、检察员和检察委员会委员;决定驻外全权代表的任免;规定军人和外交人员的衔级和其他专门衔级。

第四,是属于军事和外交方面的职权,即决定同外国缔结的条约的批准和废除;在全国人民代表大会闭会期间,如果遇到国家遭受武装侵犯或者必须履行国际间共同防止侵略的条约的情况,决定战争状态的宣布;决定全国总动员或者局部动员;决定全国或者部分地区的戒严。

第五,是属于行使最高国家权力的其他职权,即规定和决定授予国家的勋章和荣誉称号;决定特赦。此外还有全国人民代表大会授予的其他职权。

1955年7月30日,第一届全国人民代表大会第二次会议通过了关于授权常务委员会制定单行法规的决议,决议指出:随着社会主义建设和社会主义改造事业的进展,国家急需制定各项法律,以适应国家建设和国家工作的要求。在全国人民代表大会闭会期间,有些部分性质的法律不可避免地急需常务委员会通过施行。为此特依照《中华人民共和国宪法》第三十一条第十九项的规定,授权常务委员会依照宪法的精神,根据实际的需要,适时地制定部分性质的法律,即单行法规。

根据全国人民代表大会组织法,常务委员会行使上述职权时,采取会议方式。会议由委员长主持,其决议由常务委员会以全体委员过半数通过。常务委员会在全国人民代表大会每次会议举行的时候,必须向全国人民代表大会提出工作报告;同时,全国人民代表大会有权罢免全国人民代表大会常务委员会的组成人员。由此可知,常务委员会是集体负责的全国人民代表大会的常设机关。

我们全国人民代表大会常务委员会和苏联最高苏维埃主席团相像,但稍有不同。苏联最高苏维埃主席团是集体的国家元首,我们国家的元首也是集体的元首,但是由全国人民代表大会常务委员会和中华人民共和国主席结合起来行使的,下节还有说明。

三、全国人民代表大会各委员会

《宪法》第三十四条规定:"全国人民代表大会设立民族委员会、法案委员会、预算委员会、代表资格审查委员会和其他需要设立的委员会。"这些委员会是协助全国人民代表大会工作的机关。其中民族委员会和法案委员会,在全国人民代表大会闭会期间,协助全国人民代表大会常务委员会工作,并受常务委员会所领导。

依照全国人民代表大会组织法,各委员会都由主任委员一人、副主任委员若干人和委员若干人组成。主任委员和委员的人选,由全国人民代表大会会议主席团在代表中提名,由全国人民代表大会会议通过;副主任委员由委员互推。

民族委员会的工作:(一)审查全国人民代表大会或者全国人民代表大会常务委员会交付的关于民族事务的议案和其他议案有关民族事务的部分;(二)审查自治区、自治州、自治县报请全国人民代表大会常务委员会批准的自治条例和单行条例;(三)向全国人民代表大会或者全国人民代表大会常务委员会提出关于民族事务的议案和意见;(四)研究关于民族事务的问题。

法案委员会的工作:(一)审查全国人民代表大会交付的法律案和其他关于法律问题的议案,审查全国人民代表大会常务委员会交付的法令案和其他关于法律、法令问题的议案;(二)根据全国人民代表大会或者全国人民代表大会常务委员会的决定,拟定法律和法令的草案;(三)向全国人民代表大会或者全国人民代表大会常务委员会提出关于法律、法令问题的议案和意见。

预算委员会审查关于全国人民代表大会交付的预算、决算案和其他同预算有关的议案。

代表资格审查委员会,在每届全国人民代表大会第一次会议举行的时候,根据代表当选证书和其他有关材料,审查全国人民代表大会代表的资格,并且,对于补选的代表的资格也进行同样的审查。

预算委员会和代表资格审查委员会只在全国人民代表大会会议期间进行工作。

全国人民代表大会除设立上述各委员会之外,在必要的时候,可以组织对于特定问题的调查委员会。调查委员会的组织和工作,由全国人民代表大会或者全国人民代表大会常务委员会临时决定。在调查委员会进行调查的时候,一切有关的国家机关、人民团体和公民都有义务向它提供必要的材料。

全国人民代表大会所设立的各种委员会的任务,是协助全国人民代表大会常务委员会办理一些业务性的工作,它不能代替全国人民代表大会和全国人民代表大会常务委员会的工作。这就保证了我国最高国家权力机关不至丧失它的全权。

四、全国人民代表大会代表

全国人民代表大会所行使的国家最高权力,直接来自人民。因为全国人民代表大会是由人民代表组成的,这些人民代表受人民的委托,组成最高国家权力机关,代表人民行使国家权力。

我国全国人民代表大会是由全国各省、各自治区、各直辖市、军队和华侨选出的代表(包括少数民族代表)组成的。这些代表都是各民主阶级各少数民族的优秀人物,都是全国选民所认为满意的、必要的,可以代表自己意志的人物。如同第一届全国人民代表大会的 1226 名代表中,有 98 位工业劳动模范,57 位农业劳动模范,147 位妇女代表,177 位少数民族代表,30 位华侨代表,60 位武装部队英雄,有著名的文学、艺术、科学、教育工作者,有工商业家和宗教界的代表人物,有毛泽东主席和政府首长(政府首长不全是人民代表)。从这些代表成分中可以看出,全国人民代表大会的代表具有广泛的人民代表性,他们都是人民派遣到最高国家权力机关的使者,都是人民的勤务员。

全国人民代表大会的代表,大都是政法、财经、文教各部门的工作人员。他们从群众中来,带着群众的意见出席大会;会毕以后,他们又带着大会的决议回到工作岗位,对自己的选举单位进行传达,即是到群众中去。所以我们全国人民代表大会能够敏感地听取群众的呼声,执行人民的意志,集中人民的智慧,决定切合于人民的利益的政策。

人民对于全国人民代表大会的代表,不但给予他们最大的信任,让他们共同决定国家大事,同时也给予他们以有力的支持和广泛的权利:首先给予他们以监督政府工作的权利。依照《宪法》第三十六条和《全国人民代表大会组织法》第三十四条的规定,他们有权向国务院或者国务院各部、各委员会提出质问,这种质问经过全国人民代表大会会议主席团或者全国人民代表大会常务委员会提交受质问的机关。受质问的机关必须向全国人民代表大会或者全国人民代表大会常务委员会负责答复。其次,人民给予他们以人身保障的权利。依据《宪法》第三十七条和《全国人民代表大会组织法》第三十六条的规定,全国人民代表非经全国人民代表大会许可,在全国人民代表大会闭会期间非经全国人民代表大会常务委员会许可,不受逮捕或者审判。如果代表因为是现行犯被拘留,执行拘留的机关必须立即报请全国人民代表大会或者全国人民代表大会常务委员会批准。还有,在他们执行职务时,人民还给予他们以适当的津贴或物质上的便利。所有这些权利都为了一个目的,就是使全国人民代表大会便利行使他们的职权。

人民赋予全国人民代表大会代表以广泛的权利,同时也向他们提出最高的要求。依据《全国人民代表大会组织法》第三十二条规定,全国人民代表大会代表必须效忠人民民主制度,遵守宪法和法律,努力为人民服务,并在自己参加的生产、工作和社会活动中,主动地协助宪法、法律和国家政策的实施。这就是人民对他们所选出的代表们的期望和要求。

全国人民代表大会代表要受原选举单位的监督,如果某一代表违背了人民的意志和要求,原选举单位有权以全体代表过半数通过,随时撤换本单位所选出的那一位代表。所有这些义务都为了一个目的,就是责成全国人民代表大会代表严格地依据人民的意志执行职务。

全国人民代表大会代表除了享受上述权利,担负上述义务以外,还有视察工作的权利,视察工作的义务。全国人民代表大会代表的视察工作,具有很重大的意义,它能加强代表与选举单位和人民群众的联系,通过视察工作可以了解选举单位和人民群众的意见与要求,也可以传达党和政府的政策,从而使全国人民代表大会与全国人民密切地联系起来,保证提高全国人民代表大会的工作效能,加强全国人民代表大会的生命力。

总之,全国人民代表大会代表的职责,是严格地根据人民的意志办事,忠实地为人民服务,这也就有力地说明了全国人民代表大会所行使的国家权力是直接来自人民的。

第四节　中华人民共和国主席

一、中华人民共和国主席在国家机构中的地位

中华人民共和国主席是我们国家机构中的一个重要组成部分,他和全国人民代表大会常务委员会结合起来行使国家元首的职权。因此,我们的国家元首是集体的国家元首,和苏联的国家元首同属于一个类型,和资产阶级的国家元首根本不同。

苏联的集体的国家元首是最高苏维埃主席团,包括主席团主席在内。最

高苏维埃主席团不是由全国人民选出，而是由最高苏维埃选出，并向最高苏维埃报告工作。

我们国家的元首也是集体的，和苏联的集体的国家元首，在精神实质上完全相同，在形式上稍有不同。在苏联，集体国家元首是统一地组织在最高苏维埃主席团这个机构里面，而我国的集体国家元首则由全国人民代表大会常务委员会和中华人民共和国主席共同担任，由两者结合起来行使国家元首的职权。所以我国和苏联的国家元首都是集体的，所不同的只是形式。

为什么我国的集体的国家元首不由全国人民代表大会常务委员会单独行使其职权，还要特设一个中华人民共和国主席呢？这是由于我国的实际情况和新中国成立以来建设国家权利机构的经验所决定的。刘少奇同志在《关于中华人民共和国宪法草案的报告》中说："适应我国的实际情况，并根据中华人民共和国成立以来建设最高国家权力机关的经验，我们的国家元首职权由全国人民代表大会所选出的全国人民代表大会常务委员会和中华人民共和国主席结合起来行使。我们的国家元首是集体的国家元首。同时，不论常务委员会或中华人民共和国主席，都没有超过全国人民代表大会的权力。"我国正处在过渡时期，在帝国主义包围中进行着社会主义建设和社会主义改造，国内外的敌人无时不在阴谋破坏我们的事业。在这种情况下，我国建设社会主义的动员和组织工作是艰巨的、繁重的；阶级斗争是尖锐的、复杂的。因此，我们必须有一位富有斗争经验和组织经验的最高领袖高瞻远瞩地掌握全局，主席职位的设立是符合于实际情况的。同时建国以来，经验证明，我中央人民政府主席毛泽东完全起了高瞻远瞩掌握全局的作用，一切国家大事都由毛泽东主席集中各方面的意见作出最后决定，既反映了各方面的意见和要求，又集中地、及时地解决了国家的重大问题，因而使我国最高国家权力机关在推行各项社会民主改革和建设社会主义事业中起了巨大的动员和组织的作用，从而积累了组织最高国家权力的经验。所以主席职位的设立，就是这些经验的总结。

我们的集体国家元首——全国人民代表大会常务委员会和中华人民共和国主席，都由全国人民代表大会选出，并可由它罢免，所以两者都受全国人民代表大会所监督，都没有超过全国人民代表大会的权力。

我们的集体国家元首，和苏联的集体国家元首在本质上是一致的，但和资产阶级国家的元首却是根本不同的。例如就英美两国来说：英国采用内阁制，其元首是国王，是封建时代的遗物，是反动势力的旗帜；国家的权力在名义上由国会行使，而实际上则由内阁行使。英国的两个资产阶级大党是保守党和工党，谁在国会中取得多数议席，谁就组织内阁。多数党组织的内阁，一切提案和主张，能够保证在国会中通过，所以英国的内阁在实际上行使着国家的权力。更进一步说，是英国的垄断资产阶级在行使着国家权力。至于美国是采用总统制的，美国的总统是垄断资产阶级抬举出来的，他一人行使国家权力。他没有内阁，中央各部门首长（大部分是垄断资本家及其雇用人）都是他的僚蜀，他行使权力时可以完全不顾国会的意志，也不对国会负责。他可以运用否决权把国会通过的法律案送回国会复议，国会如不能以 2/3 的多数重新通过，这法律案就被取消。他常常向国会提出咨文，指导国会的工作。事实上，美国是总统一个人代表垄断资产阶级行使国家权力。

我们工人阶级领导的中华人民共和国的国家元首，是和资产阶级国家的元首根本不同的。如果有人把我们中华人民共和国主席来和资产阶级国家的总统相比拟，那就会犯政治上的绝大错误。

二、中华人民共和国主席的职权

《宪法》第三十九条规定："中华人民共和国主席由全国人民代表大会选举。有选举权和被选举权的年满三十五岁的中华人民共和国公民可以被选为中华人民共和国主席。中华人民共和国主席任期四年。"这一规定，正说明了主席产生方式的民主性，也就说明了担任主席职位的人必然是为全国人民所拥护和爱戴的领袖人物。至于当选主席的人一定要年满 35 岁，这是因为主席责任重大，地位崇高，必须是政治上完全成熟，斗争经验和组织经验都非常丰富的人才能胜任，而要具备这些条件就必须达到一定的年龄。

中华人民共和国主席依照《宪法》的规定，行使下面各种职权：

根据全国人民代表大会的决定和全国人民代表大会常务委员会的决定，公布法律和法令，任免国务院总理、副总理、各部部长、各委员会主任、秘书长，任免国防委员会副主席、委员，授予国家的勋章和荣誉称号，发布大赦令和特赦令，发布戒严令，宣布战争状态，发布动员令。

对外代表中华人民共和国,接受外交使节;根据全国人民代表大会常务委员会的决定,派遣和召回驻外全权代表,批准同外国缔结的条约。

统率全国武装力量,担任国防委员会主席。

《宪法》还规定,中华人民共和国主席在必要的时候,可以召开由中华人民共和国副主席、全国人民代表大会常务委员会委员长、国务院总理和其他有关人员参加的最高国务会议。最高国务会议对于国家重大事务的意见,由中华人民共和国主席提交全国人民代表大会、全国人民代表大会常务委员会、国务院或者其他有关部门讨论并作出决定。

由此可见,中华人民共和国主席的职权是由宪法所赋予的,或者是根据全国人民代表大会的决定或全国人民代表大会常务委员会的决定来行使的,这就说明了中华人民共和国主席不是超乎全国人民代表大会之上,也说明了中华人民共和国主席是和全国人民代表大会常务委员会共同行使国家元首的职权的。

中华人民共和国副主席的选举和任期,适用《宪法》第三十九条关于中华人民共和国主席的选举和任期的规定。副主席协助主席工作;受主席的委托,可以代行主席一部分职权。这也是为了使主席有足够的时间来处理某些更重要的国家大事,把国家的工作领导得更好。

副主席在主席因为健康情况长期不能工作的时候,代行主席的职权;在主席缺位的时候,继任主席的职位。

第五节　国　务　院

一、国务院是最高国家权力机关的执行机关,是最高国家行政机关

我国的国家权力机关是全国人民代表大会和地方各级人民代表大会。全国人民代表大会是最高国家权力机关,地方各级人民代表大会是地方国家权力机关。我国的国家权力机关的执行机关,即国家行政机关,是国务院和地方各级人民委员会。国务院是最高国家权力机关的执行机关,是最高国家行政机关;地方各级人民委员会是地方国家权力机关的执行机关,是地方国家行政

机关。

为什么说国务院是最高国家权力机关的执行机关呢？因为它是由最高国家权力机关产生的，它的组成人员的人选以及组织机构的建立或改变；都是由最高国家权力机关决定的；它受最高国家权力机关的领导和监督，它要向最高国家权力机关负责并报告工作；更重要的是因为它是在最高国家权力机关赋予的权限范围内行使职权，而且行使职权的目的是为了贯彻与执行最高国家权力机关所通过的法律、法令和决议。

为什么又说国务院是最高国家行政机关呢？这就是因为我国的国家行政机关已经构成了一个统一的系统，在这系统中，国务院居于最高的领导地位，它统一领导所属各部、各委员会的工作，统一领导全国各级地方行政机关的工作；它拥有比任何国家行政机关更加广泛的权力，它有权根据宪法、法律和法令管理全国范围内的一切重大行政事务。

既然国务院是最高国家行政机关，那么什么是国家行政呢？马克思在说明行政活动的本质时候，曾经说过："行政——是国家的组织活动。"

国家行政的性质，是由国家的本质、国家的职能决定的，国家的本质和职能是什么样的，国家行政的性质也就是什么样的。

我们国家的本质和职能，决定着我国国家行政的民主性和创造性，决定着我国国家行政和资产阶级国家的行政有着根本的原则的区别。因此，我国国务院是民主的、具有创造性的最高国家行政机关，它和资产阶级国家的政府完全不同。

国务院的民主性，主要表现在它和全国人民代表大会的关系方面。它是全国人民代表大会的执行机关，它受全国人民代表大会的领导和监督。

首先，国务院总理和组成人员的人选都由全国人民代表大会决定。全国人民代表大会根据中华人民共和国主席的提名，决定国务院总理的人选；根据国务院总理的提名，决定国务院组成人员的人选。在全国人民代表大会闭会期间，全国人民代表大会常务委员会决定国务院副总理、各部部长、各委员会主任、秘书长的人选。国务院总理、副总理、各部部长、各委员会主任、秘书长，经过全国人民代表大会决定以后，由中华人民共和国主席加以任命；国务院总理和国务院其他组成人员，如果不称职的时候，全国人民代表大会有权决定罢免他们,决定以后,由中华人民共和国主席予以免职。

其次,依照国务院组织法,国务院所属各部、各委员会的增加、减少或者合并,须经国务院总理提出,由全国人民代表大会决定,在全国人民代表大会闭会期间由全国人民代表大会常务委员会决定。还有,国务院直属机构的设立、合并或撤销,须由国务院总理提请全国人民代表大会常务委员会批准。

还有,国务院行使的职权,除宪法根据全国人民代表大会制定的规定的以外,还有其他职权是由全国人民代表大会和全国人民代表大会常务委员会授予的。国务院因为是全国人民代表大会的执行机关,它必须向全国人民代表大会或者全国人民代表大会常务委员会提出议案,由它们讨论通过。按照宪法规定,国务院对全国人民代表大会负责并报告工作;在全国人民代表大会闭会期间,对全国人民代表大会常务委员会负责并报告工作。还有,国务院或者国务院所属各部、各委员会,对于全国人民代表大会代表所提出的质问,必须负责答复。

上述一切规定,都说明了国务院是完全根据全国人民代表大会意志办事,根据全国人民意志办事。所以我们的国务院是一个真正的人民民主政府。

我们的政府的人民民主性,对于资产阶级国家的反动性,有无可比拟的优越性。资产阶级国家标榜着所谓"三权分立",企图欺骗人民群众,使他们误认为国家政权是"超阶级的"和"公正的",使他们对资产阶级专政的本质认识不清。实际上,资产阶级国家的政府是法西斯专政的强有力的工具。如前面第二节中所说,无论是内阁制的英国政府,或者是总统制的美国政府,都是站在代议机关即国会之上,操纵着国会,有时还指挥国会,与人民群众全无关系。不但它们的政府与人民无关,就是它们的国会也与人民无关。它们的国会议员都是资本家及其雇员,人民不容易选出代表送进国会。用一句话说,资产阶级的国家机关,无论是立法、行政或司法机关,现在都成了垄断阶级专政的工具。

国务院的创造性表现在它进行组织经济与文化教育工作方面,创造性地为我国社会主义创建物质基础与精神条件。它通过自己的组织活动,领导着全国的行政机关,带领着全国人民,在国家过渡时期总任务的光辉照耀下,实现国家的社会主义工业化和社会主义改造;它同样地通过自己的组织活动,领导着全国的行政机关,带领着全国人民,进行文化教育工作,实现社会主义的文化革命。

资产阶级的国家机构,没有经济组织与文化教育工作的职能。正像斯大林和英国作家威尔斯的谈话中所指出的:"不可忘记国家在资本主义世界中的机能。这是一个组织国防、维持'秩序'、征收捐税的机关。真正的经济工作是很少与资产阶级政府有关系的,它并不掌握在资产阶级政府手中。"这就决定了资产阶级政府不进行经济组织与文化教育工作,也不可能进行经济组织与文化教育工作。

二、国务院的组成与职权

国务院由总理一人、副总理若干人、各部部长、各委员会主任、秘书长组成。总理的人选是由全国人民代表大会根据主席的提名决定的,其他组成人员的人选是全国人民代表大会根据总理的提名决定的。国务院组成人员由全国人民代表大会决定之后,都由中华人民共和国主席任命。从国务院组成人员的产生过程中,我们可以看出:组织国务院的全部权力都掌握在最高国家权力机关的手里,这就说明全国人民的意志是组成国务院的唯一根据,同时也加强了最高国家行政机关对最高国家权力机关所负的责任。

资产阶级国家行政机关的组成程序和我们国家根本不同。如美国行政机关的首长是总统,他是由居民按不民主的选举方式,选举产生的,他可以打着自己的权力直接来自人民的假招牌,和国会对抗。又如英国行政机关是内阁,内阁的首相是由国王任命的,但是国王在任命内阁首相时,只能任命议会中多数党的党魁,没有选择的余地,于是被任命出来的首相,就可以利用他的政党在议会中所占的多数议席来控制议会。无论是美国、英国或其他资本主义国家,行政机关的组织程序都是为了便利于垄断资产阶级控制整个国家机构,来镇压与剥削劳动人民。

国务院组成以后,即依据我国《宪法》第四十九条的规定和《国务院组织法》第九条的规定,行使下面几方面的职权:

第一,发布权与动议权。国务院根据宪法、法律和法令,规定行政措施,发布决议和命令,并审查这些决议和命令的实施情况;向全国人民代表大会或者全国人民代表大会常务委员会提出议案。

第二,行政领导权。统一领导各部、各委员会的工作,统一领导全国地方各级国家行政机关的工作;改变或者撤销各部部长、各委员会主任的不适当的命令和指示,改变或者撤销地方各级国家行政机关不适当的决议和命令。

第三,国家重大事务管理权。在经济方面,执行国民经济计划和国家预算,管理对外贸易和国内贸易;在政治方面,管理对外事务,领导武装力量的建设,保护国家利益,维护公共秩序,保障公民权利,管理民族事务和华侨事务,批准自治州、县、自治县、市的划分;在文化教育方面,管理文化、教育和卫生工作。

第四,任免权。(一)任免国务院副秘书长,各部副部长和部长助理,各委员会副主任和委员,各部门的司长、副司长、局长、副局长;(二)任免各省各直辖市人民委员会的厅长、副厅长、局长、副局长;(三)任免各专员公署专员;(四)任免各自治区相当于(二)(三)两项职位的人员;(五)任免驻外使馆参赞和驻外领事;(六)任免高等学校校长、副校长、院长、副院长;(七)任免其他相当于上列各项职位的人员。

除上列四类职权外,国务院还行使全国人民代表大会和全国人民代表大会常务委员会授予的其他职权。

三、国务院的工作程序和组织机构

国务院在行使职权时,它进行工作的重要原则之一是集体领导制。实现集体领导的基本方法,就是通过会议讨论与决定问题。

国务院的会议分为国务院全体会议和国务院常务会议两种。国务院全体会议由总理、副总理、各部部长、各委员会主任、秘书长组成,每月举行一次,必要的时候,由总理临时召集。国务院常务会议由总理、副总理、秘书长组成,会议的日期没有一定,根据需要,随时召开。国务院的工作是在总理领导下进行的,国务院的会议是由总理主持的,但是,国务院发布的决议和命令,必须经过国务院全体会议或者国务院常务会议通过。这就是国务院工作程序中所表现出来的集体领导制。

国务院的组织机构,除以上所说的国务院全体会议和国务院常务会议之外,还有秘书厅,各部、各委员会,以及按照需要设立的若干直属机构和办公机构。

国务院设立秘书厅,由秘书长领导。

国务院设立下列各部和各委员会:

内务部、外交部、国防部、公安部、司法部、监察部、国家计划委员会、国家建设委员会、国家经济委员会、国家技术委员会、财政部、粮食部、农业品采购部、商业部、对外贸易部、冶金工业部、第一机械工业部、第二机械工业部、电机制造工业部、化学工业部、建筑材料工业部、城市建设部、城市服务部、煤炭工业部、电力工业部、石油工业部、地质部、建筑工程部、纺织工业部、轻工业部、食品工业部、铁道部、交通部、邮电部、农业部、农垦部、林业部、森林工业部,水利部、水产部、劳动部、文化部、高等教育部、教育部、卫生部、体育运动委员会、民族事务委员会、华侨事务委员会。

国务院各部和各委员会的增加、减少或者合并,经总理提出,由全国人民代表大会决定,在全国人民代表大会闭会期间,由全国人民代表大会常务委员会决定。

国务院各部设部长一人、副部长若干人,并可以按照需要,设立部长助理若干人、各委员会设主任一人、副主任和委员各若干人。各部部长和各委员会主任负责管理本部门的工作。各部部长和各委员会主任在本部门的权限内,根据法律、法令和国务院的决议命令,可以发布命令和指示。各部在进行工作时是实行一长负责制的,部内一切问题都有部长最后决定,部务会议只是咨询性的机关,它的决议须经部长批准才能生效。但是这并不意味着部长可以脱离集体领导的原则,各部的一长负责制还是建立在集体领导制的基础之上的。

国务院可以按照需要设立若干直属机构,主办各项专门业务。现在这种直属机构有 24 个:

国家统计局、国家计量局、中国人民银行、中央手工业管理局、中国民用航空局、中央气象局、中央工商行政管理局、新华通讯社、广播事业局、中国文字改革委员会、对外文化联络局、国务院宗教事务局、国务院法制局、国务院人事局、国家档案局、中央机要交通局、国务院参事室、国务院外国专家局、国务院机关事务管理局、国务院总理办公室、物资供应总局、出国工人管理局、测绘总局、专家局等。

国务院直属机构的设立、合并或撤销,须由国务院总理提请全国人民代表大会常务委员会批准。

国务院可以按照需要设立若干办公机构,协助总理分别掌握各部门的工作,这种办公机构现在设立了八个,即八个办公室:第一办公室协助总理掌管政法部门方面的工作,第二办公室协助总理掌管文教部门方面的工作,第三办公室协助总理掌管重工业部门方面的工作,第四办公室协助总理掌管轻工业部门方面的工作,第五办公室协助总理掌管财政、金融、贸易等部门方面的工作,第六办公室协助总理掌管交通部门方面的工作,第七办公室协助总理掌管农业、林业、水利等方面的工作,第八办公室协助总理掌管国家资本主义方面,即国家对资本主义进行社会主义改造方面的工作。

第六节　地方各级人民代表大会和 地方各级人民委员会

一、我国地方国家机关的系统

我国地方国家机关,是按照国家的行政区域建立起来的。根据宪法的规定,我国行政区域的划分是:(一)全国分为省、自治区、直辖市;(二)省、自治区分为自治州、县、自治县、市;(三)县、自治县分为乡、民族乡、镇。此外,直辖市和较大的市分为区;自治州分为县、自治县、市,其中自治区、自治州、自治县都是民族自治地方。从宪法的规定中,我们可以知道,我国一般的地方行政区域共有省(直辖市)、县(市)、乡(镇)三级,就在这三级的地方行政区域单位内,我们国家建立了地方国家机关的系统。即建立了地方各级人民代表大会作为地方国家权力机关,建立了地方各级人民委员会作为地方国家行政机关。

我国地方国家机关系统,是国家机构的有机组成部分,它的分支遍布全国一切角落,是贯彻与执行国家法律、法令、方针、政策最有效的工具。国家的一切措施,如果不依靠它去实行的话,就很难贯彻。同时,它和人民群众直接联系,对人民群众有着巨大的影响,人民群众往往以它的工作的好坏来评判整个国家政权,因此,它在国家机构中,占很重要的地位。

我国地方国家机关系统,从它们本身之间的上下级关系来说是统一的,从它们和中央机关的关系来说也是统一的。全国人民代表大会和地方各级人民代表大会都是国家权力机关,国务院和地方各级人民委员会都是国家行政机关,它们之间没有任何的矛盾,它们的任务是相同的,它们的行动目标是一致的。我国地方国家机关系统内部以及它和中央机关的统一性,是以民主集中制来维系的,即以民主集中制作为保持这种统一性的纽带。民主集中制的具体运用,即权力机关向选民或选举单位负责,行政机关向权力机关负责;下级权力机关向上级权力机关负责,下级行政机关向上级行政机关负责;一切地方国家权力机关,服从最高国家权力机关,一切地方国家行政机关,服从最高国家行政机关;一切地方国家机关在中央的统一领导下,在一定的权限范围内享有全权,它们能够根据地方的特点,创造性的领导经济和文化建设。正是由于民主集中制的运用,便保证了中央的统一领导,又保证了地方能够因地制宜地发挥积极性和首创精神,使发展全国利益与发展地方利益的方式与方法密切地结合起来。也正是由于民主集中制的运用,地方国家机关就能在政治、经济与文化建设等各个方面享有广泛的权利,任何中央机关只能对它进行一般的领导和指示,不能代替它的工作,它可以在中央的领导指示下,创造性地完成国家任务。所有这一切都说明了我国地方国家机关的人民民主性。为了充分地发扬我国地方国家机关的人民民主精神,充分地发挥它在国家建设中的作用,还必须在中央的统一领导、统一计划下,适当地扩大地方国家机关的权力,特别是扩大它在财政管理方面的权限和机动性,使它能在预算总额的控制数字以内,根据当地的具体情况安排自己的收支。这样就能够使我国地方国家机关发挥更大的创造能力,又快、又多、又好、又省地发展政治、经济和文化事业。

我国地方国家机关的人民民主性,和资产阶级国家比较起来,有无可比拟的优越性。资产阶级国家标榜着所谓"地方自治",企图欺骗人民群众,使他们误认为可以通过自己的代表来实施地方事务的管理。实际上,这种"自治"是虚伪的,资产阶级国家的"自治"机关,除了处理一些地方性的、次要的文化和卫生等问题以外,各地方"自治"机关没有任何自主的权利,它只能奴隶式地服从中央的命令。资产阶级国家中央和地方关系的特征,是官僚主义的中央集权,因为资本主义发展到了垄断阶段时,垄断资本的利益迫切地要求国家的全部领域都从属于中央,所以资产阶级国家的地方"自治"机关,不但没有自治权利,而且已直接成了垄断资产阶级专政的工具。

二、地方各级人民代表大会

地方各级人民代表大会都是地方国家权力机关,它是由人民代表组成的。地方各级人民代表大会的代表,是由人民选举产生的。选举的民主性,充分体现出代表的人民性。我国《宪法》规定:"中华人民共和国年满十八周岁的公民,不分民族、种族、性别、职业、社会出身、宗教信仰、教育程度、财产状况、居住期限,都有选举权和被选举权。但是有精神病的人和依照法律被剥夺选举权和被选举权的人除外。"这一规定,说明全国人民除了有精神病的人和依法被剥夺选举权和被选举权的人以外,都能参加选举。有精神病的人不能管理国家大事,这是很明显的事情,依法剥夺一部分人的选举权,也是完全必要的,封建地主、官僚资本家,反革命分子,必须被排斥在国家政权以外,以保持人民代表大会的纯洁性和严肃性,这两种人在我们国家内为数是极少的,根据中央选举委员会的统计,在1953年到1954年全国举行的第一次普选中,被剥夺选举权和被选举权的人连同有精神病的人合在一起,只占18周岁以上人口总数的2.82%。因此,我国的选举是普遍的选举。我国的选举不但是普遍的选举,而且从实质上说,是平等的选举,《选举法》规定:"每一选民只有一个投票权",即所有的选民都能在平等的基础上参加选举,各级人民代表大会代表的名额,是以一定的人口比例作基础的,虽然选举法规定了城乡之间,汉民族与少数民族之间代表的比例有所不同,形式上看来是不平等的,但是它真实地反映了我国现实生活,巩固了工人阶级的领导地位,照顾了少数民族的特殊利益。因此,我国的选举在实际上是平等的。此外,我国在选举中采用了直接选举和间接选举并用,公开选举与秘密选举结合的办法。即在乡、民族乡、镇、市辖区和不设区的市等基层政权单位中,由人民直接选举人民代表大会的代表,基层政权以上,如省、直辖市、县、设区的市,由它的下一级人民代表大会代表选民间接选举代表;对基层人民代表大会的选举,一般采用举手表决,即公开投票的办法,基层以上的人民代表大会的选举,则采用无记名投票,即秘密选举的办法。这样的做法,是和我国社会情况复杂、地区辽阔、交通不便、文盲尚多等实际情况完全适合的,它便于人民普遍地行使自己的选举权利。这种最民主的而又切实可行的选举制度,保证我国人民能在选举过程中,自由表达自己的意志,选举自己所满意的代表,参加人民代表大会,代表自己的意志来行使国家权力。我国地方各级人民代表大会的代表,就是通过这种民主选举制度选举出来的,因而,他们具有充分地代表人民的性质。

由人民用民主的选举方式选出的代表所组成的地方各级人民代表大会,是有一定的任期的。省人民代表大会每届任期四年,直辖市、县、市、市辖区、乡、民族乡、镇的人民代表大会每届任期两年。

由人民用民主选举方式选出的地方各级人民代表大会组成以后,都在中央的统一领导下,根据我国宪法与地方各级人民代表大会和地方各级人民委员会组织法的规定,在本地区内行使职权。

县级以上的人民代表大会在本行政区内行使的职权可以划分为下列五项:(一)保证法律、法令和上级人民代表大会决议的遵守和执行。(二)决定本行政区域内的重大事务:在职权范围内通过和发布决议;规划经济建设、文化建设、公共事业、优抚工作和救济工作;审查和批准预算和决算。(三)选举本级人民委员会的组成人员;选举本级人民法院院长(省、直辖市的人民代表大会并且选举中级人民法院院长);选举上一级人民代表大会代表。(四)听取和审查本级人民委员会和人民法院的工作报告;改变或者撤销本级人民委员会不适当的决议和命令;改变或者撤销下一级人民代表大会不适当的决议和下一级人民委员会不适当的决议和命令;有权罢免由它选出的人民委员会的组成人员和人民法院院长;也有权随时撤换自己所选出的上一级人民代表大会代表。(五)保护公共财产、维护公共秩序,保障公民权利;保障少数民族的平等权利。

乡、民族乡、镇人民代表大会在本行政区内行使的职权也可以划分为下列五项:(一)保证法律、法令和上级人民代表大会决议的遵守和执行。(二)决定本行政区的重大事务:在职权范围内通过和发布决议;批准农业、手工业的生产计划,决定互助合作事业和其他经济工作的具体计划;规划公共事业;决定文化、教育、卫生、优抚和救济工作的实施计划。（三）选举本级人民委员会的组成人员；选举上一级人民代表大会的代表。（四）审查财政收支；听取和审查本级人民委员会的工作报告；改变或者撤销本级人民委员会不适当的决议和命令；有权罢免本级人民委员会的组成人员，撤回本单位所选出的上级人民代表大会代表。（五）保护公共财产、维护公共秩序，保障公民权利，保障少数民族的平等权利。

地方各级人民代表大会所行使的职权，虽因级别的不同、地区的大小、事务的繁简而稍微有些差别，但总的来说，它们都有权讨论本地区的一切重大问题并作出决定，有权监督这些决定的实施。同时，它们在行使职权时，一方面要根据法律、法令和上级人民代表大会的指示，要受上级人民代表大会的领导和监督；另一方面要向本地区的人民群众负责，受人民群众的监督。这样，就保证了地方各级人民代表大会，不仅是一个议事机关，而且是一个真正有权力的工作机关，保证了地方各级人民代表大会既能贯彻国家的法律和法令，又能代表本地方的人民群众的意志，使国家权力的统一性与地方机关的创造性密切地结合起来。

地方各级人民代表大会行使职权、进行工作的基本方式，是人民代表大会会议，即以会议的方式讨论问题、决定问题。根据地方各级人民代表大会和地方各级人民委员会组织法的规定，省、直辖市、县、市、市辖区的人民代表大会会议每年举行两次，交通不便的省可以每年举行一次；乡、民族乡、镇人民代表大会会议每三月举行一次。地方各级人民委员会如果认为必要或者有五分之一的代表提议，可以临时召集本级人民代表大会会议。

地方各级人民代表大会在讨论和决定问题的时候，它的工作程序是民主的，它对地方重大事务的处理，一般是经过三个阶段：第一是议案的提出，即提出问题；第二是议案的讨论，即讨论、研究问题；第三是作出决议，即决定问题。提出议案的权利属于人民代表大会的代表、主席团和本级人民委员会，议案提出以后，由主席团提请人民代表大会会议讨论，或者交付议案审查委员会审查后提请人民代表大会会议讨论，这就保证了人民群众所迫切需要解决的问题，能够通过适当的方式提到人民代表大会。议案提出以后，在进行讨论时，代表可以充分地自由发表自己的意见，讨论中充满着和谐一致的气氛，即使有不同的意见,也可以自由争论,并进行协商、酝酿,以求得认识上的统一。讨论以后即进行表决,作出决议,一切决议是以全体代表过半数通过的,这样,就保证了人民代表大会的决议能够代表人民的意志和愿望。

地方各级人民代表大会举行会议的时候选举主席团主持会议。县级以上的人民代表大会,因其辖区较广,讨论和解决的问题较多,为了把会议开好,还设立秘书长一人,副秘书长若干人。秘书长人选由主席团提名,由人民代表大会会议通过,副秘书长的人选由主席团决定。地方各级人民代表大会在举行会议的时候,可以设立代表资格审查委员会和议案审查委员会,并可根据需要设立其他的委员会,各个委员会在主席团的领导下进行工作,它们是地方各级人民代表大会的辅助性机关,只协助大会办理事务性的工作,不能代行大会的职权。地方各级人民代表大会在举行会议的时候,本级人民委员会所属各工作部门的负责人员和人民法院院长、人民检察院检察长可以列席。这样可以使本地区内的各个国家机关都能了解本地区的中心任务,使人民委员会能够很好地执行本级人民代表大会的决议,人民法院和人民检察院能够在自己的工作中,很好地与本地区中心任务结合起来。

地方各级人民代表大会是由代表组成的,它的职权也是由代表集合起来共同行使的,所以要使它发挥自己的作用,就必须赋予代表以广泛的权利,责成代表担负一定的义务。根据地方各级人民代表大会和地方各级人民委员会组织法的规定:代表有向本级人民委员会或者本级人民委员会所属各工作部门提出质问的权利,受质问的机关必须在会议中负责答复;代表在出席人民代表大会会议期间,非经主席团的同意不受逮捕或者审判,如果因为是现行犯被拘留,执行拘留的机关必须立即报请主席团批准;代表在出席人民代表大会会议期间,国家根据需要给以往返的旅费和必要的物质上的便利;县级以上的地方各级人民代表大会代表可以列席原选举单位的人民代表大会会议。根据地方各级人民代表大会和地方各级人民委员会组织法的规定:代表应当和原选举单位或者选民保持密切联系,宣传法律、法令和政策,协助本级人民委员会推行工作,并且向人民代表大会和人民委员会反映群众的意见和要求。省、直辖市、县、设区的市的人民代表大会代表受原选举单位的监督,不设区的市、市辖区、乡、民族乡、镇的人民代表大会代表受选民的监督。如果代表不称职的时候,原选举单位以全体代表的过半数通过,原选区选民大会以出席选民的过半数通过,即可随时将其撤换。

地方各级人民代表大会不和全国人民代表大会一样,它不另外设立常务机关。刘少奇委员长在《关于中华人民共和国宪法草案的报告》中指出:"全国人民代表大会工作的繁重,当然不是地方各级人民代表大会所能够相比的。全国人民代表大会行使国家的立法权,地方各级人民代表大会没有这方面的职权。而且越是下级的人民代表大会,因为地区越小,就越易于召集会议。所以地方各级人民代表大会不需要在人民委员会以外再设立常务机关。地方各级人民委员会是地方各级人民代表大会的执行机关,同时也行使人民代表大会的常务机关的职权。"

三、地方各级人民委员会

地方各级人民委员会即地方各级人民政府,是地方各级人民代表大会的执行机关,是地方各级国家行政机关。

地方各级人民委员会是由本级人民代表大会选举产生的。它们分别由省长、市长、县长、区长、乡长、镇长各一人,副省长、副市长、副县长、副区长、副乡长、副镇长各若干人,委员各若干人所组成。它们的任期和本级人民代表大会的任期相同。

由地方各级人民代表大会选举产生的地方各级人民委员会,根据我国宪法与地方各级人民代表大会和地方各级人民委员会组织法的规定,在本地区内行使职权。

县级以上的人民委员会在本行政内行使的职权有下列五项:(一)根据法律、法令、本级人民代表大会的决议和上级国家行政机关的决议和命令,规定行政措施,发布决议和命令,并审查这些决议和命令的实施情况。(二)主持本级人民代表大会代表的选举;召集本级人民代表大会会议,向本级人民代表大会提出议案。(三)领导所属各工作部门和下级人民委员会的工作;停止下一级人民代表大会的不适当的决议的执行;改变或者撤销所属各工作部门的不适当的命令和指示和下级人民委员会的不适当的决议和命令;依照法律的规定任免国家机关工作人员。(四)管理地方行政事务:执行经济计划,执行预算;管理市场,管理地方国营工商业,领导资本主义工商业的社会主义改造;领导农业手工业生产和互助合作事业;管理税收工作;管理交通和公共事业;管理文化、教育、卫生、优抚、救济和社会福利等工作;管理兵役工作;保护公共财产,维护公共秩序,保障公民权利;保障少数民族的平等权利,省人民委员会并且帮助本省各少数民族聚居的地方实行区域自治,帮助各少数民族发展政治、经济和文化的建设事业。(五)办理上级国家行政机关交办的其他事项。

乡、民族乡、镇人民委员会在本行政区内行使的职权有下列四项:(一)根据法律、法令、本级人民代表大会的决议和上级国家行政机关的决议和命令,发布决议和命令。(二)主持本级人民代表大会代表的选举;召集本级人民代表大会会议,向本级人民代表大会提出议案。(三)管理地方行政事务:管理财政;领导农业、手工业生产,领导互助合作事业和其他经济工作;管理公共事业;管理文化、教育、卫生、优抚和救济工作;管理兵役工作;保护公共财产,维护公共秩序,保障公民权利;保障少数民族的平等权利。(四)办理上级人民委员会交办的其他事项。

地方各级人民委员会所行使的职权,虽然也因级别不同、地区大小、事务繁简有些差别,但都是管理本地区的一切行政事务。同时它们在行使职权时,除依据法律、法令外,都必须根据上级国家行政机关的决议和命令,受上级国家行政机关的领导,全国各级地方人民委员会都必须根据国务院的决议和命令,受国务院的领导;同时都必须根据本级人民代表大会的决议,受本级人民代表大会的监督。这样就保证地方各级人民委员会在进行工作时,不至于违背中央的方针、政策,也不至于违背它所管辖的地区人民群众的意志。

地方各级人民委员会在行使职权时,以集体领导制作为指导原则。省长、市长、县长、区长、乡长、镇长虽有权分别主持地方各级人民委员会的工作,但地方一切重大行政事务的处理意见,都是由人民委员会会议讨论决定的。根据地方各级人民代表大会和地方各级人民委员会组织法的规定,县级以上的人民委员会每月举行一次,乡、民族乡、镇人民委员会会议每半月举行一次,在必要的时候都可以临时举行。为了便于讨论与研究问题,为了使各个地方机关能够配合中心工作,地方各级人民委员会在举行会议的时候,可以邀请有关人员列席。县级以上人民委员会举行会议的时候,本级人民法院院长、人民检察院检察长可以列席。

地方各级人民委员会的工作范围非常广泛,这些工作不可能都由它本身直接去作,因此,必须在它的下面设立一些工作部门。这些工作部门的设立是由工作的需要来决定的,由于地方各级人民委员会的行政地位不同,管辖区域内的具体情况也有所差别,所以它所设立的工作部门不完全一样。如省人民委员会按照需要可以设立民政、公安、司法、监察、计划、财政、粮食、工业、商业、交通、农林、水利、劳动、文化、教育、卫生、体育运动等厅、局、处或者委员会,民族事务较多的省按照需要可以设立民族事务委员会。华侨事务较多的省按照需要可以设立管理华侨事务的机构。又如直辖市和设区的市人民委员会按照工作的需要,可以设立和省相似的工作部门,但是,由于城市工作具有一些特点,它还必须根据这些特点设立税务、市政建设和公用事业等局、处或者委员会。此外,不设区的市、县、市辖区、乡、民族乡、镇人民委员会也要设立一些工作部门,但是因为它们的工作范围不及省、直辖市、设区的市那样广泛,它们可以把有些相近的工作部门合并起来,成立科、局、股或者委员会。

省、直辖市人民委员会的工作部门的设立、增加、减少或者合并,由人民委员会报请国务院批准。县、市、市辖区、乡、民族乡、镇人民委员会工作部门的设立、增加、减少或者合并,由人民委员会报请上一级人民委员会批准。地方各级人民委员会各工作部门,都实行双重从属制,它一方面受本级人民委员会的领导,另一方面又要受国务院或上级人民委员会同一部门的领导。

除了设立各个工作部门之外,省、直辖市、设区的市的人民委员会,还可以按照需要设立若干办公机构,如设立政法办公室、工业办公室、商业办公室、农林水利办公室、文教办公室等,这些办公室的任务,是协助省长、市长分别掌管人民委员会所属各部门的工作。

省、县、市辖区、不设区的市人民委员会在必要的时候,还可以经国务院或者上级人民委员会的批准,设立自己的派出机关。如省以下可以设立若干专员公署,县以下可以设立若干区公所。市辖区和不设区的市以下可以设立若干街道办事处。所有这些派出机关,都不是独立的地方国家行政机关,它的任务是协助派出它的机关掌握情况,督促、检察和指导下级地方的工作,办理派出它的机关的交办事项。

综合以上所述,我们可以知道,我国地方国家机关的主要特点是:我国地方各级人民代表大会是由人民选举自己的代表所组成的,它代表人民行使国家权力,它受上级人民代表大会、全国人民代表大会的领导和监督,向人民负责;受人民的监督;地方各级人民委员会是由本级人民代表大会选举产生的,它管理本地方的一切行政事务,它受上级国家行政机关的领导,受本级人民代表大会的监督,全国地方各级人民委员会都受国务院的统一领导,都要服从国务院。

由此可见,我国地方各级人民代表大会是真正人民民主的地方国家权力机关,地方各级人民委员会是真正人民民主的地方国家行政机关。它们既能保证中央的统一领导,又能因地制宜地发挥地方的积极性和创造性。

第七节　民族自治地方的自治机关

一、民族自治地方的概念、类型与行政地位

民族自治地方就是根据宪法的规定实行区域自治的少数民族聚居的地方。它包括两个要素:(一)这个地方是少数民族聚居的地方,(二)在这个少数民族聚居的地方内实行区域自治。

所谓少数民族聚居的地方,就是在一定的区域范围内,有一定数量的某个民族的居民在那里共同生活,而且他们之间还有着一定的社会联系,或多或少地有着自己的社会构成。这里所说的民族聚居地方指的是同一民族居民的居住关系,不是指不同民族居民的居住关系。但是这并不是说任何少数民族聚居的地方只能有一个少数民族聚居在那里。某一民族聚居的地方毫不排斥其他民族的居民在内居住,因此,民族聚居的地方可能有三种不同的情况:(一)只有一个少数民族的居民单独聚居;(二)一个占多数的民族和其他较少数的民族分别聚居;(三)几个人数大致相等的民族交错聚居。

所谓在少数民族聚居的地方实行区域自治,就是在中央的统一领导下,遵循着中华人民共和国宪法总道路前进的,以少数民族聚居区为基础的区域自治。根据这个总原则和大前提,一切聚居的少数民族,都有权利实行民族的区域自治,建立自治区和自治机关,按照本民族大多数人民及与人民有联系的领

袖人物的志愿,管理本民族内部的事务,实现少数民族当家做主的权利。

我国的民族区域自治具有无比的优越性。因为它是在统一的国家以内,以少数民族聚居地区为基础的区域自治。它既然有国家的统一领导,就能够获得正确的行动方向,朝着社会主义的共同目标胜利前进;它既然有一定的地区作基础,就能够适应各地区的特点,利用其天然富源,发展经济;除此以外,我国民族区域自治地方少数民族的自治权利非常广泛,它包括社会生活、经济生活、文化生活、政治生活、国家生活等各方面的权利,这就能够使少数民族随着祖国的繁荣富强不断地提高物质和文化的水平。

资产阶级国家是不给予少数民族自治权利的,虽然他们曾经提倡"民族文化自治",但是这种"自治"是反动的。因为这种"自治"是用人为的方法把不居住在一起地区的人们按民族标准结合起来,建立民族联盟,而民族联盟的任务是实行文化自治,不问政治权利,照资产阶级的说法,民族的文化提高了,民族的解放也就实现了。这种自治的反动性,在于它加深民族之间的隔阂,否定无产阶级的革命运动。无产阶级的解放不通过革命斗争是不可能实现的,文化自治不可能实现无产阶级的解放事业,不但如此,而且无产阶级如果不从资本的统治下解放出来,根本就不会有什么文化自治的权利。

我国民族自治地方是以民族聚居为基础而建立起来的,它大致上有与民族聚居情况相适应的三种类型:(一)以一个少数民族聚居的地方为基础而建立起来的民族自治地方,例如川北平武藏族自治区;(二)以一个大的少数民族聚居的地方、其中包含了小的其他民族聚居的地方为基础而建立起来的民族自治地方,如内蒙古自治区;(三)由几个少数民族聚居地方为基础而联合建立起来的民族自治地方,如广西龙胜地方侗、僮、苗、瑶、仡各族的联合自治区。

民族自治地方不但因民族聚居情况不同而有不同的类型,而且还因地区大小的差别而有行政地位的差别。依照宪法的规定,我国民族自治地方共有三级:第一是自治区,它直属于中央,相当于省的行政地位。第二是自治州,它是由自治区、省所领导的民族自治地方,它本身可以分为若干县、自治县或市,相当于专区的行政地位。不过专区是省的派出机关,在行政系统上不算一级,不设地方国家权力机关,而自治州则是一级行政单位,设立自治机关。第三是自治县、它是自治省、自治州或省领导的民族自治地方,相当于县的行政地位。

我们新国家成立以后,在建立上述三级民族自治区的同时,还建立了 106 个相当于区的民族自治区和许多相当于乡的民族自治区。这些民族自治区的建立,在加强民族团结、吸引少数民族参加政治生活、培养少数民族干部等方面,都起过良好的作用。但是,实际工作的经验证明,在相当于区或乡的少数民族聚居区内,因为地区太小、人口太少,同时还受许多其他条件的限制,事实上不可能也不需要设立自治机关和实行区域自治。因此,我国宪法除民族自治区的规定以外,还有民族乡的规定,以适应聚居的民族成分的特殊情况。1955 年 12 月 29 日,国务院根据《宪法》的规定发布了《关于区的民族自治区的指示》《关于建立民族乡若干问题的指示》。依照这两个指示,过去建立的相当于区和乡的民族自治区,均应结合当地具体情况,合并扩大建立成为民族自治地方,或者改设为区公所和改建为民族乡。

二、民族自治地方自治机关的组织原则和组织形式

我国民族自治地方自治机关的组织原则,应该以宪法所规定的一般地方国家机关的组织原则作根据,具体说来,它的组织原则应该是人民代表大会制、民主集中制。这个原则主要通过双重从属制表现出来,即民族自治地方的国家权力机关,一方面要受上一级国家权力机关的领导和监督,另一方面又要受本自治地方内人民群众的监督;民族自治地方的行政机关,一方面要受上一级行政机关的领导;另一方面又要受本级权力机关的领导和监督,一切民族自治地方的自治机关都统一服从于中央。

民族自治地方自治机关的组织形式可以依照实行区域自治的民族大多数人民的意愿规定。因为各民族自治地方都有自己的民族特点,也有着与这些特点相关联的特殊利益,因此,在组织形式上,既不能机械地搬用一般地方国家机关的经验,也不能把某一个民族自治地方的组织形式,生硬地套用到一切其他民族自治地方。

从以上的说明中,我们可以看出:在组织原则上,民族自治地方自治机关和一般地方国家机关是一致的,它保持了我国国家机关组织原则的统一性和原则性;在组织形式上,它不机械地搬用一般地方国家机关的经验,容许一定

的灵活性,以照顾各民族自治地方的特殊性与差别性。这种组织原则的统一性与组织形式的灵活性对动员与组织我国各族人民共同建设社会主义具有重大的意义,刘少奇同志在《关于中华人民共和国宪法草案的报告》中说:"建立社会主义社会,这是我国各民族的共同目标。"我国《宪法》序言中规定:"国家在经济建设和文化建设的过程中将照顾各民族的需要,而在社会主义改造的问题上将充分注意发展各民族的特点。"我国宪法关于民族自治地方自治机关的组织原则与组织形式的规定,是与我国各族人民建设社会主义社会的共同目标以及照顾各民族的需要与各民族发展的特点这样一个基本精神相符合的,它既符合于国家的整体利益,又照顾了各民族的特殊利益,它容易为我国各族人民所接受。

三、民族自治地方自治机关的职权

我国《宪法》第六十九条规定:"自治区、自治州、自治县的自治机关行使宪法第二章第四节规定的地方国家机关的职权。"就是说,凡属一般地方国家机关的职权,民族自治地方的自治机关均有权行使。

除上述的一般职权以外,我国《宪法》第七十条规定:"自治区、自治州、自治县的自治机关依照宪法和法律规定的权限行使自治权。"这种自治权根据同一条文的规定,共有以下三种:

(1)自治区、自治州、自治县的自治机关依照法律规定的权限管理本地方的财政。这项自治权的规定,使民族自治地方的自治机关能够在国家统一的财政制度下,管理自己的财政、使它有力量在本地方内进行一切的建设工作。

(2)自治区、自治州、自治县的自治机关依照国家的军事制度组织本地方的公安部队。这项自治权的规定,使民族自治地方的自治机关能够在国家统一的军事制度下,建立自己的人民武装,以维护本地的革命秩序,保卫人民革命的胜利成果。

(3)自治区、自治州、自治县的自治机关可以依照当地民族的政治、经济和文化的特点,制定自治条例和单行条例,报请全国人民代表大会常务委员会批准。这项自治权的规定,使民族自治地方自治机关能够在国家统一的法律制度下,颁布单行条例和自治条例,它既不与全国人民代表大会独享立法权的精神相违背,又能适应当地民族的特点。

国家赋予民族自治地方自治机关以上述的自治权,是完全符合各民族自治地方人民的愿望和全国人民的共同利益的。充分地、正确地行使这些自治权,就能够高度地发挥各民族的积极性与首创精神,就能够加强各族人民的团结,从而使民族自治地方能够得到充分的发展,并在祖国的社会主义建设事业中贡献出自己的力量。因此,我国《宪法》第七十二条规定:"各上级国家机关应当充分保障各自治区、自治州、自治县的自治机关行使自治权,并且帮助各少数民族发展政治、经济和文化的建设事业。"

四、自治机关民族化对民族自治地方的重大意义

实行民族区域自治的目的,就是要解决民族问题,就是要在建设伟大祖国的共同事业中,逐步发展各民族的政治、经济和文化事业,逐步消灭历史上所遗留下来的民族间事实上不平等的现象,使落后民族提高到先进民族的水平。要达到这个目的,自治机关就必须民族化。

所谓自治机关民族化,它包括着民族干部、民族语言文字、民族形式等三个主要问题,关于民族形式问题,在前面已经说过了,这里只就自治机关中使用民族语言文字、运用民族干部两个问题加以说明:

在自治机关中使用民族语言文字、运用民族干部是一个非常重要的问题。因为民族语言文字是一个民族的交际工具,也是实现民族的自由平等,发展民族的政治、经济和文化的重要条件,一个民族要求得自己的繁荣和发展,就一定要用自己的语言文字传播文化,出版书籍刊物来教育自己的人民。至于民族干部,则是自治机关实现民族自治权利的必要条件。一个民族要自己管理自己的事务,就一定要有自己的民族干部,因为民族干部和本民族的利益有着直接的、血肉相关的联系,他们最清楚地了解本族人民的愿望与要求,也最善于运用本族人民乐意接受的办法来满足这些愿望与要求。

我们国家自新中国成立以来就在自治机关民族化方面做了巨大的工作。在民族区域自治地方的自治机关中,一律推行了民族语言;同时采取了很多措施,帮助那些在反动统治时期中尚无文字的民族创立文字,文字尚不完备的民族逐渐充实其文字。这些事实现在都已总结在宪法之中,我国《宪法》规定,

各民族都有使用与发展自己语言文字的自由;自治区、自治州、自治县的自治机关在执行职务的时候,使用当地民族通用的一种或几种语言文字。在运用民族干部方面,国家在实行民族区域自治的地区,提拔了许多民族干部担任自治机关的重要职务;同时还通过学校教育和其他方法培养了大批民族干部,使自治机关能够不断地充实自己的力量。截至 1955 年年底,全国已有民族干部204000 余人,这是实现自治机关民族化的一项重大收获。

我国民族区域自治地方的自治机关民族化,已经取得了伟大的成绩,但是还存在着一些障碍,由于民族压迫时代遗留下来的各种民族主义还有着残余的恶毒的影响,民族之间不信任,不团结的现象还没有彻底根除,因此在实现自治机关民族化的时候,必然会产生各种不同程度,不同形式的抵触现象。为要彻底消除自治机关民族化的障碍,我们必须防止与克服各种民族主义的倾向,坚决地和这些不良的倾向进行斗争。

第八节　人民法院

一、人民法院的性质和任务

人民法院是我国国家机构的不可分割的重要组成部分,是人民民主专政的重要武器之一。

人民法院在巩固人民民主专政的斗争中,是运用自己特有的审判职能为我国宪法所规定的经济制度和政治制度服务。《人民法院组织法》第三条规定:"人民法院的任务是审判刑事案件和民事案件,并且通过审判活动,惩办一切犯罪分子,解决民事纠纷,以保卫人民民主制度,维护公共秩序,保护公共财产,保护公民的权利和合法利益,保障国家的社会主义建设和社会主义改造事业的顺利进行。"

首先,人民法院的任务,是巩固人民民主制度。因为我国正处在社会主义革命过程中,国内外的敌人总是要千方百计地来破坏我们的革命事业,企图使反动统治在中国复辟,所以人民法院必须镇压一切叛国的和反革命的活动,惩办一切卖国贼和反革命分子来巩固我们的人民民主制度。正如刘少奇同志所说:"我们的人民民主制度越是强有力,我们的社会主义事业越是向前发展,人民的自由和权利也就越有保障,越能够扩大。"

其次,人民法院必须维护公共秩序。因为和平的环境和安定的秩序,是我国进行社会主义建设的重要前提。一切扰乱社会治安、危害国家建设和人民生活安全的犯罪,都是严重地损害国家和人民的利益的。人民法院如果不惩办这一类的罪犯,就不能保障国家经济建设和人民生命财产,而且还会给反革命分子的破坏活动以可乘之机。所以人民法院必须严厉惩办这一类罪犯,才能维护公共秩序。

再次,人民法院必须保护公共财产。公共财产是我国人民劳动的成果,是我国人民建设社会主义的物质基础,是国家富强和人民幸福生活的源泉,所以,国家机关和人民对于公共财产必须加以爱护和保卫。许多事实证明,侵犯公共财产就是损害国家和人民的利益,损害社会主义建设事业,所以人民法院,对于用贪污和盗窃等手段侵犯公共财产的犯罪分子,对于其他为了破坏革命事业而损害公共财产的罪犯,都要依法惩办,来保护公共财产。

最后,人民法院必须保护公民的权利和合法利益,公民的权利和合法利益是我国人民经过长期艰苦的斗争才得到的。保护公民的权利和合法利益,不只是使公民政治的、身体的、家庭关系上的以及财产上的权利和合法利益不受到侵害,不只是可以解决人民间的纠纷,而且还可以培养人民间的友好和团结,教导人民把个人利益和公共利益结合起来,提高人民建设社会主义的积极性和创造性。所以人民法院必须保护公民的权利和合法利益。

人民法院的任务是通过对刑事案件和民事案件的审判而实现的。实现上述的任务,对于保障国家社会主义建设和社会主义改造事业的顺利进行,具有极重要的作用。

人民法院不单是强制机关,不单是惩罚犯罪,它还负有教育人民忠于祖国和遵守法律的任务。人民法院在它全部的活动中,主要是通过审判活动来惩罚罪犯,并教育其他公民,使广大群众认识自己对祖国的责任,认识违反法律所应负的责任及其危害性,因而诚实地对待祖国,自觉地遵守法律,并与一切犯罪行为和违法行为作斗争。因此,人民法院必须通过它的全部活动教育公民忠于祖国并自觉地遵守法律。这里所说的"全部活动"不仅是审判活动,而且还包括向选民报告工作,处理人民来信和接待人民来访,指导人民调解工作、指导同志审判会工作及其他法纪宣传活动。

资产阶级的法院是保护资产阶级利益的,它从表面上看来好像是公正无私的,对任何人都是一视同仁。好像是比警察、宪兵、特务的公开恐怖活动要文明得多,而实际上却只有有产者才能得到它的保护,它比公开的恐怖活动更加残酷无情。列宁曾经指出:资产阶级法院"……把自己说成是保护秩序的机关,而实际上,它是无情镇压被剥削者并保卫钱袋利益的盲目而巧妙的工具"。

二、人民法院的组织体系

《宪法》第七十三条规定:"中华人民共和国最高人民法院、地方各级人民法院和专门人民法院行使审判权。"这一规定,确定国家审判权由人民法院统一行使,任何其他机关都无权进行审判。因此,任何公民都有权拒绝非法的审判,任何犯罪分子或侵犯公民权利的人,都要受人民法院的审判。这说明了国家对于行使审判权的慎重,保证了国家法律的统一执行和公民的民主权利不致受到侵犯。宪法这一条还确定了人民法院的组织体系是最高人民法院、地方各级人民法院和依法设立的专门法院。

地方各级人民法院分为:基层人民法院、中级人民法院、高级人民法院。

基层人民法院是地方各级人民法院中最低的一级人民法院组织。它包括:县人民法院和市人民法院、自治县人民法院、市辖区人民法院。它是人民法院的基层组织,在它的下面再没有别的人民法院了。基层人民法院根据地区、人口和案件情况可以设立若干人民法庭,但这些人民法庭不是一级独立的人民法院组织,而是基层人民法院的组成部分,它的判决和裁定就是基层人民法院的判决和裁定。

中级人民法院是基层人民法院上一级法院,它包括:在省、自治区内按地区设立的中级人民法院,在直辖市内设立的中级人民法院,较大的市的中级人民法院,自治州的中级人民法院。

高级人民法院是中级人民法院和最高人民法院之间的一级法院。它的管辖地区同它本级的行政区划是一致的。它包括:省高级人民法院、自治区高级人民法院、直辖市高级人民法院。

专门人民法院包括:军事法院、铁路运输法院和水上运输法院。军事法院审判关于破坏与危害军事的犯罪以及依照法律、法令规定归它管辖的其他案件,以巩固军纪,提高军队战斗力。铁路运输法院和水上运输法院审判关于破坏与危害国家运输事业的案件和其他有关运输职务的犯罪案件,以保障铁路和水上运输工作的顺利进行。专门人民法院和地方各级人民法院一样,按同样的原则和制度来进行工作,统一适用国家的法律。专门人民法院之所以设立的理由,是因为军队的高度集中而又分驻各地,因为铁路和水上运输沿着一定的路线流动,都超越一定的行政辖区,并且有关这一方面的案件常常牵涉到复杂的技术问题,所以必须设立专门法院来处理。

最高人民法院是全国最高一级的人民法院,它是国家最高的审判机关,监督地方各级人民法院和专门人民法院的审判工作。

在整个人民法院组织体系中,各级人民法院的上下级关系是:上级人民法院监督下级人民法院的审判工作。这种监督关系,绝不是也不能是通过干涉下级人民法院对具体案件的审判来进行,而是通过审判上诉案件和审判监督程序来进行的。如最高人民法院对地方各级人民法院和专门人民法院,上级人民法院对下级人民法院作出的、已经发生法律效力的判决和裁定,如果发现它确有错误,有权提审,或者指令原审法院再审。又如最高人民法院对地方各级人民法院和专门人民法院,上级人民法院对下级人民法院发出的指导性的指示以及审判工作的指示,下级人民法院必须坚决贯彻,认真执行,就是这种监督关系的具体表现。所以,这种监督关系既不与人民法院独立进行审判只服从法律的规定相矛盾,又能保证审判工作的统一,上下一致地把审判工作做好。

为了做好审判工作,各级人民法院内部都设有审判委员会。审判委员会是人民法院中一种集体领导的组织,审判委员会的会议由院长主持,它的任务是总结审判经验,讨论重大的或疑难的案件和其他有关审判工作的问题。

三、人民法院的组织与活动的民主原则

人民法院的组织与活动,贯彻着民主的原则,这可以分为下列几项来说明:

第一,人民法院的审判权力来自人民,受人民的监督。依照宪法规定,人民法院院长由人民代表大会选举,如果他不称职,人民代表大会有权罢免他。各级人民法院应当向本级人民代表大会负责并报告工作。最高人民法院要向全国人民代表大会负责并报告工作,在全国人民代表大会闭会期间,还要向全国人民代表大会常务委员会负责并报告工作。同时,人民代表大会有权对人民法院的工作提出批评和质问。从人民法院和人民代表大会的关系中,说明了人民法院的审判权力是属于人民,来自人民,并受到人民的监督。

人民法院受人民权力机关的监督,与下级人民法院受上级人民法院的监督是一致的,因为都是以人民的意志、人民的利益为依据的。

第二,实行人民陪审员制度。根据宪法和人民法院组织法的规定,人民法院实行人民陪审员制度。

人民陪审员是由人民群众按一定的法律程序选举出来的,他们被选出以后,即参加国家审判工作。在执行职务期间,他们是自己所参加的审判庭的组成人员,对案件审判的全部活动,从了解案情,审阅卷宗、证据,向当事人发问,对案件提出处理意见,一直到在判决书上签名,都享有和审判员同样的权利。人民陪审员是审判工作中的人民代表,他们来自人民群众,和人民群众有密切的关系,熟悉社会生活情况,具有丰富的群众思想和感情。实行人民陪审员制度,可以帮助人民法院弄清案情,使判决更加正确,同时可以密切人民法院和人民群众的联系,使审判工作进一步获得人民群众的支持,使法纪的宣传教育作用更加扩大。

第三,公开审判。依照宪法规定,人民法院审理案件,除法律规定的特别情况外,一律公开进行。就是说:除少数涉及国家机密、个人生活隐私以及未满18岁的少年犯的案件以外,其他案件的审判都公开进行,允许群众旁听和新闻记者报导。

人民法院的审判活动代表广大人民的最大利益,实现人民的意志,代表着真理和正义,没有什么不可告人的地方,这是我们实行公开审判的可能条件。同时实行公开审判,可以把人民法院的审判活动,放在广大人民群众监督之下,保证提高审判工作的质量,可以把法庭变成一座很好的学校,使审判活动发生宣传教育作用。

第四,保证被告有权获得辩护。根据宪法的规定,被告有权获得辩护。即人民法院在审理案件的时候,被告人和他的辩护人有权根据事实和法律提出有利于被告人的材料和意见,证明被告人无罪或者罪轻,要求减轻刑罚,或完全免除刑罚。

辩护制度的确定,能够充分地、全面地、客观地发现案件的全部真相,当然也就完全有利于法院的公正裁判,同时也使得人民的民主权利和合法利益受到应有的尊重和严格的保护。

第五,各民族一律平等。我国《宪法》第七十七条规定:"各民族都有用本民族语言文字进行诉讼的权利。人民法院对于不通晓当地通用的语言文字的当事人,应当为他们翻译。在少数民族聚居或者多民族杂居的地区,人民法院应当用当地通用的语言进行审讯,用当地通用的文字发布判决书、布告和其他文件。"这条规定足以保证当事人和其他出庭的人能够正确了解公开审理的过程和判决的内容,使被告的辩护权能够充分行使,同时还可以保证到庭的一切公民受到公开审判的教育。因此,关于运用本民族语言、文字进行诉讼的规定,是民族平等原则在法院活动中的具体反映,这样的规定在我们多民族国家里显然是非常必要的。

第六,人民法院独立进行审判,只服从法律。我国《宪法》第七十八条规定:"人民法院独立进行审判,只服从法律。"这条规定,确定了人民法院审理案件时,不受任何外来干涉,只是根据它所认定的事实,依照法律进行判决。任何机关,包括上级法院在内,都不能指示法院对某一具体案件如何判决。上级法院对下级法院某一具体案件的判决,也只能根据法定的上诉程序加以变更或废弃。这一原则的确立,保证了法院的审判工作能够做到不徇情,不枉法,坚持原则,铁面无私,敢于和一切犯罪行为作斗争,以维护国家法律的统一执行和保护公民合法权益不受侵犯。

但是人民法院独立进行审判,只服从法律,并不意味着它可以孤立办案,为所欲为。它必须深刻领会"领导我们事业的核心力量是中国共产党",接受共产党的领导,还必须依靠群众,接受群众的监督,配合完成当时当地的中心工作。

第七,对于一切公民在适用法律上一律平等。人民法院审判案件,对于一切公民,不分民族、种族、性别、职业、社会出身、宗教信仰、教育程度、财产状况、居住期限,在适用法律上一律平等。这就意味着在我们国家里,没有特殊的人与特殊的阶级存在,任何公民犯了法,都要凭法律裁决。这一条原则,保证了法院的审判工作在正确的道路上进行。

第八,合议制。审判合议制是法院审判第一审案件里,除简单的民事案件、轻微的刑事案件和法律另有规定的案件外,都要由审判员和人民陪审员组成合议庭进行,审判上诉和抗诉案件时,由审判员组成合议庭进行。合议庭的组成人员享有平等权利,意见不一致时,少数服从多数。审判合议制是为了发挥集体智慧,避免因个人独断专行所能发生的主观片面,保证审判工作的正确。

第九,当事人有要求审判人员回避的权利。当事人如果认为审判人员对本案有利害关系或其他关系不能公平审判,有权请求审判人员回避。审判人员是不是回避,由法院的院长裁定。这一权利的规定,可以保证审判工作更公正的进行。

第九节　人民检察院

一、人民检察院的性质和任务

人民检察院是行使检察权的机关,是监督守法的专门机关。它和人民法院一样,是人民民主专政的重要武器。

人民检察院在实现国家过渡时期总任务中,它的基本任务是:保护我国的人民民主政治制度、经济制度和公民权利。就保护人民民主政治制度来说,各级人民检察院必须密切配合人民法院、公安机关,坚决镇压一切反革命活动,肃清国内外敌人的破坏活动,保卫人民民主政权;就保护经济制度来说,主要是保护公共财产,人民检察院对贪污、盗窃、破坏国家财产的职务犯罪分子和经济犯罪分子,必须进行严肃的斗争;就保护公民权利来说,各级人民检察院必须根据我国宪法和法律关于公民享有广泛权利和自由的各项规定,严格加以保护,使其不受侵犯,同时还必须禁止任何人借口行使权利或利用私有财产破坏国家公共利益。

要完成上述的基本任务,就要求建立统一的法制,保证宪法和法律在全国各地统一贯彻和正确执行。因为只有做到了这一点,我国的人民民主政治制度、经济制度和公民权利,才能得到确切的保护,才能得到进一步的发展。列宁在强调统一法制对苏联的重要意义时,曾经说过:"如果我们不来绝对施行这种规定全联邦统一法制的最起码条件,那就根本谈不上文明性有任何保护和任何建树了。"①列宁的这段话,对我们国家来说,也是完全适用的。

人民检察院的基本任务所提出的要求,决定着人民检察院本身的具体任务,即监督国家机关、国家机关工作人员和公民严格地遵守宪法和法律。人民检察院通过自己的监督活动,和一切违法犯罪现象进行斗争,以维护国家的法律,保障人民的民主权利,加强人民民主法制,巩固人民民主专政,确保社会主义事业的顺利完成。

资产阶级国家的检察机关是保护与捍卫资本家利益的,它是对劳动人民实行恐怖与迫害的机关,它以在资产阶级支持下的控诉活动来掩盖警察与法院横行霸道违法乱纪的行为,它使资产阶级国家爱好和平、民主与自由的进步人士与进步组织遭受法院的迫害,所以它是最反动的机关。

二、人民检察院的组织体系和职权

为了完成监督守法的任务,人民检察院建立了自己的组织系统,并依照宪法和法律的规定行使自己的职权。

人民检察院的组织系统是:最高人民检察院、地方各级人民检察院、专门人民检察院。

最高人民检察院是统一领导检察权的行使的最高机关,设检察长一人、副检察长若干人和检察员若干人。检察长由全国人民代表大会选举,任期四年,副检察长由全国人民代表大会常务委员会任免,检察员由最高人民检察院检察长提请全国人民代表大会常务委员会任免。最高人民检察院对全国人民代表大会负责并报告工作;在全国人民代表大会闭会期间,对全国人民代表大会常务委员会负责并报告工作。全国人民代表大会有权罢免最高人民检察院检

---

①　列宁:《论"两重"从属制与法律制度》。

察长。

地方各级人民检察院分为省、自治区、直辖市、自治州、县、市、自治县人民检察院。省、自治区、直辖市人民检察院按照需要可以设立分院。直辖市和设区的市人民检察院按照需要可以设立市辖区人民检察院。地方各级人民检察院设检察长一人、副检察长若干人和检察员若干人,省、自治区和直辖市人民检察院的检察长、副检察长、检察员由最高人民检察院提请全国人民代表大会常务委员会批准任免。省、自治区、直辖市人民检察院分院和县、市、自治州、自治县、市辖区的人民检察院检察长、副检察长、检察员由省、自治区、直辖市人民检察院提请最高人民检察院批准任免。

专门人民检察院有军事检察院、铁路运输检察院和水上运输检察院等。

各级人民检察院设检察委员会,在检察长领导下处理有关检察工作的重大问题。

人民检察院的职权是依照宪法和法律的规定行使检察权。

最高人民检察院的职权是:对于国务院所属各部门、地方各级国家机关、国家机关工作人员和公民是否遵守法律行使检察权。

地方各级人民检察院的职权是:(一)对于地方国家机关的决议、命令和措施是否合法,国家机关工作人员和公民是否遵守法律,实行监督;(二)对于刑事案件进行侦查、提起公诉、支持公诉;(三)对于侦查机关的侦查活动是否合法,实行监督;(四)对于人民法院的审判活动是否合法,实行监督;(五)对于刑事案件判决的执行和劳动改造机关的活动是否合法,实行监督;(六)对于有关国家和人民利益的重要民事案件有权提起诉讼或参加诉讼。

三、人民检察院组织与活动的基本原则

人民检察院的组织与活动,贯彻着以下两个最基本的原则:

第一,垂直领导的原则。依照我国宪法和人民检察院组织法的规定,地方各级人民检察院和专门人民检察院在上级人民检察院的领导下,并且一律在最高人民检察院的统一领导下,进行工作;地方各级人民检察院独立行使职权,不受地方国家机关的干涉;这就是垂直领导的原则。即在人民检察院系统内,实行自上而下的统一集中领导,它的各级地方人民检察院只从属于最高人

民检察院,不从属于地方国家机关。

人民检察院实行垂直领导原则的目的,是为了防止和克服地方主义和分散主义的影响,使这个监督守法的专门机关能够保证法律在全国范围内的统一了解和正确执行,能够保障我国大规模的和集中的社会主义改造和社会主义建设事业的顺利完成。而不是为了使这个监督守法的机关变成一个特权机关和独立王国。所以人民检察院在进行工作的时候必须严格地遵守法律,在适用法律上对任何公民一律平等,在工作程序上依照法律的规定,必须明辨是非,分清敌我,铁面无私,坚持原则,严肃地向一切违法犯罪现象进行斗争,切实地保护公民的权利和合法利益。同时,人民检察院还必须依靠党的领导,必须和人民群众密切联系,和其他国家机关团结合作。党对人民检察院的领导,当然不应该带有对人民检察院的工作进行业务干涉的性质,更不应该造成人民检察院执行职务的障碍,这种领导是从政治任务观点出发的,它的作用在于使人民检察院能避免错误,及时纠正错误。人民检察院和人民群众密切联系,和其他国家机关团结合作,能使自己全面地了解群众的意见和要求,了解机关团体执行法律的情况,能发挥群众的智慧和集体力量使自己的工作获得各方面的支持与监督。

任何借口实行垂直领导的原则,在人民检察院内树立以"监督者"自居的特权思想,以及不严格依法办事,排斥党的领导、脱离人民群众与其他国家机关对立的做法,都是错误的、有害的,必须彻底批判、坚决改正。

第二,集体领导基础上的个人负责制原则。依照我国人民检察院组织法的规定,各级人民检察院检察长领导各级人民检察院的工作;各级人民检察院设检察委员会,检察委员会在检察长的领导下处理有关检察工作的重大问题;这就是实行以集体领导为基础的个人负责制原则。各级人民检察院由检察长领导工作的进行,检察长对他所领导的人民检察院的全部工作有最后决定权,这就是个人负责制。但是,这种个人负责制是在集体领导的基础上建立起来的,因为各级人民检察院所设立的检察委员会是一个合议组织,这个合议组织虽然只是在检察长的领导下才能处理有关检察工作的重大问题,虽然在它的意见不一致时,不是取决于多数,而是由检察长做决定,但检察长要把争论的意见报告上级人民检察院,上级人民检察院如果认为检察长的决定有错误,可加以撤销或改变。所以从内部关系来说,人民检察院得把个人负责制与合议制正确地结合起来了。

以集体领导制为基础的个人负责制原则,是人民检察院实行垂直领导原则的补充因素,它完全适合于我国过渡时期的情况。由于实行这个原则,我国各级人民检察院不但能够高度地集中权力,分明职责,而且能够充分地发扬民主,开展批评和自我批评,集中群众意见,发挥集体力量,这样就能够保证各级人民检察院更加正确地进行工作,更加完满地完成其维护统一法制、保护公民权利、加强人民民主专政、确保社会主义建设和社会主义改造事业的任务。

第五章　公民的基本权利和义务

第一节　我国公民的基本权利和
义务的人民民主本质

公民的基本权利和义务确定着一个国家的公民在他本国的法律地位,这是国家和法律问题中最带有根本性的问题之一。

奴隶制和封建制国家的法律公开地、直接地剥夺奴隶和农奴的一切权利,强迫他们担负各种沉重不堪的义务。

到了资本主义产生以后,代表新兴的资产阶级利益的启蒙思想家创造了"天赋人权"的学说,把公民的权利和自由说成是与生俱来的,同时他们还提出了"自由"、"平等"、"博爱"等口号。所有这些主张和奴隶制、封建制时代公开否认公民的权利和自由比较起来,是一个巨大的进步,所以它在动员与组织广大人民群众参加反对封建主特权的斗争中,起过积极作用。封建制度被摧毁了,封建主的特权被打倒了,但是,"新"的剥削制度,资本主义制度建立了"新"的特权,资本的特权产生了。在资本主义制度下,资本的特权起初是用伪装的形式表现出来的,它表面上还是承认人民群众的权利和自由,实际上用各种方法限制了人民群众的权利和自由。到了帝国主义时期,这种伪装已经越来越欺骗不了广大人民群众,而且对垄断资本的血腥统治已经有些碍手碍脚。于是垄断资本家索性去掉伪装,赤裸裸地暴露其本来面目,横蛮强暴地向劳动人民的权利进攻。这时,资产阶级民主自由的旗帜已经完全被抛弃了,无产阶级和广大劳动群众从资本统治建立的第一天起,就不断地揭露了资产阶级的谎言,就为争取权利和自由而进行了剧烈的阶级斗争。

争取权利和自由的斗争,在中国很早就开始了。中国人民一百多年的革命斗争过程,就是向帝国主义和封建主义,争自由、争民主、争生存和发展权利的斗争过程。这个斗争终于在中国共产党的领导下,在 1949 年取得了反对帝国主义、封建主义和官僚资本主义的伟大胜利,建立了中华人民共和国。从此,中国人民摆脱了长期被压迫、被奴役、毫无权利的地位,得到了真正的民主权利和自由。这些权利和自由,过去在中国人民政治协商会议共同纲领中已经明确地规定下来了。几年来,随着土地改革和其他社会民主改革斗争的胜利,随着国民经济的恢复、发展和改造,人民的权利和自由,又不断地得到了新的扩充。中华人民共和国宪法关于公民的基本权利和义务的规定,就是用法律形式总结了人民已得的各种权利、自由和这些新的扩充,并保证其继续发展。

中国人民从自己取得权利和自由的过程中,深刻地体会了这个真理:"自由是人民争来的,不是什么人恩赐的。"①

我国宪法规定的公民的基本权利和义务的本质,是由我国社会制度和国家制度所决定的。我国社会制度的根本特征是:国营经济和它所领导的各种主要经济成分同时存在,它的前途是向社会主义发展。我国国家制度的基本柱石是工人阶级领导的、以工农联盟为基础的人民民主政权。由于社会主义经济体系的壮大及其不断发展,国家权力掌握在人民手里,就说明我国公民已经获得了享受民主权利和自由的牢固的物质基础与可靠的政治保证。因此,我国公民的基本权利和义务,也就必然具有人民民主的性质。

我国公民的基本权利和义务的人民民主本质,主要地表现在以下两个方面。

一、我国公民权利的平等性、普遍性和真实性

我国公民权利的平等性,就是凡属我国公民不分民族、种族、性别、职业、社会出身、宗教信仰、教育程度、财产状况、居住期限,都按照宪法和法律的规定,一律平等地享受他们应该享受的权利,履行他们应该履行的义务。我国宪法关于公民基本权利和义务的规定中,首先肯定了"中华人民共和国公民在

---

① 毛泽东:《论联合政府》。

法律上一律平等"的原则。在这个原则之下,不允许任何人独享特权、逃避义务;也不允许任何人侵犯别人的权利,加重别人的义务。

我国宪法和法律反映了工人阶级和人民群众的意志,代表着广大人民群众最大的和最长远的利益。如果我们允许一部分人享有特权,一部分人的合法权利受到侵犯,国家的法律就会遭受破坏,人民的利益就会遭受损失。所以,我国公民在法律上一律平等,依照法律平等地享应享的权利,尽应尽的义务,是人人必须遵守的原则。

当然,我国公民权利的平等性,并不否定我国法律的阶级性。我国的宪法和法律,明显地规定了国家保护什么、发展什么、改造什么、反对什么,这些规定,就是新中国的工人阶级和人民群众意志的具体表现。我国公民遵守宪法和法律的规定,正确地对待宪法和法律所规定的权利和义务问题,就能够符合新中国工人阶级和人民群众的意志和利益。

在资产阶级国家的宪法中,也可以找到"法律面前,人人平等"的规定,但是,资产阶级的统治本身就是以财产的不平等作基础的,而且实行民族、性别等的不平等,又是资产阶级用来维护其统治的重要方法,所以在资产阶级国家里,不论是法律的制订和法律的适用,都不可能体现平等原则。资产阶级国家高唱"法律面前,人人平等",是想借以宣传法律超阶级的腐朽观念,是想掩盖其维护钱袋利益、镇压劳动人民的反动本质,并借以欺骗劳动人民,瓦解革命力量。由此可以肯定地指出:资产阶级国家的"法律面前,人人平等"是虚伪的、反动的,它和我国公民在法律上一律平等,丝毫没有共同之处。

我国公民权利的普遍性,就是享受权利的主体非常普遍,公民享受权利的范围非常广泛。

从享受权利的主体来说,在我们国家里,由于封建特权已被消灭,资本的特权已不能发挥作用,占人口绝大多数的,从前被压迫、被奴役、毫无权利的工人和其他劳动人民,现在已经能够享受权利了;同时,又由于国家对资本主义经济采取有计划、有步骤的利用、限制和改造的政策,资产阶级仍然应当享受权利。至于对待封建地主和官僚资本家,国家则从维护社会秩序,保护人民利益出发,给予他们生活出路,使他们在劳动中改造成为自食其力的公民。所以我国享受权利的主体是非常广泛的。

从公民享受权利的范围来说,我国《宪法》规定,公民享有政治权利和自由、人身保障方面的权利、宗教信仰自由、社会经济和文化权利等等。公民享受权利的范围的广泛程度,已经是普遍地深入到国家的政治生活、经济生活、文化生活等各个方面。

我国公民权利的普遍性,并不意味着各阶级成员在权利的享受方面毫无区别。我国目前还依据阶级斗争力量的对比关系,剥夺了封建地主和官僚资本家的政治权利,依据社会生活的实际情况,规定休息权和获得物质帮助的权利,只有劳动者才能享受。但是,这种区别并没有损害我国公民权利的普遍性。

资产阶级国家和法律的根本任务,只要维护以生产资料资本主义私有制作基础的剥削制度。资产阶级最害怕劳动者享有权利以后,会运用自己的权利来冲击这个剥削制度,发动反对资本统治的进攻,它们采用各种手段剥夺劳动人民的权利。在资产阶级国家里,公民的权利是不普遍的。在那里,除了少数剥削者以外,劳动人民根本不能享受任何权利。

我国公民权利的真实性,就是关于公民权利的一切规定,都是以事实作根据的,都是有物质保证的。现在我们举出公民受教育的权利作例子来加以说明:

我国公民受教育的权利和公民的其他权利一样,是以事实作根据的,是有物质保证的。它的事实根据就是:在各种学校中学习的学生人数的迅速增加,业余学习以及扫盲运动的普遍开展,等等。它的物质保证就是:国家拨出大量的经费,设立并且逐步扩大各种学校和其他文化教育机关。

当然,我国公民所享受的权利及其物质保证,就其完备的程度来说,还不及苏联,如在上面所举出的公民受教育的权利方面,我国目前还不可能立刻做到每一个学龄儿童都能上学,每一个小学毕业生都能升中学。这是因为我国还处在建设社会主义的时期,我们必须照顾到社会经济发展水平和国家负担能力,不能脱离实际,过高过急地要求在很短的时期内百废俱兴,把一切事情完全办好。我国宪法关于公民权利的物质保证的规定,大都采取逐步扩充的办法,就是从实际出发的,它一方面总结了我国现实生活中已经存在的事实,另一方面指出了今后努力的方向。在这里没有对于过去成绩的夸张,也没有对于将来责任的回避,它是实事求是的,也是明确坚定的。

资产阶级国家宪法关于公民权利的规定,是没有事实作根据的,同时,这些规定都只以形式权利为限,却不给予公民实现这些权利的物质条件,结果使这些权利都成了空洞无物的废话。

二、我国公民权利和义务的统一性

我国公民权利和义务的统一性表现在:(一)公民享受权利与履行义务之间是密切结合的;(二)公民享受权利与履行义务都体现出个人利益与国家利益是密切结合的。

我国公民享受权利与履行义务两者之间的密切结合,意味着在我们国家里,已经消灭了权利和义务之间的分裂现象,已经没有无权利的义务,也没有无义务的权利,没有只尽义务、不享权利的人,也没有只享权利、不尽义务的人。同时还意味着我国公民享受的权利越多,如广泛地享有政治权利和自由以及社会经济文化权利等,就越能提高其政治觉悟和劳动热情,因而也就更能促进其自觉地、忠诚地履行义务;我国公民越是自觉地、忠诚地履行义务,如很好地履行服兵役和遵守劳动纪律的义务等,就越能巩固人民民主制度,加强社会主义建设,因而也就更能扩充与发展自己所享受的权利。因此,我国公民既是享受权利的主体,又是履行义务的主体,其权利的享受可以促进义务的履行,义务的履行又可以促进权利的扩充和发展。

在我国公民享受权利与履行义务之间,体现着个人利益与国家利益的结合,就是说,公民享受权利,可以提高自己的物质和文化生活水平,可以增强对祖国的热爱,促进国家的发展和巩固;公民履行义务,可以促进国家的发展和巩固,增强国家保护与增进人民利益的力量,提高人民的物质和文化生活水平。归结起来,不论公民享受权利或履行义务,都贯穿一个共同的目的:促进国家的巩固和发展,提高人民的物质文化生活水平。

我国公民权利和义务的统一性,是由个人利益和国家利益的统一性所决定的。随着我们新国家的成立,就出现了国家和人民之间的新的关系,这种关系就是国家为人民,人民为国家,国家爱护人民,人民爱护国家,国家保护人民,人民保护国家,国家和人民结成了一个统一的整体。在这个整体内,国家和个人的利益和前途是相互依存、相互补充、相互助长的。国家一切活动的终极目标，都是为了人民的幸福，国家不害怕人民群众在取得权利以后，会对自己有什么不利，相反地它把保障人民群众的权利的实现，作为自己巩固和发展的基本因素。而人民群众在其日常生活中，也已经逐渐习惯于把国家的利益视为高于一切的利益，把公共事业当作自己的切身事业，他们把对国家应尽的义务，作为自己义不容辞的神圣责任。国家和人民的利益已经完全统一起来了，这种国家利益和人民利益的统一性，在法律上便表现为公民权利和义务的统一性。

在资本主义国家里，公民的权利和义务不是统一的，而是脱节的、分裂的。在那里，少数剥削者独享一切特权，不承担任何义务，广大劳动人民则被迫担负一切沉重的义务，不能享受任何权利。少数剥削者享受的权利越多，广大劳动人民担负的义务就越重，而国家的利益就和劳动人民的利益越加对立起来。

第二节　公民的基本权利

一、公民的平等权利

我国《宪法》第三章关于公民基本权利和义务的规定中，首先肯定了公民在法律上一律平等的原则，这就意味着在我们国家里，已经不容许任何特权阶级存在。由于我们国家是工人阶级领导的，以工农联盟为基础的人民民主国家，它的总任务是要通过社会主义工业化和社会主义改造，逐步消灭剥削制度，建立社会主义社会。产生特权阶级的社会基础已经彻底消灭了，产生民族歧视、压迫妇女的社会基础也被彻底消灭了，这就能够保证我国公民不分民族、种族、不论男女都能获得在法律上一律平等的地位。

第一，所有各民族与种族的权利一律平等。

我国《宪法》除了第三章公民的基本权利和义务中规定了"中华人民共和国年满十八岁的公民不分民族、种族……都有选举权和被选举权"。以外，在序言、总纲、国家机构等各个部分关于民族问题的规定中，都贯彻着各民族权利平等的原则。

所谓各民族权利平等，就是说各个民族不论情况如何，在国家生活、社会生活、经济生活、文化生活方面都享有平等的权利。

在我们国家中，少数民族都有平等地参加国家政治生活的权利，各级人民代表大会都有适当的少数民族代表，各级国家行政机关、法院、检察机关都有少数民族的干部，其中有的还担任着重要的领导职务，他们和汉族一样，实现了当家做主的权利。

在我们国家中，少数民族都有平等地参加社会经济生活的权利。各个人民团体和各种社会职业，都允许少数民族参加，同时在少数民族参加了共同的社会经济生活以后，所有的机关、团体、企业组织都应该尊重他们的风俗习惯，允许他们自由地信仰宗教。

在我们国家里，少数民族有平等地参加文化生活的权利。它们有使用自己的语言文字的自由，它们有权使用自己的语言文字传播文化，出版书籍刊物来教育自己的人民，不仅如此，国家还采取了很多措施，帮助有些尚无文字的民族创立文字，帮助文字不完备的民族逐渐充实其文字，以发展与提高少数民族的文化生活。

我国各民族、种族权利平等的原则，一方面肯定了各民族过去对伟大祖国的缔造的贡献，另一方面又进一步加强了各民族的团结，促进我国各民族共同发展、共同进步、共同为祖国的社会主义事业贡献自己的力量。

在资产阶级国家里，各民族不是平等的，占据统治地位的民族把民族间的矛盾和冲突当作统治与侵略异民族的必要条件。它们不但从理论上鼓动民族间的压迫和仇视，而且在事实上尽力剥夺国内少数民族的权利，完全剥夺殖民地民族的一切权利，它们甚至对国内少数民族和殖民地被压迫民族加以残酷的迫害与屠杀。

在旧中国各民族也是不平等的，少数民族甚至被反动统治者称为汉族的大小宗支，他们在政治上受残酷的压迫，经济上受残酷的剥削，文化上处于落后状态，他们根本没有任何权利。

第二，妇女与男子平等。

我国《宪法》规定："中华人民共和国妇女在政治的、经济的、文化的、社会的和家庭的生活各方面享有同男子平等的权利。"还规定："婚姻、家庭、母亲和儿童受国家的保护。"这些规定把我国已实现的男女平等的事实，用法律的形式固定起来了。

妇女和男子平等的原则所以能够实现,是因为我国所获得的一切伟大成就中,都包含着妇女的劳动和功绩,都证实了妇女和男子有同等的智慧和能力;同时也是因为我国妇女的解放事业与全体人民解放事业是紧紧相连的,妇女不能离开整个国家和人民的斗争任务而孤立地求得自身的解放,而整个国家和人民斗争任务的完成也不能离开妇女的解放。因此,妇女的利益和国家的利益是紧密结合的,国家的利益包括了妇女的利益,妇女利益的实现又可以增进国家的利益。而妇女与男子平等就是反映妇女利益的,国家应不遗余力地加以保障。

由于一贯地实行妇女和男子平等的原则,我国妇女已经成为社会主义建设事业中的一支强大力量。在政权建设方面,将近有100万妇女担任全国人民代表大会和地方各级人民代表大会的代表,很多妇女担任各级政府和其他国家机关的领导工作,她们没有辜负国家和人民给予她们的信任和荣誉,在工作中表现了她们忠心耿耿为人民服务的高贵品质;在经济建设方面,我国妇女发挥了巨大的作用,根据1955年的初步统计,全国女职工约占职工总数的14%(不包括私营企业),其中担任女厂长、女矿长、女车间主任、女科长的有2590多人,工业基本建设,铁路运输三个部门中女工程师,女技术员已有16000多人,在她们中间已经涌现了许多劳动模范和先进工作者;在农业生产中,参加劳动生产的已占农村妇女的绝大多数,她们中间有很多人已成为农业合作化事业的骨干分子,担任农业生产合作社的正副社长、社务委员、生产队长、生产组长的领导职务,1955年全国的女农业技术人员已有2540多人;在文化建设方面,我国妇女担任高等学校、中等学校、小学、幼儿园教师的,以及在其他文化教育机关中工作的已日益增加了,1955年全国的女教师共有33万多人其中在高等学校担任教授、副教授、讲师、助教的已有7500多人。所有这些,都说明我国妇女的社会地位、政治地位和经济地位,正在随着社会主义建设事业的发展而迅速提高。也说明我国妇女无论在社会生活、国家生活、政治生活、经济生活、文化生活等各个方面,都享有和男子同等的权利。

在资本主义国家里,妇女被当作享乐的对象和玩物,她们被践踏在社会的底层,直到现在还有十几个国家的妇女被剥夺了选举权,一百多个殖民地附属国和托管地区的妇女被剥夺了一切权利。她们在经济上的遭遇是很残酷的，失业、贫困、饥饿和疾病是她们经常的伴侣，受教育的机会更是少得可怜，在这种情况下，当然谈不上和男子享有平等权利。

至于国民党反动派统治下的旧中国，妇女是没有任何权利可言的，他们受着政权、神权、父权、夫权数重压迫和统治，无论在社会上或者在家庭中都要遭受各种压迫和歧视，她们的生活是悲惨的。旧中国社会上流行着所谓妇女"三从"的说法，即在家从父，出嫁从夫，夫死从子。这就说明每一个妇女从出生起，到死亡止，都得从属于男子，当然谈不上男女权利平等了。

二、公民的政治权利和自由

第一，公民的选举权和被选举权。

我国《宪法》规定："中华人民共和国年满十八岁的公民，不分民族、种族、性别、职业、社会出身、宗教信仰、教育程度、财产状况、居住期限，都有选举权和被选举权。但是有精神病的人和依照法律被剥夺选举权和被选举权的人除外。"这条规定确立了我国选举制度的基本原则，它显示了我国选举制度的民主性与庄严性。

事实证明：我国现行选举制度是完全符合目前社会阶级情况的，因而也是完全正确的。它保证我国广大群众能够实际行使民主的选举权利，选举自己所满意的优秀人物和代表人物代表自己行使国家权利；剥夺少数已被推翻的阶级和其他反革命分子的选举权和被选举权，更有效地保障人民群众选举权利的实现，巩固人民民主制度。

我国公民的选举权和被选举权的实现，不仅是因为宪法规定了这项权利，而且还因为国家给予了公民实现这项权利的物质保证和其他保障。根据选举法的规定，选举的经费都由国库开支，还规定了凡用暴力、威胁、欺诈、贿赂等非法手段破坏选举或者阻碍选民行使其选举权和被选举权者，应给予刑事处分，其他的违法行为，也应受到法律制裁，这样就保证了选民在选举中能充分地运用自己的权利。

在资本主义国家里，广大人民群众是没有选举权和被选举权的，资本主义国家虽然在形式上也宣布了公民的选举权，但实际上这种权利已被各种限制所取消了,其中最突出、最露骨的就是美国。仅根据美国官方自己的供认,这种限制就有50多种,把劳动群众的选举权和被选举权剥夺得干干净净。

至于反动统治时期的旧中国,虽然从北洋军阀起,直到蒋介石为止,都搞过很多的选举,但是那种选举,从实质和形式等方面来说,都是臭气熏天的,每次选举时都是贿赂公行,欺诈、威逼等丑闻毕露,广大人民群众每次都被排斥在选举之外,都被剥夺了选举权和被选举权。

第二,公民的言论、出版、集会、结社、游行、示威的自由。

我国《宪法》规定:"中华人民共和国公民有言论、出版、集会、结社、游行、示威的自由。国家供给必需的物质上的便利,以保证公民享受这些自由。"

宪法所赋予公民的这些自由,是公民参加社会和国家生活的基本权利,它使广大人民群众有可能积极参加各种社会的政治的活动。

宪法所赋予公民的这些自由,是有物质保证的,是完全可以实现的。

在言论、出版方面,新中国成立以来,国家没收了过去被反动统治集团垄断的印刷所和新闻出版机构,转归人民使用;同时随着国民经济建设事业的发展,国家又建立了许多造纸厂、印刷所,并调整与扩充了新闻出版机构,所有这些,都给全国人民实现言论、出版自由,提供了可靠的物质保证。党和政府不仅从物质上关心公民实现这项权利,而且还为公民实现这项权利扫除其他障碍。1951年中国共产党中央委员会就作出了关于在报纸上开展批评的决定,鼓励人民群众监督政府和干部,对任何脱离人民群众的监督,压制批评的机关或个人,党和政府都要给以严重的处分。由于国家用法律的形式赋予了公民言论出版的自由;同时又为公民实现这些自由提供可靠的物质保证,并扫清一切其他障碍,我国公民就在各方面都能自由地表达自己的意见。几年来,我国公民广泛地利用出版书籍、报刊、人民来信等形式,对国家机关、工厂企业各个部门的工作,提出了自己的意见,有的还大胆地揭露了我们工作中的一些严重缺点,这些意见对改进我们的工作,对加强社会主义建设起着非常重大的作用。

在集会、结社方面,新中国成立以来,国家没收了反动统治集团所垄断的集会场所,并新建了大量的集会场所,供劳动者享用;国家对广大人民群众建立与参加自己的组织,给以精神上的鼓励和物质上的帮助,这就在物质上保证了公民集会、结社自由的实现。在国家的鼓励和帮助下,已有一千多万工人参加了职工会,广大的农民、青年、妇女、学生、文艺工作者、科学技术工作者,以及工商业者,宗教徒也大都加入了自己的组织。所有这些组织都以中国共产党作为它们的领导核心,都团结在中国共产党的周围,为实现国家的社会主义工业化与社会主义改造而贡献出自己的力量。

在游行、示威自由方面,我国人民在保卫伟大的祖国,在保卫世界和平的斗争中,曾经举行过无数次反对帝国主义侵略政策的游行示威;在我们伟大的社会主义建设所获得的各种胜利当中,也举行过无数次的庆祝游行;在每年国庆节与"五一"国际劳动节的时候,在首都、全国各城市与广大农村中,都热烈地参加了游行。同时在所有的游行示威中,国家机关还派出许多得力的干部帮助群众进行准备工作。所有这些,不但说明我国公民真正享有游行、示威的自由,同时也证明我国人民在党的领导下团结一致为建成社会主义而斗争的决心。

在资本主义国家里,广大人民群众是没有言论、出版、集会、结社、游行、示威等自由的。比如在美国,大学教授宣传米邱林学说要被革职,公民阅读马克思、列宁主义书籍就是犯罪,美联、合众、国际新闻等三个最大的通讯社操纵着全国一切消息,半数以上的报纸操纵在霍华德报业手里,数以百计的进步组织被宣布为非法团体,一切游行、示威都要受到军警和三K党特务组织的干涉。在这种情况下,美国政府还吹嘘着所谓"个人自由",当然只能是对劳动人民的嘲弄,对人类历史的讽刺。

至于国民党反动统治时期,报纸、杂志、通讯社、印刷所、广播台等时刻都有被封闭的危险,新闻记者、大学教授随时都有被特务殴打、逮捕、杀害的可能,一切民主党派、社会团体经常被勒令停止活动,游行、示威的群众经常遭受军警的袭击和特务匪徒的殴打,这是什么自由!

第三,公民控告违法失职的国家机关工作人员的权利。

我国《宪法》规定:"中华人民共和国公民对于任何违法失职的国家机关工作人员,有向各级国家机关提出书面控诉或者口头控诉的权利。由于国家机关工作人员侵犯公民权利而受到损失的人,有取得赔偿的权利。"

控告权是我国公民的一项重大的政治权利,它在加强公民对国家机关的监督、加强国家机关工作人员的守法规观念，以及保障公民合法权益等方面，具有重大意义，我国国家机关工作人员绝大多数都忠实于祖国和人民的事业，老老实实、勤勤恳恳地为人民服务，但是，仍然不免有极少数国家机关工作人员存在着违法乱纪，不忠职守的现象，这些现象的存在，严重地损害着国家和人民的利益，常常侵犯公民的权益，使公民受到损害。宪法赋予公民这项控诉的权利和取得赔偿的权利，就是为了防止和杜绝国家机关工作人员违法乱纪、不忠职守的现象，保障公民的合法权益不受侵犯。

我们国家不但用法律的形式赋予公民的控告的权利，同时还妥善地保护控告人，慎重地处理控告案件。中央人民政府政务院在 1951 年颁布了《关于处理人民来信和接见人民工作的决定》，根据这个决定，"凡属控告机关或工作人员的事件，应交人民监察机关处理。严禁被控告机关或人员采取报复行为，如有报复者应予以处分，情节严重者并应送司法机关依法惩办"。这个决定的目的，就是为了充分地发扬民主，鼓励人民群众积极地监督政府，督促政府妥善地保护公民的控告权利。

在资本主义国家里，反动政府的官吏专门鱼肉人民群众，人民群众对反对政府的官吏徇私舞弊，贪赃枉法的罪恶行为，是敢怒不敢言的，他们根本无权控诉，也无处控诉，更加无权取得所受损失的赔偿。

至于旧中国反动政府的官吏对人民群众的压榨更加厉害，他们骑在人民群众的头上作威作福，无法无天，人民群众对他们的残暴行为深深的痛恨，但是除了暗中愤慨、讽刺、悲叹，或者组织大的公开暴乱以外，在反动政府里是无法申诉的。

三、宗教信仰自由

我国《宪法》规定："中华人民共和国公民有宗教信仰的自由。"

宗教信仰自由，就是公民有信仰某种宗教的自由，也有不信宗教的自由。我国现在有以千万计的伊斯兰教徒和佛教徒，以百万计的基督教徒和天主教徒，他们都受到尊重，照常地过着宗教生活，举行宗教仪式，照样地遵循教规教义以及宗教习惯，国家并且还保护教堂、庙宇，修葺重要的宗教建筑，这些事实，说明中国是有宗教信仰自由的国家。

我国是以马克思、列宁主义作指导思想的国家,宗教信仰是以唯心论,有神论作基础,它和马克思、列宁主义的唯物论、无神论是根本对立的。但是,宗教的产生有它一定的历史根源,宗教的消灭也需要具备一定的历史条件,所以我们对待宗教信仰问题,不能采取简单粗暴的态度。毛主席在《湖南农民运动考察报告》中教导我们说:"菩萨是农民立起来的,到了一定的时期农民会用他们自己的双手丢开这些菩萨,无需旁人过早地代庖丢菩萨,共产党对这些东西的宣传政策,应当是'引而不发,跃如也。'菩萨要农民自己去丢,……别人代庖是不对的。"目前我国还没有具备消灭宗教的条件,宗教信仰还有它的社会基础。如果我们脱离现实,限制宗教信仰,就会引起一部分人民群众的不满,影响人民内部的团结,削弱我们建设社会主义的力量,所以宪法赋予公民信仰宗教的自由,是从实际出发的,也是必要的和正确的。

有些外国评论家感觉奇怪,他们看到我国一方面保护公民的宗教信仰自由,另一方面又惩办那些披着宗教外衣进行反革命活动的帝国主义间谍分子和国内的叛国分子。这有什么奇怪呢? 原来我们是作对了! 我们保护公民的信仰自由是为了加强人民内部的团结,我们惩办利用宗教进行反革命活动的国内外敌人是为了保卫国家的安全,两者都符合于国家和人民的利益。我们保护宗教信仰自由,但决不容许反革命活动的自由。信仰宗教和反革命活动是绝对不能混同的两件事情,宪法所赋予公民的信仰自由,永远不会给那些披着宗教外衣的反革命分子以丝毫方便。让他们去奇怪吧,我们的态度是明确的,也是坚定的。

在资本主义国家里,是没有真正的信仰自由的,它们利用宗教作为麻醉人民的鸦片,以巩固和神化它们的统治。它们用各种方法支持宗教宣传,打击不信宗教或进行反宗教宣传的人。如美国阿肯色州的宪法规定,不承认上帝存在的人,不能在州的机关中担任职务,也不准出庭作证。又如美国达顿城曾经发生过一件轰动一时的人猿诉讼案件,青年教师哥布斯因犯了"重罪"被人控告,原因是他向学生讲解过人是由猿猴进化来的,他的这种讲解,驳斥了圣经上所捏造的上帝按照自己的模型创造了人的谎言。这些事实,有力地揭露了资产阶级国家宗教信仰自由的虚伪性。

在反动统治下的旧中国,反动统治者为了利用宗教来麻痹人民群众,使他们安分守己地忍受这个世界所给予他们的痛苦,使他们离开阶级斗争去幻想来世的幸福,除了中国的"土神"像关圣帝君之类的东西以外,还请了些"洋神"来愚弄人民,这样双管齐下,使宗教成为帮助帝国主义进行文化侵略与间谍活动的工具,成为帮助巩固反动统治的工具。

四、公民的人身不可侵犯的自由

我国《宪法》规定:"中华人民共和国公民的人身自由不受侵犯。任何公民非经人民法院决定或者人民检察院批准,不受逮捕。"又规定:"中华人民共和国公民的住宅不受侵犯,通讯秘密受法律的保护。中华人民共和国公民有居住和迁徙的自由。"根据这些规定,我国公民的人身方面的自由是受到宪法和法律的保护的。

公民的人身自由、住宅不受侵犯、通讯秘密受法律保护、居住和迁徙的自由,是保证公民从事各种社会政治活动的必要条件,同时也是我国国家机关遵守人民民主法律的主要基石。我们很难想象,一个公民在人身方面得不到保障的时候,会有可能享受其他权利和自由;一个国家对公民的人身方面不加以保障时,会有可能真正地赋予公民其他的权利和自由。所以,我们国家把这些作为公民的基本权利规定在宪法里面,并采取各种有效措施,以保证这些自由的实现。

根据宪法所规定的保障公民人身自由的精神,我们国家颁布了逮捕、拘留条例。这个条例规定:任何公民非经人民法院决定或者人民检察院批准,不受逮捕。公安机关要求逮捕人犯的时候,必须事先经过人民检察院批准,公安机关在紧急情况下拘留人犯以后,也应在拘留后的 24 小时以内把拘留的事实和理由通知人民检察院,人民检察院应当在接到通知以后的 48 小时批准逮捕或者不批准逮捕,公安机关对于不批准逮捕的应当立即释放。这个条例还规定:人民检察院对违法逮捕、拘留公民的负责人员,应当查究;如果这种违法行为是出于陷害、报复、贪赃或者其他个人目的,应当追究刑事责任。

宪法和逮捕、拘留条例把决定与批准逮捕、拘留人犯的权力交给人民法院和人民检察院,是因为人民法院和人民检察院是直接行使国家审判权和检察权的机关,它负有保障全体人民利益的责任,一切逮捕事件都经过它们的决定和批准,就能防止侵犯人权的事件发生,同时也可以把一切犯罪者及时逮捕起来。因此,这样做是完全必要的,也是完全正确的。

在资本主义国家里,人民群众是没有这些自由的,比如美国,警察和密探就可不凭拘票任意逮捕公民,他们可以任意闯进民房,进行搜查,也可以随便拆看公民的信件,偷听电话;进步人士连旅行的自由都被剥夺了,当然更谈不上自由居住和自由迁徙。

在旧中国,共产党人和民主斗士随时都有被逮捕、暗杀的危险,他们的住宅随时都有可能被"不速之客"冲进来无理取闹,或者任意搜查,他们的书信都要受到邮电检查所的检查,他们常常被强迫住在某个地方"休养身体"。这样的情况下,哪能有人身自由呢?

五、公民的社会经济权利

公民的社会经济权利直接关联着公民物质生活的提高,它是公民实现一切其他权利的物质基础。所以,公民的社会经济权利在公民的基本权利中具有特殊意义。

我国公民的社会经济权利包括劳动权、休息权和物质帮助权等。

第一,公民的劳动权。

我国《宪法》规定:"中华人民共和国公民有劳动的权利。国家通过国民经济有计划的发展,逐步扩大劳动就业,改善劳动条件和工资待遇,以保证公民享受这种权利。"

劳动权意味着每个公民能够取得有保障的工作,并能按照他的劳动的数量和质量取得一定的报酬。这项权利决定着劳动者政治自由和个人自由的真实内容,它是公民在社会上获得真正权利和自由的必要条件。斯大林与路易、霍华德谈话时指出:"一个失业者正在挨饿,找不到使用自己的劳动的地方的时候,所谓失业者的'个人自由',我很难想象这是一种什么自由。"由此可见,劳动权的争得,是中国人民的一项重大的胜利,它使我国公民对于自己的生活和前途充满着信心和希望。

我国宪法不但规定了公民的劳动权,而且给予公民实现这项权利的物质保证,这种保证就是:国民经济有计划的发展,逐步扩大劳动就业,改善劳动条件和工资待遇。我国自新中国成立以来,经过了短时期的国民经济恢复工作以后,就进入了大规模的有计划的经济建设阶段。由于国民经济有计划的发展,不断地扩建兴建了许多企业,给劳动就业创造了有利条件,在党和政府的不断关怀和努力下,过去长期反动统治下所遗留下来的失业问题,已逐步获得解决。由于国民经济有计划的发展,不断地提高了生产,为改善劳动条件和工资待遇提供了物质基础,目前广大职工的劳动条件已有很大改善,工伤事故和职业病症已因劳动条件的改善而大大地减少了;广大职工的工资待遇也有很大的提高,劳动人民的物质文化生活已不断改善。拿劳动就业来说,解放以后6 年内,经过政府介绍就业和安置到农村生产的城市失业人员,共有 258 万余人,旧社会遗留下来的严重失业问题,已经在很大程度上得到了解决,目前,城市中剩下来的失业人员,为数已经不多了,并且多数是就业条件比较差的。根据第一个五年计划的规定,从 1953 年到 1957 年需要补充的工人职员总数将超过 422 万人。又根据 1956 年到 1957 年《全国农业发展纲要(草案)》的规定,从 1956 年开始,我国将按照各地情况,分别在 5 年或者 7 年内,解决城市中的失业问题,使现有的城市的失业人员都获得就业的机会。就改善劳动条件和工资待遇来说,国家关于改善劳动条件的拨款每年都有增加,厂矿中的劳动保护、安全技术、工业卫生工作,几年来有了不少的改进,职工的劳动条件已经有了显著的改善,所有这些,都对生产的安全和职工的健康起着保证作用。至于工资的改善方面,仅就第一个五年计划前三年的执行情况来说,全国各部门的平均货币工资,比 1952 年就增加了 22.2%,实际平均工资增加了 12%。根据第一个五年计划的规定,从 1953 年到 1957 年全国各个部门工人职员的平均工资大约要增长 38%。

在资本主义国家里,公民是没有劳动权的,资产阶级不仅不能消灭失业现象,而且对失业大军的存在极感兴趣,因为这种现象的存在,他们就可以减低就业工人的工资,随时把就业工人赶出工厂,用其他的工人来代替。即使在资产阶级经济学家称之为"稳定的繁荣"时期的 1955 年内,根据官方统计材料,美国完全失业人数约为 300 万人,半失业人数达 900 万以上,意大利完全失业的人数为 200 万,另外,有同样多的半失业的人口,其他各资本主义国家内失业现象也非常普遍。

在旧中国,公民也是没有劳动权的,国民党反动派所遗留下来的失业问题,解放以后几年来人民政府不断地采取各种有效措施,尚未能彻底解决,其严重的程度也就可以想见了。

第二,劳动者的休息权。

我国《宪法》规定:"中华人民共和国劳动者有休息的权利。国家规定工人和职员的工作时间和休假制度,逐步扩充劳动者休息和休养的物质条件,以保证劳动者享受这种权利。"

劳动者的休息权是劳动权的必要补充,它的目的在于恢复与增加劳动者的体力,不断提高劳动者的文化和智力,保证劳动者有时间参加各种社会政治活动。

我国劳动者的休息权也是有物质保证的,这种保证就是国家规定工人和职员的工作时间和休假制度,逐步扩充劳动者休息和休养的物质条件。新中国成立以来,党和政府对劳动者曾给予不倦的关怀,采取各种措施保证劳动者实现其休息权。如工作时间方面,国家规定不得超过 8 小时至 10 小时,对个别特殊情况下,不得已而产生的直接参加生产人员的加班加点问题,并规定有特别的照顾办法。在休假制度方面,劳动模范、先进工作者在一定时期内都能获得保留原薪的休假机会。在休养和休息的物质条件方面,我国广泛地设立休养所、疗养院、俱乐部、文化宫、戏院、电影院,供劳动者享用。从 1951 年到 1954 年间,全国各级工会先后举办了疗养院、休养所、温泉疗养院等 155 处,各厂矿企业基层的业余疗养院和疗养所共有 1000 处,此外,还有养老院、残废院 14 处。从 1951 年到 1953 年,全国住过疗养院、休养所的工人职员就大约有 80 万人,仅 1952 年全国享受休假和疗养的工人职员就达 15 万人,比 1950 年增加了 6 倍。1955 年全国医院和疗养院的床位共达 279000 张,比 1954 年又增加了 12%,工人职员享受休假和疗养的人数,也有显著的增加。今后随着国家经济建设的发展,劳动生产率的增长,劳动者的休息权将更加逐步扩大,其物质保证也将逐步增多。如第一个五年计划中,就规定了从 1953 年到 1957 年全国卫生行政部门和中央产业系统所属疗养院的床位将增长 237.1%,到 1957 年达到 55000 张,其中中央产业系统占 36000 张。

在资本主义国家里,劳动者是没有休息权的,资本家所要求的是利润、最大限度的利润,为了满足这个要求,它们采取各种办法强迫工人进行繁重的劳动。在资本的强制下,工人群众甚至连恢复其精力的睡眠时间也不能获得,至于保留原薪的休假等,就更不用说了。

在旧中国,劳动者也没有休息权,劳动者要有休息的话,就只能有被迫流落街头,挨饿受冻的长期"休息",就只有失业。

第三,劳动者在年老、疾病、或者丧失劳动能力时获得物质帮助的权利。

我国《宪法》规定:"中华人民共和国劳动者在年老、疾病或者丧失劳动能力的时候,有获得物质帮助的权利。国家举办社会保险,社会救济和群众卫生事业,并且逐步扩大这些设施,以保证劳动者享受这种权利。"

这项权利的目的在于使永久失去劳动能力或暂时失去劳动能力的劳动者不受困难,它表现了国家对于劳动者无微不至的爱护与关怀,体现了我国的社会主义人道主义的原则。

我国宪法所规定的这项权利是有物质保证的,劳动保险条例的实施,就提供了这项权利的物质保证的基础,根据《劳动保险条例》的规定:男职工年满60岁,一般工龄满25年;女职工年满50岁,一般工龄满20年者,只要在本企业有五年工龄,即可退休,国家按其原工资50%—70%发给养老金;患病或非因公伤者可以休养,休养期间至医生决定停止医疗为止,休养期间在6个月以内发给本人工资60%—100%,超过6个月者发给本人工资40%—60%;其因公负伤而至残废不能工作者,退职后国家发给60%—75%工资,至恢复劳动力或死亡时为止;此外关于妇女生育以及因公死亡等问题都有照顾和抚恤的办法,根据国家统计局关于1954年年度国民经济发展和国家计划执行结果的公报:在1954年一年内,全国享受劳动保险待遇的职工人数已达538万,支付的劳动保险金达12000万元。这样就初步解决了职工生、老、病、死、伤、残等问题。除了劳动保险以外,国家在社会救济和群众卫生等方面,也尽了很大的力量。从1950年到1954年,国家财政用于社会救济方面的经费共有12亿元,遭受天灾的公民以及老幼孤寡,无法维持生活者,都得到了救济;1952年6月,中央人民政府政务院就公布了国家机关工作人员实行公费医疗的指示,根据这个指示全国国家机关工作人员、机关团体和大学生都有享受公费医疗的权利。我们国家关于劳动者在年老、疾病或者丧失劳动能力时获得物质帮助权利的物质保证,将随着经济建设的发展而逐步扩充,根据第一个五年计划的规定,从1953年到1957年以内,仅国营企业和国家机关所支付的劳动保险基金、医药费、福利费和文化教育费将达50亿元以上。

在资本主义国家里,劳动者是没有这项权利的,如美国工人在1939年到1946年中,从微薄的工资里一共纳了43亿美元的保险费,而在这些年以内,支付给工人的费用,实际上却不到8亿美元,可见资本主义国家的"劳动保险",完全是资本家额外地剥削工人的工具。在资本主义国家里,劳动者年老、患病或丧失劳动能力时,就只有死路一条。

在旧中国,劳动者在年老、患病或丧失劳动能力的时候,也得不到物质帮助的权利。有的工人在讨论《劳动保险条例》时说:"从来工厂都是养少不养老,年轻力壮,要你干活,老了干不动了,就叫你滚蛋,哪里有过老了发给养老金的事!"有一个女工说:"我做了五年工,四次出厂进厂,生了孩子滚蛋,死了孩子再来,现在生孩子有八个星期的假期,照发工资,还有生育补助费,真是做梦也没有梦到的事。"

六、公民的文化教育权利

我国《宪法》规定:"中华人民共和国公民有受教育的权利。国家设立并且逐步扩大各种学校和其他文化教育机关,以保证公民享受这种权利。国家特别关怀青年体力和智力的发展。"

广大人民群众文化技术水平的提高是我国建成社会主义社会所必须具备的精神条件,因此,公民的受教育权,对国家和人民来说,都具有重大的意义,党和政府对公民的受教育权给予极大的关怀,采取了各种有效的措施,为保证公民实现这项权利创造了重要条件。

新中国成立以来,国家发出了大量的教育经费,设立与逐步扩大各种学校,使我国在校学生的人数得以显著增加,根据国家统计局关于1955年度国民经济计划执行结果的公报,1955年全国共有小学生5310多万人,普通中学学生397万人,高等学校学生29万多人。从学生数量来说,超过了国民党反动统治时期的最高水平一倍以上。不仅如此,而且各级学校学生的成分,也有显著的改变,由于党和政府贯彻了为工农服务的教育方针,各级学校的学生中工农成分已经逐年增多了,现在全国各小学、中等学校中、工农子弟已经占了绝大多数或多数,即使在高等学校中,工农子弟就学的比例也有显著增加。

在社会文化教育事业方面,由于党和政府的关怀与努力,党和政府除了重视在各级学校中培养工农知识分子以外,还特别重视工农业余文化教育事业的开展,在全国各地普遍地开办了职工业余学校和农民冬学,使广大工农群众能够获得提高文化与技术知识的机会,1955 年参加业余文化学习的农民达 5000 万左右,厂矿企业的职工达 284 万多人;同时在全国各地大力地设立文化馆、公共图书馆、博物馆、电影院、剧场等等,1955 年全国有文化馆和文化站 6300 多个,电影放映单位达 5800 多个,所有这些都是供广大人民群众享用的,都是用以提高广大人民群众的文化、技术知识的。

在赋予公民受教育权的同时,党和国家对青年体力和智力的发展,给予特别的关怀。毛泽东同志曾向青年发出了“三好”的号召,指示青年要做到“身体好、学习好、工作好”。此外,还在学校中开展了教学改革运动,劳卫制①锻炼,共产主义教育,以保证青年的体力和智力的全面发展。由于党和国家的关怀与培养,也由于青年自身的努力锻炼与提高,我们的年青一代在社会主义建设的各个战线上都涌现出不少的英雄模范人物。

为了提高广大人民的文化技术水平,国家除赋予公民受教育权以外,还保障公民进行科学研究、文学艺术创作和其他文化活动的自由,对于从事科学、教育、文学、艺术和其他文化事业的公民的创造性工作,给予鼓励和帮助;同时党还提倡在学术研究中实行“百花齐放,百家争鸣”的方针,以鼓舞科学文化工作者高度的创造性和积极性。在党和国家鼓励和帮助下,我国的科学家、教育家、文学家、艺术家都愿意把自己的力量,贡献给我们伟大的祖国的社会主义建设事业,其中有不少人并且在党的教育下,已锻炼成为自党的共产主义战士,加入了光荣的、伟大的、正确的中国共产党。

---

① “劳卫制”始创于苏联。1931 年 3 月 14 日,根据苏联列宁共青团的倡议,苏联部长会议体育运动委员会颁布了《准备劳动与保卫祖国体育制度》,旨在通过运动项目的等级测试,促进国民特别是青少年积极参加体育运动,以提高其身体素质。新中国成立初期,我国也学习和借鉴苏联的劳卫制,各地纷纷颁布了一些与劳卫制相仿的体育锻炼标准。1954 年,国家体委甚至直接使用“劳卫制”之名,颁布了《准备劳动与卫国体育制度暂行条例和项目标准》,它的实施有效地促进了全国高等、中等学校群众性体育活动的开展。——编者注

我国宪法所规定的公民的文化教育权利,以及国家给予公民实现这项权利的物质保证,将随着国家社会主义建设的发展而逐步扩充、逐步完备、根据第一个五年计划的规定,1957 年全国小学在校学生人数将达到 6023 万,中等学校(包括高中、初中及中等专业学校)在校学生人数将达 540 万多人,高等学校在校学生人数将达 44 万多人。我们国家将在七八年以内消灭所有的文盲。

早在新中国成立之初,毛泽东同志就已指出:"随着经济建设的高潮的到来,不可避免地将要出现一个文化建设的高潮。"现在全国经济建设的高潮已经来了,毛泽东同志又在《中国农村社会主义高潮》序言中教导我们:科学、文化、教育等项事业的发展规模和速度,已经不能完全按照原来所想的那个样子去做了,这些都应当适当地扩大和加快。我国科学、文化教育事业,以更快的速度向前发展,也就必然使我国公民的文化教育权利迅速扩充与完备。

在资本主义国家里,广大人民群众是没有受教育的权利的,资本家害怕群众受到教育以后,更加强烈地反抗资本的统治。他们只给劳动人民以能够开动机器进行生产的起码的基本教育,因为不是这样,劳动群众就无法适应现代生产技术的要求,他们就不可能榨取到最大限度的利润。如美帝国主义是夸耀自己的高度的文明的国家,但是在这个国家里,教育方面所支出的资金还没有酒精饮料的耗费那样多,它和贵族式的俱乐部、赌博的管理费用比较起来,要少 2/3,在这个国家里有 1000 万成年居民是文盲,有 1/3 的学龄儿童不能上学。

在旧中国,工农劳动群众中文盲的比例竟达 80%—90%,当然也根本谈不上受教育的权利。

七、保护国外华侨的正当权利和利益

我国《宪法》规定:"中华人民共和国保护国外华侨的正当权利和利益。"

华侨是侨居国外的中国公民,我国侨民人数约达 1200 万人,由于旧中国是一个半封建、半殖民地的国家,国际地位非常低下,侨居国外的人民,不但是帝国主义者掠夺与压榨的对象,而且还受尽了种种的歧视和侮辱。国民党反动派不但不积极地保护国外侨民,相反地,却对华侨进行敲诈勒索,因此,海外

侨胞的正当权利和利益根本得不到任何保护。中华人民共和国成立以后,华侨的情况起了根本的变化,外国帝国主义者不敢公然压迫、歧视和侮辱华侨了,我们国家更采取了一系列的措施,来保护华侨,宪法关于保护华侨正当权利和利益的规定,就是国家保护华侨工作的总结,华侨被遗弃的时代,已经宣告结束了,这样就使过去被称为"海外孤儿"的人民,得到了祖国的照顾与关怀,加强了他们对于祖国的热爱。现在,广大的华侨都把自己的命运和祖国的命运联结在一起了,他们时刻眷念与关怀着祖国,希望祖国一天天繁荣富强,并且从各方面拥护与支持祖国的社会主义建设。

八、中华人民共和国的居留权

我国《宪法》规定:"中华人民共和国对于任何由于拥护正义事业,参加和平运动,进行科学工作而受到迫害的外国人,给以居留的权利。"

我国宪法关于居留权的规定,充分地表现了我们国家的国际主义精神,它在维护世界和平,人类进步以及保护世界科学和文化方面,都起着很大的作用。由于有了这项规定,凡属拥护正义事业,参加和平运动、进行科学工作而遭受迫害的外国人,就可以在我国境内居留,享受安全保障、不被引渡的权利,就可以免受其本国反动政府的迫害与屠杀。

资产阶级国家里,也有所谓居留权,它在资本主义和平上升时期,曾经起过进步作用,但是随着资本主义发展到了帝国主义时期,这种居留权就变得非常反动了。例如现在的美帝国主义就在所谓庇护权的掩盖下,收容了一些人民民主国家的民族叛徒,企图利用他们来进行颠覆人民民主国家与反对苏联的罪恶活动。

第三节　公民的基本义务

一、遵守宪法和法律、遵守劳动纪律、遵守公共秩序、尊重社会公德的义务

我国《宪法》规定:"中华人民共和国公民必须遵守宪法和法律,遵守劳动纪律,遵守公共秩序,尊重社会公德。"

第一，遵守宪法和法律。

我国宪法是我国人民民主国家的根本法，它巩固了我国人民革命斗争的伟大胜利，确定了我国建设社会主义的伟大目标和具体步骤。我国法律则是根据宪法制定出来的，两者都反映着工人阶级领导的中国人民的意志，代表着中国人民的利益，都具有真正的人民民主的性质。

我国宪法和法律是巩固人民民主专政、加强社会主义建设的强有力的工具，是保护人民、镇压敌人的锋利武器，严格地根据宪法和法律办事，就能加强反对敌人、保护人民的力量，就能保障国家社会主义工业化和社会主义改造的顺利实现，保证国家的强盛和人民的幸福。因此，我国公民履行遵守宪法和法律的义务就具有头等重要的意义。

我国公民有的已经认识到宪法和法律在国家建设中的重要意义和作用，因而能够自觉地遵守。但是有的人却由于沾染旧社会的积习较深，受剥削阶级的影响较大，他们对遵守宪法和法律这一义务，还存在错误的认识，还不能很好地履行这一义务，甚至不断地产生违法的行为。

有人认为，自己对革命有"功劳"，或者有"苦劳"，党和国家应该酬谢他的"功劳"或"苦劳"，让他超乎宪法与法律之外，容许他们有一些特权去为所欲为，这种以功臣自居的特权思想，实质上是可耻的封建王侯思想的反映，是可耻的资本阶级特权思想的反映，存在这种特权思想的人，不但不能以自己的模范行为带领人民群众遵守宪法和法律，而且很容易走上违法犯罪的道路，损害国家和人民的利益，毁坏自己的前途。

有人认为，自己是共产党员，国家是由党领导的，宪法、法律都是在党的领导下制定出来的，党员就可以特殊一点，党员只要遵守党的纪律就行了，对遵守宪法和法律似乎可以马虎一些。这种想法也是非常错误的，它把党纪和国法对立起来，他们不知道党纪和国法是一致的，他们更没有认识到党纪中有一项重要的内容，就是每一个共产党员必须切实地遵守国家的法律。共产党员违犯了国家的法律，也就是违犯了党纪，损害了国家和人民的利益，也就是损害了党的利益。

有人认为，宪法和法律是专门用来对付敌人的，自己是工农劳动群众，犯点法不要紧，只要检讨一番就行了，不会治罪。这种认识是完全错误的。他们不知道我国的宪法和法律必须在全国范围内统一地、毫无例外地施行。才能有效地保护人民,镇压敌人,如果工农劳动群众可以随便破坏法律,不受制裁,就会给敌人以可乘之机,就不能孤立与打击敌人及一切犯罪分子。毛泽东主席在《论人民民主专政》中所说的"人民犯了法,也要处罚,也要坐班房,也有死刑",正是这个道理。

总之,遵守宪法和法律是我国全体公民的义务,任何违反宪法和法律的行为,都是损害国家和人民利益的行为,都是违法行为,任何人有这种行为都应该受到制裁。我国公民不但应该自觉地遵守宪法和法律,而且还要和一切违反宪法和法律的行为进行坚决的不调和的斗争。

第二,遵守劳动纪律。

劳动是光荣的事情,是国家财富和威力增长的泉源,是劳动者提高物质文化生活的基础。我们国家的社会主义建设事业只有在千百万人劳动的基础上才能建立起来,每一个劳动者劳动得越好,我们建设社会主义的速度,就会越快。要劳动好,建设快,就必须充分地发挥劳动潜能、提高劳动生产率,而劳动纪律是发挥劳动潜能、提高劳动生产率的重要因素,因为工人阶级的劳动纪律,要求每一个职工都以高度负责的精神,共产主义的劳动态度进行忘我的劳动,要求每一个职工在劳动过程中严格遵守操作规程和保安规程,遵守企业或机关的劳动制度,努力提高工作质量,加快工作速度,以保证主动地、忠实地全面完成并争取超额完成任务。

由此可见,劳动纪律对我们伟大祖国的社会主义建设具有非常重大的意义,而遵守劳动纪律也就成为每一个劳动者必须忠实履行的义务。

新中国成立以来,我国广大的职工群众在党的教育下,已经大大地提高了社会主义觉悟,日益认识到劳动纪律对于保证完成生产任务的重要性,都能自觉地遵守劳动纪律,他们中间有不少人不但完成了生产任务,而且还展开了劳动竞赛和合理化建议,在提高劳动生产率方面,取得了很大的成绩,不断地创造了新的纪录,他们中间有很多人已经成为劳动模范和先进工作者,已经成了社会主义劳动大军中的光荣旗帜。

但是,因为我国社会关系还很复杂,大量的小生产者不断地涌入工人阶级队伍,同时资产阶级依然存在,它们的思想意识不断地侵蚀广大的职工群众,这样就给广大职工群众带来与集体纪律不相容的思想和作风,造成各种违反劳动纪律的现象。有些职工认为今天工人阶级既然是国家的主人,是企业的主人,就可以"自由行动",不受劳动纪律的约束,他们把违反劳动纪律的行为。看成是小事情,自己不遵守劳动纪律,对别人违反劳动纪律的行为也就不采取严肃的态度加以反对。在这种错误的想法和做法之下,许多职工不断产生矿工、怠工、不服从指挥调度、不遵守操作规程等违反劳动纪律的现象,给生产带来了灾害、给国家带来损失。

为了国家的伟大的社会主义事业,我们必须反对破坏劳动纪律的各种现象,加强与巩固劳动纪律。国家对于加强与巩固劳动纪律,主要采取鼓励和教育的方针。一方面努力提高与改善职工的物质文化和劳动条件,关心职工的劳动,对他们的优良成绩给以精神上和物质上的奖励,以鼓励职工的劳动创造性和积极性;另一方面对职工进行共产主义教育,使他们逐渐认识到国家利益和个人利益的一致性,自觉地维护劳动纪律对保护国家利益与个人利益的重要意义。除此以外,国家也采取纪律制裁的办法来加强和巩固劳动纪律,但这不是主要的,而且它的目的也是为了教育,即教育违反劳动纪律的职工下次不要再犯,教育别的职工不要违反劳动纪律。

在资本主义国家里,劳动纪律是用饥饿与失业的威胁和监工的皮鞭与棍棒来维持的,它对劳动者的精神和肉体都是极度的凌辱与摧毁,劳动者对这种"纪律"已经恨入骨髓,根本不愿服从,随时都在设法反抗。

第三,遵守公共秩序,尊重社会公德。

我国公民共同生活在一个国家里,彼此交往之中形成一定的社会关系,这种社会关系需要一定的行为规则加以调整,我国宪法和法律就是反映工人阶级领导的广大人民群众的意志,并用来调整我国社会关系的主要的行为规则。但是由于我国社会关系非常复杂,它所包括的范围非常广泛,宪法和法律不可能把它全部概括无遗地加以调整,还有运用其他行为规则,如公共秩序、社会公德等,来进行调整的必要,所以遵守公共秩序,尊重社会公德也是公民的基本义务。

公共秩序是我国人民在日常生活中自觉地建立起来的,它体现了社会利益和个人利益的一致性,它反映着人民共同的生活要求,如果破坏了它,就是违反社会利益和公民个人利益。我国公民在遵守公共秩序方面,表现了高度的自觉性,如排队上下车船,在公共场所中不喧哗,在公园内不攀折花木,等等,已日益成为普遍现象,不仅如此,我国公民在日常生活中还逐渐形成一种对破坏公共秩序行为的抵制气氛,一切破坏公共秩序的行为,随时都会受到公众舆论的谴责。

社会公德是我国人民在党的教育下,在日常生活中锻炼和培养出来的,我国的社会公德是以无产阶级的集体主义为准则的,它的中心问题就是:个人利益和集体利益相结合,当个人利益和集体利益矛盾时,牺牲个人利益服从集体利益。

我国人民的共产主义道德品质在日益成长着,因而在尊重社会公德方面也表现了高度的自觉性,如同志间的互相帮助和关怀,对老人和妇女儿童的尊敬与照顾,也日益成为普遍现象。同时,在各种革命工作中,还出现了很多为国家社会利益不惜牺牲个人利益,甚至牺牲自己生命的动人事例。但是,不可否认,由于我国社会还没有完全消灭剥削阶级,旧的思想意识的余毒,在人民群众中还相当普遍地或多或少地存在着,因此,各种与共产主义道德相违反的行为,也还在不断地产生。特别是那些已被打倒和将被消灭的剥削阶级,还不甘心自己的死亡,还要做垂死挣扎,他们不但自己要干极不道德的勾当,而且还要散播思想毒素,腐蚀我们的人民。我们必须和各种违反共产主义道德的行为进行坚决的斗争。

在我们国家里,公共秩序、社会公德与宪法、法律是一致的,它都反映着工人阶级领导的中国人民的意志,它的目的都是为了巩固人民民主专政加强社会主义建设。因此,国家严格地要求公民遵守公共秩序,尊重社会公德。

在资产阶级国家里,不可能有公共秩序,不可能有社会公德。资产阶级国家的“秩序”和“道德”和他们的法律一样,是用来保护资本家的利益,镇压劳动人民的。资产阶级的道德就是个人主义,就是窃盗、掠夺和屠杀,它是靠欺骗来维持的,资产阶级的秩序就是棍棒,它是靠警察来维持的,它必然遭到劳动人民的唾弃和反抗。

二、爱护和保卫公共财产的义务

我国《宪法》规定:“中华人民共和国的公共财产神圣不可侵犯,爱护和保卫公共财产是每一个公民的义务。"

我国公共财产包括：全民所有的国家财产、劳动者集体所有或部分集体所有的合作社财产。这两种公共财产的存在与发展，是我国建设社会主义，消灭一切剥削现象、贫困现象和落后现象的可靠保证，也是我国人民逐步改善与提高物质文化生活水平的可靠保证。所以公共财产神圣不可侵犯的原则，对国家和人民来说，具有非常重大的意义，爱护和保卫公共财产便成了每个公民的基本义务。

爱护和保卫公共财产的义务，不限于消极地要求公民不破坏与损害公共财产，它还积极地要求公民以无比的仇恨和愤怒去和一切破坏与损害公共财产的行为作斗争，还积极地要求公民以共产主义的劳动态度在劳动中不断提高劳动生产率，降低产品的生产费用，提高产品质量，不断巩固与发展公共财产，促进国民经济的高涨。

新中国成立以来，我国人民在党和政府的领导与教育下，提高了自己的社会主义觉悟，逐步树立了对待公共财产的新的态度，因而在自己的工作和习惯中，能够关心公共财产，贯彻公共财产神圣不可侵犯的原则。许多国家机关的工作人员、工厂企业的职工群众，在使用公共财产时非常珍惜，对生产设备非常爱护，为国家节省了大量的资金；他们在和破坏与损害公共财产的违法犯罪行为及铺张浪费现象作斗争方面，也出现了很多英雄模范事迹，为了保卫公共财产，有的甚至不惜牺牲自己的性命；他们在增加生产方面，也有非常出色的成就，许多人提前完成了生产任务，1956 年就在做 1957 年甚至 1958 年的工作。

但是，也应该指出，由于剥削阶级没有完全消灭，资产阶级思想还在腐蚀着国家机关的工作人员以及工厂企业的职工群众，在某些国家机关与工厂企业中贪污、浪费的现象仍然不断地发生；同时一部分不法资本家，还进行着偷税、漏税、偷工减料、窃盗国家经济情报、窃盗国家资财的罪恶活动；更严重的是反动阶级残余分子，反革命分子还利用一切机会进行纵火爆破，毁损机器设备，破坏生产等万恶的勾当，使公共财产遭受很大损失。全国人民必须和贪污浪费的现象进行不调和的斗争，必须严格监督不法资本家，防止其"五毒"行为，必须提高警惕，给一切反革命分子的阴谋破坏活动以毁灭性的打击。只有这样,我们的公共财产才不会受到任何的侵犯。

在资产阶级国家里,私有财产的神圣不可侵犯的原则,被规定为宪法原则,这个原则反映与巩固着资本主义国家的基础,即反映与巩固资本主义私有制,它保护资本家对劳动者掠夺与剥削的权利,它是套在劳动者身上的一副沉重的枷锁。

三、依照法律纳税的义务

我国《宪法》规定:"中华人民共和国公民有依照法律纳税的义务。"

税收在我们国家里具有重大意义,我国正在进行着伟大的社会主义建设工作,要完成这项工作就需要积累巨额的建设资金,这种资金我们不能依靠别的国家,只能在我国内部想办法,而税收就是动员与积累资金的重要形式之一,所以依照法律纳税,也是我国公民的基本义务。

我国税收制度和资产阶级国家的税收制度比较起来,具有以下几个根本不同的特点:

第一,我国税收由国家征集以后,绝大部分用于社会主义经济建设和文化建设,用于提高人民的物质和文化生活,这就说明它是具有建设性和返还性的,它是为人民谋福利的。即使有少数部分用于国防费用上面,它的目的也是为了保卫我们的胜利果实,保障我们国家安全地进行社会主义建设。由此可见,我国的全部税收都是取之于民,用之于民,它体现着国家利益和个人利益的结合。

第二,我国税收制度随着社会主义建设事业的发展,行政效率的提高而日益简化;也随着社会主义建设事业的发展,社会主义企业组织向国家提供的收入将不断增加。而公民个人向国家缴纳的税额相对减少。这就说明我国税收制度是便利人民的,国家要求公民负担的税额也是非常合理的。

至于资产阶级国家的税收,则是用来供资产阶级享受的,各种苛捐杂税的名目繁多,没有一件不是加在人民群众身上的重担。

正是因为我国税收制度和资产阶级国家税收制度根本不同,正是因为我国税收是取之于民,用之于民;同时又是国家对人民所要求的合理负担,所以它能为广大人民群众所接受、所拥护,广大人民群众在向国家纳税方面表现了高度的自觉性,表达了自己的爱国热忱,有力地支援了社会主义建设。但是资产阶级中有一部分不法的资本家没有忠诚地履行纳税义务,走私漏税、拖税、欠税的违法行为还是不断地发生。这就要求我们每一个公民除了自觉地、忠诚地履行自己的纳税义务以外,还必须时刻监督这些不法的资本家,和他们这种走私漏税、拖税、欠税的违法行为进行坚决的斗争,使他们老老实实地根据法律的规定履行自己的纳税义务。

四、保卫祖国的神圣职责与依照法律服兵役的光荣义务

我国《宪法》规定:"保卫祖国是中华人民共和国每一个公民的神圣职责。""依照法律服兵役是中华人民共和国公民的光荣义务。"

我们国家在资本主义包围下建设社会主义,帝国主义和国内反动派残余绝不会甘心于它们的失败,他们将利用一切机会,甚至进行军事冒险,来阻挠与破坏我们的事业,使反动统治在中国复辟。因此,国家要求每一个公民担负起保卫祖国的神圣职责和依照法律服兵役的光荣义务。

新中国成立以来,我国公民已经表现了自己对伟大祖国的无限忠诚和热爱,已经用自己的实际行动保卫了祖国的安全,伟大的抗美援朝斗争就是这些实际行动的典范。在这场伟大的斗争中,中国人民的优秀儿女组成了志愿军开赴朝鲜,和朝鲜人民军一道英勇地打击着以美帝国主义为首的侵略军队,粉碎了帝国主义的军事进攻,保卫了朝鲜的独立,保卫了我们祖国的安全;在这场伟大的斗争中,每一个中国人民,在自己的各种工作岗位上,以创造性的劳动完成了工作任务,有力地支援了前线,为抗美援朝的胜利创造了重要条件,为保卫我国的安全作出了卓越的贡献。

1955 年 7 月 30 日第一届全国人民代表大会第二次会议一致通过了《中华人民共和国兵役法》,根据这个法律的规定,我们国家实行了新的革命的义务兵役制度。义务兵役制的实行是我国军事制度的一项重大改革,它有很多好处。因为根据这个制度,公民达到法定年龄即应征服役,服役期满以后即复员进行生产。这样就能使我国公民都有可能依照法律尽自己服兵役保卫祖国的光荣义务,使我们国家能够拥有取之不尽的后备力量,使我们国家能够节省大量的军事开支,加强经济与文化建设事业;同时公民在服役期间,不但可以

学到军事知识,而且能学习文化与政治,加强组织纪律性,提高思想觉悟,复员以后,即可成为生产战线上的突击力量;最后,公民服役期满复员的时候,年纪还很轻,婚姻家庭问题容易解决,学习其他职业的技术知识也容易掌握,因而就业问题也容易解决。由此可见。实行义务兵役制,不仅能适应国家建设的迫切需要,同时也反映着我国人民的普遍要求。

《中华人民共和国兵役法》颁布后,获得了广大人民的热烈拥护,全国各地适龄青年更以踊跃应征的实际行动,来支持兵役法实施。在应征过程中,并且出现了许多妻子送丈夫、父母送儿子、兄弟争相应征的动人的模范事例,充分地表现了我国人民履行服兵役义务的自觉性,表现了我国人民的爱国主义精神。

在武汉市人民委员会会议上的发言[*]

（1956.12）

我的发言准备谈两个问题：第一个问题是我们武汉大学近一年来做了哪些主要工作；第二个问题是我们对武汉市人民委员会的一些建议。现在先谈第一个问题。

今年暑期高等学校校院长、教务长座谈会以后，我们学校根据座谈会及"临时措施"的精神，着重地进行了贯彻"全面发展，因材施教"方针的工作，提倡结合我国的具体情况，创造性地学习苏联先进经验。因此，在学校工作的各方面出现了一些新的气象。

在教学工作方面，我们抓紧提高质量，培养学生独立工作能力这个中心问题。我们修订了教学计划，减少了课程的门数和时数。对执行教学大纲方面准许适当地灵活地掌握运用。课堂讲授照本宣科的现象也大大地减少了。还在课堂上介绍了各家各派的学说，并发表自己的见解。课堂讨论也逐步有了一些改进，改变了完全按照教学大纲出大题目给同学们讨论，造成笔记搬家的现象，注意针对学生的疑难问题联系实际，鼓励展开自由争辩，这对于培养学生独立思考能力是有好处的。

在师资的培养与提高方面，各系与教研组都已初步做了安排计划，在培养与提高的方式上，主要的是由有经验的老教师带徒弟，组织科学讨论班，举行科学讨论会，把提高和科学研究紧密地结合起来。一般是通过科学研究工作和教学工作来不断提高自己的科学水平。此外还派了一部分教师到外校进修。

---

　　*　这是 1956 年 12 月 24 日李达在武汉市人民委员会会议上的发言稿。——编者注

在科学研究工作方面，这一年来有科学研究能力的教师，多数都开展了科学研究工作。我们举行过一次全校的科学讨论会。此外各系、各教研组还经常举行小型的科学报告会、讨论会。本年出版过一期自然科学学报和一期人文科学学报，都有一定的质量。教师们还写了一些科学著作，翻译了一些著作，在陆续出版中。

在学生情况方面，在贯彻"全面发展、因材施教"方针的时期，学生思想开朗了，注意多读参考书，积极的一面虽然是主流，但由于思想教育做得不够，在学生中曾经出现过一些误解和不健康的现象。有些学生自由旷课，上课时看小说；文体活动组织不起来；生活秩序有些紊乱，有的学生开夜车到第二天早上的两三点钟，有的学生早上三四点钟就起来读书；有的学生不重视本专业的课程，而过多地旁听其他专业的课程；有的学生只学专业课程，不愿学其他有关课程；有的学生要求转系；有的学生不尊重教师，如此等等，都是与片面地理解"全面发展，因材施教"的方针有关的。学校针对这种情况，召开了学术委员会，督促各系加强学生工作；同时党团加强对学生的思想教育，纠正了一些不正确的思想。现在，学生中的那些混乱现象已基本上消除了。学生中正常的生活秩序和独立思考的风气已逐渐树立起来。

在保证条件方面，学校方面做到了保证绝大部分教师每周有 5/6 的时间用于业务上。但少数兼任行政工作过重或担任社会工作过多的教师还是感到时间不够。图书、资料、仪器、设备方面还不能满足教师开展科学研究的需要。

在贯彻执行党对知识分子的政策方面，绝大部分教师的工作安排是适当的，能够发挥所长。还有个别教师在安排上需要调整，也正在根据具体情况设法解决中。对于教师的信任、支持方面，还做得不够。在生活方面，我们虽然做了一些工作，但是，一方面由于工作中的缺点；另一方面由于客观条件的限制，教师们在生活上还感到有些不方便，我们将继续努力改进。

第二个问题：我们想提出一些建议。

我们觉得市人民委员会对于郊区的市政工作是重视不够的。珞喻区（指从喻家山到珞珈山这一带高等学校所在地）的高等学校的教师、职工、家属不下 5 万人，他们在生活上是有许多地方感到不便的。现在谈几点。

第一，交通不方便。这一带的公路，除了两段水泥路之外，其余的路全是高低不平的,坐车的人坐在上面颠簸起来非常难受,身体不好的人就要呕吐,孕妇简直不敢坐车。许多外国友人到武汉后常常要到武汉大学来参观,也要经过这种路。据有些游历了全国各地的教师说,武汉市郊区的汽车路恐怕要算全国最坏的了。我们也有同感。今年暑天我从芜湖坐汽车到黄山,全程有330公里,几乎每隔几公里就有一个"护路队",发现了小坑小洞马上进行培修,所以坐车的人几乎完全不感到颠簸。若是像我们武汉市郊区这样的路,坐上330公里的汽车,恐怕很少有人受得了。我建议市人民委员会重视这一问题,及早解决。其次,珞喻区公共汽车的拥挤也是惊人的。每到星期六、星期日,我们武汉大学候车处就排满了候车的人,常常可以排到半里路长,有时候要等一个多小时才能搭上汽车,上车以后又是拥挤不堪,没有座位的人甚至连站都没有地方站。一趟车沿途上下,费时更多。据售票员说,这段路的公共汽车走9公里要费38分钟,这一方面是由于路不好,车不能走快;另一方面也由于逢站就停,耽误了时间。我建议有关方面学习北京的做法,在有高等学校的地方设"直达车",并且想办法增加车辆。

第二,文化娱乐的设备缺乏。这个地区根本没有电影院和剧场。学校自己搞的露天电影,场容量既小,秩序又坏。武大的露天电影场要容纳武大、水利学院、民族学院、师专、科学院水生生物研究所等好几个单位的师生员工和家属,拥挤不堪,今年一年曾经发生过两次挤伤人的事故,其中一位教授的母亲被挤断了臂膀,连夜送进医院。冬天一到,露天电影场寒风刺骨,除了一些青年学生还有勇气去看以外,教师们只好不看。剧场也同样是个问题,我们往往请了剧团来,却没有适当的地方演出,而这个地区的5万多人是迫切需要文化娱乐生活的。希望有关部门考虑解决。

第三,买东西不方便。武大只有一个极小的合作社,商品种类既少,地方又窄,完全不能满足师生员工和家属们的需要。我建议在杨家湾设立一座百货公司,附近几个学校的买东西问题都可以解决了。

第四,武大只有一个新华书店发行处,小得很,完全不能供给师生们必需的书籍。教师们需要的参考书是多种多样的,一个小书店实在照顾不了。我建议在附近设立一个较大的新华书店门市部,经常调查高等学校教师、学生们的需要,充分供给他们所必需的教科书和参考书。

第五,医药卫生设备缺乏。整个珞喻区没有一个医院,只有各校自己附设的卫生科、医务室。武大的卫生科,群众反映是"小病不用治,大病治不好"。教师们真正有病,或者生小孩,还是要进城。我建议有关方面考虑是否可以在珞喻区设立一个医院,我看,为 5 万多人设立一个医院,是不能算浪费的。其次,这一带的卫生工作也做得很差。"除四害"的工作似乎没有人领导。有一次苏联专家请我们到他们的宿舍里去吃饭,那苍蝇实在多得可怕,我们看了都不好意思。现在已经是深冬了,可是珞珈山的蚊子还是到处都是,麻雀更是满天飞。附近的几个村子,更是又脏又臭。我希望市卫生部门考虑一个妥善的办法加以解决。

新年致词*

（1957.1）

我们武汉大学全体同志们！同学们！

现在，1956 年结束了，1957 年到来了，首先让我向你们大家祝贺新年！同志们！同学们！

1956 年，和我们新中国成立以来的许多年份一样，同是光荣的、不平凡的一年。在我国这样一个拥有六万万人口的大国里，社会主义革命已经取得了全面的、决定性的胜利，几千年来的阶级剥削制度已经基本上结束了，这是具有全世界历史意义的伟大胜利。同时，我国的社会主义建设事业也正在飞快地发展着。随着生产的发展，人民的物质生活和文化生活的水平也正在逐步提高了。在党所提出的"百花齐放、百家争鸣"的方针指导下，我国的文艺界、科学界都出现了空前未有的繁荣景象。中国共产党的第八次全国代表大会，总结了第七次代表大会以来的经验，制定了宏伟的建设纲领，为要把我国建设成为一个伟大的社会主义国家。我们全国人民正在党的领导下，朝着这个伟大的目标胜利前进。

过去的一年证明了：国际形势对于我们的社会主义事业是有利的。社会主义的、民主的、和平的力量是强大的，帝国主义的反动力量却正陷于不可解决的矛盾之中。英、法两个帝国主义国家忘记了时代，居然敢于发动了侵略埃及人民的战争。结果呢，它们遭到了可耻的失败，在全世界和平力量的压迫下，在"十目所视、十手所指"的情况下，终于狼狈地灰溜溜地滚出了埃及领土的塞得港。同时，美帝国主义者妄想利用匈牙利的内部矛盾制造颠覆活动，企

---

* 本文曾于 1957 年元旦零时在武汉大学广播。——编者注

图使资本主义在匈牙利复辟。但是它们的希望像肥皂泡一样地破灭了,正直的英勇的匈牙利人民,在苏联援助下,在匈牙利社会主义工人党的领导下,保卫了社会主义的成果。现在,帝国主义者虽然还想利用匈牙利问题,在西方世界里煽动起反苏反共的浪潮,制造国际的紧张局势,但是它们的疯狂活动是绝对占不到什么便宜的。帝国主义者要想扭转历史的方向,是绝对不可能的,国际的社会主义的事业也是不可战胜的。

同志们!同学们!在我们的国家里,每一个送别了的旧年都是社会主义事业取得胜利的一年,每一个欢迎来的新年,都是从胜利走向胜利的一年。1957年将给我们的国家带来更丰富的成果。我们发展国民经济的第一个五年计划将要提前和超额完成,第二个规模更大的五年计划就要付诸实行。我们的科学文化事业将要有更大的发展。我们正在向着繁荣幸福的社会主义社会大踏步地前进着。

但是,繁荣幸福的社会主义社会,是要用我们的艰苦劳动创造出来的。我们必须在党的英明领导下,和全国人民一道,英勇顽强地、克勤克俭地把自己的岗位工作做得更好,为实现这样一个社会而奋斗!

一年以来,我们学校的同志和同学们,在各个方面,也取得了不少的成绩。教师同志们在提高教学质量、培养学生独立工作能力方面,在师资的培养与提高方面,在科学研究方面都做了不少的工作。职工同志们在改进工作方法、提高劳动效率、端正服务态度、更好地为教学服务等方面,也尽了一定的努力。同学们的独立思考的风气已经逐渐养成,正常的学习和生活秩序也树立起来了。应当说,这是我们全校师生员工在党的领导下共同努力的结果。在这个新的一年里,希望我们教师同志们继续努力,早日完成教学改革工作,不断地开展科学研究,提高教学质量,贯彻全面发展的教育方针。希望我们的同学们,培养自己的共产主义道德品质,端正学习态度,学好自己的专业,同时要学会运用马克思列宁主义的观点和方法,钻研科学上的问题,养成独立思考、独立工作的能力,把自己造就为符合祖国需要的社会主义建设干部。

敬祝教工同志们工作顺利,祝同学们学业进步,祝大家都有一个愉快的新年!

(原载1957年1月8日武汉大学校报《新武大》第221期,署名李达)

我打算写两本书

（1957.1）

我是愿意搞研究工作的人,我的主要工作是写几本书。1954 年年底我计划在 1955 年写一本《唯物辩证法讲话》,1955 年年底又计划在 1956 年写《毛泽东对马克思列宁主义的贡献》。这两个计划都没有实现,只好留待 1957 年做了。若要问我对于那两个计划究竟完成了多少? 我的回答很简单:"一个字也没有写。"若问为什么? 原因是兼职多、开会多。兼了多少职? 我不想列举出来。开了多少次会? 我没有统计,大概平均每月可以抽三五天的时间伏在桌上,看看资料,写点什么报告稿子,却与我的主要工作无关。大家都说每个星期要保证六分之五时间,我呢? 近来连六分之零的时间也不易保证(指星期日说的,星期日要会客,有时也开会)。因此,我的年底计划只好"以待来年了",我顾虑着"来年"又有"来年"哩。

这些客观上的困难可不可以克服呢? 克服的办法是有的。"开夜车",可惜我的身体条件办不到。

如果问我对新的一年有什么希望? 我说我的希望很多,说不完,我只提出一个很单纯的希望:做一个专任教授或专任研究员。

（原载 1957 年 1 月 1 日《光明日报》,署名李达）

1920 年的中国社会主义青年团

（1957.4）

　　1919 年"五四"运动爆发，特别是"六三"以后，全国各地群众起来，工人罢工、学生罢课、商人罢市。但是，当时国内关于苏联还知道的很少，约到 1920 年春，我们才知道苏联废除了帝俄时代和中国订立的不平等条约，大家对苏俄很有好感。1920 年 4、5 月间，第三国际东方局派维廷斯基（我们给他译名为吴廷康）偕其夫人来到中国。维廷斯基到北京后，马克思主义学会开会欢迎了他（山东人杨明斋帝俄时代在东方大学读过书，请他做翻译），李大钊同志热情地招待他，交换了意见，后又介绍他到上海与"新青年"、"星期评论"和"共学社"（当时尚在投机、未表现反动）等社团进行接触。

　　1920 年暑假，上海方面发起建立党的组织时，当时发起人有七：陈独秀、李汉俊、陈望道、沈玄庐、俞秀松、李达、施存统（施存统参加发起后去日本留学）。1920 年 11 月 7 日创办《共产党月刊》，为秘密刊物，出版到第 7 期。

　　党在上海发起后，因陈独秀交际比较广，由他写信给北京的李大钊，济南的王乐平（王乐平本人未参加，让他的弟弟或侄儿王尽美参加的）、邓恩铭，武汉的李汉俊，广州的谭平山、陈公博和陈达材，以及在法国巴黎留学的张松年等人组织共产党。1921 年召开党代表大会时，因联系很差，未与巴黎取得联系（后来陈独秀给巴黎抄了一份简章）。

　　"五四"运动后，湖南、湖北、安徽、四川等地，有不少青年对旧社会不满，要求思想解放。这些青年，都有一股朝气，想干革命工作，想谋出路。许多人脱离了家庭和学校，到上海找《新青年社》、民国日报副刊《觉悟》（邵力子等人办的）、《星期评论》（李汉俊等办的）。因为这是当时三个进步的刊物。维廷斯基到上海后，亦曾介绍过苏联有青年团的组织，于是，党就将各地来沪的青年挑选了 20 来人组织了社会主义青年团(简称 S.Y.),并派党的发起人之一的俞秀松主持。意思是准备从中培养挑选预备党员。罗觉(亦农)、任弼时、李中、李启汉(不是李汉)等都是这一批参加的。后来他们都加入了党。当时并不是由所谓"八个人发起成立社会主义青年团的",而是党来组织的。

社会主义青年团成立后,在上海租了一栋房子,即环龙路新渔阳里六号两楼两底一幢。因为经常有很多人在那里进进出出,不大方便,门口就挂了一块外国语学校的牌子。当时也真的学了外国语——俄文。由维廷斯基夫人任教。

环龙路渔阳里(老渔阳里)二号为新青年社的地址,在法租界内。

社会主义青年团刚成立时未出什么刊物,发起时,我记得没看到什么章程。

1920 年至 1921 年之间,通过党的组织,北京、武汉、长沙、广州等地先后都成立了社会主义青年团,邓中夏负责北京团的工作。当时各地 S.Y.与上海联系不大,主要是与当地党取得联系。一些工作的开展,都是通过党的组织。例如 1921 年秋天,第三国际东方局要我们派一批青年到莫斯科学习,我们就是经过党的组织在上海、北京、武汉、长沙四个地方,选派了一二十个青年送去的(大概是这四个地方)。罗觉、任弼时都是这一次去的。他们是在哈尔滨由一俄国朋友接头,然后出国。他们这批学生,有留俄一年的,有两年的,有的在那里加入了党,这就使得我们的党添了一批蓬蓬勃勃有朝气的生力军。当然,其中也有一些人在大革命后叛变了。

1921 年党正式成立后,施存统由东京回来,党派他领导社会主义青年团,俞秀松搞别的工作去了。那时出版的团中央机关报《先驱》主要就是由施存统搞的。

社会主义青年团 1920 年成立后,1921 年 5 月并未取消过。记得 1921 年左右,我们的经济很困难,环龙路渔阳里二号"新青年社"的房子与环龙路新渔阳里六号 S.Y.的房子,每月要花不少的钱,房子租不起了,而且有的青年走了,但是青年团组织并未取消,1921 年秋、冬,还曾派人到苏联去学习。

北京的马克思学说研究会大概七八人(按:这里李达同志指的可能是党的小组,因马克思学说研究会成员较多),有李大钊、邓中夏、张国焘、刘仁静、罗章龙和李梅羹。张太雷当时在天津,也可能加入了这一组织。

柯庆施同志 1920 年在上海加入社会主义青年团,好像他也搞过社会主义青年团的工作,可找他了解些情况,他在《中国青年》上发表文章,笔名为柯怪君。

以上情况一般都是正确的,但因时间比较久了,有些地方可能不太准确。

(原载 1957 年 4 月 16 日共青团中央办公厅编《团内通讯》第 125 期,署名李达,文末注明由徐承武记录)

怎样做一个社会主义大学生

——给应届高中毕业同学的信

（1957.5）

亲爱的青年同学们!

今年暑期,你们结束了中学时代的生活,准备投考高等学校,或者准备参加各种直接为社会主义建设事业贡献力量的生产劳动,我衷心地祝贺你们,祝你们在新的生活里用创造性的劳动取得出色的成就!

我们要特别向那些准备用自己的劳动,在祖国的工业、农业、服务业等战线上为祖国的繁荣、幸福建立功勋的青年同学们,致以同志的敬意。这些青年同学们是各个生产战线上的新血轮,他们一定会给各个生产战线带来新的气象,一定不会辜负祖国的期望。

在这里,我想着重地对将要进入高等学校的青年同学们说几句话。

我们的党和人民政府现在正在领导全国六亿人民进行伟大的社会主义建设,要在一个不很长的时期内把我国由一个贫困落后的农业国变为富强先进的工业国。这个事业是空前伟大的,然而也是空前艰难的。我们的国家现在还穷得很,虽然我们获得了以苏联为首的各个兄弟国家的援助,但是我们还是需要用最坚忍不拔的努力才能克服前进途程中大大小小的困难。在这样困难的条件下,我们的国家仍然花费了巨大的经费和人力来办学校,这是为了什么呢? 一句话,就是为了社会主义建设。反动派也办学校,但是他们办学校的目的是为了给他们装点门面,粉饰太平,培养为他们服务的知识分子(虽然他们的这个目的并没有完全达到),而不是什么为了祖国和人民的利益。我们办学校的目的和他们相反,我们的目的是培养为人民服务的知识分子,为社会主义事业服务的专家。要想在毕业以后成为一个名副其实的社会主义的建设人才,那么,在学校里应当是一个名副其实的社会主义的大学生。

什么叫作社会主义的大学生呢? 是不是凡属在新中国的大学里念书的学生都可以算得社会主义的大学生呢? 不能这样说。大家在报纸上也许看到了,有一个学工的大学生,祖国培养他直到大学毕业,他却跑去帮助葡萄牙殖民主义者修筑碉堡去了;还有的大学生,一面在社会主义的大学里学习,一面发表反对社会主义的言论;还有的大学生,把个人的名誉地位和物质享受看得高于一切,把祖国人民的利益放到脑后。这样的大学生,也算得是社会主义的大学生吗? 我想是不能算的。他们如果不改正自己的错误,即令学得了一点知识,也是不能为社会主义事业作出多少好事情来的。社会主义大学生有社会主义大学生的标准。这标准概括起来应该有三个条件:第一,他努力把自己培养成为具有马克思列宁主义的世界观和共产主义的道德品质的人,决心为社会主义的事业贡献出自己的全部力量;第二,他努力地并且有成效地学习现代先进的科学和技术;第三,他努力锻炼自己的身体,把自己锻炼成为具有足以胜任繁重劳动的强健体魄的人。

这样的标准是不是太高呢? 我以为高是高的,但是并不太高。说高,就是说并不是随随便便就可以达到的;说并不太高,就是说只要经过一定的努力,又是每一个同学都完全可以达到的。

要做一个名副其实的社会主义的大学生,应当从哪些方面努力呢?

我以为首先的、决定的一条就是要建立马克思列宁主义的世界观。其所以是首先的、决定的一条,就因为世界观是一个人的一切思想、言论、行为的总指导。不管你自觉也好,不自觉也好;承认也好,不承认也好,事实上你总是受一定的世界观所指导的。在现在,世界观归根到底有两种:一种是无产阶级的世界观;另一种是资产阶级的世界观。不受无产阶级世界观的指导,就受资产阶级世界观的指导。一个人的思想、言论、行为如果受资产阶级世界观的指导,将会得到什么结果呢? 首先,他们的阶级立场必然是模糊的。当社会主义事业对他的要求稍稍触犯了他个人利益的时候,他就动摇,他就半心半意或者三心二意,他就不愿意为社会主义事业而奋斗;严重一点的,甚至还要丧失立场,走到敌人那边去。像前面所说的为葡萄牙殖民主义者造碉堡的那个大学生就是这样的。其次,他观察问题、处理问题的观点和方法必然是错误的。观点和方法决定于世界观。唯心主义的、形而上学的世界观不能不使人们在观察问题和处理问题时陷于主观性、片面性和表面性。犯这种毛病的人不仅在将来的工作中要犯错误、碰钉子，而且连功课也是学不好的。所以我们要反对资产阶级的世界观。要反对资产阶级的世界观，就要建立无产阶级的世界观，就要学习马克思列宁主义。这应当从两方面下功夫：一方面是系统地学习马克思列宁主义的理论，也就是认真地学好规定的各门政治理论课程，从根本原理上了解马克思列宁主义的整个体系；另一方面还要通过对时事政策问题的分析研究，通过社会工作等等，锻炼自己的运用马克思列宁主义的立场、观点、方法观察问题和处理问题的能力，改造自己的思想，培养自己的共产主义的道德品质。

要做一个社会主义的大学生，光有正确的立场、观点、方法是不够的，还应当学好专业知识，使自己成为精通本门业务的专家。为了做到这一点，独立思考和刻苦钻研是有决定意义的。同学们在中学时期学习各种基础知识的时候，当然也要通过独立思考，可是由于年龄小，知识的积累程度低，独立思考的成分还是小于由教师辅助的成分。到了大学就不同了，主要的工作要你自己去完成，独立思考的意义显得特别大。这不仅是由于大学里的课程只有通过个人的独立思考才可能获得透彻的理解，而且也由于只有在这段时期里培养出独立工作的能力才能胜任毕业以后所担任的任务。大学生不是小孩子了，应当会自己管理自己。现在学校里是由同学们自由支配上课以外的时间的，应当很好地考虑安排自己的作业。刻苦钻研也是极其重要的，不用相当的独立思考工夫，无论在什么知识领域内都将得不到真理。同学们在学习上应该记住鲁迅所主张的"锲而不舍"的精神，应当记住巴甫洛夫所主张的"循序渐进"的精神，踏踏实实地一步一步地向科学的峰顶前进，绝不要好高骛远，绝不要自满自足，绝不要做毛主席所嘲笑过的"头重脚轻"、"嘴尖皮厚"的人物。要做一个有学问的人、有本领的人。

要做一个社会主义的大学生，还应当有强健的体魄。我们的大学生是要做事业的人，是要担负繁重的工作任务的人，没有强健的体魄，是不可能坚持长期的繁重的工作的。不仅如此，没有强健的体魄，在学校里也学不好功课。毛主席提出"三好"，首先一条就是"身体好"，这意义是很深刻的。在提出"向科学进军"的口号以后，有些同学忽视了身体的健康，这是一种偏向。要做到身体好，一要坚持锻炼，二要起居有常。这是关系一辈子的大事，是必须注意的。在青年时期把身体锻炼好了，就能够把自己的智慧和才能用来更好地为祖国的社会主义事业服务。

同学们！在你们前一代曾经有不少的人是进过大学的，他们梦想着用他们苦学得来的知识为祖国人民做一点事，可是在反动统治时期，他们的梦想是不能实现的。那真是"英雄无用武之地"！你们现在是毛泽东时代的大学生了，现在不是"英雄无用武之地"的问题，而是怎样把自己塑造成一个真正出色的英雄，来为飞跃发展的社会主义事业贡献力量的问题了。这是无数的先烈用鲜血换得的幸福，你们要珍惜这种幸福。若干年以后，你们就是社会主义和共产主义事业的"中流砥柱"了，为了不辜负党和人民的期望，你们应当把雄伟的革命气魄和深沉的求实精神很好地结合起来，做一个名副其实的社会主义的大学生。

（原载 1957 年 5 月 6 日《新湖南报》，署名李达）

大胆地"鸣" 大胆地"放"

（1957.5）

我们党的中央和毛泽东同志决定在全党展开一次以反对官僚主义、宗派主义和主观主义为目的的新的整风运动,并且决定以正确地处理人民内部矛盾问题作为整风的主要内容,无疑地,做好这次整风运动将使我们全党克服在新的形势下产生的一些不良作风,使党和人民的关系大大改善,使社会主义的共同事业更加顺利地向前推进。

我们武汉大学的党群关系是有很多的问题的。正如许多同志们正确地指出的,武大的党群之间隔了一道墙,一道鸿沟,并且墙是很厚,沟是很深的。这墙和沟,是我们共产党造成的,更确切地说,是我们共产党内的官僚主义、宗派主义和主观主义造成的。现在我们要进行整风,把全党的思想作风来一个大转变,把我们自己筑成的墙拆掉,沟填平。

可是党内整风不能关起门来整,必须取得党外广大群众的帮助。我们的党不是一个为谋私利而结成的小集团,而是一个为全国六亿人民谋利益的党;而全国六亿人民的事又绝不是一党一派的私事。因此,我们是以最大的热忱和诚意听取党外群众的意见的。我们希望党外的同志们,以对祖国负责、对人民负责、对真理负责的态度,坦率地、毫无保留地对我们提出批评,不要有任何顾虑,即使说错了也是完全没有关系的。有些党外同志善意地担心,怕这样做会给党造成"压力"。我想,对我们施加一点"压力"也没有什么坏处。只要有利于克服我们的缺点和错误,有利于增强团结,无论怎样尖锐的批评都是只有好处的。

我希望全校的同志们都动起来,党内党外一致努力,大胆地"鸣",大胆地"放",为彻底转变武大党的作风,密切党群关系、共同办好学校而奋斗。

（原载 1957 年 5 月 16 日武汉大学《学习简报》第 1 期,署名李达）

回忆党的早期活动 [*]

（1957.6）

1. 老渔阳里是党的工作地,那新渔阳里作党的工作地是不够确当的,应做团的工作地来纪念较确当。因为那时主要是社会主义青年团的活动。我们没有在那里开过会和其他的活动。柯庆施的决定是不够确当的。柯庆施当时叫"怪君"。

2. 我是在党的"二大"结束后(即 1922 年 11 月)离开上海的。

3. 我在 1920 年 8 月从日本留学回到上海,在"博文女校"开办"中国学生联合总会"。我是以日本留学生的理事之一参加这个总会的,直至 1921 年 1 月因经费发生困难,虽将刊物售给商务印书馆,但未能继续下去,终于退租了。那时,该会的主要活动是"抵制日货"。

4. 党的中心应由"博文女校"和老渔阳里二号为中心。

5. 新渔阳里六号是杨明斋办"华俄通讯社"的地方。在 1921 年暑假期间终止了。后来,杨明斋将六号与别人对换至辅德里六百二十五号一楼一底的房屋,但该处杨也住得不长久。不久,我住到辅德里六百二十五号里去了。

6. 1920 年 8 月,自从俞秀松离申去日本时,团的书记凡施存统担任。俞从 1921 年 1 月才从日本回来。

7. "华俄通讯社"的牌子是没有挂,但挂了一个"外国语学社"的牌子,是白底黑字,字体是普通的。

---

[*] 这是 1957 年 6 月 7 日上海革命历史纪念馆筹备处工作人员访问李达的记录整理稿,标题系原编者所加。——编者注

8.魏金斯基教俄文,李达教日文。陈望道、高语罕、沈泽民、赵立志、穆见卜、钟复光等在该校读书和教书。

9.那时党所发起的社会主义青年团只有上海、北京、汉口、长沙等地有组织。

10.1922年1月,开华盛顿会议,青年团派了十多人去参加远东各国共产党及民族革命团体第一次代表大会。这次会议主要是和华盛顿会议唱对台。

11.《共产党》月刊杂志共出版了7期,1—6期找到了,第7期尚未找到。1920年11月的1—2期是在老渔阳里2号编的,3—7期是在辅德里编的。

12.党的"一大"后,我们成立中央工作部,陈独秀任书记,张国焘组织主任,李达宣传主任。

13.张国焘住在成都北路,几号不详。"中国劳动组合书记部"的牌子挂在沿马路,是白底黑字。

14."人民出版社"也在辅德里。那时,我担任出版社主编,共出版了14种刊物以及临时性的小册子。那时付印、校对、发行工作都是我个人担任的。分发到外埠去的刊物都是经过轮船的水手及杂务工输送的。

15."平民女校"在辅德里六百三十二号A,楼下有缝衣铺,还有摇袜子的机器,楼上是教室。那时,丁玲只有17岁,王一知比她大一点。"平民女校"自1921年冬至1922年的冬天。李达自那时起由毛泽东通知,叫他到长沙任"自修大学"的校长。

16.新渔阳里六号的情况我也很了解。我记得那时有魏金斯基的夫人在教俄文,在客堂上课时有黑板、椅子等。

17.包惠僧的团书记我认为不是,无根据。杨明斋当时是不吸烟的。

18.当时是叫中国共产党。召开党的"一大"时,没有党的图章,都是以我个人名义出面的。党的"一大"的党章找不到了,但我记得中国共产党章程草案是用八开纸写的,内容是中国共产党用下列手段达到社会主义的目的:(1)劳工专政;(2)生产合作;(3)(我记不起了)。党的"一大"召开时,党员数:上海约9人、北京7—8人、武汉7人、济南5人、广东2人、长沙10余人,长沙那时可能还是社会主义青年团。因毛泽东自从党的"一大"后即1921年10月将社会主义青年团改为共产党。当时,我在上海搞纺织工会;毛泽东在长沙组织工人,把土木工、理发师组织起来了,搞得很好。

（原载上海人民出版社 1980 年 5 月出版的《党史资料丛刊》1980 年第 1 辑）

从右派的进攻看知识分子必须加强改造*

（1957.7）

自从共产党提出长期共存、互相监督、百花齐放、百家争鸣的方针以后，民盟章伯钧—罗隆基同盟感到非常兴奋，认为民主党派大有搞头了。他们为了使民盟发挥监督的作用，为了长期共存的"万岁"基业，就计划着要大量地发展盟员，加强民盟的政治势力，以便"以组织对组织"。他们发展盟员的对象是知识分子和青年学生，他们要把知识分子包下来，不让党在知识分子中发展党员。他们要组织几百万人的"知识分子党"，以便向共产党争取领导权。

章罗同盟为了要把知识分子包下来，首先就要向知识分子做宣传工作，以便拉拢他们。因此，"民盟的两次会鼓励"费孝通"为知识分子说说话"，费孝通接受了这个任务，就写出了《知识分子的早春天气》（以下简称"早春天气"）那篇文章（参看费孝通的《早春前后》）。据说，费孝通那篇文章初稿，曾经分送他的几位盟员同志"研究提意见"，反复修改之后发表的。所以这篇文章，不是费孝通个人的抒情之作，而是章罗同盟的一个宣传文件，我们应当予以重视。

费孝通说他的这篇文章"还是杂文之类的东西"。这确是"杂"文，内容自相矛盾，中心思想不突出，唱的都是反调。文中有两点值得一提。其一，他谈到了百家争鸣。他认为知识分子经过思想改造，"立场"这一关已经过了，剩下来的是观点和方法的问题。他所说的立场是什么阶级的立场，没有明说。但把阶级立场和世界观割裂开来，却使人难解。作为一个社会学家的费孝通既然有了自己阶级的立场，却没有哪一个阶级的世界观，甚至说"弄不清楚什

＊ 这是 1957 年 7 月 4 日李达在第一届全国人民代表大会第四次会议上的专题发言。李达这一发言的相关背景，参见本卷中编者为《费孝通的买办社会学批判》所写的题注。——编者注

么是唯物的,什么是唯心的那一套",这是很难使人相信的。其二,费孝通对于我国高级知识分子没有因波匈事件引起波动,认为"一方面这是好的",同时却又认为这是我国高级知识分子的消极因素的表现。他好像很惋惜:我国高级知识分子没有像裴多菲俱乐部的知识分子那样,在中国搞一次匈牙利事件。否则,他为什么批评我国高级知识分子"没有深刻地动过脑筋,占并没有生波"呢?费孝通这种推测,显然是大错而特错。我国知识分子的绝大多数,在党的领导下,都在发挥着巨大的积极性,为建设社会主义而努力奋斗着,他们和那些右派分子和反革命分子是截然相反的。我国的社会条件也绝没有演出匈牙利事件的可能。费孝通那个批评,可说是对我国广大知识分子的一种污蔑。

"早春天气"还是有一个中心思想的,它的中心思想着重表明:从 1949 年中华人民共和国成立到 1957 年 3 月为止,是知识分子的"严冬天气"。这好像是说,在这段期间内,我国知识分子过着"凄凄惨惨戚戚"的生活,好容易才盼到了"乍暖还寒"的早春天气。这完全是反调。我们都很清楚地知道,从全国解放之日起,已经是知识分子的明朗的春天,现在已经是"不平凡的春天"了。费孝通的恶意宣传是别有用心的。周恩来总理在《政府工作报告》中说到五大运动与三大改造的关系,如果没有五大运动就不能实现三大改造。知识分子的思想改造是五大运动之一,成绩是很显著的。人们只要把黑色眼镜取下,就可以看到党内外 500 万知识分子(右派知识分子除外)散布在工厂、矿山、企业、机关、部队、学校等工作岗位上,都积极地贡献出自己的力量为社会主义事业奋斗着。他们的进步是很显著的。他们赞成社会主义制度。他们正在努力学习着马克思主义,有一部分人已经成为共产主义者。单就学校里的知识分子说,绝大多数人都积极地完成着自己的教学任务,并进行着科学研究工作,他们已经为祖国培养出数以百万计的高级和中级的建设干部。他们的成绩是巨大的,他们的积极性是很高的,决不像右派分子那样有"乍暖还寒",弱不禁风之感。

费孝通的"早春天气"并不符合于绝大多数知识分子的心情,而只是表达他"所熟悉的一些在高等学校教书的老朋友们的心情"。费孝通的那些老朋友们是些什么人,他们的心情究竟怎样?潘大逵在民盟中央小组扩大座谈会上说,罗隆基有一个无形的小组织,大约有 10 人左右,费孝通也在其内。并说:"这些人都是解放后对工作和地位的安排不满意的。"费孝通自己揭露罗隆基的右派面目时,也说:"罗隆基认为'正派'的知识分子是保留着资产阶级思想的那些人,凡是进步的都被称为'教条主义者',……罗隆基最讨厌进步分子,认为他们是'观风色,看气候,扣帽子,打冷拳'的人物。他认为那些思想落后的人是有本事的。他要他们:'不必低估自己以往的工作和成绩',不要'妄自菲薄',要他们'各凭本事,各显神通'。""他们的方针是:团结落后,争取中间,打击进步。"罗隆基的右派面目如此,而费孝通则承认自己"有些思想和罗隆基是一致的"。这样,我们就可以知道,"早春天气"只道出了这一些人的心情:他们在解放后的地位不是那么特别的高,党对他们没有特别重视,因而对党心怀不满;他们口头上拥护党、拥护社会主义,而心坎里是反党反社会主义的。他们都是两面性的人物。

费孝通在《早春前后》中吐露了他写"早春天气"的动机。他认为"百家争鸣"揭开了第一个"盖子","党和知识分子之间存在着的内部矛盾突出了"。党对那些知识分子还在施加压力,所以他主张要"互相监督"来揭"第二个盖子"。他说:"我是主张揭盖子的,因为盖子总是要揭的,迟揭不如早揭,小揭不如大揭,揭开了比冲开为妙。"这些话的意思就是:党若再不特别重视这些右派知识分子,特别提高他们的地位,他们就要"冲开"盖子,大胆地反党反社会主义了。这就是费孝通写"早春天气"的动机。

我们可以说,"早春天气"的发表,是右派知识分子向党进攻的第一炮;《早春前后》的发表,已是所谓"春暖花开时节",毒草也滋长起来了。

中国共产党宣告整风了,党欢迎党外人士多提意见,帮助党搞好整风运动。这时候,费孝通期待着要"互相监督"来揭的"第二个盖子"终于揭开了,认为"知识分子(右派的——引者注)对政治的积极性"要"发扬"了,认为他们就要"改变过去对国家大事不大关心的那种消极情绪",要大鸣大放,向着国家的基本制度进攻了。章罗同盟认为时机已到,准备把积蓄已久的政治阴谋公开向共产党摊牌了。他们做了很多布置,要制造出天下大乱的局面。一方面,授给各地民盟右派分子十点"指示",要盟员"大胆的鸣,带头的争,要到处点火",各地的右派盟员都照着做了。湖北民盟主任委员马哲民干得很出色,他要求民盟在整风中争取主动,发挥独立性,抢在共产党的前面,要采取

"上下压"、"内外攻"夹击战术,要起带头作用,要单干,并且搞起了自己的整风办公室。另一方面,由《光明日报》和《文汇报》派出记者分赴各大城市,联系他们所要联系的高级知识分子和对党不满的知识分子,组织座谈会,搞出了几十万字座谈记录,把一些恶意的、破坏性的言论加以渲染,突出地"揭露"出来。像这样,右派盟员"到处点火",说党的坏话;《光明日报》和《文汇报》尽量登载破坏性的报道,人们所看到的和听到的尽是诋毁党和辱骂党的消息。同时,章罗同盟在统战部召开的座谈会上公开向党摊牌,接着民建和民革的一些右派分子也和章罗同盟共鸣,唱起反调来了。这些右派分子的企图,就是要撕毁他们曾经举手通过的宪法,公开反党反社会主义。

右派分子反党反社会主义的运动,采取了下列的五步曲,他们的理论是修正主义或右倾机会主义,他们把马克思主义和共产党的理论和政策,一律当作教条主义来反掉。

第一步,揭露缺点,否定成绩。他们把"成绩是主要的,缺点是次要的"的提法说成是教条主义。他们尽量揭露缺点,抹杀成绩,企图把共产党说成漆黑一团,把党的绝对优势说成是党的绝对劣势,说党是法西斯,使党在全国人民面前丧失威信,这样来破坏党群团结,破坏全国人民的团结。

第二步,反对党的领导。他们说:"党天下"的思想问题是一切宗派主义现象的最终根源,党又是"和尚团体"(储安平);"共产党是教条主义和经验主义的结合物","三大主义的根源是党委制"(马哲民);"取消学校党委制"由占多数的民主党派教师来领导学校(陈铭枢、章伯钧);"折党之角,批党之鳞"(杨玉清)。他们主张各民主党派组织联合政府(储安平),取消党的领导,由各民主党派轮流执政。

第三步,反对无产阶级专政。他们说:"论无产阶级专政的历史经验和人民日报社论,都是教条主义"(马哲民);"无产阶级专政是官僚主义、宗派主义和主观主义的根源"(陈新社);"民主党派最好发展一两百万人,搞个上议院"(章伯钧);"设立政治设计院"(章伯钧);设立"平反委员会"(罗隆基)。他们要搞资产阶级民主,取消无产阶级专政。

第四步,反对社会主义。他们说:"官僚主义是比资本主义更危险的敌人","资本主义有好有坏","定息不是剥削,而是不劳而获","资本家和工人没有本质上的区别",把主张定息是剥削,主张资产阶级还有两面性的人一律称为教条主义者(章乃器)。"公私合营企业应撤出公方代表,交由私方资本家去经营"(董少臣)。他们认为资本主义比社会主义优越,他们主张搞"好"的资本主义,要使资本主义在中国复辟。

第五步,破坏中苏友谊。他们说:"抗美援朝经费全部由中国负担,不合理","苏联对我国借款,十几年都还不清,还要付利息","苏联解放东北时,拆走了工厂中的一些机器,有无代价,偿还不偿还"(龙云)。还有人说苏联专家帮助我国建设是干涉内政。他们是这样地污蔑苏联、破坏中苏的团结的。

以上是几个民主党派右派头子反党反社会主义的纲领,显然是违反宪法,动摇国本的。

右派头子们的猖狂进攻的阵势,广大人民群众是用愤怒的眼光监视着他们的,但还暂时忍耐着,让他们再多多地猖狂一个时候。可是各地区右派学生受了盟员的煽动,胡闹起来了,多数中派学生暂时迷失方向,曾经跟着走了几步,但不久就识破右派学生的面貌,赶快回头了。正在这个时候,章罗同盟认为火势已经蔓延,天下已经大乱,共产党快要完蛋,他们在密室策划,准备向党讨价还价,由他们来收拾时局了。

物极必反,这是辩证法的规律。正当右派分子猖狂进攻达到顶点的时候,工人说话了,农民说话了,左派学生说话了。正气上升,邪气下降了。现在,全国各高等学校反右派分子的斗争如火如荼地展开了,右派分子孤立了。各民主党派也都已宣布整风,整右派分子了。在社会主义建设取得辉煌成就、社会主义革命取得决定性的胜利的时候,右派分子却要取消党的领导,取消社会主义,使中国退回到半殖民地半封建的状态去,这是全国人民誓死反对的。像这样带全国性的反右派分子的斗争,必然要坚决彻底进行下去的。右派先生们!你们只有两条路:一条是:老老实实地坦白出你们的政治阴谋,死心塌地的而不是口是心非的拥护党拥护社会主义;另一条是:继续顽抗到底,自绝于人民。何去何从,你们自己去选择吧!

右派分子常说,鸣放政策是"诱敌深入,聚而歼之"。这话不对,既然是敌,诱歼可也,若果非敌,何诱之有。又有人说,我早已说过,百家争鸣,"怕是个圈套,搜集些思想情况,等又来个运动时可以好好整一整"(见"早春天气")。这话也不对。"早春天气"一文,明明是讽刺党的知识分子政策的东西,和劳动人民没有共同语言,人民日报却给发表了。这并不是人民日报的政治嗅觉不灵,而是贯彻鸣放的方针。至于加入章罗同盟的人,那是又当别论了。又有人说,"放"、"收"、"整"是三部曲,现在反右派正是"收"和"整"。这话是荒谬的。有"放"有"鸣",必然有争,"鸣"而不"争",是非不明。有批评必有反批评,反批评并不是"收",而是"争"。反右派的斗争是"整",是"整"那些反党反社会主义的人们。这个斗争是要进行到底的。

在反右派的斗争中,我们深切地感到,知识分子如果真心拥护党,拥护社会主义,就必须继续加强思想改造。我们已经进到社会主义时代,资产阶级分子正在进行着思想改造,要转变为自食其力的工人,难道资产阶级的知识分子可以不改造了么? 在新社会中,将来只有三种人,即工人、农民和知识分子。知识分子如果不依靠工农,不为工农服务,不但一事无成,并且也绝无出路,这难道还不明白吗? 说来说去,还是一个立场问题,即知识分子是否真正站在工人阶级立场的问题。费孝通所说经过思想改造一关,立场问题已经解决了。他所说的立场是资产阶级立场,不是工人阶级立场,这可以从他最近的言论里判明的。他现在要和右派分子划清界限了,这是值得欢迎的。但右派怎能和右派划清界限呢? 若说,他过去由于"立场不稳",由于"温情主义",这种辩解是不能解决问题的。要从资产阶级立场转变到工人阶级立场,必须经过严重的、艰苦的思想斗争过程,绝不是立谈之间可以转变过来的。毛泽东主席说:"为了充分适应新社会的需要,为了同工人农民团结一致,知识分子必须继续改造自己,逐步地抛弃资产阶级的世界观而树立无产阶级的、共产主义的世界观。世界观的转变是一个根本的转变,现在多数知识分子还不能说已经完成了这个转变。我们希望我国的知识分子继续前进,在自己的工作和学习的过程中,逐步地树立共产主义的世界观,逐步地学好马克思列宁主义,逐步地同工人农民打成一片,而不要中途停顿,更不要向后倒退,倒退是没有出路的。"

党的"百花齐放、百家争鸣"政策的目的,是用说服的方法,用自由辩论的方法,而不是用粗暴的方法,向知识分子进行长期的、耐心的、细致的马克思主义的宣传,促进我国的科学艺术在马克思主义的领导下迅速成长起来。可是右派知识分子歪曲了这个政策,认为马克思主义已不是指导思想,并且是可以批判的了。他们虽然很少公开反对马克思主义,却利用修正主义即右倾机会主义,在反对教条主义的口实下,来反对真正的马克思主义,这是前面已经说到的。右派分子这样的言论在全国高等学校的学生中起了极坏的影响。最近一个时间,学生中有一种不重视政治学习的倾向,他们认为马克思主义已不那么行时了。好像什么政治,什么祖国前途,人类的理想,都没有关心的必要。特别是那些右派学生,把学校所教的政治课都叫作教条主义,把政治课的教师叫做教条主义者。他们在学校中宣传政治课没有学习的必要,时事政治报告没有听取的必要;学术与政治没有必然的联系,爱因斯坦并不是马克思主义者,等等。可是右派学生们却还是留心国际问题和国内问题的,他们把修正主义者对于国际和国内问题的看法,一点一滴积累起来,结合自己的资本家、地主或富农的家庭情况,居然也能搞出一套反党反社会主义的谬论来,在学校中高唱反调,并且也还能暂时地迷惑一些中派学生跟着他们走。在这次整风运动中,他们很快地接受了右派分子的反动宣传,在许多高等学校中带头搞起了反党反社会主义的大鸣大放的风潮。这一切都是民主党派和高级知识分子中的右派分子宣传修正主义的后果。

"从最近整风运动暴露出来的情况看来,我们应该特别加强学校的思想政治工作。首先,学校教师是培养下一代的灵魂工程师,他们应该在过去思想改造的基础上,根据自愿的原则,继续进行自我教育和自我改造。过去教师的思想改造是有成绩的,但是这次整风运动证明,要使教师们掌握无产阶级的思想武器,能够在阶级斗争的风浪中站稳立场,明辨是非,引导学生朝着正确方向前进,是不容易的。因此,他们应该继续努力,逐步地学好马克思列宁主义,使自己具备正确的政治观点,加强自己的劳动观点,逐步地同工农打成一片。其次,各级教育部门和学校教师要针对着学生的思想情况,加强对学生的思想政治教育,培养他们成为忠实于社会主义事业的、勤劳朴素的、体力劳动与脑力劳动相结合的国家建设人才。政治教育的教材和方法,过去有脱离实际的缺点,今后应该总结经验,加以改进。八年来,学校的政治教师作了不少的工作,今后他们应该继续努力,提高自己的水平,发挥更大的力量。"①

---

① 周恩来:《政府工作报告》。

　　各位代表,我有一个建议:《中华人民共和国宪法》是我们大家在 1954 年 9 月 25 日全体起立举手一致通过,然后颁布的。现在有一些右派分子公然敢于破坏我们的宪法了,这是我们绝对不能容忍的。为了拥护我们的宪法,我们要和那些右派分子斗争到底!

　　(原载 1957 年 7 月 5 日《人民日报》,署名李达)

中国历史上空前未有的大好事

（1957.10）

　　长江大桥的建成，是中国历史上空前未有的大好事，应当热烈地庆祝它。当天我参加通车典礼，在大风中站了四小时，一点也不感到疲倦，这正表明了我内心的喜悦。记得有一年我从汉口坐小划子过江到徐家棚乘火车，江中风浪大作，那小划子几乎要翻了，可说惊险已极，今天回忆起来，犹有余悸。实际上过去这一类事是很多很多的，现在一去不复返了。这个大桥，如果不是在中国共产党的领导之下，是绝不会建成的。哪一天，我若见到了右派分子，一定要问他：共产党领导下的建设，究竟是成绩多还是缺点多？

　　我的感想，与人民群众的感想相同，不多说了。

　　（原载 1957 年 10 月 19 日武汉大学《学习简报》第 58 期，署名李达）

费孝通的买办社会学批判[*]

（1957.10）

在章罗联盟中，以费孝通为首的一批右派知识分子，为了执行他们的反党反社会主义的政治纲领，公开叫嚣要恢复资产阶级社会学。因此，费孝通约集了陈达、吴景超、李景汉等人，成立了"社会学工作委员会"，并且计划着要先在北京、上海、广州、成都等地的高等学校成立"社会学系"。他们妄想以中央民族学院、人民大学和劳动干部学校作为他们活动的基地。他们还计划着搜罗资产阶级社会学的"学界同人"，成立"中国社会学会"，扩大他们的队伍。

---

[*] 《费孝通的买办社会学批判》先以"批判费孝通的买办社会学"为题发表于《哲学研究》1957 年第 5 期，后于 1958 年 5 月由上海人民出版社出版单行本，署名李达。1957 年 5 月 1 日，《人民日报》刊发了中共中央关于整风的指示，全党整风运动由此开始。尔后，中共中央统战部召开了多次各民主党派和无党派人士座谈会，请他们对中国共产党及其方针政策提出意见和批评。与此同时，中国科学院和高等院校也召开了同类性质的各种形式的座谈会。随着整风运动的开展，各界人士对中国共产党及社会主义事业提出了大量尖锐的批评意见，其中，有些意见表现出否定共产党的领导、怀疑社会主义制度的倾向，有些人还提出不要"党天下"，要搞"政治设计院"。6 月 9 日，《光明日报》发表了中国民盟中央向国务院科学规划委员会提出的《对于有关我国科学体制问题的几点意见》（4 月初费孝通参与组织的关于科学体制问题的座谈会是这份"意见"形成的基础，而费孝通发表于《争鸣》1957 年第 5 期的《关于科学体制问题座谈会的发言》也表明这份"意见"包含着他的观点）。就在《光明日报》刊发这份"意见"的当天，费孝通等人组织召开了社会学工作筹备委员会，提出要团结和联系原来社会学界同人成立社会学会。7 月 5 日，时任中国科学院院长的郭沫若在第一届全国人民代表大会第四次会议上发言时，把这份"意见"定性为民盟中央章（章伯钧）罗（罗隆基）联盟的"反社会主义的科学纲领"。7 月 14 日，中国科学院在北京召开座谈会，郭沫若再次强调这份"意见"是"一个彻头彻尾的反社会主义的科学纲领"，并要求学部委员对之进行批判。9 月 18 日，郭沫若在中国科学院召开的反右派斗争座谈会上说："关于资产阶级右派所谓'恢复'旧社会学的问题，我想请大家看一看费孝通 2 月 20 日发表在《文汇报》上的一篇题为《关于社会学，说几句话》的文章。""费孝通的这些文章充分表明了主张'恢复'社会学的真正用意，这种主张和章罗联盟的整个政治阴谋完全合拍。"（见 1957 年 9 月 19 日《人民日报》）李达的《费孝通的买办社会学批判》，就是在这种背景下写作的。——编者注

费孝通等这一切恢复资产阶级社会学的活动,并不是单纯地为了恢复资产阶级社会学,而是一个重大的政治阴谋,其目的是企图用腐朽的反动的资产阶级社会学来反对马克思主义,特别是反对历史唯物主义,第一步夺取学术思想界的领导权,第二步夺取全国的领导权,来实现章罗联盟的反动的政治纲领,使资本主义在中国复辟。

费孝通等恢复资产阶级社会学的政治阴谋,在中国科学院哲学社会科学部的几次座谈会上,已由许多哲学社会科学工作者根据许多无可争辩的事实,尽情地予以揭露和批判,我这篇文章,主要地是检查费孝通的资产阶级社会学究竟是什么东西?它是不是科学?它为什么阶级服务?它对于我们社会主义国家有什么危害性?

在以前,我不曾看过费孝通所写的社会学著作,最近看到他把资产阶级社会学夸张比历史唯物主义还要高明,我这才搜集他在解放前后所写的几本主要著作,如《乡土中国》《乡土重建》《重访江村》和几篇论文以及报端所揭载的关于他的某些著作摘要等,拿来研究了一番。我所得的结论是:费孝通的社会学是另一种资产阶级社会学的流派,是中国的一种资产阶级的社会学。费孝通的这种资产阶级社会学虽然带有中国味,但它和欧美各国资产阶级社会学在根本上是相同的,并且还继承了它先辈的衣钵。因此,在批判费孝通的社会学之前,有追溯资产阶级社会学的源流的必要。

一

资产阶级社会学的创始人是法国人孔德。孔德是实证主义(即主观唯心主义)哲学家,他根据实证主义的观点,认为观念是全部社会结构的基础,用知识发达的历史来说明社会发达的历史。他把知识发达的历史划分为神学的、形而上学的及实证的三个阶段;把现实的历史划分为军事的、法治的及产业的三个阶段。他认为知识的实证阶段是知识发达的最高阶段,即是资产阶级知识的阶段;历史的产业阶段是历史发达的最高阶段,即是资产阶级社会的阶段。因此,他主张资产阶级社会是合乎理性的,是最进步的。其次,19世纪初期的法国资产阶级已经掌握了政权,但它一方面要向封建的残余势力作斗争,另一方面又要镇压无产阶级的反抗。因此,它认为巩固资产阶级社会的秩序是极端必要的。孔德之所以把他的社会学叫作"人类社会的秩序与进步的科学"。所谓"秩序"即是资产阶级社会的秩序,所谓"进步"是暗示资产阶级社会是最进步的社会。所以孔德的社会学的任务是在于拥护资本主义的秩序,而反对无产阶级进行阶级斗争的。

19世纪中叶,无产阶级已经登上政治斗争的舞台,这对于资本主义是一个致命的威胁,于是资产阶级社会学者就制造了拥护资本主义秩序的新理论来麻痹无产阶级。这种新理论就是斯宾塞的生物学主义的社会学,即是社会有机体学说。斯宾塞继承孔德的社会有机体的见解,加以扩展,把人类社会比拟为动物有机体,把社会的阶级分化比拟为动物有机体的机能的分化,动物有机体有调节系统,这与资本主义社会的支配者资产阶级相当;有履行营养职能的系统,这与工人和农民的阶级相当;有分配器官系统,这与商人相当。营养、分配、支配这三个系统互生作用,维持生命的发展。所以社会的生命受生物学的进化的规律所支配,社会之分化为统治与被统治、剥削与被剥削的阶级,是合乎自然的规律的。因此,斯宾塞认为资本主义社会是没有内在矛盾的、最和谐的社会制度,从这里就引出了反对阶级斗争主张阶级调和的改良主义结论。

生物学主义社会学的两个流派,是社会达尔文主义和人种学派的社会学。社会达尔文主义把达尔文学说作恶意的解释,把生存竞争、自然淘汰及适者生存等进化论的范畴运用于人类社会,借以证明资产阶级社会中的斗争和竞争的必然性。依据这种学说,社会群斗争的结果,必然是优胜劣败,弱肉强食;资产阶级对于无产阶级、帝国主义对于弱小民族的统治与剥削是合乎自然的规律的。人种学派的社会学,把人种或民族当作历史的根本要素,把人种或民族间的斗争看做历史进化的原动力。这一学说,研究人种或民族的特点,把人类分为黑色、黄色、白色三人种。这三色人种之中,白色人种是文化的创造者,其他各色人种,人种的价值很少。至于劳动阶级在人种上说来,是变质者,是下等人。因此,世界上只有纯粹的白色人种是世界的主宰,其他有色人种及变质的或混血的白种,都是纯白色人种的奴隶,应当受到统治与剥削。这显然是帝国主义侵略政策的露骨的宣传,是法西斯主义的厚颜无耻的说教。

帝国主义时代的资产阶级社会学的一个主要潮流,是心理学派的社会学。

这种社会学是法国人达尔德所首创,美国的吉丁斯、华德、罗斯、贝尔纳德等是这一派的代表。这种社会学主张社会是由人们的心理相互作用构成的。这种心理的相互作用即是社会学的对象。它把心理发达的程序看作社会发达的程序,因而主张知识是社会发展的原动力。达尔德提出了所谓"模仿说",主张社会生活完全受人类的模仿的本能所支配。杰出的人物具有高级的心理和智慧,他的一举一动都为那些具有低级心理的人民群众所仿效,把它推广到社会生活中去。所以杰出人物对于社会生活有首创精神,广大的人民群众只是执行杰出人物的意志,在社会中不起任何作用。吉丁斯等也说统治阶级是具有高级形式的意识的集团,所以有权在社会上起领导作用。他们甚至无耻地宣称美国人都是具有高级心理的人,所以美国能够统治全世界。这简直是宣传帝国主义侵略政策的口号。这种心理学的社会学也还有另一方面的作用。既然认为社会是心理的相互作用,认为知识是社会发达的动力,就必然引出这样的结论:要改良社会,必先改造人心;要改造人心,必须依赖于教育。至于执行教育权的人们必然是属于具有高级的心理或知识的统治阶级即资产阶级,那些接受教育的人们就属于只具有低级心理的无产阶级和劳动大众了。由此可知,心理学派的社会学,又是针对帝国主义时代阶级斗争的实况,提倡心理改良主义,借以缓和阶级斗争而为帝国主义服务的东西。属于心理学派社会学的,还有德国人齐美尔所创造的形式社会学。

此外还有地理学派的社会学,宣传马尔萨斯人口论的社会学。都是维护资本主义反对无产阶级革命的。

以上是资产阶级社会学的几个主要流派,其他的支流支派还有很多,花样翻新,不一而足。所以资产阶级的各派社会学者中,常常互相争吵,各人总是主张自己一派的社会学是科学的社会学。为什么他们也互相争吵呢?主要的原因是由于资产阶级社会学的各派,始终没有找到自己的研究对象。例如孔德和斯宾塞的社会学被他们的后辈加上"百科辞典的社会学"的绰号,因为这类社会学把一切的社会现象作为研究对象,显然是把各种社会科学所研究的各种社会现象都拉致在社会学研究领域作综合研究的。事实上,这样的综合研究是没有必要的。这样说来,资产阶级社会学究竟研究什么东西呢?社会的经济现象、政治现象和思想现象既然都有个别的专门科学去研究,那么,社会学究竟研究什么呢？研究对象没有了，社会学只剩下一块空招牌，这是资产阶级社会学的危机。资产阶级社会学者们为了克服这种危机，就异想天开，找寻各种社会学所不研究的东西作为社会学的对象。这样一来，各种奇形怪状的社会学出现了，什么文化社会学、知识社会学、宗教社会学、亲族社会学、法律社会学、民族社会学、乡村社会学、都市社会学、社会调查的社会学、社会问题的社会学等等，都接二连三地出现了，最近还出现了宣传原子讹诈的"原子社会学"。在资产阶级社会学者说来，凡是研究任何社会现象的一小部分的东西都可以称作社会学。社会学变成了百行百业公用的招牌。这真是可怜可笑的社会学！

但是，资产阶级社会学的派别不论如何复杂，它们都有下述几个共通之点：

1.它们都是唯心主义的社会观，用社会意识说明社会存在，一切从主观愿望出发；

2.害怕社会发展的客观规律，因而否认它，企图证明资本主义制度是方古长存的；

3.反对马克思主义，特别是反对历史唯物主义；

4.反对无产阶级革命，宣传改良主义，企图麻痹无产劳动大众的革命的斗志；

5.为资产阶级对于无产阶级的统治和剥削做辩护；

6.为帝国主义的世界政策和侵略政策制造理论的根据，甚至公开宣传法西斯恐怖主义，为战争贩子做帮凶。

由此可见，资产阶级各派社会学，都是为帝国主义、资产阶级服务的说教，它们是没有丝毫科学气味的，费孝通等人要在我们社会主义国家恢复资产阶级社会学，他们的动机不是反革命又是什么呢？

只有历史唯物主义才是关于社会及其发展的客观规律的科学，是科学的社会观和方法的统一的科学，是社会的理论与社会的实践的统一的科学。各国共产党只有根据社会发展规律并结合本国社会的特点，制定正确的革命和建设的理论和政策，才能领导工人阶级和人民群众取得社会主义革命的胜利，才能推进社会主义的建设。苏联的经验、中国的经验和各人民民主国家的经验都证明了历史唯物主义的真理性。

二

现在,我们来检查费孝通的"中国社会学"。

费孝通自己说,他是在大学里教乡村社会学的,最初他采用"美国的教本",后来"觉得不惬意",又曾用他自己调查的材料讲,决定另起炉灶,专从中国社会结构本身着手。他说,他在社会学门内的工作,分为两期:"第一期工作是实地的社区研究",即是到中国乡村实行社会调查;"第二期工作是社会结构的分析,偏于通论性质,在理论上总结并开导实地研究"。他说他是选择这样的方向来"发展中国的社会学"的。依照他的方向是先做乡村调查,然后来分析中国的社会结构。但是我在这里检查费孝通的"中国社会学"的顺序,却先要检查他的中国社会结构论,然后检查他的社会调查的目的和内容。

费孝通的中国社会结构论,表达在他所写的《中国社会变迁中的文化症结》(他在 1947 年在伦敦经济学院的讲演稿)和其他几篇小论文(如《差序格局》、《系维着私人的道德》、《家族》、《男女有别》、《礼治秩序》等)之中。依据费孝通的说法,中国的社会结构是孔子给"规画"出来的。这个社会结构,以人伦为本位,以亲属关系为基础。他说:"我们儒家最考究的是人伦,伦是什么呢?我的解释就是从自己推出去的和自己发生社会关系的那一群人里所发生的一轮轮波纹的差序"。又说:"伦重在分别,在礼记祭统里所讲的十伦,鬼神、君臣、父子、贵贱、亲疏、爵赏、夫妇、政事、长幼、上下,都是指差等。不失其伦,是在别父子、远近、亲疏。伦是有差等的次序。"又说:"儒家注重伦常,有它的社会背景。中国传统社会结构的基础是亲属关系。亲属关系供给了显明的社会身份的基图,夫妇、父子间的分工合作是人类生存和绵续的基本功能所必需的,……而且以婚姻和生育所结成的关系,一表三千里,从家庭这个起点,可以扩张成一个很大的范围。……在儒家的社会结构中,亲属也总是一个主要的纲目,甚至可以说是一切社会关系的模范。"他还在"差序格局"中说明"从生育和婚姻所结成的网络,可以一直推出去包括无穷的人,过去的、现在的和未来的人物。……这个网络像个蜘蛛的网,有一个中心,就是自己"。他说:这个己是"推己及人的己,对于这己,得加以克服于礼,克己就是修身,顺着这同心圆的伦常,就可以向外推了。……从己到家,由家到国,由国到天下,是一条通路。中庸里把五伦作为天下之大道。因为在这种社会结构里,从己到天下,是一圈一圈推出去的"。综合费孝通的见解,中国社会结构的基础,就是以人伦为本位的亲属关系的总和。

其次,中国社会的秩序是靠什么维持呢?费孝通认为中国社会秩序的维持,不是依靠人治,也不是依靠法治,而是依靠礼治。据他说,这种社会的秩序是"礼治秩序",这种社会即是"礼治社会"。他解释"礼是社会公认合式的行为规范",而"维持礼这种规范的是传统"。"所谓礼治是对传统规则的服膺。生活各方面,人和人的关系,都有着一定的规则。行为者对于这些规则从小就熟习,不问理由而认为是当然的。长期的教育已把外在的规则化成了内在的习惯。维持礼俗的权力不在身外的权力,而是由身内的良心。所以这种秩序注重修身,注重克己。理想的礼治,是每个人都自动的守规矩,不必有外在的监督。"据说"礼治的可能必须以传统可以有效地应付生活问题为前提。乡土社会满足了这前提,因之它的秩序可以礼来维持"。这就是费孝通所说的中国社会是"礼治社会",是"礼治秩序"。正因为乡土中国的人习惯于礼治,所以在法律上是"无讼",在政治上是"无为",而受着"长老统治"。费孝通所说的中国社会结构,是一个以人伦为本位,以亲属关系为基础的社会,它的轮廓大致如此。

费孝通说起了社会结构之外,还说起了经济结构。他说中国的经济是一种"匮乏经济"。他从礼治社会中抽出了"知足、安分、克己"几个观念来,说这几个观念是和"匮乏经济"相配合的,即是说礼治社会是和匮乏经济相配合的。他说:"中国是个农业国家。中国人民的生活多少是直接用人力取给于土地的。土地经济中的报酬递减原则限制中国资源的供给。其次,我们可耕地的面积受着地理的限制。这个旧世界是一个匮乏的世界,多的是人,少的是资源。马尔萨斯的人口论似乎最适合于中国的情势了。"中国的经济为什么是那么样匮乏呢?依据费孝通的理解,这是和儒家思想的"知足、安分、克己"等观念有关系的。因为礼治社会中的人习惯于"知足、安分、克己",所以不向自然界去争取,因而科学技术不发达。科学技术不发达,在人多资源少的国家,其经济更趋于匮乏。所以他说:"中国传统文化中不发生科学,绝不是中国人心思不灵、手脚不巧,而是中国的匮乏经济和儒家知足的教条配上了,使我们不去注重人和自然间的问题,而去注重人和人间的位育问题了。"这就是说,经济的匮乏,是由于人多资源少,又因为受了儒家知足的教条的限制,不能发展科学和技术,向外开辟资源,以至人越多资源越少。这种"恶性循环",只有由马尔萨斯人口论所提供的方法来解决了。

以上是费孝通的中国的社会结构论和经济结构论。现在再说一说他关于中国文化和西方文化的比较观。

费孝通认为中国儒家思想所培养出来的"知足、克己"的精神,是和中国的传统匮乏的经济相配合的。正因为人们"知足、克己",所以不向自然界争取什么东西,因而科学技术不能发达,不能产生人对自然的新关系。"匮乏经济因为资源有限,所以在位育方式上是修己以顺天,控制自己的欲望以应付有限的资源。"至于西方"基督教传统所孕育的那种无餍求得的现代精神",是和西方的丰裕经济相配合的。正因为"无餍求得",所以要向自然界争取物资,因而科学技术日趋发达,不断产生出人对自然的新关系。丰裕经济是"修天以顺己,控制自然以应付自己的欲望"。但是据费孝通说,匮乏经济和丰裕经济各有一种恶性循环。在匮乏经济中,"劳力愈多,技术愈不发达,技术愈不发达,劳力也愈多。在丰裕经济中也有一种循环:科学愈发达,技术愈进步,技术愈进步,科学也愈发达。到现在至少已有一部分人感觉到,科学发达得太快,技术进步得太快,人类已不知怎样去利用已有的科学和技术来得和平的生活了"。

依照费孝通的意思说来,由于中国匮乏经济的恶性循环的存在,所以一经和现代工业国家接触,中国就变为西洋工业的市场,变得更为穷困。"在这生产力日降,生活程度日落的处境中,绝不会有'现代化'的希望。"费孝通在中国这样的处境中,就想出了"乡土重建"的许多办法来,如所谓"现代工业的技术的下乡"、"分散在乡村里的小型工厂"、"乡土工业的新型式"、"自力更生的重建资本"、"节约储蓄的保证"等等——这些办法就是主张在乡村中举办一些轻工业,为匮乏经济找寻出路。其次,西方丰裕经济也因为有恶性循环存在,所以引起了第一和第二两次世界大战。这个原因是由于西方还没有"创

造出一个和现代技术能配合的完整的社会机构。西方国家只重视人对自然的
关系,而在人对人的关系方面却是没有搞好。在人对人的关系上,中国的传统
却比西方为好。费孝通说:"中国的传统,固然使我们在近百年来迎合不上世
界的新处境……但是虽苦了自己,还没有遗害别人。忽略技术的结果似乎没
有忽略社会结构的弊病为大。若是西方经过了这两次大战而已觉悟到非注意
到人和人的关系时,我想也许我们几千年来在这方面的研讨和经验,未始没有
足以用来参考的地方。"他这些话的意思是说,中国在科学技术方面虽然不
行,而中国几千年来传统的社会结构却比西方的社会结构好,西方国家可以把
中国的传统作为复兴的底子。

以上,我简要地叙述了费孝通的中国社会结构论、中国经济结构论和中西
文化比较观。这三个部分大概是费孝通所说的他自己的"中国社会学"了。
现在让我来检查他的"中国社会学"中这三个部分。

第一,必须指出,费孝通的"中国社会学"中那三个部分,完全是从梁漱溟
所写的几本书抄袭得来的。梁漱溟所写的那几本书是:1921 年出版的《东西
文化及其哲学》,1935 年出版的《中国民族自救运动之最后觉悟》,1937 年出
版的《乡村建设理论》。至于费孝通的"中国社会学"的"理论",零星地表述
在《乡土中国》和《乡土重建》之中,这两本小册子都是在 1948 年出版的。我
们只要把这几本书翻看一下,就知道费孝通是完全抄袭梁漱溟的。费孝通所
说的"礼治社会"、"以亲族关系为基础的社会"和梁漱溟的"伦理本位"的社
会完全相同。其次,费孝通所说的"知足、克己、安分"等观念是中国经济匮乏
的原因,这和梁漱溟所说的"安分知足、摄生、寡欲"是中国物质文明不发达的
原因,也是相同的。不同的地方只有一点,就是费孝通说的中国"人多资源
少"的"恶性循环"符合于马尔萨斯的人口论,并且更有甚于它。其三,费孝通
所说在乡村里举办"乡土工业"的主张,和梁漱溟所说"凭借农业谋翻身"、而
"从农业引发工业"的主张,其内容完全相同。其四,梁漱溟说,中国人的意欲
的方向是"向里用力",一切"反求诸己",所以不向自然界和社会争取什么,因
而科学和德谟克拉西不发达;至于近代西洋人的意欲的方向,是"向外用力",
所以要向自然界和社会争取,因而科学和德谟克拉西就发达起来。但期至今
日,中国文化要抬头了,西洋人"外面生活虽然富丽,而内心里生活却贫乏至

于零"。因此,西洋人不能不走到中国文化的道路来。我们来看,费孝通的中西文化比较观,不是抄袭梁漱溟的吗?可是费孝通的抄袭是不够充分的,并且行文晦涩,还使用了一些术语如"匮乏经济"、"价值观念"、"差序格局"之类,使人看了难懂。所以梁漱溟批评他说:"真令我怀疑:究竟写一篇文章所给人的影响,是增加了明白,还是增加了不明白?"梁漱溟是唯心主义的中国文化史观的创造者,费孝通是这种史观的抄袭者。

第二,费孝通和梁漱溟有相同的地方,也有不同的地方。在立场上梁漱溟代表官僚地主阶级,费孝通虽也代表地主阶级(他说他是"没落的地主"),但主要是代表买办资产阶级。

在理论上费孝通和梁漱溟都用唯心主义的中国历史观、社会观反对马克思主义的中国历史观、社会观,都否认社会发展的客观规律。梁漱溟主张秦汉以来的中国社会是"伦理本位、职业分途"的社会,没有阶级分裂和阶级斗争;他认定近百年来的社会是伦理本位崩溃中的社会,否认半殖民地半封建社会的主张,但他也承认帝国侵略是事实;同时承认这种侵略是好的,直言无隐。费孝通却很狡猾,只说孔子以来的中国社会是"礼治社会",是以亲属关系为基础的社会,故意抹杀中国社会历史中阶级的对抗和斗争的事实,故意抹杀帝国主义对中国的侵略。

在政治上,他们两人都拥护帝国主义、封建主义和官僚资本主义在中国的统治,反对中国共产党领导人民反帝反封建的革命。梁漱溟反共反人民是公开的,不但有言论,而且有行动(在邹平搞的那一套村治主义运动)。费孝通反共反人民却是暗射的,他只是宣传他的"礼治社会论"和"匮乏经济论"。当1948年全国解放前夕,解放区正在大规模地进行土地改革时,他却为地主阶级策划,恐吓农民不要夺取土地,以免遭到破坏,引起外来势力的压迫;同时劝地主赶快向工业方面转移,用资本特权代替土地特权。这一套计划显然是和共产党的政策相对抗的。并且,当时美帝用军队和军火帮助蒋介石匪帮搞反革命内战的时候,费孝通却说杜鲁门主义只是一种对外不侵略的门罗主义,同时还诬蔑我们的解放战争是自相残杀。费孝通在全国解放前夕的这些言论完全是反动的。

三

现在,我们来检查费孝通的社会调查。

费孝通说,他做的社会调查工作分为两步:第一步是"在一定时空坐标中去描画出一地方人民所赖以生存的社会结构",第二步是"比较不同社区的社会结构",借以作出社会结构论。可是费孝通的中国社会结构论,是从梁漱溟那儿偷窃得来的,和他的社会调查全无关系。这样说来,只有社会调查这一部分算是他自己的东西了。

费孝通在抗日战争以前,在他的家乡江村做过一次调查,用英文写成了 *Peasant Life in China*(《中国农民生活》)一书,在英国出版。这本书是写给英国人看的。这书的内容,有杨成志教授批判过。抗日战争发生以后,他得到中英庚子赔款的资助,在云南农村调查过一次,写成了一本《绿村农田》,后来把它带到美国去,写成英文在美国出版,这是写给美国人看的。也许,他在全国解放以前还搞过一些什么调查,我们无须为他写的社会调查列成目录,单拿他今年(1957 年)所写的《重访江村》做个检查的对象,也可以看出他所应用的社会调查的方法和调查的目的。

依据夏康农同志在《一株毒草的解剖》①中所揭露的,费孝通是功能学派头子马凌诺斯基的门徒。马凌诺斯基自己说,他们的调查研究工作的任务,"不在于阐明这些或那些制度的起源和历史,而在于指出它们在某一社会中的作用和指出它是具有一定目的的,不是为了更确切地描述,而是在于教会和这些民族有关系的殖民当局和企业主,为了更适当地达成自己的目的应该怎样来对待这些民族"。这样的调查的方法,是殖民主义者对于殖民地的调查方法,其目的在于调查殖民地人民的社会制度、风俗、习惯等,以便殖民主义者参考这些东西,制定出有效的统治殖民地人民的政策或计划。费孝通所用的调查方法就是马凌诺斯基的方法。可是,中国人用殖民主义调查殖民地的方法来调查中国的乡村,特别是全国人民代表之一的费孝通用这样的方法来调

---

① 见《新观察》1957 年第 15 期。

查社会主义中国的乡村,这就大有问题了。

费孝通重访江村的目的,是为了要写一本介绍新中国农民情况的书送交英国一家出版公司出版的。这个《重访江村》的小册子是准备译成英文送给殖民主义者看的,他的主旨是:否认社会主义的优越性,宣传半殖民地半封建主义的优越性,土地改革不如不改革为好,农民对合作化政策不满,等等。关于这几项,我们只要看看他的《重访江村》,再对照看看周叔莲、李孚同、张思骞三位合写的《透视〈重访江村〉》,便可以完全了解。

根据周叔莲等三位的"透视",费孝通到江村调查的"兴趣不是在土地改革、互助合作运动和农业技术改革等一系列中国新农村带有根本性质的变革上,不是在解放后农民生活的巨大改善上……而只是在农民收入较解放前没有什么提高,农村的溺婴和童养媳现象,农民不重视儿童上学念书现象,以及某些农民对粮食不够吃和缺少零用钱的叫嚣"。周叔莲等三位是和费孝通一道到江村去调查的,他们的这段指摘是完全可靠的,我们单只看看《重访江村》,也可以知道一个大概。

费孝通是用两面派手法写他的调查的。他首先肯定了江村也"和千万个其他农村一样……,从人剥削人的社会变成了一个没有剥削的社会"。这句话是对的。但他做了肯定之后,却又转弯抹角来做否定了。他接着说:"问题这样提出来,就要我们去观察在这道路上还有什么障碍和怎样消除这些障碍。只看见障碍而不看见道路是不对的,但只看见道路而不看见障碍也是不对的。"在这里,只见道路不见障碍一句是陪衬。只见障碍不见道路一句是主题。费孝通就根据这个主题大做其文章。

据说1936年是江村年景最好的一年,以后经过日伪和国民党反动派12年的搜括和摧残(养蚕的桑叶树给砍了,缲丝工厂给毁了),农民还受着地租和高利贷等的剥削,生活是十分悲惨的。好容易才盼到了解放,经过土地改革和互助合作,农民的生活才慢慢好起来。1956年,该村才实现了全面合作化,费孝通是恰在该村全面合作化实行后的一年前往视察的。这位"钦差大臣"出发调查之前,就存心要拿1956年和1936年作比较,却不和解放那一年即1949年作比较。他满以为这样一比较,1956年的江村的农业情况一定比不上1936年。可是比较的结果却出乎费孝通的意料之外。"全部纯收入按人平均折米计算,1936 年是 820 斤,1956 年是 973 斤,1956 年比 1936 年增加了 18.65%;归农民个人支配那部分纯收入按人平均折米计算,1936 年是 657 斤,1956 年是 825 斤,1956 年比 1936 年增加了 168 斤,即增加了 22.57%"。①。这就很显明地表现了农业合作化的优越性(该村全面合作化才只有一年哩)。可是,费孝通只说起每人平均只留米 380 斤,却把合作社留存的公积金和公益金略去不提。他左算右算,说每人留米 380 斤,和 1936 年的每人吃米量也是一样。他的意思就是说农村实行了社会主义和不实行社会主义是一样,并不稀奇。他还异想天开地去找叉子。他好像以为社会主义时代的农民的肚皮应当扩大一倍,先前 380 斤米够吃的农民,现在应该加倍吃 760 斤才够。这样说来,共产党没有使农民肚皮扩大一倍,便不对了。

据费孝通说,一男一女加两个小孩的家庭,每年有 1520 斤米,是够吃的。这个数字,在从前粮食满仓的地主和富农看来是微不足道的。可是在从前糠菜半年粮、家无存米而靠借高利贷过日子的多数农民看来,却是很满足的了,而且也只有在社会主义时代才能有这样光景。费孝通只注意那个平均数字,却蔑视了那个平均数字下存在着的阶级的分析。资产阶级的调查方法总是这样的吧。

费孝通又看到江村农民都穿了新的衣服鞋袜,盖着新的被帐,青年男女穿的、用的都比较时髦,衣衫褴褛的人不见了;旧的房子都已修理好了;并且每人每年吃到 20 斤到 80 斤肉,过年还宰一个猪自己吃,等等,——这些现象可说是表明了社会主义的优越性呀。可是这位"钦差大臣"却不以为然,说农民粮食还是不够吃,并且没有零钱花,没有积蓄(合作社的公积金和公益金不算积蓄)。这真奇怪! 农民穿的、用的那么好,为什么粮食不够吃,难道他们卖去了所留的粮食而充当当地所说的"空头"吗? 粮食不够吃,到底饿坏了多少人? 他并没有提及。关于农民用钱问题,费孝通给作了一个预算表,说四口之家除了粮食以外,每年需用 250 元。他说,这 250 元之中,除了农业社的收入以外,每年每家还须另外弄到 80 元。这就要到农业以外去想办法了。同时,他还提出了农村的社会主义积累的问题。农民怎样在农业以外去搞钱呢? 去

---

① 见《透视〈重访江村〉》。

积累呢？费孝通出了两个主意：第一个主意，要农民利用民船搞运输业并贩运商品来赚钱，这样来破坏合作社商业，并阻止国营商业下乡。第二个主意，要农民搞乡土工业，例如办缫丝工厂（及其他轻工业），这就是要国营丝厂停力，分散给各个养蚕的乡村自办丝厂，而各个这样的丝厂每年开工不过几天，农村的妇女每年可以在丝厂做几天工，而国营丝厂的工人却要另谋生业。这真是费孝通的一个"好"主意。据说当地有的农民欢迎这位"钦差大臣"的"好"主意，反而埋怨农村干部不让他们办丝厂和经商。费孝通这两个"好"主意，是要使已经全面合作化的农村回复到1936年半殖民地半封建状态去。因为他认为当年的江村的农业只生产当地所需要的口粮，加上做生意、办丝厂所得的收入，比现在单搞农业的收入还会增多。这就是说，半殖民地半封建主义的经营比较社会主义经营更有优越性，农民还是少搞农业劳动，多做生意多赚钱吧！他还间接地指责农村干部对农民管得太死，不让农民做生意，不为农民办丝厂，不给农村补种桑叶树，指责党不该把农业纲领四十条教给农民，松懈了人民的努力，以致农民大吃大喝，不知道勤俭持家，勤俭办社。费孝通重访江村的目的，是专为寻找岔子而去的。否认成绩，强调缺点，只见障碍，不见道路。

够了！费孝通的《重访江村》的主题，上面已经说明了。他写的《重访江村》原是准备写给殖民主义者看的，但是为了政治的目的，却提前把原稿交给《新观察》发表，并且叮嘱《新观察》的编者赶在全国人民代表大会第四次会议开幕以前给发表出来，其用心是很阴险的。他的阴险的用心是：

第一，让殖民主义者看了，就会觉得中国土地改革和农业合作化搞糟了，农民对共产党很不满，即将发生大变化，社会主义就要垮台。

第二，让原来的地主富农看了，就会觉得费孝通是他们的救星，盼望着及早回复到1936年的状态去。

第三，让他们右派集团的人看了，就认为这是向党进攻的好材料，农业合作化漆黑一团，赶快提议在农村先搞起资本主义复辟。

可是，在农民、工人和进步知识分手看来，《重访江村》是右派分子反党反社会主义的著作，其目的在于否认农业合作化的优越性，企图破坏党和农民的关系，破坏工农联盟，作为章罗联盟向党进攻的借口。

其次,费孝通对我国少数民族的调查工作,也应用了殖民主义者调查殖民地的方法。

根据云南少数民族调查组工作人员的揭露①,费孝通担任这个组的组长期间的言论和行动都是反动的。"在云南调查少数民族社会历史的方针,中央和省委确定首先着重调查边疆阶级分化不明显的各少数民族,研究他们的社会性质,以便探讨向社会主义过渡的具体道路。"并且"还决定,调查少数民族的社会历史,必须以马克思列宁主义关于社会发展的理论作为指导思想,并指示调查工作要紧密结合现实,服务于现行政策和社会主义改造"。可是费孝通却完全破坏这一方针,也不遵守这一决定,不经党委同意,擅自拟订了全面调查计划,强调这次调查是"学术性的调查",主张大规模的调查各少数民族的历史文物。费孝通"在一次座谈会上谈到少数民族文艺的内容和形式的关系时宣称:要保留民族形式,就不能吸收社会主义的内容;要吸收社会主义内容,就必须抛弃民族形式"。他是这样地企图在保存民族形式的口实下反对社会主义的。费孝通调查了景颇族以后,"故意夸大景颇族原始落后的意识形态对于生产的反作用,认为上层建筑可以决定经济基础,由此得出结论:只有加强文化教育工作,改变落后思想意识,才能扫清向社会主义过渡的障碍。……提出了'先教而后富'的口号,来反对共产党在少数民族地区采取的'以发生产为中心'的政策"。

由此可见,费孝通历次到少数民族地区进行调查的目的,不是为民族政策和社会主义改造服务,而是为破坏民族政策和反对社会主义改造服务;他所应用的调查方法不是以马克思主义思想作指导,而是以马凌诺斯基的思想作指导的。

四

费孝通在《关于社会学,说几句话》②中说:"我得交代一下,我个人和社

---

① 见《人民日报》1957 年 8 月 30 日。
② 见《文汇报》1957 年 2 月 20 日。

会学的关系。我读书和教书的时候,的确一直和社会学有点关系的,但实在说来我和一批朋友却也是一直是在这个牌子底下搞私货,叫它什么学也说不清楚。这私货就是少数民族、农村、市镇、工厂的社会调查。这套东西在英美正牌的社会学家看来是行外的;……要找个说法,我们就说,我们是用人类学的方法来调查研究中国现代社会的社会学。……所以我觉得一直有些搞私货的味儿,说得好听一些,是一个旁出的学派。"费孝通所说在社会学牌子底下搞私货这一句话,一方面表明了他和他的一批朋友所搞的资产阶级社会学不是正统的社会学,而是一个旁出的社会学;另一方面也坦白了他们的社会学是中国买办阶级社会学。

大家知道,中国的买办是帝国主义者在中国的代理人。凡是帝国主义者所要在中国推销的东西,无论是一般商品,特殊毒品以及杀人利器等,他们都一律代为推销来毒害中国人。凡是帝国主义者所要在中国买进的东西,无论是原料、山货、古董、玩器以及家中的枯骨和殉葬品等,他们都是代为买进的。他们本人在这个买卖之间去捞钱。买办没有国家观念和民族观念,经常是卖国通敌,引狼入室,只要有利可图,机会一来,甚至出卖整个中国亦在所不惜。蒋介石买办集团就干着这样的勾当。

文化买办是买办阶级或买办集团的成员,他们具有一般买办所共有的通性,同样是没有国家观念和民族观念而卖国通敌的人。他们是帝国主义文化侵略的急先锋,又是帝国主义者在中国的情报员。他们的工作是一方面贩卖反动透顶的资产阶级的"学说"或"理论",借以毒害中国的知识分子和青年学生;另一方面是搜集中国政治和经济方面的资料,用两面派的手法写成报告送给帝国主义者作为拟订侵略政策的根据。他们做这类工作,是名利双收的,一方面,冒充学者,可以窃取"学术地位";另一方面,凭借"学术地位"来进行政治投机。"学"也禄在其中矣(所得的稿费是金镑美元,麦克麦克)。

检查费孝通在社会学招牌下搞私货的一切活动,可以肯定他原是一个文化买办。他从英美各国贩运进来的宣传品是反动的资产阶级的人类学说和社会学说。他最初在大学里教的乡村社会学,是用美国的教本教的;后来他自己才搞一些关于中国乡村的资料作为教材。从此,他就搞乡村调查,准备一些土货和古董供给殖民主义者作参考了。他在 1938 年把所调查的《江村经济》冒

名为《中国农民生活》(用一个农村的农民生活代表全国农民生活),译成英文
在英国出版。以后他约集了一些人在云南搞了一些调查工作,他自己写出了
一本《绿村农田》,他的朋友们也写了几本调查的书。这时,费孝通又搜得了
一些土货,到美国出卖。他说,1943 年他到美国去了一年,把他自己的《绿村
农田》、张子毅的《易材手工业》和《王村土地与商业》改写英文,成为
Earthbound China 一书;又把史国衡的《昆厂劳工》改写为 *China Enters the Ma-
chine*。1947 年他又抄袭了梁漱溟的东西(见前述),改头换面,题名为《中国
社会变迁中的文化结症》,在伦敦经济学院作报告。另一方面,他从英美带回
来的东西,是"初访美国"、"重访英伦"和"美国人性格"这一类东西,用来麻
醉中国人。这是费孝通在全国解放以前所做的中西文化的买卖。他所贩运进
来的东西是大家能够知道的,他所贩卖出去的东西是不易知道的。例如《中
国农民生活》一书,只在英国用英文出版,没有用中文在本国出版,因为其中
有不可告人的东西,害怕国内人看了会痛骂他是文化汉奸。据杨成志教授揭
露,费孝通那本《中国农民生活》有四个主要方面:其一是反共反人民,其二是
拥护地主和主张高利贷,其三是为蒋帮国民党献策并表示拥护,其四是欢迎英
美帝国主义者来改造中国。由于这本书的出版,马凌诺斯基就称赞他是"一
个缺乏国家偏见和民族仇恨"的中国青年社会学家[①]。由此可见,费孝通在全
国解放以前确是一个文化买办,是有确实证据的反共反人民的卖国通敌的反
动派。

全国解放前夕,文化买办中的头号人物如胡适辈都跑掉了,费孝通等却留
了下来,人民不但不念旧恶,反而前后推选他为人民政协代表和全国人民代表
大会代表,应如何革面洗心,老老实实为人民服务,借赎前愆。可是他仍操旧
业,和章伯钧、罗隆基等搞反党反社会主义的罪恶阴谋。一方面又向帝国主义
供给情报。他在 1953 年又用英文写了一本《中国绅士》,秘密地送到美国出
版。据杨成志教授揭露,他这本《中国绅士》"是拥护帝国主义、封建主义和官
僚资本主义在中国的统治,主张实行英美改良主义,反对解放战争和抵抗农民
革命,专为美帝国主义侵华政策服务的一本言行录。在这本书中,他就特别提

---

① 杨成志:《揭开费孝通关于〈中国农民生活〉的"盖子"》,《人民日报》1957 年 8 月 31 日。

出农村和知识分子两个关键问题来诽谤中国共产党和社会主义建设"。在中华人民共和国成立以后，费孝通还干这种文化买办的勾当，简直是卖国通敌。这一次所写的《重访江村》，如果不早被揭发，不知他又要加入什么更反动的内容译成英文出版。

近来买办社会学家费孝通等，为了实现章罗联盟的政治阴谋，又要在资产阶级社会学这块招牌底下搞新的私货了。这新的私货是什么呢？费孝通在《关于社会学，说几句话》中说得很明白，就是"有关人民民主专政的一系列问题"，如同"人民代表大会制的运用"、"党和非党的共事合作关系"、"民主党派互相监督"、"知识分子问题"、"人才的使用和安排、人事的管理等问题"。其他还有"恋爱问题、婚姻问题、夫妇问题、养老问题、儿童问题、人口问题等"。据说对于这些问题，要采取科学的态度，实事求是地进行调查研究，才能搞得出一门学问来。谁来搞这一些问题的调查研究工作呢？费孝通主张应由社会学这门专业来搞。他接着说："如果大家承认这些问题有必要系统地调查一番，那就第一步先搞调查，称作'社会调查'，也可以。"于是他要保举一批人来搞社会调查的工作。

上面已经说过，买办社会学并不是资产阶级正统社会学，而是马凌诺斯基式的社会调查。买办社会学者对于中国各种问题进行社会调查的方法和调查的目的，已经领教过了。费孝通是章罗联盟的大谋士，他是抱着反共反社会主义的阴谋来对上述各种问题做调查研究的，这在前面已经分析过了。

我们党最重视社会调查。毛泽东主席说过，"没有调查就没有发言权"，正是表明社会调查的重要性。党的一切政策和决议，都是根据周密的详细的调查研究制定出来的，都是"从群众中来，到群众中去"的东西。我们所需要作出社会调查，必须是根据马克思主义关于社会发展规律、经济发展规律的知识，应用阶级分析的方法，实事求是地就具体的情况来进行调查和研究。只有这样的调查研究才能为社会主义建设和社会主义改造服务。毛泽东同志的《关于农业合作化问题》，是马克思主义的社会调查的范例。

买办社会学家冒充社会调查的专家，指摘党的政策只是规律，没有经过社会调查。他们把党所制定的政策看作是闭门造车。他们的愚昧无知，何等可笑。我们散布在城市和乡村的数百万干部，都是社会调查工作者，每一个乡长或负责干部所做的调查研究工作都比右派老爷们高明百倍,因为他们是用马克思主义和党的政策武装着的,又和农民有共同的语言和生活习惯,所以能够亲身体会农民的生活,能够代表农民的利益。右派老爷们只能和地主富农有共同的语言,而和农民是合不来的,农民也不能和他们说知心话,他们至多也只是走马看花,飘浮于事物的表面,而代表地主富农说话。他们原是抱着政治阴谋去做调查工作的。

费孝通说,和他一样教过或学过社会学的人都能做社会调查工作。他们的"立场、观点、方法固然有不正确的地方",但"他们学会的那些访问、观察、记录、统计、分析等技术还是有用的"。因此,他要约集这一类人组成大队伍来做社会调查工作。我们敬谢不敏!费孝通所要统率的这样的队伍,原是只是懂得一些技术而没有政治灵魂的人,他们至多也只能为章罗联盟的政治阴谋服务。这样的社会调查队,不过是右派的别动队,人民是反对的。

总结几句:费孝通等的社会学是买办社会学,是在社会学招牌下搞私货的社会学,没有丝毫学术的气味。他们叫嚣着要恢复资产阶级社会学的目的:在思想上是要用买办阶级的社会观代替历史唯物主义的社会观;在政治上是要用资产阶级民主代替工人阶级和人民群众的民主;在经济上是要用资本主义代替社会主义,把历史车轮扭转到半殖民地半封建时代去。

马克思主义社会科学界的同志们!我们必须战斗,为粉碎买办阶级的社会科学而战斗!

致在反右斗争中站在
前列的同志们

（1957.10）

拥党为团　立场坚定

歼敌制胜　斗志昂扬

（原载 1957 年 10 月 27 日武汉大学《学习简报》第 61 期，署名李达）

在表扬反右派斗争积极分子大会上的讲话

（1957.10）

共青团武汉大学委员会今天举行反右派斗争的积极分子的表扬大会，首先，让我代表学校向几十位受到表扬的同志们表示祝贺。同志们，在这次的表扬大会上，我们把这个反右派斗争的前后经过回想一下，很有历史的意义。武汉大学的"鸣放"是开展得最早的。在 5 月 1 号，党中央发出了整风的文告以后，我们武汉大学的党委和行政方面，首先就准备号召全校的教工、同学鸣放。本来所谓鸣放，"鸣"是百家争鸣，"放"是百花齐放，是艺术上的"放"，学术上的"鸣"。可是在那时的报纸上就把这种"鸣"和"放"用在政治上来了。鸣和放，报上提得很多。好吧，就鸣放吧，号召教工、同学对党提意见，帮助党整风。最初是小鸣小放，后来是大鸣大放，大概在 5 月 20 日前后，大鸣大放开始了。在那个时候，基本上还算是健康的。可是到了 5 月下旬就不同了。那些右派分子在大鸣大放之后就乱鸣乱放了，他们觉得提意见帮助党整风不过瘾。帮助整风，我们的意思是：我们这个党有些缺点，三个主义我们自己不讳言。请大家给我们提意见，帮助帮助我们改正缺点，比方每个人天天要洗脸。脸上有灰尘，自己看不见，请一个朋友来看看，看我的脸上哪个地方脏了，好把它洗了去。哪晓得他却居心不良，他说你那个脸脏我也不讲，你那个脑壳最好砍下来才好。我们要大家帮助党，他们却要打倒党。于是想主意：首先就反对党的领导，要成立什么校务委员会，要教授治校，要民主选举，要党退出学校，说什么人事制度不好啰，我们的制度要不得啰，等等。于是乎他们要争民主、争人权，要下工厂，下农村，要贴标语啰，要闹报馆啰，要进行示威啰，这样一来，就把我们珞珈山弄得乌烟瘴气。

乱鸣乱放之后，牛鬼蛇神出来了，魑魅魍魉出来了。可是，在那个时候，我们绝大多数爱党爱社会主义的人，沉住气，听他们讲，听他们骂，我们不回嘴。那个时候，他们的尾巴翘得天那么高。那么让他"鸣放"吧，结果，好！他们疯狂进攻到了顶点。可是，我们学过辩证法，辩证法这个东西是这样：物极必反。到了6月4号以后，右派分子，狂进攻到了顶点的时候，我们武大的人民一致喊叫："反攻。"好，把珞珈山的乌烟瘴气冲开了，青天出现了，太阳出来了！那些牛鬼蛇神躲起来了。我们冲锋陷阵的知识分子们和拥护党拥护社会主义的同志们吼了起来：牛鬼蛇神看你们往哪里跑，把你挖了出来，来斗争。这是反攻——反右派斗争的阶段。

经过了6月20日到7月25日，一个多月时间，9月又开始直到现在，我们反右派斗争取得了初步的胜利，也可以说是决定性的胜利。我们挖出了三四百个严重的和一般的右派分子，斗倒了他们，分化了他们，孤立了他们。这很好！假使他们不经过乱鸣乱放，他们的画皮便不容易剥开，他们将长期地隐藏下来，在学校里捣乱，阻挠学校的进步，这倒是一件危险的事。由此可见，右派疯狂进攻，把自己的画皮揭破，这对于我们学校来说，倒是一件好事。说到这里，我记起一右派头子的一句话："太阳出来了，光明不是我们的。"这句话说得很对。太阳出来了，那些牛鬼蛇神都躲起来了嘛，跑到黑暗角落里去了嘛！这话说得很对，太阳出来了却与他们无关。

这一次反右派的斗争所以能够取得胜利，是与我们广大的拥护党、拥护社会主义的同志们的努力奋斗分不开的；特别是与今天受到表扬的几十位同志的冲锋陷阵分不开的。今天举行这么一次表扬大会，很好。可是，从今以后怎么样？从今以后，我们这个反右派斗争不过只是告一段落，反右派斗争还没有结束，时间还远得很呢。要到什么时候结束呢？到我们社会主义社会完全建成功了那一天为止。政治上的斗争，特别是思想上的斗争是长期的，要一直搞下去的。所以，我们今天在这个会上，开这样一个表扬大会，庆祝胜利的大会，我们千万不可以松劲。被表扬的同志们应当保持着已有的光荣，而且还要发扬光大，继续前进，不要掉队。以后，反右派斗争还要搞的，还要继续搞的，千万不要松劲，我们要提高警惕。继续在斗争中锻炼我们自己，提高我们自己。

最后，我还要说一句话，胜利了不要骄傲，"闻胜勿骄！"讲句笑话，我们不能让胜利冲昏头脑，要不骄不躁，要谨慎，要谦虚。一方面，要继续同右派分子作斗争;另一方面要努力地学习马克思列宁主义,提高我们的思想水平和政治水平,这是最重要的。希望我们大家牢记着毛主席"虚心使人进步,骄傲使人落后"这两句话,力求进步,争取做一个共产主义者。

（原载 1957 年 10 月 27 日武汉大学《学习简报》第 61 期,署名李达）

十月革命给我们送来了马克思列宁主义[*]

（1957.10）

中国人民革命所取得的具有世界历史意义的胜利，是与中国共产党的马克思列宁主义的领导不可分的，是与马克思列宁不可分的。中国人民革命的胜利，同时也就是马克思列宁主义在一个约占世界人口四分之一的大国中的胜利。马克思主义是万能的科学武器，是我们党的灵魂，是指导全国人民思想的理论基础，这一点，中国人民从自己切身的经验中已经有了深刻的认识了。

但是，当我们谈到马克思列宁主义对于中国革命的伟大指导作用时，必须记住1917的十月革命。毛泽东同志在《论人民民主专政》中说："中国人找到马克思主义，是经过俄国人的介绍的。在十月革命以前，中国人不但不知道列宁、斯大林，也不知道马克思、恩格斯。十月革命一声炮响，给我们送来了马克思列宁主义。十月革命帮助了全世界的也帮助了中国的先进分子，用无产阶级的宇宙观作为观察国家命运的工具，重新考虑自己的问题。走俄国人的路——这就是结论。"毛泽东同志的这一段话，科学地而又通俗地阐明了十月革命对于马克思主义在中国的传播所起的决定性的作用。

大家知道，在1840年的鸦片战争以前，中国是一个闭关自守的老大封建帝国。鸦片战争以后，中国在帝国主义的侵略下逐渐沦于半封建半殖民地的悲惨境地。为了摆脱这种悲惨境地，中国的仁人志士们，以洪秀全、康有为、严复和孙中山为代表，经过千辛万苦，向西方国家寻找真理。他们深信西方资产阶级民主主义的文化以及政治制度是可以救中国的，应当想办法照搬过来。

---

[*] 本文是1957年10月30日李达在武汉大学庆祝十月革命40周年座谈会上的讲话稿。——编者注

但是,积数十年的经验,证明了这种愿望不过是一种幻想。康有为和梁启超所领导的以"维新"为号召的资产阶级改良运动,迅速地遭到了失败。孙中山所领导的全国规模的资产阶级革命运动,是从鸦片战争以来多次奋斗中最大的一次奋斗。孙中山提出了推翻清朝和建立共和国的纲领,博得了人们的拥护。当时人们以为,只要推翻了清朝统治者,建立起资产阶级的议会制度,中国就得救了。但是事实上,辛亥革命以后并没有解决反帝反封建的任务,中国仍然处在半殖民地半封建的悲惨境地,遭受帝国主义和封建主义的内外夹攻;而曾经被人们当作偶像来崇拜的议会制度,也不过徒具形式,而且屡次被封建军阀们任意取消了。事实证明,资产阶级的政治制度在中国的具体条件下是断然行不通了,整个国家的情况是每下愈况。当时横亘在先进人物面前的是一片迷惘。中国往何处去?这是引起许多人苦闷的大问题。然而,"山重水尽疑无路,柳暗花明又一村"。俄国的十月革命一声炮响,春雷般地唤醒了一切沉睡着和摸索着的被压迫的民族,也唤醒了中国人民。中国的工人阶级和新知识分子从迷雾重重的暗夜里突然发现了光辉灿烂的太阳,他们欢呼十月革命的胜利,欢呼布尔什维主义的胜利。伟大的资产阶级革命家孙中山,也真诚地欢迎十月革命,认为"有了俄国革命,世界人类便生出了一大希望"。许多曾经向往过资产阶级国家制度而又陷入失望苦闷中的人们,迅速地放弃了过去的幻想,转到马克思主义的立场,成为共产主义的知识分子。在十月革命以后不到两年,中国就爆发了以彻底地不妥协地反帝反封建为特征的"五四"运动,年轻的工人阶级登上了政治舞台,马克思主义得到了迅速而广泛的传播。而马克思主义一经与工人运动相结合,就在1921年产生了中国工人阶级的先锋队——中国共产党。从此,中国革命在中国共产党的领导下,经过了曲折的道路,终于取得了今天这样伟大的胜利。

那么,十月革命是怎样给我们送来了马克思列宁主义的呢?换句话说,十月革命对于马克思主义在中国的传播与运用,起了一些什么影响呢?

第一,十月革命在中国掀起了传播马克思主义理论的高潮。

在十月革命以前,除了极少数流亡在欧洲和日本的知识分子曾经接触过马克思主义的一鳞半爪之外,广大的中国人民是不知道马克思主义的。而这些极少数的知识分子,由于他们的阶级立场,也不能正确地理解马克思主义,有的人甚至还从资产阶级立场来"批评"和反对马克思主义(例如朱执信在1906年《民报》上所发表的《德意志革命家小传》中就"批评"过马克思关于资本的原始积累的学说)。这些知识分子对于传播马克思主义是没有起什么作用的。

十月革命以后,情形就根本地变化了。尽管由于欧美资产阶级报刊和通讯社的歪曲,中国的先进分子还不可能确切地知道十月革命的具体情况,但是他们毕竟知道了俄国共产党人缔造了世界上第一个劳动人民掌握政权的社会主义国家,而这就正是布尔什维主义的胜利,马克思主义的胜利。于是,中国的一部分先进分子,以李大钊同志为代表,坚决走上了马克思主义的道路,并与各种反马克思主义的思潮进行了不妥协的战斗。首先,1919年,在《新青年》杂志内部,展开了对胡适的资产阶级思想的论战(胡适打着"多研究些问题,少谈些主义"的旗号来反对马克思主义的传播)。接着,1920年和1921年,又展开了对以梁启超为首的研究系分子的论战(他们披着"社会主义者"的外衣来反对社会主义,硬说中国产业工人太少,不可能建立真正的工人阶级政党)。这些论战,我个人都亲身参加过。当时我们所懂得的马克思主义理论虽然还很有限,但是我们还是驳倒了资产阶级知识分子们的浅薄无知的言论,引起了人们的注意,使马克思主义在中国人民的心目中占了一席重要的地位。

在"五四"运动以后,马克思主义理论的传播更有了新的进展。以宣传马克思主义为宗旨的团体和报刊,在全国各地有如雨后春笋。像毛泽东同志在湖南所领导的"新民学会"、《湘江评论》、《新湖南报》、"船山学社"、"文化书社"、"自修大学"、"湘江中学"、"青年图书馆"等等,就是最负盛名的。这些团体和报刊在传播马克思主义理论方面起了很大的作用。这时,在法国勤工俭学的中国学生,也组织了许多马克思主义的研究团体,在华侨工人中展开了马克思主义的宣传。同时,马克思主义的经典著作,也有一个相当数量翻译到中国来了。这样,经过共产主义知识分子的努力,形成了马克思主义与中国工人运动的结合,并在这个基础上产生了中国共产党。

第二,十月革命在马克思主义的实践方面为中国革命树立了光辉的楷模。

十月革命是马克思主义的活生生的运用,是行动中的马克思主义。它用无可争辩的事实证明了为马克思主义所阐明的社会主义不只是人类最美好的理想,而且是完全可以通过革命斗争变为现实的东西;证明了马克思主义绝不是一种纸上的空谈,而是解决革命问题的万能的科学武器。"俄国人的路",即十月革命的道路,清楚地摆在我们面前,使我们有所效法,有所遵循。30多年来,中国共产党一直不断地从十月革命中吸取经验,吸取思想力量。中国革命30多年来所走着的道路,就是十月革命的道路。这条道路,党中央在《再论无产阶级专政的历史经验》一文中作了科学的概括,更简单地说来就是:一、建立一个马克思列宁主义的政党——共产党;二、工人阶级在党的领导下夺取政权;三、实行无产阶级专政,消灭阶级,消灭剥削;四、有计划地发展社会主义的经济建设和文化建设,向共产主义前进;五、坚持无产阶级国际主义的原则。我们的党认为,这条十月革命的道路乃是放之四海而皆准的普遍真理,任何国家任何民族的共产党和工人阶级都必须通过这条道路才能取得革命的胜利(不过通过这条道路时所采取的具体形式将因为各国的具体条件的不同而有所不同罢了)。否认了这条道路,就是否认了马克思主义。正因为这样,我们中国共产党人才自豪地把自己所做的事业看作是十月革命的继续。

第三,十月革命的领导人物,列宁和斯大林,直接对中国革命作了许多极端宝贵的指示,有力地帮助了中国共产党人用马克思主义的观点和方法正确地分析中国的具体情况,从而正确地制定正确的纲领、路线、战略、策略。

伟大的列宁早在1900年,特别是在1912年和1913年,就已经注意了中国问题,并写了关于中国问题的重要论文;而在1918年到1920年间,在十月革命的最紧张的年代里,列宁和斯大林又对东方的民族问题做了多项最深刻的指示,正是这些指示构成了毛泽东同志的《新民主主义论》的主要出发点。例如,列宁在1919年曾经向东方的共产主义者指出:"在这里,在你们面前摆着一个任务,这个任务从前在全世界共产党员面前是没有提出过的,这个任务就是:依靠一般共产主义的理论与实践,你们在应用于欧洲各国所没有的独特条件时,需要善于把这个理论应用于这样的条件,即农民是主要群众,所要解决的斗争任务不是反对资本,而是反对中世纪的残余。"[1]这就第一次向东方

---

[1] 《在东方人民第二次代表大会上的讲话》。

的共产主义者、因而也同时向中国的共产主义者提出了把马克思主义与本国实际情况相结合的原则,这个原则,为我党领袖毛泽东同志完满地实现了。不仅如此,在共产国际第二次代表大会上,列宁还提出了民族和殖民地问题的提纲,规定了各被压迫民族和殖民地半殖民地人民革命的基本轨道,规定了共产主义者在民族革命运动中所应采取的基本方针。这个指示,以及列宁、斯大林的一系列的有关著作,对于中国共产党人把马克思主义运用于中国的特殊环境,有着不可估量的帮助。这是我们共产党人和全国人民永远不会忘记的。

综合以上所述,可以看出,中国之有马克思列宁主义理论的传播,中国人民之选择了一条马克思列宁主义的道路,中国共产党人之学会了创造性地运用马克思列宁主义的道路,中国共产党人之学会了创造性地运用马克思列宁主义来解决中国的实际问题,这一切,都是与伟大的十月革命分不开的。正是十月革命给我们送来了马克思列宁主义,才使中国革命的道路有所创新。当此十月革命 40 周年之际,我们怀着兄弟的情谊遥祝我们伟大的盟邦苏联更加繁荣昌盛,遥祝十月革命的花朵在全世界开放得更加鲜艳芬芳! 让那些倒霉的反动派去狂吠吧,中国人民一经走上了十月革命的道路,那就什么力量也不可能阻止我们沿着这条光荣的道路走向无限美好的未来!

中国革命是十月革命的继续

（1957.11）

　　伟大的十月社会主义革命40周年到来了。我们怀着欢欣鼓舞的心情庆祝这个光荣的节日。

　　1917年，苏联人民在共产党和列宁的领导下，胜利地推翻了地主资产阶级的政权，在全世界建立起第一个无产阶级专政的政权，缔造了第一个社会主义的国家。在1917—1957年这40年中，苏联人民创造性地运用了马克思列宁主义，他们利用十月革命后建立的政权，剥夺了剥削者的财产，实行了社会主义工业化和农业集体化，改造了整个国民经济，把一个经济上文化上落后的旧帝国，变成了经济繁荣、文化昌盛的先进的社会主义国家。苏联人民的这40年不是一帆风顺地度过的，他们长期处在帝国主义的包围中，不断地对国内外敌人进行斗争。1918—1920年，他们打退了14个帝国主义国家的武装干涉。1927—1928年，国内展开了对托洛茨基派、布哈林派的斗争。托洛茨基、布哈林等反对派到处散布社会主义不可能在少数国家更不可能在单独一个国家内取得胜利的悲观论调，反对联共中央提出的农业集体化和优先发展重工业的方针，提倡什么"不断革命论"、什么资本主义可以"和平长入"社会主义的"理论"，企图使资本主义复辟。斗争的结果，联共中央取得了彻底的胜利，坚持了十月革命的道路，因而建成了社会主义社会。1945年，苏联人民又打退了德国法西斯的进攻。现在，苏联人民在克服了前进途中的巨大风险和困难之后，正在胜利地向着共产主义社会前进。最近，苏联发射了的世界上第一颗人造地球卫星，再一次无可争辩地表明，苏联在和平竞赛中，已远远超过帝国主义阵营中的任何一个国家了。苏联是世界和平民主的坚强堡垒。苏联人民走过的这40年，是光荣的40年，也是艰巨的40年。

苏联人民在建设自己的社会主义国家中所积累的经验,对每个国家的无产阶级和被压迫民族,都有着重大的意义。正如列宁在论述十月革命的国际意义时所说:"我国所发生过的现象在国际上也有重大的意义,或者说,这种现象由于历史的必然性要在国际范围中重演出来,那末,我们就必须承认,我国革命的某些基本点是具有这种国际意义的。"①中国的革命证实了列宁的这个论断是完全正确的。

我们中国的近代革命,在十月革命前已进行了半个世纪,但是都没有成功。在19世纪末期,世界资本主义已经发展成为帝国主义,帝国主义离开殖民地半殖民地是不可能存在的,所以它必然扶植这些国家的封建反动势力,阻挠这些国家走上独立自主的道路,在这种情况下,软弱无能的民族资产阶级是不可能领导人民胜利地完成资产阶级民主主义革命的。十月革命一声炮响,俄国人民突破了世界资本主义战线,在世界六分之一的土地上建立了社会主义的苏联。苏联建国后,根据国际主义的原则,宣布取消沙皇对外订立的一切不平等条约,同情和支持被压迫民族的解放运动。斯大林说:"十月革命在落后东方和先进西方各个民族之间建立了联系,把他们卷入在反帝国主义斗争的共同营垒里了。"②这样,中国革命的性质在十月革命后发生了根本的变化,由旧的资产阶级民主主义革命,变成了新的资产阶级民主主义革命,在革命的阵线上说来,则属于世界无产阶级社会主义革命的一部分了。我国的先进人物,为了寻找救国救民的真理,在黑暗中摸索了半个世纪,没有找到真正的革命武器,直到十月革命取得胜利,才找到了马克思列宁主义。1919年5月4日,中国爆发了"五四"运动。1921年,在马克思列宁主义和中国工人运动相结合的基础上,中国共产党成立了。中国革命的面貌从此焕然一新了。

1949年,中国人民在中国共产党和毛泽东同志的领导下,胜利地走完了民主主义革命的过程,赶走了帝国主义和国民党反动派在中国大陆的统治,建立了工人阶级(经过共产党)领导的、以工农联盟为基础的人民民主政权,并向全世界宣布加入以苏联为首的和平民主社会主义阵营,坚持无产阶级国际

---

① 《共产主义运动中的"左派"幼稚病》。

② 《十月革命与民族问题》。

主义的原则,支持各国无产阶级的革命运动和一切被压迫民族的解放运动。接着,党领导全国人民进行了土地改革、镇压反革命、抗美援朝、三反五反、思想改造等五大运动。1953年,党提出了以社会主义工业化为主体,以对资本主义工商业、农业和手工业实行社会主义改造为两翼的总路线,在民主主义革命完成之后立即坚定地转向社会主义革命和社会主义建设。1955—1956年,社会主义改造达到了高潮,在经济战线上,即在生产资料所有制的问题上,取得了社会主义革命的基本胜利。1957年5月,党发动群众开展了整风运动和反资产阶级右派的斗争。整风运动的目的,如邓小平同志在关于整风运动的报告中所指出的是端正政治方向,提高思想水平,改正工作缺点,团结广大群众,孤立和分化资产阶级右派和一切反社会主义的分子,而反右派斗争是继经济战线上的社会主义革命之后,在政治战线上和思想战线上进行的一场社会主义革命。

由以上所述可以看出,中国革命在以下这些问题上,与十月革命是完全一致的:其一,两个革命都是由一个以马克思列宁主义武装起来的、按民主集中制的原则组织起来的、密切联系人民群众的共产党所领导的。其二,两国的党都认定"一切革命的根本问题是政权问题",因而坚决抛弃改良主义的幻想,在党的领导下从统治者手里夺取了政权。其三,两国的党在取得政权之后,立即建立了工人阶级领导的以工农联盟为基础的人民民主专政,或无产阶级专政,镇压反革命分子的反抗,并实行工业国有化和农业集体化的方针,消灭生产资料私有制。其四,两国的党都领导人民群众有计划地发展社会主义经济和社会主义文化,向共产主义的总方向迈进。其五,两国的党所领导的国家都坚持反对帝国主义侵略,承认各民族平等,维护世界和平,坚持无产阶级国际主义的原则,努力取得各国劳动人民的援助,并且努力援助各国劳动人民和被压迫民族。

这种完全一致绝不是偶然的。按照列宁的指示,这种完全一致正说明了,在俄国发生过的现象,由于历史的必然性,一定要在中国重演出来。由上面这些基本特点所构成的道路,就是十月革命的道路,这条道路乃是放之四海而皆准的普遍真理,一切国家的共产党人和工人阶级,离开了这条道路,要想取得革命的胜利是不可能的。

　　当然,我们的党并不认为在一些次要点上也应当照搬苏联的经验。俄国的具体环境和中国的具体环境是有许多不同的,列宁早在 1919 年就曾向东方的共产主义者指出:"依靠一般共产主义的理论与实践,你们在适应于欧洲各国所没有的独特条件时,须要善于把这个理论和实践应用于这样的条件,即农民是主要群众,所要解决的斗争任务不是反对资本,而是反对中世纪的残余。"①中国共产党和毛泽东同志完满地执行了列宁的指示,根据马克思列宁主义与中国革命实践相结合的原则,制定了一系列的具有特色的纲领、路线、战略、策略。例如,根据旧中国的半殖民地半封建的特点,就制定了中国革命必须分两步走、必须在民主革命过程中团结民族资产阶级的方针;根据中国民族资产阶级比较软弱以及曾经在民主革命过程中同我们合作的特点,并根据国内外的具体形势,就制定了对资本主义工商业实行和平改造的方针,如此等等。这一切,表明了我们的党和毛泽东同志是创造性地执行列宁指示、创造性地运用马克思列宁主义的能手。我们这样做,不仅仅丝毫也没有脱离十月革命的道路,而且正好因此绕过了前进途程中的暗礁,胜利地通过了并且还在继续通过着十月革命的道路。我们同修正主义者的根本区别,就在于此。

　　我们认为十月革命的世界意义是不可估量的。我们中国共产党人自豪地把自己所干的事业看作是十月革命的继续。我们相信,由于历史的必然,十月革命的基本特点不仅会在中国重演出来,而且一定会在世界上所有的国家里重演出来。一切的诅咒和谩骂都是没有用的,一切的怀疑和动摇都是没有根据的,什么力量也不能阻挡人类的历史用矫健的步伐走向共产主义的时代!

　　(原载 1957 年 11 月 4 日《湖北日报》,署名李达)

---

　　① 《论东方各族人民的觉醒》。

友谊的祝贺[*]

（1957.11）

　　欣逢伟大十月社会主义革命 40 周年,特向您和您校（院）的全体同志祝贺!

　　（原载 1957 年 11 月 6 日武汉大学《学习简报》第 68 期,署名校长李达）

---

　　*　这是 1957 年 11 月 4 日李达分别发给苏联伏龙涅兹大学校长、莫斯科图书馆学院院长、格鲁吉亚科学院院长、莫斯科大学物理系古谢夫教授和莫斯科大学土壤生物系谢洛莫娃教授的贺电,后两人曾作为苏联专家在武汉大学工作过。——编者注

在庆祝伟大的十月社会主义革命
40 周年大会上的讲话[*]

（1957.11）

同志们！

伟大的十月社会主义革命 40 周年纪念日到来了，我们怀着欢欣鼓舞的心情庆祝这个开辟了人类历史新纪元的光辉的节日。

1917 年，苏联人民在共产党和列宁的领导下，推翻了地主资产阶级的政权，建立起世界上第一个社会主义国家。在 1917 年至 1957 年这 40 年中，苏联人民创造性地运用了马克思列宁主义，利用无产阶级专政，消灭了剥削阶级和剥削制度，实行了社会主义工业化和农业集体化，改造了整个国民经济，把一个经济上文化上落后的旧帝国，变成了经济繁荣、文化昌盛的社会主义国家，苏联人民的这 40 年不是一帆风顺地度过的，他们长期处在帝国主义的包围之中，不断地对国内外的敌人进行艰苦的战斗。他们战胜了国内的反革命；打退了 14 个帝国主义国家的武装干涉和德国法西斯的疯狂进攻；他们战胜了托洛斯基派、布哈林派以及其他暗藏在党内和国内的敌人。这样，苏联才在各种惊涛骇浪里成长起来，壮大起来。现在，苏联已成为世界和平的堡垒和一切被压迫阶级、被压迫民族的救星。最近苏联试验洲际导弹的成功，以及两次发射人造卫星的成功，无可争辩地表明了苏联的科学成就已经远远地超过了一切帝国主义国家了。我们同全世界一切爱好和平的人们一样，为苏联的伟大的划时代的成就而欢呼，为社会主义制度强大的生命力和无比的优越性而

---

[*] 本文是 1957 年 11 月李达在武汉大学庆祝十月革命 40 周年大会上的讲话稿。——编者注

欢呼。

同志们！中国革命的胜利与十月革命是完全分不开的。中国人民中的先进分子,从鸦片战争以来,不断地向西方寻求救国救民的真理,但是经过了许多的努力,仍然不能使中国摆脱半殖民地半封建的悲惨境地。十月革命一声炮响,给我们送来了马克思列宁主义。在马克思列宁主义与中国工人运动相结合的基础上,产生了中国共产党,从这个时候起,中国革命的面貌才焕然一新。在党领导中国人民进行革命斗争的30多年中,党是不断地从十月革命吸取思想力量的。中国革命所走的道路,就是十月革命的道路。中国共产党人自豪地把自己所做的事业看成是十月革命的继续。这是完全符合于实际情况的。在我国革命取得胜利之后,苏联政府又给予我慷慨无私的援助,大大地加速了我国社会主义建设事业的发展。今天我们国土上许多巨大的近代工业建设,都是中苏两国人民兄弟友谊的结晶。

现在,以苏联为首的和平民主社会主义提阵营的力量已经超过了以美国为首的帝国主义侵略阵营的力量,这一点,是连帝国主义者自己也不得不承认了。最近美国和土耳其企图对叙利亚发动侵略战争的阴谋,已经在苏联的严正警告下遭到了破产,就是一个最有力的证明。

我们在庆祝十月革命40周年的时候,必须努力加强无产阶级的国际主义的伟大团结,努力学习苏联的先进经验,迅速地把我们的国家建设成为一个伟大的社会主义共和国,以进一步加强以苏联为首的和平民主社会主义的力量,为巩固世界的持久和平而奋斗！

最近,由我们的伟大领袖毛泽东主席率领的代表团已经到了苏联,准备参加十月革命40周年的盛典。这标帜着中苏两国的深厚的兄弟友谊的进一步发展。中苏两国八亿人民的坚如磐石的团结,就是世界和平最有力的保证。

中苏两国的伟大友谊万岁！

十月革命的道路万岁！

和平万岁！

（原载1957年11月7日武汉大学《学习简报》第70期,署名李达）

十月革命与中国知识分子[*]

（1957.11）

十月革命提高了中国知识分子的政治觉悟,对于中国革命发生了巨大的积极的作用。我想就我自己亲身的体会来谈谈这个问题。

前清末年以来,中国已经变成帝国主义的半殖民地,前清皇朝和辛亥革命以后的北洋军阀所代表的封建势力,都蜷伏在帝国主义的卵翼之下,和帝国主义深相勾结,共同压迫和剥削全国人民,使旧中国形成了半殖民地半封建的局面。这时候中国社会的阶级分化为:买办资产阶级、民族资产阶级、地主阶级、工人阶级和农民阶级。此外,在中国境内还有外国资产阶级（即帝国主义）。当时全国的知识分子,除了一部分为外国资产阶级和买办资产阶级服务的文化汉奸和文化买办以外,绝大多数都是程度不同的爱国主义者。记得前清末年我在中学读书的时候,每逢帝国主义者向清廷提出亡国性的侵略条件时,知识分子和青年学生便举行一次爱国运动,每年一次或两次,今天反英,明天反日,后天反德,反俄（沙皇俄国）,反法,反美,总是反个不了,当时爱国运动的方式是:集会,游行,发宣言,喊口号,抵制洋货,向清廷反动政府请愿,拒绝帝国主义者的要求,但清廷决心丧权辱国,依靠帝国主义势力苟延残喘,所以每次爱国运动都是以遭到压制而告终的。当年知识分子的爱国运动所联系的群众,主要是都市的民族工商业资本家,例如呼吁资本家不买卖洋货而买卖国货,这是工业资本家所赞成的,所以知识分子所发动的爱国运动,也曾引起过罢市的风潮。

由于清廷丧权辱国,压制爱国运动,当时进步的知识分子深刻地认识到要

---

[*] 本文亦发表于《学习》1957 年第 21 期。——编者注

救国必先推倒清廷,于是纷纷加入了孙中山领导的革命同盟会,成了民主革命的知识分子,壮大了革命的队伍,终于实现了辛亥革命,推翻了清皇朝,建立了中华民国。但是这个民主革命,由于资产阶级的软弱性而流产,革命的果实由封建军阀袁世凯掠夺而去,军阀政府代替了清朝政府,封建势力仍然勾结帝国主义宰割着全国人民,中国仍然是一个半殖民地半封建的局面。而一般知识分子则仍然是反对军阀政府,反对帝国主义的。

1914年第一次世界战争发生以后,欧美帝国主义国家暂时放松了对于中国的侵略。在这一段期间,一方面,民族资本的工业有了很大的发展,因而扩大了工人阶级的队伍;另一方面,日本帝国主义扩大了对于中国的侵略,他驱逐了德国在山东的势力,占领了山东,造出了独吞中国的局面,它逼迫袁世凯政府承认它所提出的"二十一条"的亡国条件。从此,进步的知识分子和青年学生就继续着反日本帝国主义和反封建军阀政府的运动,可是当时资产阶级没有领导这个运动的能力,而工人阶级还没有登上政治斗争的舞台,因而当时进步的知识分子在政治上找不到出路。

十月革命一声炮响,震动了全世界,也震动了中国人,而最有敏感的则是中国知识分子。当时我在日本东京,从日本报纸上知道了俄国大革命的消息,据说是列宁领导的"过激派"实行"过激主义",领导了俄国工农兵推翻了沙皇政府建立了工农政府,也叫作列宁政府。工人和农民一跃而登上统治阶级的地位,而地主资产阶级被打倒了,他们的财产被没收了,俄国变成了共产的国家,这真是人类历史上破天荒的大好事。我当时对于这样一个国家感到无限的喜悦,就留心看报纸上这一方面的消息,才知道所谓"过激派"和"过激主义"就是布尔什维克和布尔什维主义,而布尔什维主义就是列宁主义,列宁主义又是马克思主义,这才知道马克思主义、列宁主义的名称。当时日本社会主义信徒开始介绍马克思主义、列宁主义的学说,但都不是系统的介绍。马克思、恩格斯的《共产党宣言》的日文译本是看到了的,但被省略的空白点是很多的。我当时还抱着实业救国、科学救国的思想,正在学习物理数学,对于社会主义的著作很少研究。

1918年春季,日本帝国主义要配合其他13个国家一同进攻苏俄,并且和段祺瑞政府缔结中日军事协定,假道东三省出兵进攻西伯利亚,当时留日学界认为这是日本假虞灭虢之计,以实现"二十一条"中的第五项,大家纷纷开会,决定全体罢学归国,组成留日学生救国团分赴北京、上海等地做救国运动。我当时被分派到北京,一面呼吁北京学生起来救国,一面向段祺瑞政府请愿。可是我们到达北京的时候,段祺瑞政府派出了大批警察和密探监视着我们,我们虽然也向北京各大学的学生呼吁过多次,却没有引起群众性运动,而段政府则对我们进行欺骗,极力否认与日本缔结的密约。这一次留日学生救国运动虽然没有得到什么效果,而这次运动的影响却成了次年"五四"运动的先导。另一方面,当时像我这样的一些人已经深切地感到:为要救国图存,首先就要有人民起来推翻反动的军阀政府。就我个人来说,我再到东京以后,决心放弃实业救国的思想,采取革命救国思想,停止物理、数学的学习,专事马克思主义的学习。我初步学习了马克思的唯物史观说、剩余价值说、阶级斗争说,学习了列宁的《国家与革命》和马克思的《资本论》第一卷,但对于马克思主义却是懂得很少很少的,至于拿马克思主义来结合中国实际更是不会,我只知道中国有了无产阶级,就可以向俄国那样干无产阶级革命,如此而已。

1919 年,中国学生的"五四"运动爆发了,接着而来的是"六三"运动,这是反帝反封建的革命运动。特别引起我们注意的是工人阶级在"六三"运动中登上了政治斗争的舞台,这就给革命知识分子找到了领导力量。

"五四"运动以后,国内掀起了新文化运动的高潮,马克思主义的传播占据首位;其次资产阶级的哲学思想、文艺思想和社会思想,以及无政府主义思想,都一齐在广泛地传播着,宣传这些思想的杂志和报纸的副刊,像雨后春笋一样地出现了,这也可以说是"百花齐放、百家争鸣"的现象。但是这个新文化运动进行不到一年,就发生了阶级分化,即分化为无产阶级新文化运动和反无产阶级新文化运动,即马克思主义派文化运动和反马克思主义派文化运动。这时候的知识分子就分别隶属于马克思主义派和反马克思主义派。马克思主义派的知识分子隶属于工人农民阶级(李大钊、毛泽东等为代表),并为工农服务;反马克思主义派的知识分子则分别隶属于帝国主义和买办阶级(胡适等为代表)、地主阶级(梁漱溟等为代表)民族资产阶级(国家主义派曾琦等为代表),他们分别为这些阶级服务。这里值得特别注意的,在十月革命以前,为工农服务的知识分子是极少极少的,但在十月革命以后,为工农服务的知识分子就一天一天地多起来了,有的原来为剥削阶级服务的知识分子也转到工人阶级方面来了,这是知识分子在十月革命后接受了马克思主义的结果。

当时反马克思主义派的最突出的代表人物,是文化汉奸胡适、保皇党梁启超、研究系政客张东荪、孔家店老板梁漱溟和无政府主义者区声白等,分别用世界主义、实用主义、资本主义、儒家伦理主义和无政府主义向着马克思主义开火。但马克思主义是真正的科学,原是在阶级斗争中锻炼出来的,它不怕和任何反动学说作战,所以在当时经历了一番大论战之后,马克思主义终于取得了优势。

马克思主义派是中国无产阶级的先锋,他们用马克思主义这个"无产阶级的宇宙观作为观察国家命运的工具,重新考虑自己的问题。走俄国人的路——这就是结论"。根据这一结论,中国共产党在 1920 年发起了,在 1921 年 7 月 1 日正式成立了,"接着就进入政治斗争,经过曲折的道路,走了 28 年,方才取得了基本的胜利"。即是说,中国人民在共产党领导下,终于推翻了帝国主义、封建主义和官僚资本主义在中国的统治,建立了工人阶级领导的、以工农联盟为基础的人民民主专政的中华人民共和国。

毛泽东同志说得好:"在中国的民主革命运动中,知识分子是首先觉悟的成分。辛亥革命和五四运动都明显地表现了这一点,而'五四'运动时期的知识分子则比辛亥革命时期的知识分子更广大和更觉悟。然而,知识分子如果不和工农民众相结合,则将一事无成。革命的或不革命的或反革命的知识分子的最后分野看其是否愿意并且实行和工农民众相结合。"这一段话说明了知识分子对于中国革命的重要性,并且指出了"是否愿意并且实行和工农民众相结合"是划分革命知识分子和不革命的或反革命知识分子的标准,希望知识分子要做一个革命者,不要做反革命者。这一段话同时也说明了十月革命影响了中国一些知识分子,使他们坚决地站在无产阶级立场,成为共产主义者,使中国共产党所领导的革命事业取得了伟大的胜利。

中国革命是十月革命的继续。中国革命的胜利对于为旧社会服务的知识分子是一个很大的震动。外国资产阶级被赶走了,官僚资产阶级地主阶级也先后被推翻了,从前为这些阶级服务的知识分子,都感到心情惶惑,局促不安。可是我们的党本着一贯重视知识分子的精神,对一切知识分子采取了争取、团结、教育、改造的政策，希望他们改造思想，转变立场，为工农服务。经过了土地改革、抗美援朝、肃清反革命、三反五反和思想改造的五大运动，大多数知识分子受到了深刻的教育，表示拥护共产党、拥护社会主义，愿意为社会主义事业贡献出自己的智慧和力量，其中有一部分人变成了共产主义者。但是也还有一少部分知识分子不愿意学习马克思主义，甚至抗拒思想改造。党对于这一部分并不苛求，耐心地等待着，只要他们服从国家需要，从事正常劳动，仍给以工作机会。

1955年冬季，农业和手工业的全面合作化实现了，资本主义工商业转变为全行业的公私合营，生产资料的所有制有了根本的改变，社会主义的社会制度在我国已经基本上建立起来了。1956年1月，党及时召开了知识分子问题会议，对团结和改造知识分子采取了进一步的措施。为了最充分地动员和发挥知识分子的力量，就改善了对于知识分子的使用与安排，给予他们以应得的信任与支持，给以必要的工作条件和适当待遇，希望他们经过社会生活的观察与实践，经过自己业务的实践，经过一般理论学习，努力改造自己。接着，党又提出了"百花齐放、百家争鸣"的政策，期望知识分子在党的领导下，促进艺术上不同形式和风格的自由发展，展开学术上不同学派的自由争论，以繁荣科学和文化，为社会主义服务。1957年2月，毛泽东主席在最高国务会议上作了《关于正确处理人民内矛盾问题》的报告，重新说明了"百花齐放、百家争鸣"的问题和知识分子问题，并希望知识分子逐步抛弃资产阶级世界观，树立工人阶级世界观，努力学习马克思列宁主义，和工农打成一片，以适应新社会的需要，并且提醒他们不要倒退，倒退是没有出路的。但是，资产阶级右派知识分子却坚决反对共产党，反对社会主义，他们的反动思想不但没有改造，反而居心叵测，发动反党反社会主义的阴谋活动，他们团结在章罗联盟这个政治阴谋集团的周围，混入民主党派、教育界、文艺界、新闻界、科学界、工商界、司法界等，企图夺取这些方面的领导权。他们利用我党宣告整风的机会，向党发动了猖狂的进攻。他们的进攻达到了顶点的时候，他们的反革命的政治阴谋也在全国人民面前暴露出来了，于是就引起了全国人民反右派斗争的大运动。在这场大斗争之中，知识分子中的左派的政治觉悟大大提高了，中派向左靠拢了，右派限于分化和孤立了，他们只有向人民低头认罪，革面洗心，重新做人，才能得到人民的宽大,才有自己的出路,否则他们便自绝于人民。

当着庆祝十月革命 40 周年的时候,一切进步的知识分子都应当继承十月革命以来中国革命知识分子的光荣传统,使自己改造成为一个真正的工人阶级的知识分子,团结在党的周围,为社会主义事业献出自己的一切力量,同时要继续进行对右派知识分子的思想上的阶级斗争,务期取得马克思主义对于一切反动思想的胜利,完成思想战线上的社会主义革命。

(原载 1957 年 11 月 7 日武汉大学《学习简报》第 70 期,署名李达)

向决心到农村去的同志们说几句话

（1957.12）

我校教工同志响应党的号召，立下决心，要到农村去实行劳动锻炼，这是划时代的新人新事。

我国已经开始进到了社会主义时代，阶级关系发生了根本的变化，最后一个剥削阶级——民族资产阶级即将归于消灭，今后只有工人、农民和知识分子三种人了，知识分子必须隶属于工农，与工农深相结合，全心全意为工农服务，才有自己的前途，才能为祖国的社会主义建设贡献出自己的力量。

自从历史上出现了剥削阶级和被剥削阶级以后，脑力劳动和体力劳动的分裂已经有几千年了。现在，剥削阶级就要完全消灭，人民做了国家的主人，因此，脑力劳动和体力劳动的结合就成了社会主义的经济和文化的建设的必要条件。我们教工同志下到农村去参加生产劳动，这是脑力劳动和体力劳动相结合的一个良好的开端，也是知识分子工农化的实践。

我们教工同志都是工会会员，都取得了工人阶级的光荣称号。为了无愧于这个光荣称号，就必须到农村去和农民生活在一起，和他们同心相应，同气相求，来巩固工农联盟，领导工农联盟，为我们的社会主义社会打下坚实的基础。

我国从古是一个农业国家，几千年来的优良的民族文化可以说都是由农民的生产劳动创造出来的。五亿多农民积累了劳动的技能、经验和智慧，养成了勤劳、勇敢和艰苦朴素的优良品质，这些都是值得我们去学习的。我们一方面要放下知识分子的架子，老老实实地做他们的学生；另一方面要诚诚恳恳地把自己所学到的科学知识贡献给他们，来提高农村的文化生活水平，为实现《农业发展纲要》创造条件。

　　教工同志有决心到农村去参加劳动生产,不但对于祖国社会主义事业可以作出贡献,同时对于锻炼自己,提高自己的阶级觉悟和思想政治水平,都有十分重大的意义。

　　请让我代表学校向决心到农村去的同志们表示敬意和祝贺!

(原载 1957 年 12 月 15 日武汉大学《学习简报》第 82 期,署名李达)

在宣布批准下乡劳动锻炼
名单的大会上的讲话

（1957.12）

各位同志、各位同学：

我校教工同志积极地响应党的号召，向党委提出了决心书，要求到农村去，进行劳动锻炼。党委经过详细审查之后，昨天第一批批准了18位同志的名单，今天又批准了109位同志的名单。在今天这次盛大的群众性的集会上，首先让我代表学校向这127位被批准到农村去的同志表示敬意。同时还希望全体同学以实际行动对这些教工同志们表示热烈支援和欢迎！

我校教工同志这一次下到农村去进行劳动锻炼，这是知识分子工农群众化的一个开端，也是我们武汉大学空前未有的大好事。毛泽东同志在18年前就已经说过："……知识分子如果不和工农群众相结合，则将一事无成。"又说："革命的或不革命的或反革命的知识分子的最后的分界，看其是否愿意并且实行和工农群众相结合。"现在知识分子的工农群众化的社会条件已经具备了，我们的国家已经进到了社会主义时代，一切剥削阶级快要完全消灭，今后只有工人和农民两种人了。知识分子呢？在反动统治时代大多数是为剥削阶级服务的，现在应该改变立场，来为工农服务，除此以外并没有前途。毛主席今年又说过，我们希望我国的知识分子逐步地学好马克思列宁主义，逐步地同工人农民打成一片，而不要中途停顿，更不要向后倒退。倒退是没有出路的。由此可见，知识分子必须转到工人农民的立场上来，才能够为祖国的社会主义事业贡献出力量。我们可以说，我校教工同志这次下决心到农村去锻炼，正是响应了毛主席的号召。

12月14日，《长江日报》登载了刘海泉所提出的关于知识分子到农村去的三个问题。这三个问题可以说代表了一部分知识分子的思想倾向。

第一个问题是知识分子在现在的工作岗位上，只要加强马克思列宁主义的学习，加强业务钻研，同样也是可以不断地进步提高的，不一定要参加生产劳动，并举出马克思、列宁为例。这种看法是完全错误的。知识分子加强马克思列宁主义的学习，加强业务钻研是对的。但必须站在工人阶级的立场。如果是站在非工人阶级立场和站在资产阶级立场的话，纵然你记得一些马克思列宁主义的词句，懂得一些业务，还是不能为人民服务的。因为学习马克思列宁主义应当在生产斗争和阶级斗争中去学习，不能在书房里学习。现在许多右派知识分子在教书和写文章的时候满口马克思列宁主义，好像是一个共产主义者一样，但是遇到小台风一刮，就立刻现出了资产阶级右派的原形，出来反党反社会主义了。也有一些右派分子像钱伟长这一类的，对于科学是有一些研究的，但是他们反党反社会主义。这样看来，知识分子如果不站在工人阶级立场，纵然学过马克思列宁主义，业务钻研得好，也只能成为他们反革命的工具。马克思是坚决地、始终一贯地站在工人阶级立场，不但为工人阶级创造了马克思主义，并且实际进行革命斗争。他和恩格斯等许多人组织了共产主义者联盟，以后又组织了第一个国际……，自始至终为无产阶级革命斗争服务。列宁也是一样，坚决地、一贯地站在工人阶级立场，领导工人阶级的革命斗争。他曾遭受着沙皇政府多次的迫害，也曾被充军到西伯利亚，但他百折不挠地从事革命劳动，终于领导俄国工人阶级，实现了十月社会主义革命，创造了世界第一个社会主义国家。试想，那种主张知识分子不必参加生产劳动，就可以做到像马克思、列宁一样，说这种话的人不是荒唐便是反动。

第二个问题是说农民自私自利、保守落后、自由散漫，缺点很多，没有什么可以学习的。说这种话的人，可说是对于中国现在农民的进步性一点也没有认识。我国现在的农民已经走向了社会主义的道路，组织了农业合作社，不但不自私自利，而且是大公无私；不但不保守落后，并且是向前迈进；不但不自由散漫，并且过着有组织的生活，可以说，保守落后的不是现在的农民，而是某些知识分子。我们应当向农民学习那种共产主义的品质，学习他们的生产技能、经验和智慧；同时要把我们自己所学的知识帮助农民，提高农村的文化生活水平，同他们一道为建设现代化的社会主义农业而奋斗。

　　第三个问题是知识分子参加劳动是大材小用,违背社会分工原则。这几句话好像是知识分子应当专做脑力劳动,工农群众应当专做体力劳动。我们知道,脑力劳动和体力劳动的分裂,是在社会有了剥削阶级和被剥削阶级的分裂后才出现的。现在剥削阶级已快完全消灭了,工农当了国家的主人,脑力劳动必须和体力劳动密切结合,才能很好地建成社会主义社会。

　　以上三个问题的提出不但是错误的,而且是有害的,甚至是反动的。我校教工同志这次积极响应党的号召下乡参加劳动,是对以上三种错误的思想倾向的有力反驳。我校这次下乡的教工有很多像宋瑞林等是革命的老干部,他们过去在党的领导下帮助农民翻过身,今天又响应党的号召,下乡参加劳动生产,这对于实现农业发展纲要是一个很大的作用。教工中还有些未经锻炼的同志,这次能够到农村中进行劳动锻炼,我相信他们一定能够做到三好,提高自己的思想认识水平,把自己改造成为一个红色知识分子。

　　最后,我预祝这次下乡的同志在农业劳动战线上能取得辉煌的成就,同时也希望全校同学能够做到"五好",给那些下乡的同志们以有力的支援。

　　(原载 1957 年 12 月 16 日武汉大学《学习简报》第 83 期,署名李达)

元旦献辞

（1957.12）

1958 年到来了。我们怀着无比兴奋和自豪的心情,回顾充满着伟大历史事件的 1957 年;我们更怀着巨大的信心和充沛的力量,走进将要为更美好的成就所充满的 1958 年。

1957 年是不平凡的一年,我们过得很好,我们完全有理由感到兴奋和自豪。

这一年,在国际上发生了两件划时代的大事:一件大事是 12 个国家的共产党和工人党在莫斯科举行了代表会议,并且发表了宣言;还有 64 个国家的共产党和工人党联合发表的和平宣言;另一件大事是苏联的两颗人造卫星上了天。头一件大事给了自苏共 20 次代表大会以来的反共逆流一个毁灭性的打击,彻底粉碎了帝国主义及其走狗们希望国际共产主义运动走向分裂的罪恶幻梦,表现了以苏联为首的各社会主义国家和以苏联共产党为首的各国共产党和工人党的马克思列宁主义的团结,表现了国际共产主义运动的空前的兴旺发达。第二件大事给了帝国主义的"实力政策"和"美国科学技术世界第一"的神话一个清醒的耳光,表现了苏联 40 年来惊人的科学成就,表现了苏联军事力量的无比强大。这两件大事合起来说明了一点:新世界的力量已经超过了旧世界。毛泽东同志说得好:"现在不是西风压倒东风,而是东风压倒西风。"再经过大约 15 年的和平竞赛,社会主义阵营就将要把帝国主义阵营更远地抛在后面。不管帝国主义者怎样阻挠,世界的未来总是属于社会主义的。难道我们不应该感到兴奋,感到自豪吗?

这一年,在我们国内也发生了两件惊天动地的大事:一件大事是我们取得了反右派斗争的伟大胜利;另一件大事是第一个五年计划已经提前和超额完成。头一件大事,表示我们不仅在 1956 年取得了经济战线上社会主义革命的胜利,而且在现在又取得了政治战线上和思想战线上社会主义革命的胜利。虽然今后还有长期的斗争,但是胜负的局面是定了的。第二件大事,表示我们的建设社会主义的物质基础方面前进了一大步,表示我们党不仅善于领导政治斗争,而且善于领导生产斗争,善于领导一切事业。这两大事件合起来说明了一点:我国不但已经确立了社会主义的政治制度和经济制度,而且建立了社会主义文化的初步基础。刘少奇同志说得好:"只有在政治战线和思想战线上的斗争取得了彻底的胜利,并且在经济建设的工作中大大地加强了社会主义的物质基础,才能巩固社会主义制度,取得社会主义革命的全面胜利。这是我们在整个过渡时期的历史任务。"现在,我们已经在完成这个伟大的历史任务的道路上前进了一大步。再经过 15 年的艰苦奋斗,我们就可以在钢铁和其他重要工农产品的产量方面赶上或者超过老牌的帝国主义国家——英国。不管帝国主义及其走狗们怎样不高兴,他们是没有办法阻止六亿中国人民奔向这个伟大的前程的。难道我们不应该感到高兴和自豪吗?

这一年,在我们武汉大学也发生了不少的大事。除了教学工作和科学研究工作有了新的进步之外,主要的有两件大事:一件大事是打垮了右派;另一件大事是掀起了整改高潮。打垮了右派这件事在全国说来是社会主义事业的伟大胜利,在我们学校说来也是了不起的。我们学校的右派分子中的许多人,过去长期以来披着"教授"、"专家"的外衣,以"头面人物"的身份,到处兴风作浪,挑拨离间,施放毒气,暗害青年,妄想把武汉大学从社会主义道路拖到资本主义道路上去,变成他们实现资本主义复辟的据点。大鸣大放期间,他们的尾巴翘上了天,梦想致武大党于死地。然而"物极必反",他们是失败了,尾巴也只好夹起来。这一仗如果不打胜,武汉大学要办成一个名副其实的社会主义大学是没有希望的。这一仗打得好就扫除了前进道路中的严重障碍。同时,广大群众政治积极性也空前地提高了,这就为今后的工作创造了一个最大的最根本的有利条件。其次,整改这件事也是了不起的。群众向我们领导上的三个坏主义发动了猛攻,我们则狠狠地改。这就会使我们学校的工作来一个大的跃进。精简机构,下放干部的革命措施,得到了全体教工和全体同学的热烈支持,迅速地解决了问题,就是一个有力的证明。过去有些人对于办好武汉大学缺乏信心,现在再也不这么想了,因为清楚地看到了我们学校的光明前途。这难道不值得我们兴奋和自豪吗?

这就是我们在回顾 1957 年的时候所看到的一幅鲜明动人的图画。

1958 年怎样呢?

我相信 1958 年一定比 1957 年更加美好,要开始实行社会主义建设的第二个五年计划,要积极赶上英国生产发展水平,无论在工厂、农场、我们学校,都将出现更多的使人鼓舞的成就和景象,我们的国家将要大大地前进一步,我们的学校也是这样。我们学校的党和行政还要继续努力改进工作,要贯彻勤俭办校的方针,要继续改进教学工作,大力开展科学研究工作,并进行社会主义思想教育工作,使我们的学校也要大大地前进一步。

让我们在党的领导下,发挥高度的社会主义积极性,在各人的岗位上努力奋斗,团结一致,为把武汉大学办成一个名副其实的社会主义大学而共同努力!

但是,这一切是与我们每一个同志和同学的努力分不开的,我们每一个同志和同学都应当准备自觉地担负起新的任务。无论是下乡锻炼的或是留校工作、留校学习的,都是一样。新的成就是用新的努力换取得来的。

(原载 1957 年 12 月 31 日武汉大学《学习简报》第 88 期,署名李达)

《理论战线》发刊词

——开辟哲学社会科学战场*

（1958.1）

1956年,我国基本上完成了生产资料所有制的社会主义革命,这是一个极其伟大的变革。但是,正如我党中央指出的,仅有经济制度上的这个变革还是不够的。资产阶级同工人阶级之间的斗争并没有结束,资本主义同社会主义两条道路的斗争并没有结束,资产阶级右派还要找寻机会同人民一较短长。因此,只有在政治战线和思想战线上也完成了社会主义革命,才能使社会主义制度最后地巩固起来。

几个月以来,人民反右派的斗争,取得了伟大的胜利。我们从政治上彻底斗倒了右派,并且在揭露他们的政治阴谋的时候也触及了他们的反动"理论",但是斗争还远没有完结。毛泽东同志指示我们:"我国社会主义和资本主义之间在意识形态方面的谁胜谁负的斗争,还需要相当长的时间才能解决。这是因为资产阶级和从旧社会来的知识分子的影响还要在我国长期存在,作为阶级的意识形态,还要在我国长期存在。如果对这种形势估计不足,或者根本不认识,那就要犯绝大的错误,就会忽视必要的思想斗争。"因此,同资产阶级的反动"理论"进行长期的斗争,就成为一切马克思主义理论工作者的光荣而又艰巨的战斗任务。

在资产阶级右派向党进攻的逆流上,资产阶级"大"知识分子担负着从思想上对党和社会主义事业进行"挖心战"的任务。他们的罪恶阴谋集中地表

---

　　*　这是李达为1958年1月创刊的《理论战线》所写的"发刊词",原标题为"发刊词——开辟哲学社会科学战场"。——编者注

现在"有关我国科学体制问题的几点意见"这个章罗联盟的反社会主义的科学纲领中。他们反对党对科学的领导,反对科学为社会主义事业服务,反对培养科学干部要注意政治条件,并且赤裸裸地提出要我们"首先改变对旧社会科学的态度"和"恢复"资产阶级社会科学。这就表明了他们的真正企图就是假借学术研究的名义,招回资产阶级唯心主义和资产阶级"社会科学"的亡魂,夺取马克思列宁主义的思想阵地,从而实现复辟资本主义的政治阴谋。他们的这种野心无孔不入,几乎在哲学社会科学的每一部门中都有具体纲领。

首先,社会学这个领域是右派的一个重要据点。

早在去年1月,吴景超就在《新建设》上发表了《社会学在新中国还有地位吗?》一文,透露了他们复辟资产阶级社会的野心。2月,费孝通又在《文汇报》上发表了《关于社会学,说几句话》一文,更公然主张在社会学的牌子下贩卖资产阶级的私货,他宣称他要进行"社会调查",来"研究""有关人民民主专政的一系列问题",例如"党与非党的共事合作关系"、"人民代表大会制的运用"、"民主党派的相互监督"、"知识分子的思想变化"、"人事管理制度"等等。6月9日,费孝通、吴景超、陈达、李景汉等人集会,把"科学院社会问题调查委员会"篡改为"社会学工作委员会",非法地作出了为恢复旧社会学进行各项措施的"决议",宣称要"填补"历史唯物主义的"空白",要"创立无产阶级社会学"。

我们认为,资产阶级的社会学从它出世的那一天起就是以维护资本主义秩序,镇压无产阶级反抗为职志的,就是反动的和反科学的。到了帝国主义时代,资产阶级社会学的流派越分越多,花样翻新,不一而足。但是它们却有共通之点,那就是:用社会意识来说明社会存在,否认社会发展的客观规律,反对马克思主义特别是历史唯物主义,反对无产阶级专政,为帝国主义的世界主义和侵略政策作辩护,为资产阶级的压迫剥削作辩护。这类社会学,完全是为帝国主义资产阶级服务的无耻说教,是不成其为科学的。至于费孝通等人的"社会学",连这种社会学也够不上,不过是一些"社会调查"罢了。但是这种"社会调查"却正是他们叫喊着要"恢复"或"创立"的东西。因为这种"社会调查"在解放前长期为美帝国主义和蒋介石服务过,今天也还可以用来寻找反共反社会主义的对象,进行挑拨煽动;或者诬蔑党的政策;或者给帝国主义者送些"高级情报"。费孝通的《重访江村》和李景汉的《北京郊区农民生活的今昔》，就是他们的"代表作"。他们的用意是很明白的，就是要"证明"社会主义一团糟。这样的"社会学"，能够让它"恢复"吗？

再让我们看一看历史学方面的情况。

历史学界的右派分子对马克思主义的攻击也是异常凶恶的。例如，雷海宗发表了"马克思主义停滞论"、"马克思主义过时论"和"马克思主义不合中国国情论"，诬蔑社会主义阵营的历史科学"太薄弱"，"太贫乏"，甚至狂妄无知地把马克思主义经典作家的历史著作说成"赶任务的书"；另一方面又竭力吹捧现代资产阶级历史学，说它"仍在不断地有新的发展，不断地增加新的材料，对旧材料不断地有新的认识和新的解释"。向达说我国史学界自解放以来只开过"五朵花"，别的一无所有。荣孟源认为如果用马克思主义的立场、观点、方法来研究历史科学，就不能"直言无隐"，就"妨害了历史科学的研究"，实际上他是主张用封建主义的历史学来代替马克思主义的历史学。如此等等。

我们认为，在资产阶级尚未占稳统治地位时，资产阶级历史学能够对历史事件作出一定程度的科学解释，如像法国复辟时代的历史学家们已经了解公民社会是政治制度的原因，阶级斗争是政治事迹的发条，等等。但是当马克思主义登上历史舞台，资产阶级已成为没落阶级时，这种历史学的科学性就没有了。现代资产阶级历史学家可能在著作中搜集一些生硬的材料，在剔除其反动的歪曲成分以后，这些材料可以作为我们进一步研究的"原料"；但是他们一经接触到历史学的一般理论，即作出什么"新的认识"和"新的解释"的时候，就没有一个有一句是可以相信的。作为一门科学，历史学必须揭示历史现象的客观规律，在今天，如果不以历史唯物主义的理论做指导，就绝不可能做到这一点。右派"历史学家"们是历史唯物主义的死敌，他们当然不能也不愿懂得这一点的。

经济学方面的情况也值得密切注意。

右派分子陈振汉等人起草的《我们对于当前经济科学的一些意见》这个纲领性的文件，突出地表现了右派分子在经济学界的野心。他们疯狂地叫喊要"完全脱离马克思主义"，要把马列主义当作"敝屣"来"摒弃"；诬蔑我国财经工作是"盲目搬用苏联成例","根本不知道应当有客观经济规律";吹捧"资本主义总危机时期的资产阶级经济学""也有了很大的发展","可供我们批判地吸收和利用";并露骨地要求由他们"对政府进行监督,提供建议"。

我们认为,英国的古典政治经济学为劳动价值说奠立了始基,它是马克思主义的三个来源之一。但是,资产阶级取得政权后,资产阶级经济学的科学性就完结了。至于"资本主义总危机时期的资产阶级经济学",其反动性和反科学性就更加强了。陈振汉等人所大肆吹嘘的凯恩斯经济学,无非就是把垄断资本为了追逐最大限度的利润而早就使用过的一切剥削劳动人民的办法(如膨胀通货、冻结工资、国民经济军事化等等)加以理论化、教条化,为垄断资本设计各式各样的救命单方,为工人阶级注射麻醉剂。正因为这样,凯恩斯才成为垄断资本的宠儿和"工人阶级和布尔什维克的无情的敌人"(列宁)。右派分子要我们"吸收""利用"这样的经济学,而把马克思主义"摒弃"掉,这难道只是疯人的呓语,而不是反党反社会主义的叫嚣吗?

右派分子在法学方面的活动也不弱于其他方面。

钱端升、王铁崖、楼邦彦等一伙人阴谋成立不要党领导的所谓"大政法学院"、"大国际关系系"、"大法研究所",他们放肆地诋毁马克思列宁主义的法律科学和国家的立法、司法工作,诬蔑我们政法教育"落后",法律科学"中断"、"绝种";诬蔑我们"只强调专政,忽略民主"、"立法工作迟缓"、"排除了理论的指导作用","忽略了间接经验";甚至公然叫嚣"无产阶级专政理论已经过时"、"新旧法应该并重";有的人则索性主张"恢复"资产阶级的法学。

我们认为,法权思想是统治阶级意志的表现,法律是阶级专政的工具。右派分子仇恨马克思主义的法律科学和我国的法律制度,正是他们阶级本能的表现。资产阶级的法律学根本不研究法律与经济基础的关联,根本不谈法律的阶级性,这就使它从根本上失去了科学性。中国的旧"法律学家"们不过为资产阶级的法律做了一些注释工作而已。他们的法学完全是"注释法学"或"概念法学",为反动统治服务有余,称"科学"则未免笑话。这样的法律学"绝种"了,不是一件天大的好事吗?

最后我们说到哲学。

在社会学、历史学、经济学、法律学等方面,所有右派分子的世界观和方法都是唯心主义和形而上学的。就哲学界本身来说,资产阶级唯心主义的进攻也很猖狂。1954年开始的对胡适、胡风等人资产阶级唯心主义的批判,扩展了马克思主义的阵地。但是资产阶级唯心主义的代表人物并不肯就此罢手。他们打着反对"教条主义"的旗号,用马克思主义的词句把资产阶级唯心主义的货色包裹起来,鱼目混珠,招摇撞骗(如马哲民等);有的人甚至公开拥护唯心主义,并且反问我们:"唯心主义为什么不好?"(如费孝通等)。他们就是这样地和马克思列宁主义争夺思想阵地的。

我们认为,现代资产阶级唯心主义的一切流派,如新康德主义、新黑格尔主义、意志主义、直觉主义、实用主义等等,都是帝国主义的御用哲学。它们都不过是用新名词装饰起来了的中世纪经院哲学的僵尸。它们在政治上是拥挤帝国主义的压迫奴役政策的,它们是辩证唯物主义和劳动人民的死敌。我们能够容许这样的"哲学"用马克思主义分庭抗礼,甚至取而代之吗?

由此可见,开辟哲学社会科学的战场是完全必要的。这样做,不仅可以组织广大的马克思主义理论工作者的力量,动手锄除毒草,歼灭丑类;而且可以在斗争的风雨中锻炼出一支富于理论素养的、英勇善战的马克思主义理论大军,为今后长期的战斗积聚雄厚的力量。毛泽东同志教导我们:"马克思主义者就是要在人间的批评中间,就是要在斗争的风雨中间,锻炼自己,发展自己,扩大自己的阵地。同错误思想作斗争,好比种牛痘,经过了牛痘疫苗的作用,人的身上就增强免疫力。在温室里培养出来的东西,不会有强大的生命力。"又说:"正确的意见如果是在温室里培养出来的,如果没有见过风雨,没有取得免疫力,遇到错误意见就不能打胜仗。"毛泽东同志的这些极端宝贵的指示,是我们每一个从事理论工作的同志一刻也不能忘记的。

在同毒草作斗争的时候,我们必须坚持实事求是的党性原则,力求要用辩证的而不是简单粗糙的办法分析批判。毛泽东同志又教导我们:"思想斗争同其他形式的斗争不同,它不能采取粗暴的强制的方法,只能用细致的讲理的方法。""有错误就得批判,有毒草就得进行斗争。但是这种斗争不应当用形而上学的方法,应当力求用辩证方法。要有科学的分析,要有充分的说服力。教条主义的批评不能解决问题。"毛泽东同志的这些重要指示,同样也是我们每一个从事理论工作的同志所不能忘记的。为了做到这一点,我们必须努力钻研马克思列宁主义理论,同工农劳动群众相结合,锻炼自己的立场、观点、方法;同时还要努力研究敌方的"著作",做到"知己知彼"和"深入敌人的巢穴"。这样,我们就能够命中敌人的要害,使自己越战越强。

"百家争鸣"的方针是我们党为了促进科学的发展和文化的繁荣而提出来的坚定不移的方针,无论现在或将来都必须贯彻执行。那些并无反社会主义的政治阴谋,而只是对马克思主义的理论表示怀疑,或对资产阶级的哲学社会科学表示留恋的人,是完全可以充分发表他们的意见,同我们展开自由争论的。至于对那些打着学术研究的幌子进行反党反社会主义活动的右派分子,我们就必须首先揭露和粉碎他们的政治阴谋,然后彻底批判他们的反动"理论"。我们的态度是很明确的。

让我们在党的领导下,更高地举起马克思列宁主义的旗帜,为清除资产阶级的反动思想、捍卫和发展马克思列宁主义的思想阵地而战斗吧!

（原载 1958 年《理论战线》第 1 期,未署名）

批判马哲民的《实践与认识》*

（1958.1）

一、马哲民写《实践与认识》的动机

1951 年夏天，我在湖南大学的时候，马哲民给我寄去他所写的一本《实践与认识》小册子。我当时感到很新鲜，马哲民搞起哲学来了，倒要看看他的哲学造诣如何，于是我就走马观花地翻看了一遍。只见满纸充满着马克思主义的词句，在这些词句中夹杂着唯心主义的东西，语言晦涩，文理欠通。马哲民自称学习马克思列宁主义将近 30 年，却还没有摸到门路，这是我最初翻看这本书的印象。

1957 年 5 月，共产党宣布整风运动，马哲民利用这个机会，积极实行章罗联盟的政治阴谋，对社会主义道路和共产党领导，发动了猖狂的、狠毒的进攻，成为了资产阶级右派分子。我和一些同志们为了检查他的右派的理论，重新把他所写的《实践与认识》拿出来检查了一番，觉得他的反党反社会主义的政治阴谋，原来早在他的"哲学"著作中就已奠立了基础。现在我把这次检查的结果写在下面。

---

* 马哲民（1899—1980），湖北黄冈人，1922 年加入中国共产党，1924 年留学日本并在日本组建了中国共产党和中国社会主义青年团驻日支部，1926 年秋归国，1927 年"七一五"事变后脱离中国共产党，1942 年加入中国民主同盟并当选为中央常委，1950 年任武汉大学法学院院长，1953 年全国院系调整后任中南财经学院院长，1957 年被错划为右派。《实践与认识》是 1951 年马哲民写成的小册子，曾由民盟武汉市委印发。1957 年 12 月 28 日至 30 日，中国科学院武汉哲学社会科学研究所和武汉哲学学会联合召开会议，批判马哲民的哲学思想、政治思想和经济思想，武汉学术界代表 300 多人出席。李达对马哲民的"反动理论"的批判，是在当时全国反右运动的背景下进行的。——编者注

《实践与认识》这个小册子的第一段是《中国人民的革命斗争与〈实践论〉》。首先他对毛泽东主席的《实践论》大大地恭维了一番。他说："毛主席的《实践论》，是与中国共产党领导下中国人民之革命斗争的实践，密切结合不可分离的。"又说："通过中国人民革命的实践之发展，涌现了毛泽东思想，以奠下了马列主义中国化的基础，赢得了革命的胜利，而使中国革命，跨上了成功的康庄大道，这是铁一般的事实。"这便是说，中国人民革命的胜利，证明了中国共产党的革命理论与革命实践是统一的。

可是，马哲民忽然来了一个大转弯，说："现在不单是距离着认识与实践的统一（即'知与行合一'），还相当遥远，并是'理论与实践的结合'，也还有问题。"为什么呢？他认为这有两个原因：第一是工农阶级长期受着残酷压榨，没有受过教育和文化，不能把他们的实践和认识统一起来；第二是革命干部中经验主义者和教条主义者太多，把认识和实践分裂了。接着他又对于当时报章杂志上所登载的关于学习《实践论》的许多文章，表示轻蔑的态度，说这些文章"普遍只谈到认识与实际结合的外表，并未深入到实践决定认识的本质；也即是说只是浮光掠影，隔靴搔痒，并未触到这一问题的核心"。于是，他自己认为"结合着革命的实践，检讨那不正确的认识，提高理论的水平的这种工作的自身，也就是一种革命的实践，也必须会发生加强革命斗争的实践的作用"。因此，他便"不甘缄默"、"不计繁忙"，来写他的《实践与认识》了。

他说，他所写的《实践与认识》与"毛主席的《实践论》的子题——'认识与实践'、'理论与实际'、'知与行'恰恰是打了个倒转；……只不过毛主席的那篇文章，主要的是在从认识上谈到实践的关联，而我在这里却是从实践上来谈到认识罢了！"这使我感到惊奇，他的《实践与认识》是与毛主席的《实践论》唱对台戏的。我们知道，毛主席的《实践论》是马克思主义的认识论，那么，唱反调的马哲民的《实践与认识》一定是反马克思主义的认识论了！于是我便忍耐着看他的下文。

二、马哲民的唯心主义的世界观

辩证唯物主义是阐明自然、社会和人类思维发展的一般规律的科学，而人类思维发展的一般规律是自然和社会发展的一般规律的反映。

辩证唯物主义认定,宇宙是物质统一体的联系的发展过程。宇宙中一切的东西都是发展着;同时又都是联系着,发展是联系的发展,联系是发展的联系。一切事物的发展,都是自发的发展,这自发的发展的原因,都是由于事物内部包含着矛盾,矛盾是一切事物发展的根源,由于矛盾的斗争,事物便由一种形态发展到高级形态(这是对立的统一和斗争的规律)。任何事物由于内在的矛盾的斗争,就由一种联系发展到高级联系,即由一种形态转变为另一种高级形态,一种质量转变为另一种的新质量(这是质量转变的规律)。由于任何事物的内部都包含着矛盾,由一种形态转变为另一种形态,这种新形态就是前一形态的否定,这种新形态再发展起来,就转变为高级形态(这是否定之否定的规律)。对立的统一和斗争的规律,质量转变的规律,否定之否定的规律,就是辩证唯物主义所阐明的最一般的规律。

人类社会是宇宙的一部分,辩证唯物主义在人类社会领域中推广起来,就成为历史唯物主义。历史唯物主义是辩证唯物主义的构成部分,它是阐明社会发展一般规律的科学。人类社会的基本矛盾,就是生产力和生产关系的矛盾,这个矛盾表现为阶级斗争。阶级斗争是人类社会发展的动力。原始社会崩溃以后的历史,是阶级斗争的历史。由于阶级斗争,人类社会也由一种形态转变为高级形态,由一种社会制度转变为另一种社会制度。现在资本主义社会,由于无产阶级对资产阶级进行革命的阶级斗争,必然地会被无产阶级所推翻,建立起社会主义社会。正因为这样,辩证唯物主义就成为无产阶级进行革命斗争的精神武器,是共产党的革命的科学的世界观。

我们对于辩证唯物主义的理解就是这样。现在,我们来看看马哲民所说的世界观究竟是什么?

首先,他把"实践"这个概念说得玄之又玄。他说:"人类之以生产劳动为基础的社会性和历史性的实践,与我们中国人所说的宇宙的意义,约略相当。"这就是说,"实践"即是"宇宙"。接着,他就对"辩证法唯物论的世界观或宇宙观"下了一个定义。他说:

人类之以生产劳动为基础的实践,与其所生存的世界,系处于两重的矛盾关系之中。即是说，在他所生存的世界之自身，无论就空间关系或时间关系，都是一个被物质关系所支配的客观存在的整体；其中的任何个别现象或事物，没有可离此整体而孤立存在的；但其所有现象和事物之间，所有空间与时间关系之间，即任何殊相或特性之间，都充满了其相互间之对立的统一，或统一的对立之矛盾关系的渗透。因而不仅使客观世界的整体，能够自己运动，自己发生变化，以成为客观存在的宇宙；并使其整体与个别的关系，得以通过整体的关系，形成种种色色不同的个别，而又以通过种种色色不同的个别，成为一个整体。这就是马列主义的辩证法唯物论的世界观或宇宙观。

很奇怪，中国人所说的宇宙，是指"上下四方曰宇"，"古往今来曰宙"，也就是我们现在人所说的大自然，怎么说实践就与宇宙相当了呢！人类的生产劳动的实践，是人类向自然界采取物质资料作为生活资料的一种行为，怎么能说这种实践就是宇宙呢！试问，在人类没有出现以前，没有人类的实践就没有宇宙了吗？我们知道，宇宙是在我们人类出现以前，就一直存在着，这是任何一个具有普遍常识的人都知道的。自命为"马列主义者"的马哲民，难道不知道这个道理吗？我们再往下看，他解释"实践"这一概念是与"中国人所说的'躬行实践'或'力行'"，以及主观唯心主义者王阳明所说的"知行合一说"中的"行"相当。照这样，马哲民所说的实践，都是指心理的精神活动说的了。由此可见，他表面上把"实践"解释为生产劳动，而实际上是指的心理的精神活动。他所说的"实践与宇宙相当"，这同主观唯心主义者陆象山所说的"宇宙便是吾心，吾心便是宇宙"是一个意思。这就无怪乎他把"实践"解释为"宇宙"了！马哲民所以强调"人类实践的意义和本质"，其用意可知了。

马哲民在给"辩证法唯物论的世界观或宇宙观"所下的定义中，使用了物质关系、客观存在、整体、个别、空间、时间、对立统一、矛盾渗透、自己运动等术语，来拼凑他的世界观。其实只要我们知道了马哲民所说的实践即精神活动、实践即宇宙的解释，便可以知道他的世界观完全是他杜撰的、唯心主义的世界观。他在这一段话的后面写着："人类的实践，乃站在空间与时间、主观与客观、个别与整体等的交叉点上，而使其相互的矛盾关系，作对立的统一，矛盾的渗透,以互相制约,互相推移。"从这一段话来看,马哲民所说的空间与时间、整体与个别等的什么对立统一、矛盾渗透,都是精神活动的实践创造的,都是主观的产物。他所说的实践与世界的两重矛盾实是主观中的矛盾。马哲民就用这些主观的东西,在所谓整体与个别、个别与个别之间,加上对立统一、矛盾渗透和自己运动这些术语,拼凑了一个世界观,并且给这个世界观加上"辩证法唯物论"的标签。他竟用这种一窍不通的东西来毁损辩证法唯物论,其愚诚不可及,其用心非常恶毒。

三、马哲民的唯心主义认识论

毛泽东主席的《实践论》,是马克思主义的认识论。它指出人类的认识依赖于实践;实践是认识的来源,是认识的真理性的标准;实践是认识的基础,认识是实践的指导,认识与实践在实践的基础上形成一个统一。这里所说的实践首先是人们的物质的生产劳动,其次是阶级斗争和科学的实验等等,人类的认识都是从这些实践中发生和发展的。

马克思主义认识论的核心是反映论。依据这一反映论,我们对于客观的认识就是客观世界的反映,认识过程中一切的因素,如感觉、知觉、表象、概念、判断、推理等,都是客观世界的反映。依据这一反映论,人们就能够完全认识客观世界。固然,人们的认识不能一次地完全地把客观世界的一切方面的联系和属性都反映出来,但随着实践的发展,人们能够把客观世界的新的方面的联系和属性反映于感觉和概念之中,变为人们所认识的东西。照这样,随着客观世界的发展和人类实践的发展,就能够逐步地接近于客观世界的完全的认识。所以,我们要懂得马克思主义的认识论,必须充分地展开这一反映论。如果离开了这一反映论,就会陷于唯心主义的不可知论的泥淖。反映的过程就是认识的过程。《实践论》指出,人们在实践的过程中,客观的对象反映于我们的感官,就逐次成为感觉、知觉和表象,感觉、知觉和表象都是感性认识,是思维的直接的基础,也是思维所得到的内容。于是,人们的认识就从感性认识的阶段推移到理性认识的阶段,思维就感性认识的材料实行论理的加工,造概念,下判断,进行推理,因而反映出事物的普遍性、事物的本质、事物的内部关系,因而认识了客观世界的规律。从理性认识再进一步又进到了实践的阶段,通过实践检验理性认识,是认识过程的最高阶段,是客观世界的规律在人类头脑中反映的最高阶段。"实践、认识、再实践、再认识,这种形式,循环往复以至无穷,而实践和认识之每一循环的内容,都比较地进到了高一级的程度,这就是辩证唯物论的全部认识论,这就是辩证唯物论的知行统一观。"

现在我们来检查马哲民的认识论。

马哲民宣称,他的认识论是从实践到认识的,可是他所说的实践如我们在上面所指摘的,是精神的活动。其次,再检查马哲民所说的认识对象。他也说起认识对象是客观世界,却又说"客观世界之于人类,是外在的客观条件,又是内在的主观条件",又说"认识上的对象等于对象之客观存在",又说"客观与主观"是"互相转变"的。这就是说,马哲民所说的客观就是主观,客观对象就是主观对象。现在再说到马哲民所理解的感觉。他也说感觉是认识的起点,但是他绝口不谈感觉是客观事物的反映。离开反映论的感觉论,就是走向于主观唯心主义。所以他主张感觉是从概念发生的。他引用了"痛定思痛"一句话,说痛的感觉是从痛的概念发生的,这就是说,感觉完全是主观的东西,与外界事物没有关系。因此,他主张感觉和思维是同时发生的东西,"如同我们看到死人,联想到活人,听到军乐联想到战争等等"。因此,他把思维当作是包括在感觉之中的东西,他说"人类的感觉每每是包含着受动性的刺激与主动性的思维两个方面"。这样,他就决定了"排斥无思维的感觉"。依照马哲民的说法,感觉就是思维,思维就是感觉,把感觉和思维两个认识阶段从认识过程中排斥出去了。我们知道,感觉是客观事物的个别特性作用于感官而在意识中的反映,并且是最简单的、最原始的形式,是认识的初级阶段;思维是概括和间接认识客观事物的形式,是认识的高级阶段。思维离不开感觉,但并不等于感觉。人们对于客观事物总是先感而后思,并不能说感同时是思。马哲民总是先看到了死人才联想到活人的,并不是同时看到死人、想到活人的。譬如马哲民第一次听到"马哲民是右派"这句话的时候,你同时想过这句话的意义吗? 所以"无思维的感觉"是不能"排斥"的。正因为马哲民把感觉当作思维,把思维当作感觉,所以他说:"人类的思维,所以能不直接为感觉所拘束,而成为一种内心的意识作用或心理作用,其生理上的条件只是一个可能的因素而已,并非决定性的原因;决定它的乃是通过人类之社会性与历史性的实践,使其所结合的主客观的相互作用,把客观世界,及其能动性,一系列的由人类的感觉经验(直接的或间接的)不断地传入或印象到头脑中,以成为精神上或心理上的东西,并以实践所结合的主客观的能动性,成为思维中的能动性,或如判断和推理,等等。"这一段话的内容是完全荒谬的。思维中所有的东西是感觉中所已有的东西,感觉中所没有的东西,思维中是不能有的,怎么能说思维不为感觉所拘束呢? 其次,人的思维能力固然要在社会的历史的实践中得到锻炼与提高,但不能说思维的生理条件只是一个"可能的因素"。大家知道,人脑是思维的器官,思维是人脑的机能,思维是通过感觉、知觉、表象、概念、判断、推理等来反映客观事物的一种能动的过程。思维与人脑的活动密切联系着。如果说人脑只是思维的一个"可能的因素",而不是决定性的因素,那么这就是承认可以有无头脑的思维了。思维的能动性是人类在改造自然的劳动过程中锻炼出来的,这就是主观的能动性。而马哲民却说思维的能动性是由客观世界的能动性传入的,我们不知道"客观世界的能动性"是一种什么东西! 除了引用"万物有灵论"的谬论以外,是找不到说明的。马哲民由于应用了他那个神秘的实践概念,把感觉看作思维,把思维看作感觉,说"人类实践上所发生的主客观的矛盾关系,乃在认识上发生了感性认识与理性认识的差别"。我们说,主观与客观的矛盾促进整个认识的发展,这是正确的。而感性认识与论理认识有差别,并不是根源于主客观的矛盾关系。感性认识的阶段是对于事物的现象、事物的个别方面以及事物的外部联系的认识;而论理认识的阶段则是对于事物的本质、事物的全体以及事物的内部联系的认识。理性认识之所以和感性认识有差别,是因为理性认识经过了思维的作用,"将丰富的感觉材料,加以去粗取精,去伪存真,由此及彼,由表及里的改造制作工夫,造成概念和理论的系统",而不是什么根源于主客观的实践。马哲民错误地理解了感性认识和理性认识的差别和统一,就说"由感性认识发展到论理认识,实非单纯决定于主观的思维加工,而决定于实践的发展"。这样就否定了认识过程中抽象思维的作用,因而就抹去了认识过程。实践能够检验理性认识是否符合客观真理,实践的发展能够推进认识的发展,但由感性认识到理性认识的发展,却完全决定于主观的思维的加工,不决定于实践的发展。马哲民的那种说法完全是错误的,这更加证明了马哲民所说的"实践"完全是主观的。

马哲民也曾谈到真理论,说到主观真理与客观真理、相对真理与绝对真理。我们知道,真理总是客观的,不是主观的,主观的真理是没有的。马哲民把认识与实践的统一,说成是主观真理与客观真理的统一①;又把主观真理与客观真理的统一,说成是相对真理与绝对真理的统一。我们知道,相对真理也是客观真理,是绝对真理的一个部分。电子说对于原子核理论说来,是相对真理,但它还是客观真理,不是主观真理;现在的原子核理论,也不是绝对真理,同样也是客观真理。由此可见,马哲民的真理观完全是主观的。

毛主席的《实践论》,说明人类认识的发展,采取实践—认识—再实践—再认识的形式,而马哲民的认识论,却认为精神活动的实践就是一切,认识是没有的。这是马哲民的主观唯心主义的认识论,是用来反对马克思主义的认识论的。

四、马哲民的资产阶级路线

马哲民提出了"阶级与认识"的问题,发表了一些反动见解。

在我们看来,在阶级社会中,剥削阶级与被剥削阶级的实践是不同的,因而它们的认识也是不同的。劳动人民的实践,是物质的生产劳动、对剥削阶级进行的阶级斗争以及科学的实验等。因而他们对于自然和社会的认识,能够反映出客观现实的发展规律,指导他们的实践,所以他们的认识与实践是一致的。剥削阶级是不从事物质生产劳动的,它的实践是对劳动人民的剥削和压迫,并创造反动的思想体系,作为镇压劳动人民的精神武器,所以它的认识是否认客观现实的发展规律,它的认识和物质生产劳动的实践是分离的。剥削阶级和劳动人民的实践虽然各不相同,但并不妨害劳动人民的认识和实践的一致。

---

① 原文为"主观真理与客观的统一",明显为"主观真理与客观真理的统一"的误排,故改。——编者注

但是马哲民说,由于精神劳动与体力劳动的分离;同时伴随着阶级关系的分裂,剥削阶级从事的精神劳动,成了现实独立的东西,"思维的能动性和独立性,成了一个动因,被包含在多方面的社会的实践之中的能动过程,表现为能动起作用的动因,浸透人类的生活,参加世界的改造"。这就是说,社会分裂为阶级以后,只有剥削阶级及其知识分子的精神劳动,才能改造世界;至于被剥削阶级,"专从事如牛马一样的体力劳动,而妨害了其思维活动","把他们由社会的历史的文化关系中,隔离起来"。这便是说,人类的历史是剥削阶级及其知识分子(包括资产阶级知识分子)的精神劳动所创造的历史,是帝王将相、英雄豪杰的历史。但在我们看来,人类的历史是物质资料生产者本身的历史,是劳动群众的历史。马哲民那种否认劳动人民参加历史创造的说法,显然是反动的。

马哲民始终认定,在阶级社会中,由于各阶级的实践各不相同,所以不能有认识与实践的一致,甚至在资本主义社会中,无产阶级的革命斗争与革命理论也是不能一致的。他说:"人类之合理的实践,必须待无产阶级之斗争的胜利,才能实现;人类之合理的认识,亦须待无产阶级之斗争的胜利,才能完成。"这便是说,无产阶级在取得革命胜利以前,既没有合理的实践,也没有合理的认识。可是我们知道,在无产阶级革命斗争没有取得胜利以前,马克思主义已经出现了,难道说不是合理的认识吗?无产阶级根据马克思主义进行的革命斗争,难道说不是合理的实践吗?

马哲民根据他的关于"阶级与认识"的见解,说到中国革命现阶段的实践与认识的问题。首先,我们知道,中国人民革命的伟大胜利,证明了中国共产党领导人民革命的理论和革命的实践是一致的。而马哲民却说中国革命的胜利只是"认识与实践的统一的发轫",只是"实现了相对真理,而未实现绝对真理"。他所说的相对真理,是和主观真理同列的,这种主观真理又是无产阶级所创造的(因为他说道:"无产阶级的阶级斗争,乃是认识真理并创造真理的一个关节。"),这样说来,马克思列宁主义不是普遍真理,而是相对真理;不是客观真理,而是主观真理了!马哲民这种反动的见解,其用意是在于贯彻他的资产阶级路线。因为马哲民认为:"我们现在因只开始踏上新民主主义社会,走向人民民主的统一战线,而尚未跨上阶级消灭的阶段。"在马哲民说来,我国新民主主义革命胜利后建立的新社会仍是阶级的社会,是各阶级统一战线的社会,特别是工人阶级和资产阶级统一战线的社会。因此,马哲民认为资产阶级的实践是和工人阶级的实践不是同一的,因而两个阶级的认识也不是同一的。所以他说现在距离认识与实践的统一还相当遥远。资产阶级的实践,在经济上是要发展资本主义,对工人阶级加强剥削;在政治上是要实行资产阶级的民主,和无产阶级的民主对抗;在思想意识上是要拥护资产阶级的唯心主义的世界观,和马克思主义的世界观对抗。马列主义和无产阶级的实践是统一的,马列主义和非无产阶级特别是资产阶级的实践是不能统一的,资产阶级的认识与实践和无产阶级的认识与实践是完全不同的。

马哲民从他的哲学上的资产阶级路线的理论出发,同章罗联盟建立了有组织、有计划、有步骤的政治阴谋纲领,使民盟成为资产阶级知识分子的政党,酝酿着要把中国人民政协"改变为相当于资本主义国家的上议院的形式",把全国人民代表大会"改变为相当于资本主义国家的下议院的形式"。就是说,要在我国实行资产阶级的民主。在经济上,马哲民在 1950 年利用调整工商业的机会,提出发展资本主义的纲领,并企图成立经济协商会议,控制国家经济命脉。①

在思想意识方面,马哲民在《实践与认识》这本小册子中,早已主张资产阶级应该根据自己的实践,"批判地接受"马克思列宁主义和毛泽东思想,并且诋毁我们的革命干部都是教条主义者和经验主义者②。从这一种反动观点出发,引申了后来的反马克思列宁主义的许多反动理论。他说,马克思主义是教条主义,共产党员都是教条主义者,共产党是教条主义者的党,共产党的政策都是教条主义的,"我们学习了二三十年的马列主义,其实是些教条主义"。"对马列主义是可以怀疑的","在百家争鸣中,是否以马列主义为指导思想,这是自觉自愿的问题,是信仰问题,信不信由他。要完全以马列主义思想来要求,我看就再过几十年也不可能"。"现在就不要唯心主义思想了,是脱离实

---

① 参见马哲民在 1950 年 11 月写的《从调整工商业谈到经济战线上的问题报告提纲》。

② 原文为"教条主义者和经济主义者",明显为"教条主义者和经验主义者"的误排,故改。——编者注

际,是武断。"①这就是说,资产阶级及其知识分子不要学习马克思主义,不要进行思想改造,而要用资产阶级唯心主义世界观来对抗马克思主义世界观。

由此可见,马哲民的政治阴谋,自有其一套反动理论的。他的反动理论早在 1951 年所写的这本《实践与认识》小册子中透露出来了。

我们在揭露了马哲民的右派的面目以后,要进一步对马哲民和其他右派知识分子的唯心主义学说作尖锐的不懈的斗争。思想战线上的胜利是属于我们的。

（原载 1958 年《理论战线》第 1 期,署名李达）

---

① 马哲民:《关于"长期共存、互相监督","百花齐放、百家争鸣"的报告》。

在中国科学院武汉分院筹备委员会上的致词*

（1958.1）

同志们！

中国科学院武汉分院筹备委员会今天成立了。让我在这里向今天到会的同志们以及整个武汉科学界的同志们表示热烈的祝贺！

同志们！中国人民在中国共产党的领导之下，经过了28年的流血牺牲，艰苦奋斗，终于推翻了帝国主义、封建主义和官僚资本主义的反动统治，消灭了使我国陷于贫困落后状态的根源，建立了伟大的中华人民共和国。新中国成立以来，中国人民又在党的领导下恢复了国民经济，进行了各项社会改革，并在这个基础上开始了规模宏大的第一个五年计划的建设。现在，第一个五年计划就要提前和超额完成了，第二个五年计划的建设也已经由中国共产党中央委员会提出，并经党的第八次全国代表大会讨论通过了。这一系列的成就表明：我们不仅在一个地广人多，情况复杂的大国内彻底完成了资产阶级性的民主革命，而且又在紧接着的社会主义革命的道路上取得了决定性的胜利。我们正处在我国历史上从来没有出现过的生机蓬勃的时代，我们正在做我们的前人从来没有做过的极其光荣伟大的事业，我们六万万勤劳勇敢的人民在党的领导下正面临着一个光辉灿烂的未来。

在改变旧中国遗留下来的生产力落后的状态、加速社会主义建设的工作中，除了工人、农民在生产战线上作出了巨大的贡献以外，全国广大的劳动知识分子也是起了很大的作用的。发展科学技术事业，使我国的科学技术从旧

---

* 这是1958年1月19日李达作为中国科学院武汉分院筹委会主任在该筹委会成立会议上的致词稿。——编者注

中国遗留下来的落后水平跃进到世界的先进水平,乃是完成伟大的社会主义事业的必不可少的条件。党极端重视知识分子的作用,极端重视科学技术的作用。今年1月党中央向全国知识界发出了庄严的号召,指出我们必须急起直追,力求尽可能迅速地扩大和提高我国的科学文化力量,在不太长的时间里赶上世界先进水平。这是党和全国知识界、全国人民的一个伟大的战斗任务。现在,在党的全面考虑下,中国科学院已经拟制了发展科学技术的12年远景规划,各个有关部门也正在紧张地进行相应的工作。党是下了极大的决心并且有足够的力量为实现这个伟大的战斗任务而坚决斗争的,全国知识界也在党的号召和领导下掀起了向科学大进军的热潮。

目前的国际形势对于我们的社会主义建设也是有利的。社会主义的、民族独立的、民主的、和平的力量有了空前的发展,而帝国主义侵略集团的战争政策越来越不得人心,世界局势已经趋向于和缓,世界的持久和平已经开始有了实现的可能。社会主义国家越来越强大了,各社会主义国家之间的团结越来越紧密了。这种有利的国际形势也给我国科学技术的发展提供了良好的条件。

中国共产党第八次全国代表大会总结了自第七次全国代表大会以来的经验,指出了为把我国建设成为一个伟大的社会主义国家而奋斗的道路。这次大会根据国家建设的需要,对科学研究事业提出了很高的要求,指出应该继续学习苏联和其他国家先进的科学技术成就,在我国开始建立原子能科学、电子学、自动化和远距离操纵技术等世界上最先进的科学技术工作,并且在其他主要的科学技术的研究工作方面作出显著的成绩,以便争取在第三个五年计划期间在许多重要的科学和技术部门接近世界上的先进水平。

我们中国科学院武汉分院,就是在这种形势的要求下成立的。分院的基本任务,就是在党和政府的统一领导下,组织武汉地区的科学研究力量,提高学术水平,扩大科学队伍,有计划地有步骤地有重点地发展科学研究事业,为实现我国发展科学技术研究的12年远景规划而奋斗。这个任务是光荣的,也是艰巨的。但是,只要我们整个科学界积极努力,并取得全国人民的大力支援,我们就一定能够胜利地完成自己的任务。因为我们有党和政府的坚强领导,又有苏联和其他兄弟国家的无私援助,在优越的社会制度下,我们是完全有施展才能的余地的。

今天到会的老一辈科学家,对于我国科学事业在反动统治时期所遭受到的压抑摧残,一定是记忆犹新的。在那些黑暗的年月里,许多在国内刻苦自修,或者由国外学成归来,怀着满腔热情,打算为祖国人民做一番事业的科学家,遇到的都是贫困和饥饿的折磨,思想上和政治上的迫害。有少数科学家在艰难困苦的条件下顽强地坚持了科学研究工作,取得了相当的成就。可是他们仍然得不到丝毫的重视,他们多年来费尽心血的研究成果,在国内甚至连发表的机会都没有。另一些科学家或者本来有希望成为科学家的人,就在环境的逼迫下,放弃了科学研究工作。这个时候的我国科学家,真是所谓"英雄无用武之地"!在这种情形下,我国的科学事业如何能够不落后!但是,这样的黑暗年月已经永远过去了。我国的社会主义事业迫切地需要科学发挥它应有的作用。我国的科学家和科学工作受到了我国历史上从来没有过的重视与关怀。现在的问题已经不是科学家们"英雄无用武之地"的问题,而是我国现有的科学水平赶不上社会主义建设的需要,因而需要努力工作,迎头赶上的问题了。当然,由于旧中国遗留下来的科学基础的薄弱,我们的工作不是没有困难的。但是这种困难与我们在反动时代所遭遇到的困难在性质上是根本不同的。现在的困难是前进中的困难,是走向胜利的过程中的困难,是我们依靠自己的力量完全可以逐步加以克服的困难。我们科学界的任务,就是要在党和政府的领导之下,发挥高度的积极性和创造性,找出克服困难的具体途径。

为了使我们武汉地区的科学研究工作得以迅速发展,我们应当在哪些问题上加紧努力呢?

首先,我们要进一步贯彻党中央所提出的"百家争鸣"的方针,切实展开自由讨论,正确地运用批评与自我批评的武器,使在学术问题上抱有不同见解的各家各派互相学习,互相切磋;使学术界树立一种坚持真理,修正错误,实事求是,虚怀若谷的优良作风。我们要充分利用学术刊物、报章杂志、讨论会、报告会等等,作为百家争鸣的园地。我们要防止和纠正一切有碍于百家争鸣的倾向。我们主张任何人都可以对别人提出批评,但批评应当是善意的、同志式的,同时是慎重的、经过了相当的研究和考虑的。我们主张任何人都应当听取别人的批评,而听取批评的正确态度应当是力求以客观真理为标准,丢开个人的得失,严肃地考虑别人的意见:别人意见中的任何一点正确的成分,我们都应当虚心地采纳;意见中的不正确的成分,就不应当盲从附和或者勉强接受,而应当实事求是地提出反批评;意见中一时还不能判定正确与否的成分,可以采取保留的态度,继续探讨。并不是对于任何意见都以全盘接受为好。只有这样,我们才能一步一步地向真理靠近,才符合于百家争鸣的精神,才于科学的进步有利。

其次,我们要长期地坚决地反对教条主义,鼓励和支持创造性的科学研究工作。教条主义在科学研究领域中的表现,就是以空洞抽象的议论代替了对于实际事物的研究。结果是引经据典,述而不作,人云亦云,并无创见。这种作风曾经给中国的革命事业造成过极其惨重的损失,如果让它流毒于科学研究领域,也一定会给科学事业的发展带来严重危害。为什么教条主义这样害人呢? 就是因为教条主义完全违反了人们认识的正常秩序,用一般原理代替了对于具体事物的艰苦研究,造成了主观脱离客观、理论脱离实际的状态,使认识停滞不前,以致陷于错误。毛泽东同志在他的名著《实践论》、《矛盾论》以及他的整顿三风的报告里,曾经以深刻的分析,反复地、不厌其详地揭示了教条主义的本质及其危害性。例如他说:"真正的理论在世界上只有一种,就是从客观实际抽出来又在客观实际中得到了证明的理论,没有任何别的东西可以称得起我们所讲的理论。"这种尖锐明确的指示时于帮助我们警惕地防止教条主义的侵袭是有极大的帮助的。当然,教条主义有它的社会根源和认识根源,不是一下子可以反对得干净的。但是只要我们重视这个任务,加强学习,加强批评及自我批评,我们是能够逐渐减少以至扫除教条主义作风的。

其次,我们要努力提高科学水平。一般说来,我们的科学水平比起世界科学的先进水平来是落后的,我们必须迎头赶上。我们不能一律都从现有的落后水平出发,从头做起;而应该采用跃进的办法,首先在苏联和其他兄弟国家的帮助下掌握某些科学部门中最新的成就,然后继续前进。这是我们得以迎头赶上的唯一办法。这就要求我们的科学家用最大的努力尽快地掌握某些科学部门中的最新成就,一面学习,一面研究。这样,我们就可以逐步消灭科学中的"空白点"和"空白面",使我们的科学水平迅速地提高起来。

其次,我们要努力扩大科学队伍。解放几年来,我国科学队伍的扩大是相当快的,可是仍然不能满足科学事业发展的需要。因此,进一步扩大科学队伍,实在是一项迫切的任务。为了做到这一点,我们必须一方面充分发掘科学界的潜力,把一切可能的科学研究力量都组织到科学研究的工作中来;另一方面大力培养新生力量。我们认为"带徒弟"的方法是培养高级的科学研究人才的主要方法,因此我们希望有经验的专家把培养新生力量当作自己义不容辞的光荣义务,希望他们都能有自己的"得意门生";同时也希望被培养的青年同志勤学好问,刻苦自励。这样师生双方共同努力,是可以比较迅速地培养出一批一批的高级的科学研究工作者来的。我们还应当看到,高等学校、中等学校和产业部门都是科学研究力量成长的园地,只要善于培育,科学研究的力量是会不断地从这些园地里成长起来的。

最后,我们要在自愿的原则下继续加强马克思列宁主义的学习。毛主席在第一届全国人民代表大会的开幕词中说:"指导我们思想的理论基础是马克思列宁主义。"这对于我们科学研究工作是完全适用的。在"百家争鸣"的方针提出后,有些同志就考虑到允许唯心主义有宣传的自由与继续学习马克思列宁主义是否有矛盾的问题。我觉得这两件事情并没有矛盾。我们允许唯心主义有宣传的自由是从这样一个事实出发的:我们人民内部今天在政治上虽然一致了,但在思想上还没有取得一致,还有唯心主义的落后思想存在;而一个人是相信唯心主义还是相信唯物主义,必须通过他自己的亲身体验和思想斗争才能决定,任何行政命令的办法都是不能解决问题的。只有通过自由的宣传,自由的讨论,才能真正暴露唯心主义的谬误,使人们深刻地领会辩证唯物主义的正确性,自愿地站到辩证唯物主义方面来。只有这样,才能使我们学术界加强团结,克服落后,逐步实现思想上的一致。由此可见,允许唯心主义有宣传的自由与提倡学习马克思列宁主义的目的是一致的、没有矛盾的。我们相信辩证唯物主义是唯一科学的世界观和方法。我们相信一个有成就的科学家在掌握了辩证唯物主义的立场、观点、方法以后会获得更大的成就。因此我们还是要提倡学习马克思列宁主义的。事实上,现在广大的科学工作者已经逐步认识到马克思列宁主义的正确性,因而学习马克思列宁主义已经在越来越多的人当中成为一种热潮了,我们认为这是一种很好的现象。

我们武汉地区的科学工作者,绝大部分都在高等学校、中等学校或产业部门担任着教学工作或生产工作。这种情形对于科学研究工作的开展有没有妨碍呢？我认为不仅没有妨碍，而且还会有好处。因为这样可以使科学研究工作更紧密地与实际生活相联系，更经常地倾听实践的呼声；同时也可以更有效地把科学研究的成果用来提高教学质量和服务于生产实践。因此我们希望从事科学研究工作的同志一般地不要脱离教学工作或实际工作；另一方面，凡是具有科学研究能力的同志，不论现在在什么岗位上工作，我们也希望他们能够开展科学研究活动，分院在这一方面是应当起推动作用的。

同志们！武汉是我国内地的心脏，是钢铁生产的重要基地之一，又是全国高等学校最多的城市之一。在使科学研究服务于社会主义事业上，武汉地区是有着重大的责任的。我们坚决地相信，只要我们在党和政府的领导和各界人民的支持下，团结一致，积极努力，勇敢前进，并与高等学校、中等学校和产业部门的科学研究工作加强联系，分工协作，我们就一定能够克服种种困难，胜利地完成祖国的社会主义事业交给我们的光荣任务！

干劲加钻劲，科学大跃进[*]

（1958.3）

　　我国人民经过整风运动的大动员和反右派斗争的大锻炼，今天正处在社会主义革命和社会主义建设两大高潮中：政治战线和思想战线上的社会主义革命的高潮，推动了生产建设的高潮；生产建设的高潮又促进了社会主义革命的深入和发展。这两大高潮正在冲击着六亿人民的心灵，迅速改变着祖国的面貌，使各个方面都进入到一个大跃进的新的历史时期。社会存在决定社会意识。祖国的生产事业在发展，社会的生活条件在改变，作为意识形态的科学文化，也必须相应的跟着改变，必须以跃进的姿态向前发展。

　　苏联的经验和我们自己的经验都证明了：社会主义条件下的科学事业，一开始就不是循序渐进，而是大步前进的。1956 年，在对农业、手工业和资本主义工商业进行社会主义改造的任务基本完成以后，我们的党就及时地提出了"百花齐放、百家争鸣"这一繁荣科学文化和艺术创作、发展马克思列宁主义、从学术思想上改造知识分子的方针。这实际是一个动员知识界大跃进的方针。同一年，在党的领导下.我国的科学界制订了国家发展科学技术事业的 12 年远景规划，提出了在 12 年内在某些急需的和重要的方面接近或赶上世界先进水平。这实际上就是一个大跃进的口号。可是，正当我国的科学界决心实现这一规划的时候，右派分子出来闹事了。他们在 1957 年的春天，在祖国的大地上卷起了一阵狂风，向共产党和工人阶级发起了猖狂的进攻。他们要效法王莽，妄图不费一兵一卒，用"逼宫"的办法（请见罗隆基在召开 6 教授黑会

---

　　[*]　本文是 1958 年 3 月 6 日李达在国务院科学规划委员会第五次会议上的书面发言。——编者注

354

上的发言)打垮共产党,改变我国的社会主义方向,实现资本主义复辟。科学界的右派分子曾昭抡、钱伟长等更猖狂一时。他们本着章罗联盟的旨意,制造了反社会主义的科学纲领,散布了许多反动言论,想篡夺我国科学事业的领导权,把我国的科学事业拖到资本主义的老路上去。他们的活动,在我国的科学界中曾经造成了许多混乱。因此,在过去一段时间内,我们不得不"两面开弓":一方面进行科学大跃进的准备工作,为实现 12 年科学技术的规划创造条件;一方面和科学界的右派分子就科学工作的体制问题、科学工作的两条道路问题、要不要学习苏联的问题等等,展开大是大非的争论。结果呢,完全出乎曾昭抡、钱伟长等的意料之外,我们的科学事业并没有因为他们的反对而停止跃进,两年来倒是有了若干的发展:我们发展科学技术的远景规划正在逐步实现;我们的科学队伍有了更大的发展,特别是经过全民整风和反右派斗争的锻炼,科学工作者的政治觉悟有了很大的提高;我们同苏联和其他兄弟国家的科学合作也有了新的进展。

但是,今天国家对于科学事业的需要,比起两年以前来已经大大地增加了。我国科学界当前的任务,是必须适应国家的新形势,在长远规划的基础上,提出科学大跃进的战斗纲领,用更多更快更好更省的方法,迎头赶上世界先进水平。在这中间,关键性的一个环节是要很好地研究和审订第二个五年计划时期的科学规划,特别是重点项目的规划。伟大的工人阶级和全体劳动人民,都干劲十足,提出了"五年看三年,三年看头年,头年看前冬"、"苦战三五年,根本改变祖国的面貌"、"大雨小干、小雨大干、不下雨干一天半"(即一天干 12 小时,这是武钢工人的英雄口号)等激动人心的口号,在和时间赛跑。争取在今后的 10 年到 15 年内,把我国建设成为一个具有现代工业、现代农业和现代科学文化的社会主义强国;争取在今后的 15 年或者更多一点时间内,在钢铁和其他重要工业产品的产量方面赶上或者超过英国;这两个伟大的口号已经变成了全国人民的奋斗目标。我们科学工作者,也必须有工人、农民这种英雄气概,争取走在时间的前面,完成和超额完成国家发展科学技术的 12 年规划,特别是要保证完成和超额完成第二个五年计划时期重点项目的规划。完成的又多又好,这就是大跃进。

为了实现科学大跃进,我认为当前最主要的是要从两个方面去努力。其一,是要在科学界和知识界中深入开展以反浪费反保守为中心内容的整风运动,开展两条道路、两种方法的大辩论,首先实现政治上和思想上的大跃进,鼓起革命干劲;其二,是要认真刻苦的学习苏联的科学技术。

整风是提起一切工作的纲。深入开展整风运动,实现政治上和思想上的大跃进,我们科学界才能鼓足革命干劲,发奋图强,做得更多更好。我们科学界政治上和思想上的跃进和革命干劲,依我看应当表现在以下这些方面。

首先,要在整风的基础上,人人做规划,争取政治上的促进派、做组织上的革命派,做到又红又专,专深红透。这就是说,我们科学界、知识界的朋友们,要在党的领导下主动加速进行自我改造,自觉的和工农结合、和劳动结合,把心交给组织、交给群众,树立全心全意为工农服务、为社会主义建设服务的社会主义立场。这一方面,上海的科学家、教授和其他知识界已经给我们作出了很好的榜样。据报上记载,华东师范大学、复旦大学、交通大学等学校讲师以上的教学人员,几乎全部做了个人规划。他们的行动口号是"争取做坚定的左派",因此在规划中都把如何达到"红"放在首要地位。在业务方面,他们的个人规划也是值得学习的,例如苏步青先生的规划就很好。苏先生给自己规定的任务是:保证完成国家 12 年科学规划中微分几何项下的各项任务,争取在 7 年到 10 年的时间内接近莫斯科大学微分几何教研组的学术水平;在 5 年内培养副教授水平以上的教师 6 人,同时招收研究生 8 人到 10 人。此外,中国科学院上海各研究机构的 17 位科学家还向科学院的全体高级知识分子提出了倡议书,要求大家都能根据他们在倡议书中所提出的奋斗目标,结合本人具体情况,制订出个人规划,尽快地把自己改造成为工人阶级的知识分子。上海知识界的这种做法,是一个很好的经验。这表明了他们在政治上和思想上的跃进,也表明了他们的革命干劲和决心。他们能这样做,我们其他地区科学界的朋友们也可以这样做。这样做的结果,我们的科学研究和教学工作,就必然出现大跃进。不客气地说,我们科学界有些人,过去对于自我改造的要求是不严格的,对于完成任务的计划观念和时间观念是不强的;因此他们在政治上思想上进步不快,业务上经常处于"贫困"的地步:一年不发表一篇著作,甚至几年都不发表著作。从社会主义的劳动态度讲,这是不能允许的。今后,我们应该按计划办事,像工人阶级一样,在一定的时间内保证拿出一定数量和质量的产品来。所以，我很主张制定个人规划。

其次，我们应当打破科学研究中的清规戒律，冲破一切思想束缚，用革新的精神来进行工作，培养青年一代。科学研究是一种复杂的脑力劳动，有它本身的发展规律和工作方法，这是肯定的；所以党一再教导我们：对科学工作和文学艺术的领导，只能采取"百家争鸣、百花齐放"的方针，引导大家自由讨论，从讨论中追求真理，不能采取行政命令或任何简单粗暴的办法。但是，问题还有另一方面：科学工作本身的特殊规律，并不妨碍要求科学工作更快地发展。只要思想上不因循守旧，采取革命的办法，我们的工作就一定会做得更多更好。科学总是服务于一定的阶级和经济基础的。目前我国的生产在大发展，社会面貌在迅速变化，从理论上说，科学工作必然会发展得更快。从实际上看，有的研究单位，已经在两年内完成了四年的任务。他们能加快速度，其他研究工作为什么不能这样？问题是要打破迷信思想，有干劲，多花些劳动，多艰苦一些。例如拿写文章来说，许多朋友都感觉工作忙，时间少，无暇提笔。事实上，认真的挤时间，文章还是可以写的。不能多写，可以少写；写不成长篇巨著，可以写单篇文章。

我们老一辈的科学工作者，过去都走过一段艰苦曲折的道路，在长期的科学实践中积累有丰富的经验，这是应当肯定的；所以他们肩负着发展科学事业和培养青年一代的重任，受到了党和人民的尊重。但是问题也还有另一方面：我们的经验并不能完全适合社会主义科学工作的需要，我们的思想上还受着许多"框框"的束缚，我们还缺乏高度的创造性和进取精神。在今天，一切问题都要重新考虑。例如，拿带徒弟来说，一个导师是否只可以带三四个，可不可以加一番？是否一定要徒弟跟着老师做上几年搜集资料或是操作的工作，然后再让他们插手进行研究？可不可以充分相信他们，让他们一面收集资料或是进行操作，一面研究点小的题目来锻炼自己？是让徒弟跟着老师围绕着一个大题目来转更有利于青年一代的成长呢，还是一上来先让徒弟跟着老师围绕着一二个小题目来转更有利于青年一代的成长呢？这些问题可以研究，特别是在哲学和社会科学的研究中更应当考虑。我们的希望寄托在下一代的身上。如果不能在今后的 10 年培养出大批的青年科学工作者，那么我们的科学队伍就只能是"电杆式"的，不会是"金字塔式"的。所谓赶上世界水平是不可能的。鲁迅先生的话在这里是对的:"专门家之言多悖。"我们老一辈的科学家不能过于相信自己的经验,应当来个思想解放运动,这样才能实现政治思想上的大跃进,鼓足干劲。有这样一个例子:我们农业科学家搞的试验田,每亩产 1000 斤稻谷;农民的试验田产 2000 斤稻谷。有位科学家下去参观以后回来感慨地说:"现在是内行成了外行,外行成了内行",表示心服口服。这说明我们必须打破成规,创造性地进行科学研究。

再次,我们必须深入实际,下实验室、搞"试验田"。搞科学研究和教书的人,再没有比脱离实际更可怕的了。一切的教条主义、个人主义和守旧思想的老根子,都在于脱离实际、脱离生产。过去教书和做科学研究的人,多半不下实验室,这怎么能教好学生、解决实际问题!过去这样做,已经相沿成习,蔚为风气了,大家都不觉得有什么不好。实际上这不是无产阶级的治学态度,从个人说是放不下架子,怕艰苦的表现。这种态度和科学研究的要求,根本上是对立的,因为科学研究的任务是要探索未知,它本身就要求艰苦。这种做法,从科学与实际生活的关系来说,也是本末倒置的,因为科学是来自实践而又服务于实践的。今天我们大家醒悟了。在党的号召之下,许多人下乡下厂了,决心从体力劳动中来锻炼自己;许多人下了实验室,搞了自己的"试验田"。这是我国知识界、科学界几千年来史无前例的革命创举,是一种大跃进的行动。这对我国知识界、科学界的自我改造,对于发展我国的文化科学和教育事业,对于促进脑力劳动与体力劳动结合、知识分子与工农结合、理论与实际结合等各方面,都有着深刻的历史意义。这是知识界、科学界自我改造的必由之路,是发展我国科学文化的必由之路。我建议我国的科学界人人都这样做,并且在这方面学先进、比先进、赶先进,来检查我们的革命干劲。

现在,简单谈谈学习苏联的问题。

今年,苏联有二三百位科学家将陆续来我国讲学或是帮助我们进行科学研究。我们应当事先做好工作准备,使苏联同志来到后能按计划顺利进行工作,不浪费他们的人力和可贵的时间。同时,我们应当充分做好思想准备和组织准备,下决心向苏联专家学习。苏联的科学是当代世界上最先进的科学,苏联的科学是以跃进的姿态发展起来的。十月革命以前的帝俄,是一个经济落后文化落后的封建帝国主义国家。但是仅仅走过了 40 年,苏联就在科学领域的若干重要方面在世界上居于领先的地位，大大地超过了美国。去年 10 月和 11 月，苏联成功的发射出两颗人造地球卫星，对于人类的科学文化和世界的和平安全事业，作出了莫大的贡献。在苏联发射出第二颗人造卫星的同时，各国的共产党和工人党在莫斯科成功的召开了两次会议，并且发表了具有重大历史意义的两篇宣言。人造卫星的飞上天，莫斯科会议的成功，就使"东风压倒西风"：使早已存在的社会主义阵营的力量超过帝国主义阵营的力量这一客观事实，更加充分地表露出来了。

今天我们中国的科学工作者学习苏联，首先应当学习苏联科学界的那股革命干劲，学习他们和全体苏联人民那种把一个又穷又"白"的俄国一举变成现在这样一个强大的苏联的英雄气慨；学习他们组织科学大跃进的经验；学习他们那种不畏艰辛、全心全意为工农服务的精神。这是说，要学习苏联专家的"红"。另一方面，我们必须用尽吃奶的劲头，来学习苏联专家的"专"。如果我们能把苏联 40 年来的科学成就很快的掌握过来，那就可以大大地跃进一步。可以缩短时间，提前实现我国发展科学技术的远景规划。所以我建议我国的知识界、科学界借重苏联专家今年来中国工作的机会，组织起来认真向苏联同志请教。照实说，我们是学徒的，我们应当抱着当小学生的精神，向苏联同志学习。这次我们学习的好坏，直接关系到今后科学事业的发展，我们不能不拼命地学。

总之，我们要有干劲、要有钻劲。干劲加上钻劲就能使科学大跃进。干劲加钻劲也正符合科学工作的要求，古往今来一切有成就的科学家没有一个不是干出来和钻出来的。

最后，我想单独的对哲学社会科学界的朋友讲几句话。解放以来，我们哲学社会科学工作者的队伍是大大的发展了，我们依靠这支队伍在人民群众中比较深入地宣传了马克思列宁主义，从政治上和思想上巩固了我国的社会主义制度。但是在大跃进的今天，我们不得不深思猛省，请看我们还有多少"空白"啊！不说旁的，我们至今还没有编出一套像样的教科书来，不管是哲学的、经济的或者是其他方面的。除苏联以外，我们至今对其他兄弟国家以及东方各国的政治、经济、文化，都还很少研究。因此，我们哲学社会科学工作者更必须鼓起干劲，保证实现国家发展科学规划中关于哲学社会科学方面所规定的任务,迎头赶上去。

我们有着党的正确领导,有着苏联的无私帮助,有社会主义制度的保证,因此我们的科学事业是大有希望的;只要我们全体科学工作者一致努力,肯干肯钻,把步子迈大一点,那么我们的成就将是无止境的。

(原载 1958 年 3 月 8 日《光明日报》,署名李达)

为"共青团园地"题词

（1958.3）

　　共青团员们目前在我们学校中的任务,要针对学校的教与学的方面,煽起熊熊的烈火,烧掉官气、暮气、阔气、骄气、娇气和其他一切邪气,烧掉一切资产阶级思想,烧别人,也烧自己。烧火的目的,是为了要真正地树立社会主义教与学的方针。教员与学生都要坚决地站在无产阶级立场,走又红又专的道路。教员们对于为谁教和怎样教的问题,学生们对于为谁学和怎样学的问题,都要分别地展开一场大辩论,都要得出一番的结论。其次是红与专的问题,教员们只专而不红,怎能教出又红又专的学生来?学生们如果不红,怎能专?即令不红而能专,对于社会主义事业又有什么用处?

　　为谁教和为谁学的问题,红与专的问题,是我校目前急待解决的问题,希望教员中和同学中的共青团员们,要紧紧地抓住这个环节,发挥急先锋的作用,推动全体教员和同学共同来解决这两个问题。

（原载 1958 年 3 月 28 日武汉大学校报《新武大》第 227 期,署名李达）

徐懋庸对于马克思主义哲学的修正[*]

（1958.3）

修正主义者在各国共产党和工人党的党内和党外都存在着。就我们中国来说，共产党以外，修正主义者大量存在，资产阶级右派分子中有许多人都是，他们也学习过一点马克思主义，拿在口头上挂起来，在反对教条主义的借口下来攻击马克思主义的最根本的东西。在我们党内也有过一些人，他们都是叛徒，其中徐懋庸是最突出的修正主义者。

徐懋庸的修正主义提纲有下面三段话：

> 马克思主义是绝对真理。但是，一则它的阶级斗争等学说不是适用于任何社会阶段的；二则它的体系不是最后完成了的。所以它又是相对真理。

> 辩证唯物主义是绝对真理。但是，一则它只包括世界发展的最一般规律；二则这方面的规律也不是已经包罗无遗了的。所以它又是相对真理。①

> 近四十年来，和近十年来，特别是最近一年来，人类历史，经历了许多次急剧的巨大的转变，而且正在迎接着新的转变，国际共产主义运动，和我国社会主义革命，都面临着包罗万象而充满矛盾的实践任务。这种形

---

* 徐懋庸（1911—1977），浙江上虞人，早年参加大革命运动，1933 年参加中国左翼作家联盟，1938 年到延安，同年加入中国共产党，先后任抗日军政大学政教科长、晋鲁冀鲁豫边区文联主任、冀察热辽联大校长等职。新中国成立后，先后任中共武汉大学党委书记和副校长、中南文化部副部长、教育部副部长等职。1957 年被错划为右派。李达对徐懋庸的修正主义和"反党罪行"的批判，是在当时全国反右运动的背景下进行的。——编者注

① 徐懋庸：《论真理》（上）。

式和任务,对马克思列宁主义理论提出了新的更高的要求,要求它能够创造性地、正确有效地解决新问题。正因为这样,这个理论正在重新受审查。各式各样的马克思列宁主义者都根据前一时期的实践经验,检验这个理论的已有的全部内容直到它的基本原理,都企图在这个理论的宝库中添进新的东西去,同时修改它的那些已经不合时宜的东西。①

在这里,徐懋庸叫嚷着马克思主义已经"不合时宜"了。他要"检验"、"审查"以致"修改"马克思主义的"全部内容直到它的基本原理"。这是对马克思主义的公开宣战。事实上,徐懋庸也正是这样做的。下面分别说明。

一、徐懋庸对于马克思主义唯物论的修正

徐懋庸修正马克思主义是从马克思主义的理论基础开始的,即是从修正马克思主义的唯物辩证法开始的。他首先曲解了恩格斯所提出的"哲学上的最高问题"。恩格斯说:

> 全部哲学的最高问题,即思维对存在、精神对自然界的关系问题,……哲学家就是依其如何回答这个问题而分成两大营垒的。凡断定说精神先于自然界存在……便组成唯心主义的营垒。凡认为自然界是基本起源的,则属于唯物主义的各派。②

人们为要说明唯物主义和唯心主义的区别的时候,首先必须提出"全部哲学的最高问题"来,根据两者对于这个问题的回答来分划两者的界限,确定两者的党性、阶级性。可是徐懋庸却修正了恩格斯的观点。他说:"为什么发生思维与存在的关系的问题的呢? 是因为有了人才有的。如茶杯、狗、猴子,就没有唯物主义和唯心主义的问题。"③他又说:"如茶杯、狗、猴子就没有唯物

---

① 徐懋庸:《教条主义与修正主义》(初稿)。
② 《马克思恩格斯文选》两卷集,第 2 卷,第 367 页。
③ 徐懋庸:《思维对存在的关系问题是谁提出来的?》。

主义和唯心主义,因为他们没有思想,人因为有了思想,就有唯物主义和唯心
主义。"①依照徐懋庸的修正意见,在几十万年以前,当类人猿变成了人以后,
就发生了思维与存在的关系问题,因而有了唯物主义和唯心主义的区别。我
们知道,那个时候的社会还没有阶级的分裂,因而哲学也没有阶级性、党性。
这是徐懋庸否定哲学的党性、阶级性的前提。

徐懋庸怎样区别唯物主义和唯心主义的呢?他在题名为《什么叫唯物
论,什么叫唯心论》的讲演中这样说着:

> 凡我们脑中所想的事情,客观上是不是一定都存在?……凡脑中所
> 想的东西有的存在,有的不存在,这个答案就是唯物论。这茶杯我脑子里
> 存在,实际上也存在,……而有些天堂不存在,这叫作唯物论。凡我脑子
> 有天堂一定有天堂,脑中有鬼一定有鬼,脑中有孙悟空一定有孙悟空,这
> 就是唯心论。

徐懋庸在《关于唯物主义与唯心主义的区别》一文中,也重复了同样的主
张。依照徐懋庸的论断,唯物论者和唯心论者的区别之点仅仅在于:唯物论者
主张"脑子中所想的东西"在客观上可以有,也可以没有;唯心论者主张"脑子
中所想的东西"在客观上是一定有的。两者的区别仅止于此,而不管是唯物
论者或唯心论者。同样,是先有"脑子中所想的东西",然后才有客观上存在
的东西,两者都是同样从思维到存在的。列宁在《唯物论与经验批判论》中指
斥马赫主义者"把唯物论的基本的哲学路线(从存在到思维、从物质到感觉)
代之以唯心论的相反的路线"。徐懋庸所表述的是从脑子中的思想到客观实
际,从观念到客观事物,正是十足的马赫主义,主观唯心主义的路线。

关于物质和意识谁是第一性谁是第二性的问题,徐懋庸有一种荒唐的修
正主义的见解。他认为:

> 世界上许多事物,都有第一性和第二性的关系。老子是第一性,儿子

---

① 李凡夫:《对徐懋庸错误理论的批判》。

是第二性。①

为了辩护自己的谬论,他还说:

> 按照"现实"过程,是先有父亲,后有儿子的,所以,在作遗传问题的
> 逻辑时,应该由父亲到儿子。但是,当一个儿子,检讨他对父亲的关系时,
> 他说,我叫××,我的父亲是××等……②

徐懋庸在这里使用的手法就是:第一步把物质和意识的关系修改为物质
和物质的关系,第二步又把物质和物质的关系比拟为老子和儿子的关系,第三
步又"证明"从儿子说明老子是可以的。于是,徐懋庸就可以得意地说,意识
是儿子,物质是老子呀,既然从儿子说明老子是可以的,为什么从意识说明物
质就不可以呢? 这样一来,他的从意识说明物质的主观唯心主义见解就好像
可以蒙混过去了。

徐懋庸用马赫主义即主观唯心主义修正马克思主义的认识论,这在上面
已经指斥过了。他在真理论方面,也是贯彻着马赫主义的。他在《真理归于
属家》的一篇杂文中,引用了马克思的一段话来修正马克思主义的真理论。
他说,马克思说过:"真理是普遍的,它不属于我一个人,而为大家所有;真理
占有我,而不是我占有真理。"马克思这几句话的意思是说,客观真理是普遍
的,例如地球围绕着太阳旋转这一客观真理,现在已属于全世界的人所有,并
不属于某一个人所有;它占有全世界的人,包括某一个人在内,并不是某一个
人能够占有它。马克思这几句话丝毫也不含有客观真理必须经过其他的人公
认才是真理的这种意识。可是徐懋庸却修正马克思的这几句话,引出他自己
的真理论。他说:

> 因此,要知道我的头脑中所浮现的某个事物及其道理,是否客观存在

① 徐懋庸:《对李凡夫同志〈对徐懋庸错误理论的批判〉一文的批判》。
② 徐懋庸:《关于唯物主义和唯心主义的区别》。

的,是否符合实际的,就得问一问它在其他人们看来是怎样的。倘若,它对其他的人和我是一致的,那么,它才是真正存在的,它是客观的,它是普遍的。①

这完全是主观唯心主义的真理论。正如关锋同志所指斥的,它是马赫主义者波格丹诺夫的旧调,即所谓"社会地组织起来的经验"的简单反刍,这是以"多数人的意见"作为真理的标准,②而不是用社会的实践作为真理的标准的。徐懋庸同一切的修正主义和资产阶级右派分子一样,一致认为马克思主义和辩证唯物主义都是相对真理,即相对谬误,所以要用主观唯心主义来修正一番,这是不足为奇的。

二、徐懋庸对于马克思主义辩证法的修正

徐懋庸对于马克思主义辩证法的修正,是从修正量变质变的规律开始的。他在所作的讲演和所写的文章中,曾经几次谈到关于质的规定性的问题。这里先把他自诩为有"独到之见"的"精彩"的部分摘录如下。他说:

> 质的规定性是随时间、地点、条件而变更的。
>
> 任何事物都处在周围世界的许多不同的关系中,因而有许多不同的方面;所以它的定义,它的质的规定性也有许多方面。例如,一本书,在作者是研究的成果,在读者是知识的来源;在书店,这是一个商品;而在一个不识字的老妈子,则有时是引火物,有时是酱缸的掩盖物。……人也一样,某个一定的人,在党组织里,是党员;在行政机关里,是首长;对上级是下级,对下级是上级;在家庭里是丈夫和父亲;到医院求诊治,成了病人;到百货公司,则是顾客……③

---

① 徐懋庸:《论真理》(上)。
② 关锋:《徐懋庸的反动哲学》,《哲学研究》1957 年第 6 期。
③ 徐懋庸:《质的规定性》。

依照徐懋庸的修正意见，人和物是随时间、地点、条件而变质的。一本书，从作者手里到了书店，到了读者手里，最后到了老妈子手里，就经历了五次质变；一个人，从家庭到党组织里、行政机关里、医院里、百货公司里，就经历了九次质变，并且这九次质变很可能在一天之内实现。辩证法的三大基本规律之一，即量变质变规律，经过徐懋庸这样一个极简单的修正，它就变成全无意义的东西了。

我们知道，任何事物都具有其质的规定性和量的规定性，都是质和量的统一，即是质量。质是一种事物所固有的那些使自己和别的许多事物相区别的最基本的特征，也可以说，一种事物的质即是它本身所固有而与其他事物不同的特殊的矛盾，特殊的运动形式。质是客观的实在，是不以人们的意志所转移的。千差万别的事物有千差万别的质。科学研究的区分，就是根据对象所固有的最基本的特征、特殊的矛盾、特殊的运动形式。所以科学的研究必须首先确定对象的质。在确定事物的质以后，接着要确定它的量。任何事物都是具有一定质的质量，所以科学的研究必须确定事物的质和量，才有可能去探求那个事物发展的规律。具有一定质的事物，又具有其本身所固有的种种属性。事物的属性是在事物的运动中显现的。事物在其发展过程中展开的各种属性，表现出了事物的各个方面，我们通过事物的属性就可以说明事物的质。

事物的质和它的属性之间，没有绝对的同一性。质和该事物是不可分离地结合着，在该事物存在的限度内，在它的发展过程未终结的限度内，该事物仍当作该事物而存在，即一定的质仍然存在。那一定的质如果消失，该事物就转变为别的事物而具有另一种新质了。至于事物的属性却有许多种类，有的在这一阶段展开而在另一阶段消失，有的在前一阶段潜伏着而在后一阶段展开。但事物全体属性中某些部分的展开或消失，只是表现一定的质在其发展的各阶段上的差别，而质的本身仍是存在的。例如，资本主义社会具有竞争和独占等属性，在前期资本主义时代，竞争的属性展开着，在帝国主义时代，竞争的属性就被独占所否定了。但在无产阶级革命尚未实现以前，资本主义是不消失的。所以事物的质具有相对的稳定性，而事物的属性在该事物发展过程中有的消失，有的展开，不会引起该事物的质变。

一个共产党员具有共产党员的质。尽管他在家做丈夫和父亲，到医院做病人,到商店到顾客,他还是党员(党员的质不变);尽管他做大学的秘书长、副校长,做"八品文官",做党校教员,做杂文作家,他还是党员。他违反了党的政策,对党闹独立,受到"撤职和党内严重警告的处分",他还是党员;他闹宗派,包庇反革命,受到了"留党察看"的处分,他也还是党员(还留在党内)。但是他在受到了党的两次处分以后,不但不真心悔过,不彻底改正自己的错误,反而仇恨党,仇恨党的领导,写了几十万字的杂文,来反党反社会主义,到了这个时候,他就蜕化变质,堕落为资产阶级右派,遭到开除党籍的处分了。这是徐懋庸自己的经历,难道还不明白么?(这里要补充几句:徐懋庸原是混入党内的阶级异己分子,他的蜕化变质原是有其阶级根源的。但是他混入党内将近20年之久,在这段期间以内,是窃取了党员的称号的)。

可是徐懋庸却认为党员的质一日可以数变,还自鸣得意,用他的关于质的规定性问题的曲解来修正质量转变的规律。经过这样的修正,事物的质变完全变为主观恣意的东西。照这样,资本主义社会的质变,也可以在主观上任意决定,而不需要经过无产阶级革命来实现了。这是修正主义者阉割马克思主义哲学的革命精神的手法之一。

其次,徐懋庸还用主观的抽象的同一律来修正对立的统一和斗争的规律。他的主要的修正意见,就是用抽象的人性来代替阶级性。

关于人性的见解,毛泽东主席《在延安文艺座谈会上的讲话》中有了说明。他说:

> 有没有人性这种东西?当然有的。但是只有具体的人性,没有抽象的人性。在阶级社会里就是只有带着阶级性的人性,而没有什么超阶级性的人性。我们主张无产阶级的人性,人民大众的人性,而地主阶级资产阶级则主张地主阶级资产阶级的人性,不过他们口头上不这样说,却说成为唯一的人性。

可是徐懋庸却强调超阶级的人性,抽象的人性。他认为资本家和工人之间有所谓"爱"、"乐生恶死"等共同的人性。他根据这一点,就努力在民族资产阶级和工人阶级之间,求同存异。他认为现在的中国资产阶级已经和工人阶级同样拥护社会主义了。他认为现在资本家所得的定息和过去的利润不同。

> 现在的定息,不过是对资本家过去剥削所得的生产资料的购买的定期付款,而过去的利润,则是资本家的资本在生产过程中直接增值的剩余价值。①

因此,

> 现在资产阶级与无产阶级之间,已经不存在对抗性的矛盾了。……资产阶级人士,在社会主义改造过程中,也渐渐地带些无产阶级气了。②

他认为在现在条件下,

> 中国的资产阶级,非但不再反抗工人阶级的解放,而且也感到自己有从资本主义生产关系中解放出来的需要了。他们接受社会主义改造了。他们争取变成工人阶级了。共产主义在今天的中国,真正成了"按其原则说来","超乎资产阶级和无产阶级之间的敌对的学说"了。③

徐懋庸这类美化资产阶级的话,同章乃器所说的"定息不是剥削"、"红色资产阶级"的话,是完全相同的。按照徐懋庸的修正意见,民族资产阶级与工人阶级的对立已不存在,两者之间的斗争也消失了。可是,毛泽东主席指示我们:

> 工人阶级和民族资产阶级之间存在着剥削和被剥削的矛盾,这本来是对抗性的矛盾。但在我国的具体条件下,这两个阶级的对抗性的矛盾

---

① 徐懋庸:《同与异》。
② 徐懋庸:《真理归于谁家》。
③ 徐懋庸:《教条主义与修正主义》(初稿)。

如果处理得当,可以转变为非对抗性的矛盾,可以用和平的方法解决这个矛盾。如果我们处理不当,不是对民族资产阶级采取团结、批评、教育的政策,或者民族资产阶级不接受我们的这个政策,那么工人阶级和民族资产阶级之间的矛盾就会变成敌我之间的矛盾。①

由此可见,徐懋庸所说的工人阶级和民族资产阶级之间的"无冲突论"显然是荒谬的。

徐懋庸对于马克思主义辩证法的修正意见,还有许多条可以揭露出来加以驳斥,因为篇幅有限,这里从略了。

三、徐懋庸的修正主义和他的反党罪行的联系

徐懋庸的修正主义是他的反党反社会主义罪行的理论根据。

徐懋庸自己说,他原是带着浓厚的资产阶级思想混入共产党的,他的企图是要到党所领导的事业中追求名誉地位及其他一切个人利益。为了达到个人的目的,他所采取的手段是投机取巧,哗众取宠,用庸俗的态度对待革命工作,常常违反党的政策。在遭受到党的批评以后,则对批评的同志和党组织心怀不满,以宗派主义的观点去看同志和组织,以对待敌人的态度去进行攻击。他自己还承认,在入党以前,他的主观唯心主义观点和诡辩的思想方法早已形成,在入党以后,一直没有得到改造,对于理论问题和实际生活的见解是歪曲的。他对于马克思主义哲学非但一窍不通,而且处处引证马克思主义的词句,剜去其阶级立场,阉割其革命精神,实际上是用主观唯心主义去修正马克思主义。

修正主义者是共产党和马克思主义的敌人。他所以混入共产党,原是别有企图的,当他的企图一经遭到打击,受到处分,甚至受到留党察看的处分时,他的反党的怒火就立即燃烧起来,不惜赤裸裸地站在资产阶级的立场,以破釜沉舟的气势,公开地向党进行猖狂的恶毒的进攻。徐懋庸向党进攻的武器是

---

① 毛泽东:《关于正确处理人民内部矛盾的问题》。

所谓杂文40来篇。这40来篇杂文,每篇都散布着反党的毒素,暴露着反党的罪行。徐懋庸最大的反党罪行,可以概括为下列五项:

(一)攻击党的领导干部。徐懋庸的反党活动是从攻击党的领导干部开始的。他说,他的小品文的锋芒要指向大干部。他攻击这些干部是旧社会的官,不学无术,落后于群众;凭借地位,并且陷人入罪;污蔑我们党内有封建时代的"一朝天子一朝臣"的事实;还用流氓腔调,捏造谣言,污蔑机关首长(见《质的规定性》、《武器、刑具、和道具》、《第三种人的体会》、《再论和风细雨》等)。

(二)攻击肃反运动。徐懋庸包庇他的弟弟、反革命分子徐钦舜,在党校遭到斗争,因而老羞成怒,攻击肃反运动。他说,把有些人作为肃反对象,没有根据,认为"猫吃老鼠,一定要吃",是"同类相残",并辱骂领导肃反的人是秦桧(见《蝉噪居漫笔》)。

(三)煽动群众反党。徐懋庸歪曲毛主席《关于正确处理人民内部矛盾问题》的讲话,认为人民内部的矛盾多,就是人民的苦闷多,"六万万人有许多问题没有问题,六万万人有各种各样的苦闷","言论一放,所有的人意见纷纷,诉不满,谈顾虑,矛盾多极了,苦闷多极了"。他把一些右派分子的苦闷说成是六万万人的苦闷,其目的只是在于煽动人民群众反党(见《苦闷》)。

(四)反对社会主义革命。徐懋庸认为民族资产阶级已经无产阶级化了,社会主义革命已经没有对象。

(五)叫嚣着要实行资产阶级民主。徐懋庸要挟党按照他自己的资产阶级的愿望,实行资产阶级民主,给他以更多的反党的自由。他在好几篇杂文中,叫嚣着现在的民主不够,"领导不民主,群众就会反抗,变成大民主"。他和党外右派分子一样,要在人民群众中搞起狂风暴雨来,唯恐天下大乱。

修正主义是一种反马克思主义的资产阶级思潮,它是和资产阶级右派反动的政治主张密切结合着的。但是它口头上也挂着马克思主义,所以它比教条主义有更大的危险性。我们在反对教条主义的时候,必须同时注意反对修正主义。

(原载1958年《理论战线》第2期,署名李达)

社会主义革命与社会主义建设的共同规律[*]

（1958.3）

一、一切民族都将走到社会主义

人类社会的历史，是由原始社会顺次进到奴隶制社会、封建社会、资本主义社会、社会主义与共产主义社会的历史。这是人类社会发展合乎规律的前进运动的基本方向。当马克思的《政治经济学批判》在 1859 年发表的时候，人们对于原始社会的研究还是一个空白点，直到摩尔根的《古代社会》和恩格斯的《家庭私有制和国家的起源》出版以后，大家才知道：当年散布在全世界各地的一切民族中，除了处在资本主义的、封建的、奴隶制的阶段的各种民族以外，还有停顿在原始公社阶段的民族，这就证明了人类社会发展的前进运动的那个基本方向是完全正确的。

但是世界上各种不同民族历史的发展是极其复杂的、矛盾的、不平衡的过程。某一民族的历史的前进运动方向是否符合于人类历史整个前进运动的基本方向，除了决定历史发展方向的一般规律之外，也还有其决定这一民族发展的特殊条件。这就是说，社会发展的一般规律是和某一民族的社会的特殊条件交织在一起的。因此，当我们考察某一民族前进运动的方向时，必须联系那个民族的特殊条件。这所说的特殊条件就是：这个民族处在怎样的历史阶段？它的内部条件和外部条件怎样？它和别的民族接触后发生了什么影响？等等。由于各种特殊条件不同，有的民族是从原始社会顺次经历各个阶段而向

---

[*]　《社会主义革命与社会主义建设的共同规律》最初发表于《理论战线》1958 年第 2 期，后于 1958 年 10 月由湖北人民出版社出版单行本，署名李达。该文曾被收入人民出版社 1988 年 8 月出版的《李达文集》第四卷。——编者注

前发展,有的民族却可以在具有比较进步的生产方式的直接影响之下,跳过一个或几个发展阶段而进到更高级的社会形态。例如:在欧洲方面,当日耳曼民族侵入罗马的时候,日耳曼民族的氏族公社开始解体,而罗马的奴隶制度已趋崩溃,并且出现了"高伦"(Colonus)即"隶农"或"小佃农",可说是半封建半奴隶制的社会。日耳曼民族即在这样的经济基础之上,跳过奴隶制这个阶段,逐步进到了封建制的阶段。在中国方面,当古代周民族征服殷民族的时候,周民族还处在武装的农业公社阶段,而殷民族的奴隶制已开始崩溃。这时候战胜者的周民族统治者就把所得的土地分封于亲族、戚族和功臣,把他们叫作诸侯。这些诸侯从所属领土中的居民征取贡纳和劳役,第一步形成了半封建半奴隶制的经济,以后转变为封建制。这样,周民族就跳过了奴隶制阶段,进到了封建制阶段。秦汉以后,汉民族已具有高度的封建的经济、政治和文化,而北方、西北方、东北方的许多少数民族还停在原始公社的后期,有的还刚刚开始有了奴隶制的萌芽。当那些少数民族征服了汉民族以后,就采用了封建的生产方式,建立起封建皇朝。另一方面,当汉民族征服某些少数民族以后,就把封建的生产方式输进去,使它们服从于封建皇朝的统治。由此可见,高级阶段的民族与低级阶段的民族之间发生征服和被征服的关系时,低级阶段的民族是可以跳过一个或几个历史阶段的。

到了资本主义时代,欧洲许多殖民主义国家,用武力征服世界上一切落后的民族,使它们变成殖民地,掠夺这些民族的居民,并且向它们输入资本主义生产方式,使它们在不同程度上染上资本主义的色彩,因而有些民族能够跳过奴隶制或封建制而进到资本主义阶段,有些民族变成半封建半殖民地,有些还没有进到资本主义阶段,有些还刚刚开始进到资本主义阶段而仍然保留着封建的或奴隶制的生产方式。但不论是资本主义的先进国家或落后民族,只要有了工人阶级存在的地方,就组成了工人阶级革命的政党——共产党和工人党。随着资本主义发展到帝国主义阶段,就进到了世界无产阶级社会主义革命的时代。

十月革命一声炮响,世界上出现了第一个社会主义国家,开辟了人类历史的新纪元。社会主义革命的种子,散播到了帝国主义的中心和后方,散播到了全世界,大大地促进了一切资本主义国家的无产阶级革命运动,推动了一切被压迫民族反帝国主义的革命运动,并且由于无产阶级的领导,这两个革命运动就密切地结合起来了。由于这两个革命运动的蓬勃发展,世界资本主义的历史命运发生了根本的变化,走上了穷途末路。但是几个帝国主义国家为了做垂死的挣扎,就集中力量来进攻苏联,发动第二次世界大战,企图消灭世界革命运动强大的公开的中心,借以扑灭世界革命的战火,来苟延残喘。但是由于苏联卫国战争的伟大胜利,打败了德意日三个帝国主义者,结束了第二次世界大战,激发了世界革命的新高潮。中国革命继十月革命之后,取得了空前的胜利,建立了中华人民共和国。并且在欧洲和亚洲,先后出现了 12 个社会主义国家,组成了以苏联为首的非常强大的社会主义阵营。总起来说,

> 十月革命产生了新世界,经过 40 年,新世界的力量已经超过了旧世界。现在全世界有 27 亿人口,社会主义各国的人口将近 10 亿,独立了的旧殖民地国家的人口有 7 亿,正在争取独立或者争取完全独立的国家的人口有 6 亿,帝国主义阵营的人口不过 4 亿左右,而且他们的内部是分裂的,现在不是西风压倒东风,而是东风压倒西风。①

我们可以说,现在是社会主义时代代替了帝国主义时代。

现在,世界已有 75 个国家的工人阶级有了自己的政党即共产党和工人党。其中 12 个社会主义国家的党是当权的党,其余是属于资本主义国家和比较落后的国家,这些国家的工人阶级在自己的党的领导下,必将采取各种不同的途径,或快或慢地实现社会主义革命。特别是一些落后的国家的革命势力,在强大的社会主义阵营的影响和帮助下,可以跳过资本主义阶段而走到社会主义,这在苏联已有先例。蒙古从封建制阶段直接进到社会主义,是和苏联的国际主义的直接援助分不开的。因此,当着帝国主义时代行将结束而让位于社会主义时代的今日,条条道路都可通向于共产主义。列宁所说的"一切民族都将走到社会主义",这已经是历史的必然。

---

① 毛泽东主席 1957 年 11 月 17 日在莫斯科对中国留学生的讲话。

二、社会主义各国所走过的道路

列宁说：

> 一切民族都将走到社会主义,这是不可避免的,但是走法却不完全一样,在民主的形式方面,在无产阶级专政的形式方面,在社会生活各方面的社会主义改造的速度方面,每个民族都会有自己的特点。①

这一段话说明了:一切民族向社会主义过渡是有一般的共同规律的。如同建立社会主义民主,建立无产阶级专政,消灭剥削制度下的旧社会生活,创造社会主义的新社会生活,等等,这些就是一切民族走向社会主义所必须遵循的共同规律,并且是离开人们的意志而独立的客观规律。但由于各个民族的特点不同,这些规律在各个民族的革命与建设过程中所起的作用和表现的形式也各不相同。以苏联为首的社会主义阵营各国,在革命胜利以前,各国所处的发展阶段是不同的。例如,沙俄是"军事封建的帝国主义"国家;中国是半殖民地半封建国家;朝鲜和越南是殖民地;蒙古是封建国家;捷克斯洛伐克和德意志民主共和国是工业高度发展的国家;罗马尼亚和保加利亚是落后的农业国家;并且东南欧各国都曾经受帝国主义征服过,革命的阶级与旧统治阶级的阶级力量的对比也各不相同,旧统治阶级对于革命的顽抗的力量的强弱程度不同;工业发展的水平不同;各国所处的地理条件、人口多少、居民成分各不相同;民族的历史传统和民族心理素质各不相同,诸如此类。因此,各国的党和工人阶级在进行革命时所采取的斗争形式、政策与策略各不相同,在革命胜利后所创造的民主的形式、专政的形式以及社会生活的社会主义改造的速度等,也就各不相同了。但是,各国走向社会主义的方式虽然因为各自的特点而各不相同,而那些特点不仅不与一般的共同规律相对立,反而与那些共同规律密切结合着。

---

① 《列宁全集》俄文第 4 版,第 23 卷,第 58 页。

1956 年 12 月 29 日,《人民日报》发表了《再论无产阶级专政的历史经验》一文,着重地指出:关于苏联的社会主义革命和社会主义建设的经验,就它们的国际意义说来,有几种不同的情况。在苏联的成功的经验中,一部分具有基本的性质,在人类历史的现阶段具有普遍意义。这是苏联经验中的首要和基本方面。另一部分不具有这种普遍意义。什么是苏联的社会主义革命和社会主义建设的基本经验呢? 这至少有以下这些经验具有基本性质。

(1)无产阶级的先进分子组织成为共产主义的政党。这个政党,以马克思列宁主义为自己的行动的指南,按照民主集中制建立起来,密切地联系群众,力求成为劳动群众的核心,并且用马克思列宁主义教育自己的党员和人民群众。

(2)无产阶级在共产党的领导之下,联合劳动人民,经过革命斗争从资产阶级手里夺取政权。

(3)在革命胜利以后,无产阶级在共产党领导之下,以工农联盟为基础,联合广大的人民群众,建立无产阶级对于地主、资产阶级的专政,镇压反革命分子的反抗,实现工业的国有化,逐步实现农业的集体化,从而消灭剥削制度和对于生产资料的私有制度,消灭阶级。

(4)无产阶级和共产党领导的国家,领导人民群众有计划地发展社会主义经济和社会主义文化,在这个基础上逐步地提高人民的生活水平,并且积极准备条件,为过渡到共产主义社会而奋斗。

(5)无产阶级和共产党领导的国家,坚持反对帝国主义侵略,承认各民族平等,维护世界和平,坚持无产阶级国际主义的原则,努力取得各国劳动人民的援助,并且努力援助各国劳动人民和被压迫民族。

以上那些基本经验正是我们所说的十月革命的道路,它反映了人类社会发展长途中的一个特定阶段内关于革命和建设工作的普遍规律。

中国革命是十月革命的继续。中国的社会主义革命是在完成了资产阶级性的民主主义革命以后才开始的。因为中国过去是一个半殖民地半封建的国家,是帝国主义、封建主义和官僚资本主义压迫并剥削广大人民群众的国家。

中国共产党和无产阶级为了要在中国进行社会主义革命,首先领导农民阶级、城市小资产阶级(在一定时期、一定程度也有民族资产阶级参加),结成广大的革命的统一战线,来推翻帝国主义、封建主义和官僚资本主义在中国的统治。而革命的主要形式是武装斗争,即用武装的革命反对武装的反革命。由于我们有了马克思列宁主义政党即中国共产党,有了党所领导的军队和党所领导的各革命阶层各革命派别的统一战线,所以能够取得了民主主义革命的胜利,建立了工人阶级领导的以工农联盟为基础的人民民主专政的中华人民共和国。新国家成立以后,中国革命就进到了社会主义革命的阶段。由于国家政权掌握在无产阶级和人民群众手里,就保证了我国能够通过和平道路,变生产资料的私有制为社会主义所有制,消灭剥削和贫困,建成繁荣幸福的社会主义社会。从此我国一面进行社会主义建设,逐步实现国家的社会主义工业化;一面实行社会主义改造,逐步实现对农业、手工业和资本主义工商业的社会主义改造。对农业的社会主义改造,就是领导农民在完成土地改革以后,立即走上合作化的道路,对手工业的社会主义改造就是发动手工业者组成合作社,因而使生产资料的个体所有制转变为集体所有制。至于对资本主义工商业的社会主义改造,则是鼓励和指导它们转变为各种不同形式的国家资本主义经济,逐步以全民所有制代替资本家所有制。这三大改造运动在1956年已经基本上结束了。民族资产阶级所以能接受社会主义改造,一则是因为国营经济力量的强大和农业的全面合作化,杜绝了资本主义发展的道路,一则是因为资产阶级虽有发展资本主义的强烈愿望,却又拥护人民民主专政,拥护共同纲领和宪法,更因为工人阶级对它采取说服教育政策,采取团结—斗争—团结的政策,使它认识了大势所趋,人心所向,不得不把私营工商业转变为公私合营。这是马克思列宁主义"赎买"政策的实现,也可以说是中国社会主义革命中一个突出的特点。其次,我国人民民主专政在全国解放以前,是解决资产阶级民主革命任务的,在新国家成立以后,是解决社会主义革命任务的(即主要地是把生产资料的私有制改变为社会主义公有制),这样的政权实质上只能是无产阶级专政。我们的无产阶级专政有资产阶级的民主党派参加,这也是我国突出的特点。但是按照刘少奇同志的说明,这种形式的无产阶级专政是一定形式的阶级联盟,是完全符合于列宁主义的。所有上述几个主要经验,都是马克思列宁主义的普遍真理同中国革命实践的结合。

其次,在东南欧和东方一些人民民主国家,各兄弟党在领导社会主义革命时,未曾经过内战,因为这些国家的帝国主义势力和法西斯派已经由苏军在第二次世界大战中肃清了。这些国家建立了人民民主政权,都没有采用苏维埃形式,而采用国民议会或人民议院形式,并且有别的民主党派参加(如波兰和捷克斯洛伐克等)。但这种政权是解决社会主义革命任务的,实质上还是无产阶级专政。对于生产资料所有制的改革,在工业方面,有的国家是先把大企业收归国有,而暂时保存中小型企业(如捷克斯洛伐克等),但都已建立了基本生产资料公有制。在农业方面,实行耕者有其田的政策,都没有宣布土地国有,但规定了占有土地面积的限额,同时国家鼓励农民建立农业合作社并予以援助,逐步地推行着农业的社会主义改造。由此可见,各人民民主国家走向社会主义的道路是各自有其特点,如各国民主的形式,无产阶级专政的形式,社会生活的社会主义改造的速度等都各不相同,但关于社会主义的革命和建设的主要经验则是同苏联的基本经验相同的。

三、社会主义革命和社会主义建设的共同规律

1957年11月14日至16日,社会主义国家共产党和工人党代表在莫斯科举行会议,发表了具有伟大历史意义的宣言。宣言中郑重的指出:

> 参加会议的共产党和工人党肯定了它们在社会主义革命和社会主义建设的根本问题上的意见是一致的。苏联和其他社会主义国家的经验,完全说明了马克思列宁主义理论的下述原理的正确性:社会主义革命和社会主义建设的过程,遵循着普遍适用于各个走上社会主义道路的国家的一些主要规律。尽管各民族在历史上形成的特点和传统有很大不同,必须予以充分重视,但是这些规律仍然在普遍地起着作用。这些共同的规律是:以马克思列宁主义政党为核心的工人阶级,领导劳动群众进行这种形式或那种形式的无产阶级革命;建立这种形式或那种形式的无产阶级专政;建立工人阶级同农民基本群众和其他阶层的联盟;消灭基本生产

资料资本主义所有制和建立基本生产资料的公有制;逐步地实现农业的社会主义改造;有计划地发展国民经济,以便建成社会主义和共产主义,提高劳动人民的生活水平;进行思想文化领域的社会主义革命,造成忠于工人阶级、劳动人民和社会主义事业的强大的知识分子队伍;消灭民族压迫,建立各民族间的平等和兄弟友谊;保卫社会主义果实,不让它受到国内外敌人的侵犯;实行无产阶级的国际主义,同各国工人阶级团结一致。

以上关于社会主义革命和社会主义建设的共同规律,是经过各国社会生活证明了的客观真理。社会主义各国的党一致认为应该坚持马克思列宁主义的普遍真理同各国革命和建设的具体实践相结合的原则,创造性地运用上述那些规律,并且互相学习和交流经验。

在现今的世界中,和平、民主和社会主义阵营的力量已经空前壮大,帝国主义阵营的力量已经大大削弱。社会主义制度对于资本主义制度具有无可比拟的优越性。社会主义思想已经成为全世界无产阶级和劳动人民的心灵的主宰。一切现存资本主义国家、民族独立国家、殖民地和附属国的无产阶级,都将爆发社会主义革命,过渡到社会主义,并且将出现越来越多的过渡形式。但不论过渡形式如何多样化,各国无产阶级都必定结合本国的特点,创造性地运用上面所列举的那些共同规律。

首先,各国无产阶级在领导广大劳动人民群众进行革命时,必须有马克思列宁主义政党作为领导核心。因为无产阶级革命的任务是推翻资本主义制度及其他剥削制度,建立社会主义的政治生活、经济生活和文化生活,如果没有用马克思列宁主义武装起来的、实行民主集中制的、联系广大人民群众的党,拟订正确的政治路线和组织路线来指导革命和建设,就决不能取得胜利。至于革命的形式大概有两种:一是武装起义(即内战),一是和平地过渡。究竟采取哪一种形式,则取决于剥削阶级是否拼命进行抵抗。如果剥削阶级顽强抵抗,无产阶级的暴力革命是不可避免的。特别是殖民地和附属国的无产阶级在进行社会主义革命以前,必先完成反帝国主义的民族民主革命,必然要进行残酷的武装斗争。马克思列宁主义政党如果能够利用国内和国际的革命形势,通过和平道路实现社会主义革命,这对于无产阶级和全体人民都将是有利的。

一切革命的最主要的问题是政权问题。无产阶级革命的目的就是要夺取政权,实行无产阶级专政,镇压国内外反动派,保障自己的胜利,建设社会主义的经济和文化,如果没有以马克思列宁主义政党为核心的工人阶级对于国家的领导,就不可能过渡到社会主义。至于无产阶级专政究竟应采取何种形式,各国无产阶级可以根据自己民族的特点去创造。现在已经有了苏维埃制和人民民主两种形式,将来胜利了的各国无产阶级还可能创造多种形式(如联合其他民主政党或爱国阶级组成人民阵线或民族阵线之类),但其实质必须是无产阶级专政。

无产阶级在进行社会主义革命和社会主义建设时,必须坚决依靠自己阶级所领导的工农联盟(特别是落后民族中农民占居民的多数)。工农联盟不单是革命胜利的保证,并且是巩固无产阶级专政的基础。因为农民阶级也和工人阶级一样,都要求从一切剥削制度解放出来,并愿意在工人阶级领导下走上社会主义的道路,这是社会主义各国的共同经验。有了工农联盟做基础,还可以联合其他劳动人民,甚至非无产者的爱国人士或阶层(这要由无产阶级政党根据本国的具体情况来决定)。无产阶级只有依靠这类广大的联盟,才能战胜敌人,过渡到社会主义。

向社会主义过渡,实质上是由生产资料的私有制到社会主义所有制的过渡。将来胜利了的各国无产阶级如何完成生产资料所有制的改革,也可能采取多种形式。在土地改革方面,可以实行土地国有或耕者有其田的政策,在缺乏大土地私有制的国家,可以暂时实行限田政策,但无论怎样,总必须有步骤地实现农业集体化(在农业已经资本主义化的国家,可以直接实行集体化)。对于资本主义企业的处理,也将因种种特点而有所不同,可以实行国有化,可以没收,可以"赎买",可以采取国家资本主义的措施,但必须有步骤地消灭基本生产资料资本主义所有制和建立基本生产资料公有制。

为要建成社会主义和共产主义,必须按照社会主义基本经济规律、有计划按比例地发展国民经济,提高劳动人民的物质生活和文化生活的水平,这不论在什么样国家都必须遵守的共同规律。但也有一些特点,各国的经济建设应该结合本国有利的自然资源和经济条件,例如在缺乏重工业资源的国家,就无须优先发展重工业,而可以依靠其他社会主义国家互通有无了。

为要建成社会主义和共产主义,必须有高度的科学文化,这就涉及知识分子问题。无产阶级国家必须制定正确的知识分子政策,用马克思列宁主义教育知识分子,一方面大力培养工人阶级知识分子队伍,另一方面要争取、团结、教育、改造旧知识分子,使他们为社会主义事业服务。这是各社会主义国家的共同经验,将来胜利了的各国无产阶级都应当吸取这些经验。

在多民族存在的国家,旧时代的大民族和先进民族的剥削阶级总是欺压和剥削小民族和落后民族,因而引起民族压迫和民族不平等的问题。因此,无产阶级国家必须彻底地用民主主义和民族平等的精神去解决民族问题,消灭大民族主义和狭隘民族主义,消灭民族压迫和实现民族平等,帮助各落后民族提高政治、经济和文化水平,建成为一个自由平等的民族大家庭。

社会主义各国的党始终奉行着无产阶级国际主义的原则。它们相互间不仅团结无间,巩固着各国工人阶级之间的团结,并且还加强全世界劳动人民和进步人类的团结,加强全世界爱好和平与民主的一切力量的团结。维护和平,反对战争,保卫各国人民的民族利益与民主利益,是各国无产阶级政党的历史任务。

> 任何国家的真正人民革命,如果没有国际革命力量在各种不同方式上援助,要取得自己的胜利,是不可能的,胜利了,要巩固,也是不可能的。

所以实行无产阶级国际主义,同各国工人阶级团结一致,也是社会主义的革命和建设的共同规律之一。

共同规律与民族特点的结合,可说是马克思列宁主义理论与各国革命和建设的实践的结合。一个马克思列宁主义政党如果忽视了民族特点,就必然会脱离生活,脱离群众,就必然会使社会主义事业遭受损失。在另一方面,如果夸大这些特点的作用,借口民族特点而脱离马克思列宁主义的关于社会主义革命和社会主义建设的普遍真理,也必然会使社会主义事业遭受损失。前者是教条主义倾向,后者是修正主义倾向。这两种倾向,是社会主义各国的党所一致反对的。

四、反对现代修正主义

教条主义和修正主义,都是马克思列宁主义政党所坚决反对的。但是,在目前的条件下,主要的危险是修正主义,或者说右倾机会主义,它是一种资产阶级思潮。修正主义者用偷梁换柱的手法,在所谓反对"教条主义"和"创造性的发展马克思主义"的幌子下,攻击马克思列宁主义的基本原则,企图破坏共产主义革命运动的团结一致。1958年4月,南斯拉夫共产主义者联盟在第七次代表大会上所通过的纲领(以下简称"南共纲领"),就是这种现代修正主义的集中表现。这个纲领所揭示的观点,是和社会主义国家共产党和工人党代表会议的宣言相对抗的。

第一,在对当前国际局势的分析上,南共纲领完全抹杀社会主义阵营和帝国主义阵营的本质区别,把两个阵营的存在说成是"世界分裂为两个敌对的军事政治集团"。在它看来,国际紧张局势的根本原因,是在于"两个敌对的军事政治集团"和双方所采取的"从实力地位出发和争夺霸权斗争的政策"。后来它更露骨地说,苏联的"斯大林主义"外交政策是造成两个敌对的军事政治集团和"缔结北大西洋公约的主要原因"。它宣布,南斯拉夫站在这两个阵营之外,实行"中立"。

显然,南共纲领对当前国际局势的这种分析,实际上是企图替帝国主义开脱责任。它不仅违背了社会主义国家共产党和工人党代表会议的宣言,而且也违反了南共代表自己所曾经签字表示同意的64国共产党"和平宣言"。这个宣言指出:对和平事业的威胁,是来自"在两次世界大战中、在目前的军备竞赛中大发横财的垄断资本集团";"在所有社会主义国家都没有热衷于战争的阶级或社会阶层"。为了迎合帝国主义特别是美帝国主义的爱好,不惜在世界人民面前出尔反尔,用自己的手打自己的耳光,南共领导集团也确实够悲哀的了!

至于说两个阵营、两个对立的社会政治经济体系的存在,这是人类社会发展的历史结果,并不是任何人凭空硬造的。依南共纲领说来,社会主义国家只有不把自己"局限于"阵营,才能取消军事集团和实现共处,才能使目前紧张的国际局势得到缓和。这是多么奇怪的逻辑。事实上,社会主义阵营的出现不仅不是造成国际紧张局势的原因,而且是缓和国际紧张局势的有力保证。社会主义阵营各国一贯地坚持解散一切军事集团,主张同一切资本主义国家和平共处。这是众所周知的事实。为了缓和当前的国际紧张局势,苏联单方面地停止了核武器试验,裁减了自己的武装部队,并提出在中欧建立无原子武器地区和关于举行最高级会议的建议,主张用谈判的方法解决一切国际争端。中国在万隆会议上、在印度支那建立和平的问题上和日内瓦会议上,为缓和国际紧张局势也作出了巨大的贡献。1958 年 8 月 3 日,中苏两国最高领导人会谈公报的发表,再一次地给予了帝国主义侵略势力以严重的打击,鼓舞了全世界爱好和平的人民保卫和平的信心和斗志。

南共纲领瞎谈什么"中立主义",实际上不过是企图破坏社会主义国家的团结,希望依靠被美帝国主义控制的联合国来"使世界统一"。根据印共《自由报》揭露,南共领导集团不仅企图瓦解社会主义阵营,而且疯狂地企图破坏民族解放运动,分裂阿拉伯国家中的反帝爱国阵线。这样诚心诚意为帝国主义效犬马之劳的一小撮人,居然好意思在全世界人民面前冒充"中立主义者",这真是不识人间有羞耻事了!

第二,南共纲领粉饰和美化资本主义,否认无产阶级革命的必要性。它断言,同"垄断资本巨头"联系的现代资产阶级国家机器正在"独立化",已经凌驾于资产阶级和无产阶级之上,成为"超阶级"的机构。在否认资产阶级国家阶级性的基础上,南共纲领极力鼓吹自发的进化论。它把资本主义国家中日益增长的控制在垄断资本家手里的国家垄断资本主义,说成是一种"社会主义因素",认为,只要这些"因素"在数量上不断地增长,就会"不可阻挡地深入地进入社会主义时代"。因而,它把由资本主义向社会主义过渡的问题,归结为资产阶级和无产阶级在资本主义国家中争取领导权的问题。它说,只要无产阶级"争取了政权中的领导作用",就可以实现从资本主义向社会主义的过渡。

南共纲领的这种观点,实际上就是早已被列宁粉碎了的关于资本主义和平地自发长入社会主义的主张。社会主义革命的理论和实践证明:国家是有阶级性的,资产阶级国家是资本主义经济基础的上层建筑,它是资产阶级用来剥削、奴役和统治无产阶级和其他劳动人民的强力工具。我们从来没有看到什么同"垄断资本巨头"联系的国家机器,已经脱离了自己的阶级本质,驾凌于"社会之上"。列宁曾经强调指出,国家资本主义经济的性质和作用,是由国家的性质来决定的。在资本主义社会里,政权掌握在垄断资本集团的手里,因此,由国家控制的所谓国家垄断资本主义,实质上是为垄断资本服务的。马克思列宁主义者从来没有认为,在无产阶级尚未取得政权以前,国家垄断资本主义就已是"社会主义因素"。我们可以说,国家垄断资本主义是替社会主义革命准备了"物质条件",但是这种生产力方面的社会主义物质条件的成熟,和社会的社会主义改造是不能等同的。无产阶级只有经过革命,推翻了旧政权,才有可能利用新政权来改造旧经济和建立新经济。因此,无产阶级在共产党的领导下进行无产阶级革命,建立无产阶级专政的政权,这是从资本主义向社会主义过渡的必要前提,也是社会主义革命和社会主义建设的普遍规律。南共纲领关于资本主义和平长入社会主义的谰言,其用心不过是企图解除尚在资本主义制度统治下的无产阶级的武装,使他们放弃用革命手段夺取政权的历史任务。当然,这只是现代修正主义者的幻想。

第三,南共纲领反对无产阶级专政。它否认过渡时期必须进行两条道路的斗争,认为无产阶级政权不应当使用专政的手段来对付阶级敌人。它把社会主义国家和社会主义民主对立起来,认为"真正的民主"只能当国家消亡后,在自治阶段才有可能,并横加诬蔑说,无产阶级专政必然是"官僚主义"和"官僚主义的国家极权主义"。它又说,社会主义国家政权管理经济,只在所谓社会主义"最初阶段"才有"进步作用",往后如果继续由国家管理国民经济,就会"变成使社会发展停滞不前和阻碍发展的因素"。据此,它得出结论说:"国家消亡的问题就成为社会主义制度基本的具有决定意义的问题了",现在仍旧保留社会主义国家是"对马克思主义作国家主义——实用主义的修正"。

我们知道,无产阶级专政的学说是马克思主义的灵魂,是鉴别真假马克思主义者的试金石。列宁屡次指出:"只有承认阶级斗争、同时也承认无产阶级专政的人才是马克思主义者。"如果把无产阶级专政从马克思主义的活的机体中阉割掉,那么马克思主义就变成资产阶级也可以接受的东西了。南共纲领诬蔑无产阶级专政必然是"官僚主义",这是胡说。官僚主义是剥削阶级统治机构的产物,社会主义国家的党和国家制度不仅不是产生官僚主义的温床,而且正是官僚主义的不可调和的对立物。至于民主和专政,两者是对立的统一,为了保障广大劳动人民的民主,就必须对阶级敌人实行专政。无产阶级专政是民主制的最高形式。南共领导集团大谈什么"党内民主"、"社会主义民主",似乎他们的政治是最民主的政治,而实际上不过是少数领导人的专横独裁统治。他们大肆逮捕那些反对他们现行政策的南共党员和南斯拉夫人民。据路透社1958年6月7日从贝尔格莱德发出的消息说,已有将近200人被捕。在贝尔格莱德大学举行了一次有关苏联和南斯拉夫关系的辩论,会后就有8个学生被捕。这就是他们的"民主"!

社会主义国家管理经济,这是无产阶级专政的重要职能之一,在现代生产具有高度社会性的条件下,假如没有社会主义国家对国民经济统一的计划和管理,就必然会导致资本主义式的自由竞争和无政府状态,造成对生产资料公有制的破坏。我们只要看看目前南斯拉夫的情况就够了:南共领导集团否定国家对经济的领导,荒谬地认为生产资料的集体所有制是公有制的高级形式,国家所有制反而是公有制的低级形式。因此,他们主张从国家所有制倒退到集体所有制。在工业企业中,他们标榜所谓"工人自治",各企业可以自行决定本企业的生产计划和产品价格,甚至可以直接对国外发生贸易关系。结果,各企业间为了争夺暴利,互相竞争,互不协作。在企业赢利的时候,工人只能得到利润的5%,而在企业赔钱的时候,工人却要负担亏损,只能拿到60%的工资;如果企业亏损的情况一连几个月没有改善,就要关闭这种不赢利的企业,使工人遭到失业的威胁。而所谓"工人自治"也是一种欺骗工人的幌子,事实上真正的权力握在经理和行政管理人员的手里,这些人可以享受种种特殊的福利,而工人(甚至连工人委员会的主席和党组织书记也一样)却常常因为批评了经理、厂长而被开除。试问,这实质上同资本主义制度下的企业又有多大的区别呢? 至于农业方面,他们诬蔑集体化是"站不住脚的一条错误路线",片面强调所谓"逐步自愿的原则",实际上是为资本主义复辟开辟道路。直到现在,个体经济仍占农村经济的90%以上,农村正在继续向两极分化。可见,社会主义国家如果不对经济生活实行全面的领导,就必然会使生产资料所有制从高级形式倒退到低级形式,使社会生产从有计划按比例发展的状态倒退到自由竞争和无政府状态,归根到底,会使整个经济关系从社会主义退化到资本主义。这是同社会主义革命的目的完全背道而驰的。

至于说国家消亡,毫无疑问,当共产主义在世界范围内取得胜利的时候,国家是会因为丧失作用而自行消亡的,但是当社会主义还只是在一部分国家中取得了胜利,而且帝国主义正在千方百计地对社会主义国家加紧进行颠覆活动的情况下,社会主义国家就是抵抗侵略、镇压敌人的强有力的武器,就是无产阶级手中出鞘的宝剑。在这种情况下,叫嚷什么"国家消亡",就等于要无产阶级放下武器,把自己用鲜血换来的一切送给敌人。只有帝国主义的最精巧的奴仆,才会体贴着主子的心情而发出这样可耻的狂叫!列宁在1918年俄国共产党(布尔什维克)的纲领草案中指出:"过早地宣布国家的消亡将破坏历史前景。"难道南共领导集团不正是为了要破坏共产主义的前景,才如此迫不及待地要求社会主义国家消亡吗?

第四,南共纲领竭力贬低共产党在社会主义革命和社会主义建设中的领导作用。它把这种领导作用称为"垄断",认为共产党应该只是一个"思想因素"、"发展社会主义意识的因素",而不应该是"政治因素"、"政权因素"。它甚至鼓吹在某些国家里,如在美国,无产阶级只要依靠工贼控制的黄色工会,就可以取得革命和建设的胜利,不需要马克思列宁主义政党作为领导革命的核心。这不过是几十年来一切国际反动派和机会主义者的谬论的简单反刍。南共领导集团自称为马克思列宁主义者,可是他们完全无视列宁在"进一步,退两步"这部伟大著作中全面论证过的关于党的领导作用的原理,也完全无视几十年来世界工人运动和各国共产党的实践活动的经验教训。共产党是无产阶级的先进的、马克思列宁主义的、有组织的部队,是无产阶级手里的基本武器,是无产阶级的领导者和战斗司令部。如果没有这样一个精通社会发展规律和阶级斗争规律、善于判明复杂形势、制定战略策略的战斗司令部来实际领导工人运动,无产阶级是不可能战胜资产阶级的世界统治,争得自己的解放的。正因为这样,一切国际反动派及其代理人都极力设法削弱共产党对于工人运动的领导,或者直接主张不要党的领导,诬蔑这种领导是"党专政"、"领袖专政",或者"承认"应当有党的领导,但主张把党的作用归结为一个宣传机关,一个俱乐部,从而使党的领导作用实际上化为乌有。试问,南共领导集团的手法,难道不正好表明了他们不过是国际反动派在工人运动中的代理人吗?

南共纲领在党的建设问题上,反对民主集中制,主张在党内有组织宗派和小集团的自由。这种谬论不过是从早被埋葬了的孟什维克那里抄袭得来的彻头彻尾的机会主义观点。俄国孟什维克就是主张不要党的纪律,不要民主集中制,容许不服从党的决议的自由团体和个人留在党内的。他们这样主张,就是为了要使党成为一个组织涣散、思想混乱、根本不能领导无产阶级进行严重战斗的团体。

第五,南共纲领用资产阶级民族主义来代替无产阶级国际主义原则。在纲领中,一味强调"平等"、"独立"和"互不干涉"这样一些公认的原则,认为这就是国际主义,就是"社会主义国家和社会主义运动相互关系的最高目的"。对于无产阶级国际主义在社会主义国家关系中的另一个重要方面,即社会主义国家间进行无私的援助和兄弟般的合作,则避而不谈。它把社会主义国家的团结一致和民族独立对立起来,认为社会主义国家之间有不平等现象和剥削倾向。它诬蔑苏联觊觎霸权,说什么真正威胁社会主义国家独立的,是"某个社会主义国家"(实际是指苏联)。在这次南共七大会上,它更竭力煽起狂热的民族主义情绪,反对苏联和其他社会主义国家。试问,这样的言论和行动难道还有一丝一毫无产阶级国际主义的气味吗?还应当指出的是,南共领导集团的这种狂热的资产阶级民族主义错误并不是从今天才开始,而是由来已久的。1948年,共产党情报局对南共领导机构的民族主义错误和机会主义错误的批判,基本上是正确的。1948年以后,南共领导集团的民族主义和机会主义进一步地发展起来了。在苏联和其他社会主义国家为改善同南斯拉夫的关系进行了一系列的努力之后,南共领导集团却仍然没有改变这种狂热的民族主义,并且把它用更完备的形式,在这次南共七大所通过的纲领上表现出来。

南共领导集团这样疯狂地用资产阶级民族主义来顶替无产阶级国际主义,是与他们作为帝国主义工具的身份十分相称的。帝国主义者千方百计地破坏社会主义国家的团结和合作,适应着帝国主义的需要,南共领导集团也就在分裂社会主义阵营国家团结上,为帝国主义大卖气力。南斯拉夫同土耳其和希腊一起缔结了巴尔干条约,并通过这个集团的盟国同北大西洋公约组织、巴格达条约组织保持着一定的联系。铁托在南共七大的报告中甚至赤裸裸地宣布:"南共对国际问题的政策和观点要尽可能多地符合美国和其他西方国家的政策和观点。"这种不打自招的供词,清楚地说明了南共领导集团已经公开地站到帝国主义那一边去了。据阿尔巴尼亚《人民之声报》载文揭露,南共领导集团长期来一直阴谋并吞阿尔巴尼亚。他们在阿尔巴尼亚党内组织宗派集团,通过反党分子进行阴谋活动,煽动人民起来推翻他们称之为"斯大林主义的"党和人民民主制度,号召以"铁托的人道主义的社会主义"来代替。保加利亚《工人事业报》也揭露,南共领导集团一再干涉它们党和国家的内政,极力想在保加利亚知识分子某些阶层中间制造混乱和在思想上瓦解他们。在匈牙利发生反革命暴乱时,南斯拉夫外交国务秘书长向有关大使说:"你们等着吧,这样的事也将要在阿尔巴尼亚和保加利亚发生。"南共领导集团积极地参加了匈牙利反革命事件的准备,进行了破坏匈牙利劳动人民党和国家的大规模的活动。当叛徒纳吉被判处死刑时,他们随同美国最反动的垄断集团,为纳吉及其集团同声哭丧。南共领导集团这样使尽平生气力为帝国主义尽忠,并且在思想感情上也同帝国主义同忧共喜,他们又怎能不博得帝国主义的连声称赞和热烈支持呢?

南共纲领是一个彻头彻尾的修正主义纲领,以上所列举的,不过只是其中的主要五点。但是,仅就这五点来看,已经充分说明南共领导集团是怎样从根本上背弃了马克思列宁主义的基本原则,公开与社会主义国家共产党和工人党代表会议的宣言相对抗。最后应当指出的是,南共修正主义的出现不是偶然的,它是现代国际阶级斗争的产物,是在资本主义总危机加深的时候,在右翼社会民主党人的修正主义对无产阶级和劳动群众的麻痹作用日益减弱,因而帝国主义不得不另外寻找更有效的代用品的时候出现的。英国一家资产阶级报纸说,谁有钞票谁就能使唤铁托,"像旧式马房的租用马一样,谁付他必要的现款,谁就可以租用他"。美国助理国务卿帮办弗雷德里克·詹德里在一份给杜勒斯和国会领袖们的备忘录中说,南共领导集团目前采取的立场对"西方有着极大的价值,南斯拉夫过去在东欧已经发挥了超过正常作用的影响","给予南斯拉夫援助非常明显地是符合我们(美国)的利益的"。美国资产阶级报纸兴高采烈地写道："美国对南斯拉夫下的 10 多亿美元的赌注是上算的"，"铁托正在有意识地输出铁托主义"，目的是想把巩固的社会主义阵营变成"松弛结合的联邦组织"，使苏联的领导作用"化为乌有"。报纸还情不自禁地赞扬说："铁托的利益在将来很长时期内和美国的利益是一致的"，南斯拉夫是美国"从内部破坏"以苏联为首的社会主义阵营的"伙伴"。美国垄断资本集团的热烈称颂是一面镜子，它清楚地照出了匍匐在帝国主义膝前的南共领导集团的一副奴才相。事实证明，南共领导集团已经是打着共产主义招牌的帝国主义代理人，是国际共产主义运动的不折不扣的内奸。他们同我们的矛盾，已经不是人民内部矛盾，而是敌我矛盾了。我们一定要坚持斗争，直到完全粉碎现代修正主义为止！

在化四同学生产实习
汇报会上的发言

（1958.4）

今天下午来参加这个会,听了三位代表的汇报,我有这样的感想:上了一堂生动的社会主义教育课。我可以断定:你们走上了又红又专的道路,希望化学系的老师们要向这些同学看齐。

同时我代表学校向北京、上海生产实习的同学表示敬意,因为他们恢复了邱毅教授和王以德教授搞坏武大的名誉。

我到武大5年了,提起化学系,我心情就很沉重,也伤透了脑筋。现在已有了转变。过去系里一直不团结,资产阶级个人主义很严重。比方请王以德担任教研组主任时,他提出房子问题,学校赶快就给他换了房子,他又说血压高,不能担任;1956年评级时他被评为四级就不高兴,甚至罢教,这纯粹是资产阶级个人主义。又比方邹尧方先生两年半不上课,应该狠狠地批评,老实说,过去一团和气,不批评,是错误的。1956年暑假五位老先生花了5000元游了很多地方,回来后钟兴厚先生表示要穿白衣下实验室,但以后仍没有下实验室。

我希望王先生和邹先生赶快改变,赶快跃进,赶快站到人民的立场上来为人民服务。你们还只有50岁,我现在69岁了,还在为人民服务,我要把自己一切贡献出来;你们应当努力钻研,下试验室,争取为人民作一番事业,那么将来也扪心无愧。你们曾一次不安心,我们争取一次,二次不安心,三次不安心,争取三次,到第四次不安心,又怎么样?不安心到那里去?今天同学们提的意见很好,缺点一定要改正,资产阶级个人主义一定要破。我希望你们把知识交给人民、交给学生,这有什么不好。

同学们,你们做得对,应努力烧火,只有烧掉资产阶级思想,才会取得无产阶级思想;你们既不欢喜资产阶级帽子,就应努力丢掉,取得无产阶级的光荣称号。同学提老师的意见提得对,在哲学系我也请同学批评我。

最后,我代表校党委和行政一定支持你们提出的勤工俭学的办法,并希望见诸实践。

(原载 1958 年 4 月 30 日武汉大学校报《新武大》第 236 期,署名李达)

整风运动的辩证法[*]

（1958.5）

一、整风运动的意义

　　整风运动是社会主义民主的新形式,是政治上思想上的社会主义革命的新形式;它是党和毛主席教导党员和群众运用批评和自我批评的武器,正确地解决人民内部的矛盾因而促进社会主义事业发展的一种最恰当最有效的民主运动的形式。

　　1942 年,我们党在延安进行了第一次的党内整风运动。这次整风运动,是全体党员在党的统一领导下,有系统地进行批评和自我批评,解决党内的教条主义者和广大党员群众之间的矛盾,即解决教条主义思想和马克思主义思想之间的矛盾。通过这次整风运动,党终于克服了教条主义思想,提高了全党的马克思主义思想的水平,到了 1945 年中国共产党召开第七次全国代表大会的时候,果然达到了全党团结的目的,能够领导全国人民,取得了 1949 年人民革命的伟大胜利。

　　中华人民共和国成立以后,我们党曾经进行过几次整风和整党运动,在

---

　　[*] 《整风运动的辩证法》最初发表于《理论战线》1958 年第 3 期,后于 1958 年 9 月由湖北人民出版社出版单行本,署名李达。在我国社会主义改造基本完成、社会主义建设即将全面展开的历史转折关头,1957 年 4 月 27 日中共中央发出了《关于整风运动的指示》,要求在全党进行一次普遍、深入的整风运动,提高全党的马克思主义的思想水平,改进作风,克服当时党内新滋长的脱离群众和脱离实际的官僚主义、宗派主义和主观主义,适应社会主义改造与建设的需要。这次整风运动的初衷是好的,但由于对形势的错误估计和判断,导致了阶级斗争扩大化,特别是直接导致了反右派斗争严重扩大化。李达的《整风运动的辩证法》是为了适应当时整风运动的需要而写作的。——编者注

"三反"、"五反"期间,适应当时的情况,又有说理斗争的各种方式出现。在工厂、农村、机关、部队、学校中,都曾经普遍地采取各种群众性的批评和自我批评的方式,解决了党和人民内部的一些矛盾。1956 年春季,三大改造的基本完成,是和这几次的整风、整党运动分不开的。

由于社会主义改造取得了决定性的胜利,我们的国家已经进入了社会主义建设的时期,社会的关系起了根本的变化,人们的思想意识也随着发生了变化。1956 年 9 月,党的第八次全国代表大会的决议,总结了社会主义改造和社会主义建设的经验,指出了党和工人阶级今后奋斗的目标。1957 年,党中央关于整风运动的指示,实质上是党的八大会议的决议的实施。这一次的整风运动的目的,正如指示中所指出的:"我们的党和工人阶级要能够进一步地更好地领导全社会的改造和新社会的建设,要能够更好地调动一切积极力量,团结一切可能团结的人,并且将消极力量转化为积极力量,为着建设一个伟大的社会主义国家而奋斗。"而为要团结一切可能团结的人,为要调动一切积极力量并将消极力量转化为积极力量,就必须正确地处理社会主义事业发展过程中的人民内部的矛盾。为要正确处理人民内部的矛盾,党中央认为首先要在党内进行整风运动,克服党内脱离群众和脱离实际的官僚主义、宗派主义和主观主义。因为沾染了这三种主义的同志很容易采取单纯的行政命令或打击压迫的手段来处理人民内部的矛盾,因而也就不能团结一切可能团结的人,更谈不到将消极力量转化为积极力量,这对于我们的社会主义建设事业是极端有害的。

这次整风运动的步骤,先从党内开始;其次是国家机关整风,主要地都是要整掉主观主义、官僚主义和宗派主义;再次是全民整风,对全体人民进行一次普遍的社会主义思想教育。

这次整风运动所采取的解决人民内部矛盾的方法,具体化为一个公式,叫作"团结—批评—团结"。这就是"从团结的愿望出发,经过批评或者斗争,使矛盾得到解决,从而在新的基础上达到新的团结"。所以这次整风运动,恰如中央指示中所说,是一次既严肃认真又和风细雨的思想教育运动,是一个恰如其分的批评和自我批评的运动。这样的运动的发展,就演进为摆事实、讲道理、大鸣、大放、大争、大辩论、大字报和大整大改等的方式。这是一套完整的社会主义民主的新形式。1957年5月以来,我们凭借这种民主的新形式,正确地处理人民内部的矛盾,给我们带来了经济上、政治上思想上的全面大跃进。

二、人民内部矛盾的分析

整风运动的目的,是在于正确处理人民内部的矛盾,以便团结一切可能团结的人,为建设一个伟大的社会主义国家而奋斗。

人民内部的矛盾,和敌我之间的矛盾不同。解决敌我之间的矛盾的方法,就是人民运用专政手段去压迫一切反革命的敌人。至于人民内部的矛盾则是是非问题,只能用民主说服的方法去解决。在这里,我们只分析人民内部的矛盾。

我们知道,我国过渡时期的主要矛盾是社会主义和资本主义两条道路之间的矛盾。这两条道路的矛盾,要到社会主义社会完全建成,即过渡时期宣告结束的时候,才能完全解决。同时,在我国社会中,又有基本矛盾。这基本矛盾是生产关系和生产力之间的矛盾,上层建筑和经济基础之间的矛盾。这基本的矛盾同旧社会的生产关系和生产力的矛盾、上层建筑和经济基础的矛盾,具有根本不同的性质和情况。在社会主义社会中,在共产主义社会中,这基本的矛盾仍然继续存在,社会总是不断地通过暴露矛盾,克服矛盾而向前发展的。

两条道路的矛盾是在经济基础和上层建筑两个方面表现出来的。在生产资料所有制方面的社会主义革命没有完成以前,两条道路的矛盾表现为资本主义生产关系和社会主义生产关系的矛盾,表现为资本主义生产关系和生产力的矛盾。在生产资料所有制方面的社会主义革命基本完成以后,两条道路的矛盾算是基本上解决了,但是还没有完全解决。因为在工商业的公私合营企业中,资本家还拿取定息,也就是还有剥削;其次,农业和手工业的合作社还没有完全巩固,还有一些合作社现在是半社会主义性质的。所以在三大改造实现以后形成的社会主义生产关系还是不够完善的。那些不完善的地方还表现在其他方面,后面还要说到。生产关系的不够完善的方面是和生产力相矛盾的。

生产资料的私有制转变为公有制，只是初步实现了经济上的社会主义革命，而政治上和思想上的社会主义革命还远远没有完成。在政治上，资产阶级争取资产阶级民主的活动是和社会主义民主相矛盾的。在思想上，资产阶级世界观是和马克思主义世界观相矛盾的。上层建筑的这些矛盾如不解决，是会动摇社会主义的经济基础的。

社会主义和资本主义两条道路的矛盾，首先表现为工人阶级和其他劳动人民同资产阶级及其知识分子之间的矛盾；其次表现为资产阶级及其知识分子的内部的矛盾，即表现为接受社会主义改造的左派和反抗社会主义改造的右派之间的矛盾。在反右派斗争胜利以后，右派虽然受到打击，而资产阶级及其知识分子的资产阶级个人主义思想，仍将在相当长的期间存在。

两条道路的矛盾，在共产党内也是存在的，共产党清洗了一批右派分子，纯洁了党的队伍，加强了党的团结。

两条道路的矛盾还存在于工人阶级内部、农民阶级内部和工农两阶级之间，经过了农村和企业中的社会主义思想教育运动以后，工人和农民的社会主义觉悟大大提高了。

直到现在，政治上和思想上的社会主义革命已经取得了决定性的胜利，但思想上的阶级斗争仍然要继续进行，直到马克思主义世界观取得最后胜利。

现在进一步谈到社会主义生产关系和生产力的矛盾，社会主义上层建筑和经济基础的矛盾。

社会主义生产关系是生产力发展的主要推动者，这是没有问题的。但是我们的社会主义生产关系刚刚建立，还不够完善。这种不够完善的地方，除了上面所说的以外，还表现在生产过程的劳动组织关系方面，表现在生产资料和生产人员的分配关系方面，表现在各个经济部门的生产和交换的关系方面。因为在这些方面，不是那么容易作出恰当的合理的平衡的，并且随着生产力的不断发展，这些关系的平衡就被打乱，因而就和生产力相矛盾。只有把这些关系重新调整，才能推动生产力向前发展。其次，社会主义生产关系不够完善的地方，还表现在国家所有制经济和合作社所有制经济之中的积累和消费之间的关系方面。国家机关和人民群众的关系，国家和合作社的关系是领导和被领导的关系,不是统治和被统治的关系。合作社和社员的关系也是一样。但在积累和消费的分配方面,却容易产生个人利益和集体利益、目前利益和长远利益、局部利益和全部利益之间的矛盾。国家机关从 6 亿人民的利益出发,统筹兼顾,一方面要筹措建设资金和其他财政开支;另一方面要贯彻勤俭办一切事业的方针,总是注重集体的、长远的、全部的利益,而被领导者则注重个人的、目前的、局部的利益。合作社和社员之间也有同样的情况。这一类矛盾,只有在不断发展生产的基础上,不断地加以调整和解决。但生产和需要的矛盾,在社会主义制度下,总是长期存在的。

其次,无产阶级专政的目的,是为了保卫全体人民进行和平劳动,将我国建成一个具有现代工业、现代农业和现代科学文化的社会主义国家。但是,中央国家行政机关最初制定经济政策时,是按照当时的经济状况制定的,随着经济的发展,这类政策必须加以修改或补充。特别是制定国民经济计划时,由于当时的经济资源的调查研究不够周密,人力物力的安排不易准确估计,并且由于缺乏经验,计划的制订也不是十分完善的。还有过去的计划偏重于工业,没有重视农业的发展;在工业中重视重工业,对轻工业投资较少;又如工业区的地理分布,也有所偏重,全国工业和地方工业之间也缺乏适当的安排;等等(这些缺点,在党所提出的"在发展重工业基础上,工农业同时并举的方针"下,已经克服了)。所有这些缺点都是影响于经济发展的。此外,国家机关各部门所制定的各种规章制度中,有些是因袭旧时代的,有些是搬用苏联经验的,有些是根据大体的估计制定的。这些规章制度在最初的时候是行之有效的,随着经济的发展,特别是千百万劳动群众的亲身的体验,有些规章制度是过时了,甚至妨碍生产的发展了。这些都是在反浪费、反保守的运动中暴露出来的。还有国家机构中某些脱离群众、脱离实际的官僚主义作风的存在,也是妨害经济发展的。在意识形态领域中,资产阶级和从旧社会来的知识分子的资产阶级个人主义思想,目前还普遍地存在,在它未经马克思主义思想克服以前,也是对经济的发展起坏影响的。此外,在劳动人民内部,主观与客观的矛盾,先进思想与保守思想的矛盾,不但在社会主义社会中,并且在共产主义社会中,都是长期存在的。这类矛盾多少也会影响于基础的发展。

以上由生产关系和生产力的矛盾同上层建筑和基础的矛盾所产生出来的

一系列的矛盾,都是人民内部的矛盾。

三、整风运动与反右派斗争的收获

这次整风运动是从共产党内部开始的。党中央在 1957 年 5 月 1 日发布关于整风运动的指示以后,一方面,党内展开了批评与自我批评,检查主观主义、官僚主义和宗派主义,实行边整边改。另一方面,发动党外群众向党提意见,帮助党整风。在运动中,党内党外提出的批评意见很多。这些批评意见,大部分是正确的,其中有些批评虽然偏激,也可以供作改正工作的参考。但是,正在这个时候,却涌出了许多怀抱反动政治阴谋的资产阶级和它的知识分子的右派人物,他们散布在工商界、民主党派、科学、教育、文艺、新闻及其他文化团体,他们也混入国家机关,甚至混入共产党内部。这班右派分子凭借他们的政治地位和业务知识,利用党宣告整风的机会,在大鸣大放的招牌下,大举向共产党猖狂进攻。他们反对共产党的领导,反对社会主义革命和社会主义建设,反对无产阶级专政,公然叫嚣要实行资产阶级民主,要由民主党派代替共产党来执政,夺取政治上的领导权。他们在学术文化方面,反对马克思主义,主张恢复资产阶级的哲学和社会科学;他们说党是外行不能领导科学文化事业,而要由他们来领导,这样来夺取科学文化事业的领导权。他们的总的目的就是要把我们的社会主义国家拉回到半殖民地半封建的状态,使资本主义在中国复辟。可是这类右派分子的阴谋诡计完全失算了,他们同我们的党和人民较量的结果,就遭到了毁灭性的打击。党外的右派分子已经陷于孤立,遭到了全国人民的唾弃。党内的右派分子已被清除出党,纯洁了党的队伍,提高了全党的思想政治水平。党内的工作方面的缺点和错误很快地得到了改正,党的领导更加巩固了,加强了。经过几个月的反右派斗争,情况发生了很大的变化,在工商界、民主党派、高等学校和其他知识界,在各省、市的机关和许多群众团体中,这一反右派斗争都取得了决定性的胜利。

反右派斗争的胜利,为正确解决人民内部的矛盾扫清了道路,同时全党和全国人民提高了对于反革命分子的警惕,加强了捍卫社会主义事业的决心,并且鼓足干劲为加速社会主义生产的发展而奋斗。

　　与反右派斗争的同时，国家机关也宣布整风了，接着，党中央发布了《关于向全体农村人口进行一次大规模的社会主义教育的指示》和《关于在企业中进行整风和社会主义教育运动的指示》，宣告全民整风了。这一次全国规模的整风运动给我们的社会主义革命事业带来了积极的有利的因素。首先，一切国家机关、部队、厂矿、合作社、学校和群众团体的成员都学会了并掌握了社会主义民主的新形式，通过大鸣大放、大辩论、大字报等方式，运用批评和自我批评的武器，揭露缺点，纠正错误，群众发挥了劳动的积极性和创造性，提高了作为国家主人翁的自觉。其次，一切方面的工作干部都懂得政治是统帅，是灵魂的重要意义，要做到又红又专，不愿做空头的政治家，也不愿做迷失方向的实际家。他们学会了群众路线的方法，改变了思想作风，改变了领导方法和工作方法。许多机构体制和规章制度，凡属不适宜于生产力发展的东西都按照多快好省的方针加以改革，使社会主义建设能够顺利地向前发展。

　　在工人阶级内部，经过了整风和社会主义思想教育运动，一部分工人、技术人员和职工等的非社会主义思想受到了批判，两条道路的矛盾基本上解决了。领导干部克服了官僚主义、主观主义和宗派主义，一般工作干部克服了命令主义、多数参加了生产劳动，和一般工人打成一片。一切影响生产、影响团结或阻碍工人积极性发挥的规章制度，都经过了改正或废除。由于这一系列的矛盾得到初步的解决，工人阶级内部的团结加强了，因而巩固了工人阶级在社会主义革命和社会主义建设中的领导地位。

　　在农村人口中，经过了一次大规模的社会主义思想教育运动，就合作社优越性问题、粮食及其他农产品统购统销问题、工农关系问题和肃反、遵守法制问题等，举行了提意见、摆事实、讲道理的大辩论，辨明了大是大非，因而坚定了农民走社会主义道路的决心和信心，批判了富裕中农的资本主义思想，克服了农村中的资本主义影响，揭露和打击了地主、富农、反革命分子和坏分子的破坏活动，在群众性的批评和自我批评的基础上实行了整党、整团、整社的工作，改正了干部的工作作风和缺点。由于这一系列的整改工作，农村的面貌有了显著的变化，农民的社会主义觉悟提高了，为农业生产的大跃进打下了基础。

　　资产阶级民主党派开展了整风运动以后，右派分子已经遭受到严重的打击和孤立,大部分中间分子政治觉悟已有很大的提高,不少人已向左靠拢了,左派分子的队伍已有所扩大和巩固。各民主党派共同制定了自我改造的公约,誓以最大的决心,鼓起干劲,力争上游,尽早地把自己从资产阶级分子改造成为自食其力的劳动者,从资产阶级知识分子改造成为又红又专的工人阶级知识分子。这是值得欢迎的。

还有资产阶级的工商联也进行了整风运动,打击了右派分子,决心跟着共产党走,拥护社会主义革命和社会主义建设,把自己改造成为自食其力的劳动者。资本家有这样的决心,当然是好的,且看他们的社会的实践上如何。

四、生产关系的改善推动了生产力的发展

1957 年秋季以来,由全党整风到全民整风,农村和工矿企业进行了普遍的社会主义思想教育,接着又进行反浪费反保守的"双反"运动,因而初步出现了"一个又有集中又有民主的,又有纪律又有自由的,又有统一意志、又有个人心情舒畅、生动活泼的政治局面"。首先,党内清除了右派,纯洁了党的队伍;克服了官僚主义、宗派主义、主观主义和官气、暮气、阔气、骄气、娇气,提高了思想政策的水平,党的团结更加巩固了,地方各级的党组织、农村和工矿企业的党组织密切地联系群众,坚决地领导群众贯彻中央多、快、好、省地建设社会主义的方针。特别是直接领导生产的各个党组织的领导人,遵照中央的指示抽出时间参加生产,领导生产。他们搞"试验田"、"试验车间"、"试验工段",实行"跟班劳动",和工农打成一片,发现了问题,就开现场会议,及时加以解决,凡属不利于群众团结和不利于生产发展一切制度和陈规,都可以根据群众的意见加以改进。因此,农村和企业中的生产关系迅速地得到改善,就鼓起工农群众革命的干劲,掀起了生产大跃进的高潮。

先就农村方面说,大多数贫农和下中农在受到了社会主义思想教育以后,更加坚定了走社会主义道路的信心和决心,为及早实现《农业发展纲要四十条》而奋斗。亿万农民蕴藏着的劳动潜力,异常深厚,一旦发动起来,有如原子爆炸,连锁反应,蔓延全国。1957 年秋季以来,全国农民掀起了兴修水利的高潮,安徽、河南、甘肃、陕西、湖北、河北等省兴修水利的成绩尤属可惊。变旱

地为水田,变洼地和盐碱地为良田,高寒山区形成塘群沟网,贫瘠土地变成鱼米之乡。农民们夜以继日地劳动着,不怕天寒地冻,仅仅几个月的时间,全国增加了灌溉面积 2 亿 7 千万亩,比较我们祖先数千年来所开辟的灌溉面积 2 亿 3 千万亩的数字还要多,农业部所拟订的在第二个五年计划期间增加灌溉面积 5 亿亩的数字,一定可以超额完成。这真是古今中外所未有的大奇迹。关于粮食增产的指标,各地英雄的农民争取 3 年、5 年、7 年的期间《实现农业发展纲要四十条》,福建争取 7 年成为千斤省,广东争取 10 年成为千斤省。全国农民千方百计要实现增产指标。他们要苦战 3 年,争取改变农村的全部面貌。所有这些豪迈的计划,在党的领导下,完全有把握可以实现。农业合作化的这种生产关系的优越性,是能够使农民充分发挥劳动创造性,使产量跃进到非常的高度的。农业生产大跃进仍在继续进行,截至目前,小麦的最高产量已达每亩 7000 多斤,水稻的最高产量则更已达到 36000 多斤,全国各地普遍出现了大面积丰产,今年早稻增产了 800 亿斤,而农业生产的潜力的发挥还不过刚刚开始。现在的问题是农业机械化问题和技术革新、文化学习的问题。前一问题可依靠工业的支援逐步解决,后一问题可依靠科学和文化的普及逐步解决。

在工矿企业方面,千百万职工在"赶上英国"、"超过英国"的号召下,发挥了无可比拟的劳动热情和首创精神。冶金工业方面的职工们,首先提出了雄伟的计划,把 1958 年的钢产量由 6 百 24 万吨提高到 7 百万吨。太原钢厂创造了"三槽出钢"的新技术,使生产效率提高了将近半倍,这个厂还试验成功了混合炼钢、连续轧钢、连续锻造和转炉三排风眼等新技术,又刷新了高炉和平炉的利用系数的新纪录。机械工业方面的职工们,打破了原来的定额,制造了大量的农耕和灌溉的机械支援农村,试制了多种新产品,有的设备简陋的小厂,制成多种适合当地条件使用的小型的和万能的拖拉机和万能汽车。水陆交通方面,今年铁路要铺轨 3 千里,重庆、郑州架大桥,公路增修数十条,船舶增加 9 万吨,计划宏伟,振奋人心。轻工业方面,也打破了原有定额。职工们比先进,学先进,赶先进,多快好省,共同跃进,因而出现了许多技术的革新和创造。因此,原定指标一个接一个地被突破,原定计划一个接一个地被修订,这是全国工矿企业界空前未有的新气象。截至目前,全国已经新办工业 30 多万个,工业总产值较去年同期增长了34%。这样的发展速度是世界历史上所仅见的。

所有这些事实正是说明了:由于整改运动促进生产关系的改善,而生产关系的改善,又促进生产力的蓬勃发展。随着整风运动进到反浪费反保守的阶段,各级党组织深刻地体会了中央"勤俭办一切事业"的方针,集中工人群众的意见,一方面充分利用现有的设备,节约原材料的消耗,来增加产量;一方面减少管理组织层次,大力精简机构,减少一部分多余人员,这样来改进劳动组织,因而进一步改善了生产关系,更加促进了生产力的发展。许多企业单位,不添设备不添人,生产猛增一倍多。有的单位减少了人员,反而增加了生产,例如淮南煤炭管理局今年的原煤产量任务由去年的491万吨增高到691万吨,而人员却减少了4398人。最近工矿企业各方面的揭露,各企业中管理人员人浮于事的现象,颇为严重,现正在逐步调整中。由此可见,劳动组织的不合理会引起大量劳动力的浪费,而改善劳动组织,即改善生产关系,确能促进生产力的发展。

五、政治上某些环节缺陷的改善
推动了生产力的发展

现在,我们更近一步说明上层建筑的改善对于促进生产力发展的作用。首先我们说到政治的上层建筑。

共产党是无产阶级专政体系中的基本的指导力量。党的目的是在于领导全国人民群众实现社会主义和共产主义。党是全心全意为群众的利益服务的。党的工作方法是群众路线的工作方法,一切从群众中来到群众中去。它一面向群众学习,一面用共产主义精神教育群众,使他们不断地提高社会主义觉悟,所以党和群众的关系在实践活动中是日益巩固和加强着的。但是,我们的党是执政的党。几年来的经验证明,执政党的地位容易使党的干部滋长脱离群众,脱离实际的主观主义、官僚主义和宗派主义,这些缺点如不加以克服,就会影响工农群众积极性和创造性的发挥,阻碍生产力的发展。这次的整风运动,就是为了克服这些缺点而进行的。

我们国家的制度是高度的民主和高度的集中的结合,这个制度在过去几年的历史中表现了它的优越性,对于经济的发展起了极大的组织作用和推动作用。我们国家机关的工作人员,一般也是忠诚地为人民服务,能够经常保持同群众的密切联系,倾听群众的意见,接受群众的监督的。但是这并不是说一切都很完备了。在我们的国家机关中,还存在着高高在上、不了解甚至压制下级和群众的意见、对于群众的生活漠不关心的官僚主义作风。这种作风妨碍着广大群众积极性的发挥,妨碍着社会主义事业的前进。国家机关的整风,主要地就是要克服官僚主义。

党和人民政府的政策,是实行社会主义建设和社会主义改造的非常巨大的力量。政策之所以有这样的力量,其一,是因为政策的制定根据社会经济发展的规律,反映社会物质生活发展过程中已经成熟的需要,并估计到经济发展的现实的可能性;其二,是因为政策的制定依靠了劳动群众(他们是首要的生产力,是社会主义事业的真正的创造者),考虑到了劳动群众的根本利益,因而劳动群众乐于把党的政策当作自己的政策来贯彻执行。正因为这样,所以党和人民政府的政策总是促进生产力的发展的。但是,社会的经济生活是不断发展的,劳动群众的需要和利益也是不断变化的,所以党和人民政府总是深入群众,了解实际情况,对政府不断地加以补充或修改。

例如,在财经政策方面,国家的首要任务就是筹措经济建设、社会文教、国防事业、行政管理等项的资金,而我们筹措资金就要依靠税收、依靠企业和事业的收入,同时还要依靠广大群众投资的积极性,这就牵涉积累和消费之间的分配问题,即个人利益与集体利益、局部利益与全部利益、目前利益与长远利益之间的矛盾问题。国家在制定财经政策的时候,是从我国有六亿人口这一点出发,统筹兼顾,适当安排,既照顾到集体的、全部的和长远的利益,也照顾到个人的、局部的和目前的利益。在全民所有制的经济形式里是这样,在集体所有制的经济形式里也是这样。这些矛盾只有在不断发展生产的基础上不断地加以解决。

又如,在1953年到1954年期间先后实行的粮食及其他农产品的统购统销政策,在杜绝资本主义在农村的影响方面,在保证城市人民的粮食供应和轻工业原料供应方面,在保证灾区人民的粮食供应方面,起了极大的作用,有力地推动了生产的发展。但是,农民一方面拥护这个政策,另一方面对这个政策又有些疑虑。他们害怕"统购无底,增产无益"。国家在发现这个矛盾以后,就在1955年把统购统销政策进一步发展成为"定产、定购、定销"的"三定"政策,既可以使国家预先合理地确定全年粮食统购统销的数字指标,避免不合理的现象;又可以鼓励和提高广大农民的积极性,促进农业生产的发展。

1953年到1957年我国实行的第一个五年计划早已超额完成,现在已经进到第二个五年计划时期。第一个五年计划的成绩是非常显著的,但是缺点也还不少。这些缺点有以下几个方面:

(1)计划机关对于国民经济有计划按比例发展的规律的认识不够,没有很好地针对我国实际的经济情况来运用这一规律;

(2)计划机关编订计划时没有走群众路线,没有考虑到劳动群众是首要的生产力,因而忽视了他们的积极性和创造性,把计划当成命令,交到下面去遵照执行;

(3)管理制度缺乏灵活性,没有考虑到地方的积极性;

(4)有机械平衡主义的倾向,过多地注意于保持平衡,曾经采取过反"冒进"的措施。

这些缺点的具体表现:(1)集中主要力量发展重工业,对于农业和轻工业重视不够,因而产生了食品工业、轻工业同农业产品生产水平不相适应的现象(即矛盾);(2)生产力的地理分布不够合理;(3)中央经济部门的积极性和地方经济组织的积极性没有正确地结合起来,中央部门对于地方工业的发展和统一安排不够,以致地方工业不能合理地发挥潜在力量;在建设大型企业的同时,没有计划新建和改建中、小型企业,使大、中、小型企业结合起来。这些在第一个五年计划期中所暴露出来的缺点,对于生产力的进一步发展是有影响的。这些缺点的产生,同我们缺乏社会主义建设的经验有关系,但是更重要的原因是我们有些同志对于党中央的号召和毛泽东同志的指示缺乏认真的研究。在社会主义改造和建设的问题上,党中央和毛泽东同志历来主张采取快些好些的方法。在制定第一个五年计划的时候,党中央就曾经批判过主张放慢建设速度的意见。1955年年底,毛泽东同志在《〈中国农村的社会主义高潮〉序言》中提出要在社会主义建设的各个方面不断地批判那些确实存在的右倾保守思想。随后又把这个序言中阐述的思想概括为又多、又快、又好、又省地建设社会主义的口号。接着,党中央根据毛泽东同志的创议,向全国人民提出了1956年到1967年全国农业发展纲要草案。1956年4月,毛泽东同志作了十大关系的报告,为实现多快好省地建设社会主义的总方针规定了一系列重大的政策,其中包括:在优先发展重工业的条件下,工业和农业并举的原则,中央集权和地方分权相结合的原则,充分利用沿海的工业基地,充分地集中资金在经济建设方面,正确地处理个人和集体、局部和整体、消费和集体的关系等等。这些方针和政策在实际工作中起了巨大的作用。但是,我们有些同志没有切实地认真地加以研究,看到1956年跃进中出现的个别缺点,就对多快好省的方针发生了怀疑,因而犯了"反冒进"的错误。但是不久党就纠正了这个错误。一些曾经在这个问题上犯过错误的同志,经过整风也有了明确的认识。在1957年9月党的三中全会上,重申了多快好省地建设社会主义的方针。党的八届二次会议更根据8年实践经验的总结和毛泽东同志思想的发展,制定了鼓足干劲、力争上游、多快好省地建设社会主义的总路线。

这条总路线是照耀着全国人民走上社会主义康庄大道的灯塔。几年来的实践,特别是1957年冬季以来,农业生产大跃进、工业生产大跃进及其他一切事业大跃进,完全证明了这条总路线的正确。

工农群众的劳动积极性和首创精神,能促使我国经济生活突飞猛进向前发展,计划机关的经济领导和组织领导的水平,必须迅速提高起来,才能促进经济的高涨。经济生活的发展总是走在前面,领导机关总不能百分之百地掌握经济过程的一切方面。这就是一个矛盾。领导者必须及时地发现矛盾,解决矛盾,以加速经济生活的发展。

政府各部门所制定的各种规章制度是上层建筑的一部分。新中国成立8年来所积累起来的规章制度中,有一部分是合理的,可以适用的;有一部分是不合理的,就不适用了。中央国家机关在反保守浪费运动中,群众根据多、快、好、省的方针,揭发了许多不合理的规章制度。它们都在不同程度上束缚群众的积极性和创造性,因而妨碍了生产力的发展,必须予以废除或修改。还有不利于各个部门之间的协作的许多规章制度,也应当予以改善,革除那些"公事公办"、"讨价还价"、"手续繁杂"、"往返周折"的旧时代的衙门习气,以便于互相协作,多、快、好、省地搞好经济工作。一切规章制度的补充修改或重新制订,都要考察经济生活发展的实况,采用群众路线的新方法,深入下层,倾听群众的意见,在多快好省地发展社会主义事业的前提下,鼓励群众打破限制生产力发展的规章制度。

由此可见,由于整风运动解决了我国现阶段政治的上层建筑与基础的矛盾,即纠正了政治的上层建筑中某些环节的缺陷,就使得生产力的发展得到了进一步的解放。在社会主义制度下,没有衰朽阶级出来反抗,妨碍矛盾的解决,国家机关领导人只要遵照党的指示,走群众路线,坚持总路线,就可以及时发现矛盾并解决矛盾,推动生产力不断地向前跃进。

以下,我们再进而说到思想意识的革命对于促进生产力发展的作用。

六、从生产大跃进到科学文化大跃进

科学界、教育界和文化界的绝大多数知识分子,在整风运动中,在反对右派的斗争中,受到了深刻的社会主义思想的教育。他们运用批评和自我批评的方法,展开社会主义和资本主义两条道路的大斗争,也进行了红与专问题的大辩论。"左"派分子决心走"又红又专"的道路,中间分子向"左"转的人也越来越多了。特别是当他们受到工农业生产大跃进的浪潮的冲击,多数知识分子的思想也来了一个大跃进,掀起了一个"兴无灭资"的自我革命的高潮。"把心交给党"、"把知识交给人民"、"决心做左派"、"力争又红又专",这些已成为多数知识分子的响亮的行动的口号。在这种巨大力量的推动下,无论科学界、文学艺术界、教育界、医药卫生界、新闻界、体育界,都出现了大跃进的局面。

在文学艺术界方面,文艺工作者们,无论对于小说、诗歌、戏剧、电影、音乐、美术等,都批判了洋八股、洋教条,清算了资产阶级的没落颓废的东西,遵循党的文艺路线,确立了为工农兵服务的方向,要以社会主义内容和民族形式来反映工农大跃进的面貌。广大的作家、演员、画家纷纷下乡下厂下部队,向工农兵学习,为工农兵服务,并且制订出了集体和个人的规划,出现了蓬勃发展的热潮。

教育工作者们批判了过去"教书不教人"、"管教不管学"的资产阶级教学方针,明确了过去所培养的右派学生是很大的浪费,因而迫切地要求学习马克思列宁主义,参加劳动锻炼,改造思想,要树立社会主义的教学方针。许多学校正在贯彻"三勤"方针,一些工学院要和工厂挂钩,一些农学院要和农业挂钩,因而出现了一番新气象。

在医药卫生界方面,在新闻界方面,在体育节方面,都订出了大跃进的规划,并且已经见诸实行了。

在科学界方面,首先有上海 17 位自然科学工作者提出倡议书,争取在 5 年内做到又红又专,更红更专。中国科学院在反浪费反保守运动中,科学工作者的思想也有了大跃进,各个研究所都作出又红又专的规划。哲学和社会科学工作者,提出了"厚古薄今、边干边学"的方针,纠正了那种"言必称三代,口不离希腊"的偏向,决心要为社会主义革命和社会主义建设服务。因此,各地科学工作者风起云涌地制定红专规划,举行誓师大会,向党交心,全心全意,通力合作,要来一个科学大跃进。

科学界、教育界、文化界这种大跃进的新气象,是令人鼓舞的。但这种大跃进,在知识分子中是不平衡的,特别是一些保守派,他们的资产阶级个人主义思想根深蒂固,有的龟行蛙步,迟迟不前,有的情绪抵触,自甘落后。这班人还须要在思想改造的大熔炉中继续锻炼。

为要实现生产大跃进,首先要靠政治做统帅,其次要靠技术作保证。农民们和工人们很懂得这个道理。目前,各地农村中已经出现了群众性的改革生产工具的运动,企业中的工人们也出现了创造新技术(例如三槽出钢等)和新机器的运动。这标志着技术革命的高潮就要到来。同时,我们也可以知道,那些创造新技术和新机器的工人们已经成了红色专家,那些创造新农具的农民们在努力钻研提高技术以后,也不难成为红色专家。现在一般工人们要求提高技术,一般工农干部也要求学习技术。技术革命的口号,就要求自然科学工作者把科学和生产密切地结合起来,要求他们从生产实践中检验自己的研究工作的正确性。现在武汉地区的科学技术界的一部分人,在中共湖北省委的领导下,成立了 5 个专题小组,分别担任农业机械、化学肥料等 5 个方面的研究工作,同时充任有关单位的技术顾问。上海市各科学研究单位、高等学校和业务部门 2000 位科学家、教授和工程师,组成了一支科学技术大军,全面大协作,为工农业生产服务,并加速科学的发展。其他各地区的科学家、教授们也采取了科学和生产相结合的具体措施。这些对于提高工农业的生产技术将起很大的作用。

自然科学工作者一方面要向农村和厂矿做科学技术的普及工作,总结工农群众生产的经验;同时要组织力量,通力合作,保证多、快、好、省地完成国家所委托的重要科学技术的研究项目和中苏科学技术合作的项目。我们相信,由于科学界的思想大跃进,是可以在 10 年的期间赶上世界科学的先进水平的。

哲学社会科学工作者对于生产大跃进,也必须尽量发挥自己的力量,鼓足干劲,为社会主义革命和社会主义建设服务;必须下厂、下乡,和工农群众相结合,总结群众革命的经验,研究社会主义生产发展的规律;学会怎样正确处理人民内部的矛盾;宣传辩证唯物主义,批判资产阶级唯心主义,提高群众共产主义的觉悟水平。

紧跟着技术革命高潮,文化革命的高潮也已经到来了。现在全国各乡各社都自办学校,民办的中学(包括农业中学)和小学,数以万计。这标志着全国农民要学习文化以便学习技术的热潮。面对着文化革命的潮流,知识分子必须走出研究室,把文化普及到农村,并在普及的基础上逐步提高。

生产大跃进推动科学文化大跃进,科学文化大跃进又将推进生产大跃进。

七、平衡——不平衡——新平衡

毛泽东同志在《关于正确处理人民内部矛盾的问题》中说:"所谓平衡,就是矛盾的暂时的相对的统一。过了一年,就整个说来,这种平衡就被矛盾的斗争所打破了,平衡成为不平衡,统一成为不统一,又需要作第二年的平衡和统一。这就是我们计划经济的优越性。事实上,每月每季都在打破这种平衡和统一,需要作出局部的调整。有时因为主观安排不符合客观情况,发生矛盾,破坏平衡,这就叫作犯错误。矛盾不断出现,又不断解决,就是事物发展的辩证规律。"读了这段话,我们知道,平衡是矛盾的统一,是暂时的、相对的;不平衡是矛盾的斗争,是经常的、绝对的。正由于矛盾的揭露和解决,就达到新的平衡。由平衡到不平衡,再由不平衡到新平衡。由于这种螺旋式的循环,每一次新平衡就进到高一级的程度。就我们的国民经济这个大范围来说,它是许多复杂矛盾的统一体。但其中的基本矛盾是社会主义生产关系和生产力的矛盾,社会主义的上层建筑和经济基础的矛盾。社会主义的生产关系建筑在基本生产资料公有制基础之上,不含有阶级关系或剥削被剥削的关系,所以它永远是生产力发展的推动者。但是我们社会主义生产关系刚刚建立,还不够完善,它和生产力的适合(即平衡),只是暂时的。生产力是不断向前发展的,而生产关系总常是落后于生产力,即与生产力不相适合(即不平衡),这只有不断改善生产关系,使与生产力相适合(即新平衡),才能更进而推动生产力的发展。其次,无产阶级专政的制度,是永远保证基础的巩固和发展的,国家所制定的经济计划和与此有关的规章制度,在一定期间内是适合于生产力的发展的(即平衡),但亿万劳动人民积极的创造性的劳动总不免要突破计划,打破陈规,这就表现为矛盾的斗争(即不平衡)。这时候,领导机关只有详细调查研究,及时修订计划,改进规章制度,并采取必要措施来推动生产力更进一步的发展。这一规律,在近年来工农业生产大跃进的过程中,表现得非常明显。

在农业大跃进的过程中,农村要求技术革新,非常迫切,湖北襄阳地方十几个县的车子化,用车运代肩挑,便是技术革命的萌芽。特别是农村对于灌溉机械和农耕机械的需要非常普遍。大都市的地方工业扩建最快,一方面要大力支援农村,另一方面要求工业产值在最短期间超过农业产值。这些地方工业是需要大量机械的。还有各省、自治区的各县、乡都举办农具厂、化肥厂、小型炼铁器及其他与农业生产有关的工业,这些都是需要机械的。全国工农业的大跃进,对于机械设备的需要逐日增长。这种情况,突出地要求第一机械工业部所属各企业不能不另订新计划,生产出多量机械来应付新形势的需要。

机器的大量生产,需要更多的钢铁等原材料,这就要求冶金部不能不另订新计划生产出多量的钢铁。钢铁需要的增加就需要更多的铁矿石和焦煤。这就连带地涉及农业、水利、铁路交通等部门增加了繁重的任务,这些部门也不能不另订新计划,诸如此类。一个部门的计划被突破,连带及于其他各部门的计划也被突破,这就由原来的平衡转变为不平衡了。这种不平衡的现象,原是工农业生产大跃进的表现,是国民经济迅速上升的新气象。因此,我中央国家机关在反浪费反保守和大整大改的运动中,立即采取多、快、好、省的方法,互相协作,互相支援,积极组织新的平衡。中央国家机关许多单位,自动同有关部门建立联系,主动配合,免除了过去"公事公办"、"讨价还价"、"往返周折"的情况,大大地加强了协作。如农业部同水利电力、一机、化工、轻工业等部,进行了联系和协商;一机部对一些重要工业、水利电力等部的跃进规划进行了调查,并随时掌握了对方情况,建立了新的协作;铁道部同许多托运部门讨论和解决了均衡运输问题。随着整改运动的深入,使各部门互相协作,互相支援,建立了新的平衡。这是我国的计划经济的优越性。当然,这种新的平衡,也只是暂时的,相对的。这种不平衡的现象,在地区和地区之间也显现了出来。例如上海的轻工业品,历来是供应全国各地的,近来各地的轻工业品有些已经超过了上海同类的产品,特别是近来各省各县都举办了很多轻工业的工厂,这许多新厂的出品是会影响上海同类产品的销路的,这就将出现不平衡。上海轻工业管理当局预见到这种情况,已经采取了新的措施,使上海某些轻工业产品的创造向高度的复杂的方向发展,并与国外某些有名的同样产品竞赛。这样便可使各地区之间的不平衡转变为新的平衡。照这样,工矿业各部门由不平衡到新平衡,由一个新平衡到另一个新平衡,我国工矿业的发展便会蒸蒸日上。由于工业的不断发展,就能够大量支援农业的发展,实现工农业同时并举的方针。

工农业生产的大跃进,还需要有科学文化的大跃进来配合,组织经济生活和上层建筑之间的新平衡。我们相信,在共产党和毛泽东主席的领导下,在全民政治上思想上一致的基础上,我国就能够很快地建成具有现代工业、现代农业和现代科学文化的社会主义国家。

由此可见,整风运动的意义是多么伟大。通过了整风运动,全党全民都习惯于这种社会主义民主的新形式,都体会了政治是社会主义事业的统帅,理解了党的鼓足干劲、力争上游、多快好省地建设社会主义的总路线;工农群众提高了共产主义的觉悟,树立了当家做主的态度,敢想敢说敢做,发挥了生产劳动的首创精神;一切机关、部队、企业、合作社、学校及其他团体的领导干部和一般工作干部都在不同程度上克服了官僚主义、宗派主义、主观主义和官气、暮气、阔气、骄气、娇气,学会群众路线的工作方法,密切地联系群众,依靠多数群众的意见和智慧,解决了许多问题,办通了积压下来的事情;多数知识分子决心改造资产阶级个人主义思想,要坚决做"左"派,做到红与专。今日的生产大跃进,领导作风大跃进以及文化大跃进,都是整风运动的大收获。

我国现阶段的上层建筑和经济基础的关系

(1958.6)

一、政治是经济的统帅

新中国成立8年以来,我们在社会主义建设和社会主义改造方面取得了巨大的成绩。由于第一个五年计划的胜利完成,我国社会主义工业化已经奠定了初步基础。到1956年,改变生产资料私有制为社会主义公有制这个极其复杂困难的历史任务也已基本完成,社会主义生产关系基本上建立起来了。我国的社会主义生产关系,是由共产党运用无产阶级专政的政权领导全国劳动人民建立起来的。无产阶级专政是改造国民经济的主要工具,是建设社会主义社会的强有力的杠杆,而共产党则是运用这个政权的舵手。党是上层建筑的首要因素和领导力量,又是经济领域中的领导力量。

人们要问:我国的新社会是不是先有了社会主义的上层建筑然后才有社会主义的经济基础呢?我们的回答:正是这样。马克思列宁主义、马克思列宁主义的政党和无产阶级政权是社会主义的上层建筑。先有社会主义的上层建筑,然后才有社会主义的经济基础,这是符合于列宁所说的"政治优先于经济"的原则的。因为社会主义革命同资产阶级革命不同。资本主义的生产关系是在封建社会的母胎中成长和发展起来的,资产阶级革命所要解决的任务只是夺取政权,以便为资本主义生产关系的进一步发展扫清道路,而不需要去"组织"资本主义的经济基础。社会主义的生产关系是不可能在旧社会的母胎中成长起来的,因此无产阶级革命所要解决的任务不仅是夺取政权,而且还要运用新的政权从"空地上"建立起社会主义的经济基础。这就是列宁所说的"政治优先于经济"的原则。列宁所说的这个原则还有另一方面的意义,这

411

就是强调政治对于经济的积极意义,党在采取经济措施、组织经济工作的时候,总是先从政治的立场出发,考虑阶级力量的对比关系,考虑那种措施对于工农大众的影响,如果离开了政治来从事经济活动,一定会引起混乱。在生产斗争的实践中,政治与经济是不能分离的。政治与经济的统一,永远是正确的。"政治是统帅,是灵魂"、"七分政治三分业务"、"先务虚后务实"这些主张,是完全符合于列宁的"政治优先于经济"的原则的。

我国在民主主义革命胜利后建立起来的无产阶级专政制度,是社会主义的上层建筑,而当时的国民经济却是落后的。落后的经济基础同先进的上层建筑不相适应,这是一个矛盾。但是,全国人民在党的领导下,一经走上了社会主义的道路,就发挥了无比的革命干劲和劳动热情,逐步改变了经济落后的面貌。依靠上层建筑的帮助,社会主义的经济基础就可以很快地形成和发展起来。这是新中国成立 8 年来的经验。

人们会问:政治优先于经济,是否脱离了基础决定上层建筑的规律呢? 我们的回答:那也不是。党运用政权组织经济工作的时候,总是根据当时的经济实况,采取一定的步骤和适当的措施来从事经济活动的。新中国成立初期,在共同纲领中规定的经济政策,就是从当时的经济实况出发的。1953 年实行的第一个五年计划,则是从 1952 年的经济实况出发的。在这一方面,仍是符合于基础决定上层建筑的规律的。

二、政治上层建筑和经济基础的关系

共产党是无产阶级体系中的基本的指导力量。党的目的是在于领导全国人民群众实现社会主义和共产主义。党是全心全意为群众的利益服务的,除了群众的利益没有自己的利益。党的工作方法是群众路线的方法,一切从群众中来到群众中去。它一面向群众学习,一面用共产主义精神教育群众,使他们不断地提高社会主义觉悟,所以党和群众的关系在实践活动中是日益巩固和加强着的。但是,我们的党是执政的党。几年来的经验证明,执政党的地位容易使党的干部滋长脱离群众、脱离实际的主观主义、官僚主义和宗派主义,这些缺点如不加以克服,就会影响工农群众积极性和创造性的发挥,阻碍生产力的发展。这次的整风运动,就是为了克服这些缺点而进行的。

我们的国家制度是高度的民主和高度的集中的结合,这个制度在过去几年的历史中表现了它的优越性,对于经济的发展起了极大的组织作用和推动作用。我们国家机关的工作人员,一般也是忠诚地为人民服务,能够经常保持同群众的密切联系,倾听群众的意见,接受群众的监督的。但是这并不是说一切都很完备了。在我们的国家机关中,还存在着高高在上、不了解甚至压制下级和群众的意见、对于群众的生活漠不关心的官僚主义作风。这种作风妨碍着广大群众积极性的发挥,妨碍着社会主义事业的前进。国家机关的整风,主要地就是要克服官僚主义。

党和人民政府的政策,是实行社会主义建设和社会主义改造的非常巨大的力量。政策之所以有这样的力量,其一,是因为政策的制订根据社会经济发展的规律,反映社会物质生活发展过程中已经成熟的需要,并估计到经济发展的现实可能性;其二,是因为政策的制订依靠了劳动群众(他们是首要的生产力,是社会主义事业的真正的创造者),考虑到了劳动群众的根本利益,因而劳动群众乐于把党的政策当作自己的政策来贯彻执行。正因为这样,所以党和人民政府的各项政策总是促进生产的发展的。但是,社会的经济生活是不断发展的,劳动群众的需要和利益也是不断变化的,所以党和人民政府总是深入群众,了解实际情况,对政策不断地加以补充或修改。

例如,在财经政策方面,国家的首要任务就是筹措经济建设、社会文教、国防事业、行政管理等项的资金,而我们筹措资金就要依靠税收,依靠企业和事业的收入,同时还要依靠广大群众投资的积极性,这就牵涉到积累和消费之间的分配问题,即个人利益与集体利益、局部利益与全局利益、目前利益与长远利益之间的矛盾问题。国家在制定财经政策的时候,是从我国有 6 亿人口这一点出发,统筹兼顾,适当安排,既照顾到集体的、全部的和长远的利益,也照顾到个人的、局部的和目前的利益。在全民所有制的经济形式里是这样,在集体所有制的经济形式里也是这样。这些矛盾只有在不断发展生产的基础上不断地加以解决。

又如,在 1953 年到 1954 年期间先后实行的粮食及其他农产品的统购统销政策,在杜绝资本主义在农村的影响方面,在保证城市人民的粮食供应和轻工业原料供应方面,在保证灾区人民的粮食供应方面,起了极大的作用,有力地推动了生产的发展。但是,农民一方面拥护这个政策,另一方面对这个政策又有些疑虑。他们害怕"统购无底,增产无益"。国家在发现这个矛盾之后,就在1955年把统购统销政策进一步发展成为"定产、定购、定销"的"三定"政策,既可以使国家预先合理地确定全年粮食统购统销的数字指标,避免购销不合理的现象;又可以鼓励和提高广大农民的积极性,促进农业生产的发展。

1953年到1957年我国实行的第一个五年计划早已超额完成,现在已经进到第二个五年计划时期。第一个五年计划的成绩是非常显著的,但是缺点也还不少。这些缺点有以下几个方面:

(1)计划机关对于国民经济有计划按比例发展的规律的认识不够,没有很好地针对我国实际的经济情况来运用这一规律;

(2)计划机关编订计划时没有走群众路线,没有考虑到劳动群众是首要的生产力,因而忽视了他们的积极性和创造性,把计划当成命令,交到下面去遵照执行;

(3)管理制度缺乏灵活性,没有考虑到地方的积极性;

(4)有机械平衡主义的倾向,过多地注意于保持平衡,曾经采取过反冒进的措施。

这些缺点的具体表现:(1)集中主要力量发展重工业,对于农业和轻工业重视不够,因而产生了食品工业、轻工业同农业产品生产水平不相适应的现象(即矛盾);(2)生产力的地理分布不够合理;(3)中央经济部门的积极性和地方经济组织的积极性没有正确地结合起来,中央部门对于地方工业的发展和统一的安排不够,以致地方工业不能合理地发挥潜在力量;(4)在建设大型企业的同时,没有计划新建和改建中、小型企业,使大、中、小型企业结合起来。这些在第一个五年计划实行期中所暴露的缺点,对于生产力的进一步发展是有影响的。这些缺点的产生,同我们缺乏社会主义建设经验有关系,但是更重要的原因是我们有些同志对于党中央的号召和毛泽东同志的指示缺乏认真的研究。在社会主义改造和建设的问题上,党中央和毛泽东同志历来主张采取快些好些的方法。在制定第一个五年计划的时候,党中央就曾经批判过主张放慢建设速度的意见。1955年年底,毛泽东同志在《〈中国农村的社会主义高潮〉序言》中提出要在社会主义建设的各个方面,不断地批判那些确实存在的右倾保守思想。随后又把这个"序言"中阐述的思想概括为又多、又快、又好、又省地建设社会主义的口号。接着,党中央根据毛泽东同志的创议,向全国人民提出了 1956 年到 1967 年全国农业发展纲要草案。1956 年 4 月,毛泽东同志作了"十大关系"的报告,为实现多、快、好、省地进行社会主义建设的总方针规定了一系列的重大政策,其中包括:在优先发展重工业的条件下,工业和农业同时并举的原则,中央集权和地方分权相结合的原则,充分利用沿海的工业基地,充分地集中资金在经济建设方面,正确地处理个人和集体、局部和整体、消费和积累的关系等等。这些方针和政策在实际工作中起了巨大的作用。但是,我们有些同志没有认真地、切实地加以研究,看到 1956 年的跃进中出现的个别缺点,就对多、快、好、省的方针发生了怀疑,因而犯了"反冒进"的错误。但是,不久党就纠正了这个错误。一些曾经在这个问题上犯过错误的同志,经过整风也有了明确的认识。在 1957 年 9 月党的三中全会上,重申了多快好省地建设社会主义的方针。党的八届二次会议更根据 8 年实践经验的总结和毛泽东同志的思想的发展,制定了鼓足干劲、力争上游、多快好省地建设社会主义的总路线。

这条总路线是照耀着全国人民走上社会主义康庄大道的灯塔。几年来的实践,特别是 1957 年冬季以来,农业生产大跃进、工业生产大跃进及其他一切事业大跃进,完全证明了这条总路线的正确。

工农群众劳动的积极性和首创精神,能促使我国经济生活突飞猛进地向前发展,计划机关的经济领导和组织领导的水平,必须迅速提高起来,才能促进经济的高涨。经济生活的发展总是走在前面,领导机关总不能百分之百地掌握经济过程发展的一切方面。这就是一个矛盾。领导者只有及时地发现矛盾,解决矛盾,来加速经济生活的发展。

政府各部门所制定的各种规章制度是上层建筑的一部分。新中国成立 8 年来所积累起来的规章制度中,有一部分是合理的,可以适用的;有一部分是不合理的,就不适用了。中央国家机关在反保守反浪费运动中,群众根据多快好省的方针,揭发了许多不合理的规章制度。它们都在不同的程度上束缚群众的积极性和创造性,因而妨碍生产力的发展,必须予以废除或修改。还有不利于各个部门之间的协作的许多规章制度,也应当予以改善,革除那些"公事公办"、"讨价还价"、"手续繁杂"、"往返周折"的旧时代的衙门习气,以便于互相协作,多、快、好、省地搞好经济工作。一切规章制度的补充、修改或重新制订,都要考察经济生活发展的实况,采用群众路线的方法,深入下层,倾听群众的意见,在多、快、好、省地发展社会主义事业的前提下,鼓励群众打破限制生产力发展的规章制度。

由此可见,政治上层建筑对于经济基础的形成、巩固和发展,具有巨大的积极作用。而政治上层建筑某些环节上的缺陷,对于经济基础则产生消极作用,即与经济基础相矛盾。在社会主义制度下,没有衰朽阶级的反抗,妨碍矛盾的解决,国家机关领导人只要遵照党的指示,走群众路线,贯彻鼓足干劲、力争上游、多快好省地建设社会主义的总路线,任何矛盾都可以及时解决。

三、思想意识与经济基础的关系

1957 年,全党整风和全民整风以后,工农群众的共产主义觉悟大为提高,农村中和企业中的党、政、工、团干部的思想作风有了大的转变;他们实行"三同"、"三化",搞"试验田"、"试验车间"、"试验工段",实行"跟班劳动",以普通劳动者的姿态出现,密切了与工农群众的联系,使领导与被领导的关系真正成为劳动者与劳动者的关系。因此全国工农群众在党的领导下,在农业发展纲要四十条的鼓舞下,在"赶上英国,超过英国"口号的号召下,掀起了农业和工业生产大跃进的高潮,这是提高思想和发展经济相结合的具体表现。

但是,情况的发展是不平衡的。有些干部还没有完全放下架子,还不敢在群众面前认真地揭露自己的缺点和错误,干部与群众还没有在思想感情上真正沟通起来,还没有使干部同群众的关系变成彻头彻尾的劳动人民之间的关系。有些单位的领导人还存在着"比上不足,比下有余"的保守思想,对本单位劳动者在生产上的创造热情和革新创议视而不见。武汉市第一纱厂就是一个例子。这个厂的领导同志长期以来认为他们厂有"三老"——厂老、人老、机器老,因而断定自己不能赶上先进工厂,对于工人提出的节约原材料的合理化建议,也武断地认为不可能办到,不予考虑。直到今年 3 月到郑州纱厂参观,才认识到工人的建议是正确的。如果不是这种保守落后的思想作怪,该厂的落后面貌是可以早日得到改变的。像这样的例子,还有很多,这是由于整风运动不深不透,所以干部的"五气"还没有克服。透过这样例子可以说明,领导干部的思想意识对于生产的发展具有何等显著的作用。无数的事实证明,只有领导干部提高共产主义觉悟,进一步克服"三风"、"五气",真正做到既联系群众又领导群众;既参加生产又领导生产,才能促进生产力的大解放、大发展。这是一个破资产阶级思想、立共产主义思想的过程,是一个深刻的思想革命的过程。

从科学界的情况看,两条道路的斗争也正在进行。我国科学家经过反右派斗争以后,政治觉悟已经大大提高。目前阻碍科学家思想跃进的东西,主要是资产阶级的思想作风和保守落后的思想作风。这些作风影响到业务方向、培养干部、集体协作等重大问题,也影响到科学家的团结合作。在全国大跃进的形势下,许多科学家纷纷要求自我改造。他们纷纷向党交心,提出红专规划,互相倡议挑战,决心把知识交给人民。这种现象是很好的。但是,无可讳言,也还有许多科学家虽然在倡议书或应战书上签了名,制订了规划,但思想上还没有真正动起来。而隐藏在头脑中的资产阶级思想如果不破掉,新的社会主义思想就立不起来。所以,这些科学家必须继续深入批判自己的资产阶级思想,实行自我革命,才能真正做到政治与业务相结合,科学与生产相结合,理论和实践相结合,使科学事业大踏步地向前进展。科学事业一经走上了这条正确的道路,就将成为一种巨大的生产力,使生产迅速地高涨起来。

教育界的两条路线的斗争也是很尖锐的。反右派斗争以后,高等学校的教师一般都认识到自我改造的必要,许多教师确实在思想上跃进了一大步,这是很好的。但是,资产阶级思想在许多教师当中还有很深厚的基础,还是他们前进的绊脚石。有的教师对社会主义事业缺乏感情,消极颓废,抱着"按酬付劳"的雇佣观点,做一天和尚撞一天钟,有的甚至连雇佣观点都没有,取酬而不付劳,做和尚而不撞钟,宁愿开夜车打麻将,不肯认真地进行教学工作和科学研究工作;有的教师教书不教人,管教不管学,鼓励学生追逐名利;有的教师在教学和科学研究工作中严重地脱离实际,认为结合实际就是"降低了科学水平","打乱了系统性";有的教师严重地脱离政治,公然宣扬"党团员搞政治,我们搞业务,两全其美"的谬论;有的教师片面地强调科学研究的物质条件,摆大少爷作风,认为如果没有技术员、标本柜、汽车等全套东西,就不能进行科学研究工作;有的教师抱残守缺,故步自封,多少年不修改一次讲义,不下一次实验室,不看一本新书;有的教研组成员之间八仙过海,各显神通,文人相轻,互不合作,把一个基本的教学单位变成了"挂着合作社招牌的单干户",甚至互相对峙,产生"内耗"作用;至于教学中厚古薄今、详外略中、喧宾夺主(喧唯心之宾,夺唯物之主)以及修正主义、教条主义的现象,更是所在皆是。有的教师其至还顽强地坚持资产阶级个人主义,宣称:"知识的私有制是永远废除不了的,思想在我的脑子里,知识在我的肚子里,技术在我的手里,什么革命也打不倒我!"由此可见,资产阶级个人主义已经把知识分子引导到了一种何等危险的地步! 如果不加以清除,必然会使得高等学校不能完成为国家培养又红又专的建设人才的任务,严重地妨碍生产力的发展。只有把资产阶级个人主义彻底搞臭,才能真正实现思想上的大跃进,从而推动生产的大跃进。

(原载 1958 年《学习》第 12 期,署名李达)

七一回忆*

（1958.7）

"十月革命一声炮响,给我们送来了马克思列宁主义","中国人找到了马克思列宁主义这个放之四海而皆准的普遍真理,中国的面目就起了变化了"（毛主席语）。这一变化的伟大开端,是1919年的"五四"运动——"六三"运动。这一运动,是马克思列宁主义者领导的反帝反封建的革命运动的序幕,是工人阶级领导小资产阶级和资产阶级的革命的统一战线的雏形,是中国革命由旧民主主义革命到新民主主义革命的转折点。由于工人阶级的阶级意识的提高,由于马克思列宁主义的介绍、研究与宣传的相当普遍,由于苏联十月革命的先导,中国共产党成立的阶级基础、思想准备、组织准备与国际的声援等客观与主观的条件,都已经具备了。

1920年4月,第三国际东方局,派了威丁斯克①（他的夫人同行）来到了北京。据他说,东方局曾接到海参威方面的电报,知道中国曾经发生过几百万人的罢工罢课罢市的大革命运动,所以派他到中国来看看（他曾在美国作工多年,说得一口流利的英语）。他到了北京以后,首先访问了以李大钊同志为首的许多进步人士,举行过几次座谈会,许多小资产阶级和资产阶级的知识分子也参加了。因为苏联政府第一次对中国的宣言（即废弃帝俄政府与中国所订的不平等条约）,刚才传到了中国,中国很多的社会团体,都表示过热烈的欢迎,所以一听到苏联人来到了北京,大家对他感到特别高兴。威丁斯克在几次座谈会上,报告了苏联十月革命以后的实际情况及其对外的政策。当时李

---

* 这篇回忆录的绝大部分内容都包含在《中国共产党的发起和第一次第二次代表大会经过的回忆》之中,但鉴于其中也有一些内容是后者所没有的,故仍予以收录。——编者注

① 李达在其他文章中有时亦称之为魏金斯基或威琴斯基,今译为维经斯基。——编者注

大钊同志等很诚恳地和这位好朋友交换了意见。由李大钊同志介绍，威丁斯克到了上海，访问了陈独秀等及其他各方面在当时还算进步的人们，也举行过几次恳谈。由于多次的交谈，一些当时的马克思列宁主义者，更加明白了苏联和联共的情况，得到了一致的结论："走俄国人的路。"

在这个时候，发起成立中国共产党的事，被列入了日程。

1920 年 8 月，陈独秀等 7 人在上海发起了中国共产党。这个党的发起组，邀约北京的李大钊同志、武汉的董必武同志、长沙的毛泽东同志、济南的王尽美同志等，分别在各地成立中国共产党发起组。此外还邀约广州、东京、巴黎在当时相信马克思主义的人也发起了中国共产党。截至 1921 年 6 月，共有上海、北京、武汉、长沙、济南、广州、东京、巴黎 8 个中国共产党发起组。巴黎小组与国内各小组当时的联络很欠缺。

党的上海发起组，推陈独秀做书记，另外成立了社会主义青年团（简称 SY），征求当时进步青年做团员。上海的团部设在华龙路铭德里 6 号两楼两低的房子里，挂了"外国语学校"的招牌，团员有 20 余人，由威丁斯克夫人教授俄文，团务由俞秀松同志主持。这个 SY 的组织，除上海外，北京、武汉、长沙也组织了。党的上海小组的工作，分两部分，一是宣传工作，一是工运工作。宣传方面，决定把《新青年》作为公开宣传刊物（从八卷一号开始）。此外另行出版《共产党月刊》（报纸 16 开本，约 32 面），作为秘密宣传刊物，1920 年 11 月 7 日出了创刊号。这刊物的内容，主要是刊登第三国际和苏俄的消息，各国工人运动的消息。至于工运方面，在上海杨树浦组织了一个机器工会，由李中主持，此外还在小沙渡路筹组纺织工会。北京、武汉和长沙等地，也开展了工人运动。

1921 年 6 月中旬，马林和尼可洛夫两位同志由第三国际派到上海来，和我们接谈了以后，他们建议我们应当及早召开全国代表大会，宣告党的成立。于是由上海的党通知各地党小组，各派代表 2 人到上海开会，大会定于 7 月 1 日开幕。据我的记忆，当时国内和东京 7 个小组，共有党员约 40 人，巴黎的小组不详。6 月下旬，到达上海开会的各地代表计有毛泽东、何叔衡、董必武、陈潭秋、王尽美、邓恩铭、李达等 12 人。

李大钊同志和陈独秀，均未参加。到会的代表们，除原住上海的人以外，都住在蒲柏路一个三楼三底的女校里。

1921 年 7 月 1 日下午 8 时,中国共产党第一次代表大会,在上海望志路树德里 3 号的楼上,正式开幕了,代表 12 人全体出席,第三国际的代表马林和尼可洛夫也到了。会场的布置很简单,只有一个大餐桌,周围可坐 10 余人,各代表席上只放了几张油印的文件,也没有张贴什么标语。代表们交换了一些意见之后,马林即席讲话。他首先说,中国共产党——第三国际东方支部,正式宣告成立了,他代表第三国际致以热烈的祝贺。最后他希望中国共产党的同志们努力革命工作,接受第三国际的指导。他讲话的时间约 10 多分钟。他是荷兰人,说得一口流利的英语。他说话声音洪大,马路上的人都可听到。他说完话之后不久,忽有一个不速之客闯进会场来,张目四看。我们问他找谁,他随便说了一个名字,匆忙地下楼去了。马林很机警(富有地下工作经验),他说:"此人可疑,我们赶快转移!"我们离开会场不过一刻钟,法租界巡捕房,开了两辆卡车,载了十多个巡捕,拥进那个会场,结果扑了一个空,连片纸只字都没有得到。这房子的主人是李汉俊,能说法国话,他和那些巡捕说他家里并无人开会,那些巡捕也只好走了。

7 月 2 日起,代表们在住所里互相交换意见,报告各地工作的经验。当时党的工作,很注意宣传与工人运动两项,北京小组在长辛店做了一些工人运动。武汉方面,京汉铁路工人运动及其他各工厂的工人运动,也是刚才开始。长沙小组,宣传与工运,都有了初步的成绩。看当时各地小组的情形,长沙的组织是比较统一而整齐的,其他各地小组的组织都比较散漫些。

正如毛泽东同志在《论人民民主专政》中所说,当时的党是刚刚出生的小孩子,对于马克思列宁主义懂得很少,对于用马克思列宁主义的普遍真理来结合中国革命的实践的话,更谈不到。当时的同志们,对于马克思的唯物史观说、剩余价值说、阶级斗争说,大体上是懂得的,对于马克思列宁主义在中国革命的具体应用,却是不会。至于中国革命理论的研究工作,却还不曾开始。但在这一群人中,有一个突出的人物,那就是毛泽东同志。毛泽东同志对于马克思列宁主义好学深思,实事求是。他阅读那些介绍马克思列宁主义和苏联的著作,总是细心体会:那些著作中的理论在中国究竟应如何应用? 如何适合于中国的国情? 他每读一篇文章或一本书,总能得到相当的益处,最重要的地方,是结合中国的实际去阅读,这是别的同志所不及的地方。毛泽东同志要把马克思列宁主义的普遍真理结合中国革命的实践这一伟大的思想,在这时已经开始锻炼了。

代表们经过了几天讨论和交换意见以后,决定于 7 月 6 日前往嘉兴南湖开会(因为在上海找不到适当的会场)。这一天上午 7 时,大家从上海北站乘车出发,10 时许到达嘉兴,在南湖的一只大游艇上聚齐。马林和尼可洛夫,因为是外国人,容易引人注目,未去参加。大会从上午 10 时半起到下午 6 时半为止。会议中首先讨论工运工作和宣传工作的计划,其次讨论发展党员的办法,并决定各地都成立社会主义青年团,从团员中提拔进步分子入党。其次,讨论过对于资产阶级议会的态度,有人主张应该利用这样的议会,宣传党的政见;有人反对参加这样的议会,以免陷入改良主义的偏向。当时因为这样的问题,还没有到列入日程的时机,对此未作决定。接着,大会讨论《中国共产党第一次代表大会的宣言》草案。这宣言前半大体引用《共产党宣言》的语句,我记得第一句是"一切至今存在过的历史,是阶级斗争的历史"。接着说起中国工人阶级必须起来实行社会革命自求解放的理由,大意是说中国已有产业工人百余万,手工工人一千余万,这一千多万的工人,能担负起社会革命的使命;工人阶级受着帝国主义与封建势力的双重压迫和剥削,已陷入水深火热的境地,只有自己起来革命,推翻旧的国家机器,建立劳工专政的国家,没收国内外资本家的资产,建设社会主义经济,才能得到幸福的生活。宣言草稿中也分析了当时南北政府的性质,主张北洋封建政府必须打倒,但对于孙中山的国民政府,也表示未能满意,因此有人说"南北政府都是一丘之貉",但多数意见,则认为孙中山的政府比较北洋政府是进步的,因而把宣言中的话修正通过了。宣言最后用"工人们失掉的是锁链,得到的是全世界"一句话作结束(这个宣言,后来放在陈独秀的皮包中,没有下落)。大会最后讨论党的组织问题,决议成立一个中央工作部,设一个书记,一个宣传主任,一个组织主任,工作部地址设在上海,兼做上海支部的工作,各地支部各设书记一人。中央工作部的书记推陈独秀担任,宣传主任推李达担任,组织主任推张国焘担任。于是大会宣告闭幕。次日,各地代表陆续离开了上海。

第一次代表大会开过以后,党有了统一的组织。中央与各地立即行动起来,分别进行宣传与工运工作,初步表现了成绩。我这里只说起中央工作部在1921年7月至1922年7月的工作情形。这年8月底陈独秀辞去了广东教育厅长,回到上海专任党的书记工作,经常与马林和尼可洛夫取得联系。宣传工作方面,仍以《新青年》为公开宣传机关,并续出《共产党月刊》作为秘密宣传刊物(从第三期出至第七期停刊)。此外还成立了"人民出版社",准备出版马克思全书15种,列宁全书14种,共产主义者丛书11种,其他9种;但在这一年内,只出版了15种,还出版了几种临时宣传性的小册子。

组织工作,由张国焘主持。当时所谓组织工作,是专指工会的组织说的。他在北成都路设立了"中国劳动组合书记部",首先要组成上海纺织工会,但一共搞了3个多月,没有什么进展。随后,他把"中国劳动组合书记部"迁到北京,交邓中夏同志主持,他自己跑到莫斯科去了。张国焘原是官僚地主家庭出身,带着旧官僚的作风,投机到党里来。他只知个人利益,不顾党的利益。他眼窦眉动,诡计多端,若与别人有利害冲突,就遇事倾轧,"打倒你,我起来",这是他唯一的本领。我早就看破他是"大不老实"的人。

陈独秀回到上海以后,在法租界被捕过一次,由孙中山打电报给法领事释放。他也是官僚地主家庭出身,在当时虽相信马克思主义,而实际却是资产阶级民主派。他具有恶霸作风,领袖欲极强。每逢同志们和他辩论的时候,他动辄拍桌子,打茶碗,发作起来。他在报纸上写普通的政论是动听的,对于中国革命的理论则不懂,也不研究。他有时忽发异想,说我们可到四川去,关着门干社会革命去。有一次,又发怪脾气,接连一月拒绝和马林他们见面。我去劝他时,他说:"我们可以独立干革命,毋须接受第三国际的领导"。我说:"国际无产阶级联合起来!"这是马克思的教导,中国革命没有国际的援助能够成功吗?他对此默然无语。以后他虽然和马林他们见过几次面,却仍是貌合神离。12月间,马林他们回到莫斯科去了。陈独秀右倾机会主义的特征,在这时已经暴露了出来。

在这个时候,有一件事值得一说的,是中央工作部通知各地支部选派了几十名SY团员到莫斯科去学习,这是后来给党添加了很大的力量的。

我的回忆写到这里为止,最后写几句结语:

(一)初期的党,正在幼年期,所以有许多不纯的分子混进党内来,其中有伪装进步的官僚地主和资产阶级分子,有无政府主义者,有小资产阶级投机分子,还有受不起考验的小资产阶级知识分子,这类人在党成立以后不久都脱离了。但在另一方面,以毛泽东同志为首的许多忠诚的同志们,却代表着党的新生力量。这新生的力量,是最富于革命彻底性的工人阶级的前卫,终于战胜了那腐朽的反动的力量,使我党能够成长壮大起来,领导中国人民革命取得了伟大的胜利。

(二)初期的党员们,有一部分即使是忠实于马克思列宁主义,但仍是教条主义者,只知道说中国革命是无产阶级革命,其目的是无产阶级专政。至于如何应用马克思列宁主义于中国革命的实践,是不懂得的。幸亏有毛泽东同志的领导,教条主义的偏向才逐渐克服下来。

(三)党的初期,只听说高唱无产阶级革命,高唱劳工专政,所以专只做工人运动,从不曾想到农民问题。幸亏有毛泽东同志纠正这个偏向,指出了以工人阶级为领导以工农联盟为基础的正确方向,因而壮大了革命的势力。

(四)党的幼年期,多数同志幻想着中国革命可由全国工人总罢工来实现革命,从不曾注意到武装斗争。幸亏毛泽东同志早就注意到武装斗争的重要性,终于用武装的人民打倒了武装的反革命。

党的第一次代表大会,得到了毛泽东同志出席参加,这是党第一次代表大会的光荣。

(原载 1958 年《七一》创刊号,署名李达)

反对现代修正主义[*]

（1958.8）

一

几个月来,在各国兄弟党的报刊上,对集中表现在南共纲领上的现代修正主义进行了严厉的批判。但是,南共领导集团却顽固地抵抗这些批判,并要出无赖的手段,恶毒地攻击和诽谤各国共产党及其领导人。为了保卫马克思列宁主义的纯洁性和世界共产主义运动的团结,我们必须对南共的修正主义斗争到底。

南共领导集团在对当前国际局势的分析上,完全抹杀社会主义阵营和帝国主义阵营的本质区别,把两个阵营的存在说成是"世界分裂为两个敌对的军事政治集团"。在它看来,国际紧张局势的根本原因,是在于"两个敌对的军事政治集团"和双方所采取的"从实力地位出发和争夺霸权斗争的政策"。后来它更露骨地说,苏联的"斯大林主义"外交政策是造成两个敌对的军事政治集团和"缔结北大西洋公约的主要原因"。

对于南共领导集团歪曲国际紧张局势的原因和苏联外交政策实质的谰言,我们没有必要去驳斥。64国共产党《和平宣言》指出:对和平事业的威胁,是来自"在两次世界大战中、在目前的军备竞赛中大发横财的垄断资本集团"。《和平宣言》同时指出:"在所有社会主义国家都没有热中于战争的阶级或社会阶层。……共产党人的目的是要建成能够保证全体人民的福利、各族

---

[*] 本文是作者在其《社会主义革命与社会主义建设的共同规律》的第四部分"反对现代修正主义"的基础上写成的,二者有部分内容相同。——编者注

人民的繁荣、各民族间永久和平的社会。社会主义国家需要持久的和平来建设这种社会。"南共代表去年 11 月参加了在莫斯科召开的 64 国共产党和工人党代表会议,并且在《和平宣言》上签了字。为了迎合帝国主义特别是美帝国主义的爱好,不惜在世界人民面前出尔反尔,用自己的手打自己的耳光,南共领导集团也确实够悲哀的了!

社会主义阵营各国一贯地坚持解散一切军事集团,主张同一切资本主义国家和平共处。这是众所周知的事实。为了缓和当前的国际紧张局势,苏联单方面地停止了核武器试验,裁减了自己的武装部队,并提出在中欧建立无原子武器地区和关于举行最高级会议的建议,主张用谈判的方法解决一切国际争端。中国在万隆会议上、在印度支那建立和平的问题上和日内瓦会议上,为缓和国际紧张局势,也作出巨大的贡献,最近我国又把志愿军撤出了朝鲜。

我们社会主义国家主张"和平共处"政策,其实质就是要通过两个制度的和平竞赛来战胜国际资本主义。为此,社会主义国家就必须加强无产阶级国际主义的团结,这是社会主义获得胜利的保证,也是团结一切反帝国主义力量和反战争力量的基础。它与南共领导集团的所谓"积极共处"政策是根本不同的,南共领导集团硬把社会主义阵营同"集团"混为一谈,借口"积极共处"来破坏社会主义国家的团结。依它说来,社会主义国家只有不把自己"局限于"阵营,才能取消军事集团和实现共处,才能使目前紧张的国际局势得到缓和。这是多么奇怪的逻辑。实际上,它的所谓"积极共处"就是希望依靠被帝国主义控制的联合国来"使世界统一"。根据印共《自由报》揭露,南共领导集团疯狂地企图破坏民族解放运动,分裂阿拉伯国家中的反帝爱国阵线。这样诚心诚意为帝国主义效犬马之劳的一小撮人,居然好意思在全世界人民的众目睽睽之下冒充"中立主义者",这真是不识人间有羞耻事了!

二

南共领导集团完全抹杀无产阶级国际主义在社会主义国家关系中的一个重要方面,即兄弟般的互相援助和合作,而一味强调"平等"、"独立"和"互不干涉"这样一些公认的原则,认为这就是国际主义,就是"社会主义国家和社会主义运动相互关系的最高目的"。

不可否认,独立、平等、互不干涉内政是很重要的原则,但是无产阶级国际主义的原则绝不仅如此,它有更重要的一面,那就是社会主义国家进行无私的援助和兄弟般的合作。列宁曾经指出,把国际关系限于要求"民族平等",这是资产阶级民族主义的特点,它和无产阶级的国际主义毫无共同之处。南共领导集团就正是用资产阶级民族主义来代替无产阶级国际主义的。它把社会主义国家的团结一致和民族独立对立起来,认为社会主义国家之间有不平等现象和剥削倾向。它诬蔑苏联觊觎霸权,说什么真正威胁社会主义国家独立的,是"某个社会主义国家"(实际是指苏联)。在这次南共七大会上,它更竭力煽起狂热的民族主义情绪,反对苏联和其他社会主义国家。试问,这样的言论和行动难道还有一丝一毫无产阶级国际主义的气味吗?应当指出的是,南共领导集团的这种狂热的资产阶级民族主义错误并不是从今天才开始,而是由来已久的。1948年,共产党情报局对南共领导机构的民族主义错误和机会主义错误的批判,基本上是正确的。1948年以后,南共领导集团的民族主义和机会主义进一步地发展了起来。在苏联和其他社会主义国家为改善同南斯拉夫的关系进行了一系列努力后,南共领导集团却仍然没有改变这种狂热的民族主义,并且把它用更完备的形式,在这次南共七大所通过的纲领上表现了出来。

南共领导集团这样疯狂地用资产阶级民族主义来顶替无产阶级国际主义,是与它作为帝国主义工具的身份十分相称的。帝国主义者千方百计地破坏社会主义国家的团结和合作,适应着帝国主义的需要,南共领导集团也就在分裂社会主义阵营国家团结上,为帝国主义大卖力气。我们只要看看下述事实就够了:据阿尔巴尼亚《人民之声报》载文揭露,南共领导集团长时期来一直阴谋并吞阿尔巴尼亚。它在阿尔巴尼亚党内组织宗派集团,通过反党分子进行阴谋活动,煽动人民起来推翻它称之为"斯大林主义的"党和人民民主制度,号召以"铁托的人道主义的社会主义"来代替。保加利亚《工人事业报》也揭露,南共领导集团一再干涉它们党和国家的内政,极力想在保加利亚知识分子的某些人中间制造混乱和在思想上瓦解他们。在匈牙利发生反革命暴乱时,南斯拉夫外交国务秘书长向有关大使说:"你们等着吧,这样的事也将要在阿尔巴尼亚和保加利亚发生。"南共领导集团积极地参加了匈牙利反革命事件的准备,进行了破坏匈牙利劳动人民党和国家的大规模的活动。当叛徒纳吉被判处死刑时,它又随同美国最反动的垄断集团,为纳吉及其集团同声哭丧。南共领导集团这样使尽平生气力为帝国主义尽忠,并且在思想感情上也同帝国主义同忧共喜,它又怎能不博得帝国主义的大声喝彩和热烈支持呢?

显然,南共领导集团的这种民族主义,和现今世界上某些民族独立国家所奉行的旨在维护民族独立的民族主义,是有所不同的。后者带有反对帝国主义、反对战争和保卫和平的作用,而前者是站在帝国主义方面来反对社会主义的。南斯拉夫同土耳其和希腊一起缔结了巴尔干条约,并通过这个集团的盟国同北大西洋公约组织、巴格达条约组织保持着一定的联系。铁托在南共七大的报告中甚至赤裸裸地宣布:"南共对国际问题的政策和观点要尽可能地符合美国和其他西方国家的政策和观点。"这种不打自招的供词,清楚地说明了南共领导集团已经公开地站到帝国主义那一边,并且不以为耻,反以为荣了。

三

南共领导集团否认无产阶级革命和无产阶级专政的必要性,为此,它提出一系列修正主义的观点。

第一,它认为同"垄断资本巨头"联系的现代资产阶级国家机器正在"独立化",已经凌驾于资产阶级和无产阶级之上,成为了"超阶级"的机构。

第二,它把资本主义国家中日益增长的控制在垄断资本家手里的国家垄断资本主义,说成是某种"社会主义因素",认为,只要这些"因素"在数量上不断地增长,就会"不可阻挡地深入地进入社会主义时代"。

第三,它否认过渡时期必须进行两条道路的斗争,认为无产阶级政权不应当使用专政的手段来对付阶级敌人。

第四,它把社会主义国家和社会主义民主对立起来,认为"真正的民主"只能当国家消亡后,在自治阶段才有可能,并横加诬蔑说,无产阶级专政必然是"官僚主义"和"官僚主义的国家极权主义"。它又说,社会主义国家政权管理经济,只在所谓社会主义"最初阶段"才有"进步作用",往后如果继续由国家管理国民经济,就会"变成使社会发展停滞不前和阻碍发展的因素"。据此,它得出结论说:"国家消亡的问题就成为社会主义制度基本的具有决定意义的问题了",现在仍旧保留社会主义国家是"对马克思主义作国家主义——实用主义的修正"。

第五,它把共产党在工人革命运动中的领导作用说成是"垄断",认为共产党应该只是一个"思想因素"、"发展社会主义意识的因素",而不应该是"政治因素"、"政权因素"。在党的建设问题上,它反对民主集中制,主张在党内有组织宗派和小集团的自由。它甚至鼓吹在某些国家里,如在美国,无产阶级只要依靠工会组织(事实上美国的工会多半是由工贼控制的黄色工会),就可以取得革命和建设的胜利,不需要马克思列宁主义政党作为领导革命的核心力量。

对于南共领导集团上述一系列荒谬的谰言,我们不必去逐条驳斥。社会主义革命的理论和实践证明:国家是有阶级性的,资产阶级国家是资本主义经济基础的上层建筑,它是资产阶级统治无产阶级的强力工具。在资本主义社会里,政权掌握在垄断资本集团的手里。因此,由国家控制的所谓国家垄断资本主义,实质上是为垄断资本服务的。马克思列宁主义者从来没有认为,在无产阶级尚未取得政权以前,国家垄断资本主义就已是"社会主义因素"。无产阶级只有经过革命,推翻了旧政权,才有可能利用新政权来改造旧经济和建立新经济。因此,无产阶级在共产党的领导下进行无产阶级革命,建立无产阶级专政的政权,这是从资本主义向社会主义过渡的必要前提,也是社会主义革命和社会主义建设的普遍规律。这规律已在社会主义国家共产党和工人党代表会议宣言中阐明了。南共领导集团诬蔑无产阶级专政必然是"官僚主义",这种诬蔑是站不住脚的。我们知道,官僚主义是剥削阶级统治机构的产物,社会主义国家的党和国家制度不仅不是产生官僚主义的温床,而且是克服官僚主义的有力因素。民主和专政是对立的统一,为了更好地保障广大劳动人民的民主,就必须对阶级敌人实行专政。所以,无产阶级专政是民主制的最高形式。社会主义国家管理经济,这是无产阶级专政的重要职能之一,在现代生产具有高度社会性的条件下,假如没有社会主义国家对国民经济统一的计划和管理,就会形成无政府状态。事实表明,正是由于社会主义国家对国民经济实行了有计划的管理,所以苏联和其他社会主义国家的经济建设才能以任何资本主义国家所没有也不可能有的速度向前发展。至于说国家消亡,毫无疑问,当共产主义在世界范围内取得胜利的时候,国家是会因为丧失作用而自行消亡的,但是当社会主义还只在一部分国家中取得了胜利,而且帝国主义正在千方百计地对社会主义国家加紧进行颠覆活动的情况下,社会主义国家就是抵抗侵略、镇压敌人的强有力的武器,就是无产阶级手中出鞘的宝剑。在这种情况下叫嚷什么"国家消亡",就等于要无产阶级放下武器,把自己用鲜血换来的一切送给敌人。只有帝国主义的最精巧的奴仆,才会体贴着主子的心情而发出这样可耻的狂叫! 列宁在 1918 年俄国共产党(布尔什维克)的纲领草案中指出:"过早地宣布国家的消亡将破坏历史前景。"难道南共领导集团不正是为了要破坏共产主义的前景,才如此迫不及待地要求社会主义国家消亡吗?

四

南共领导集团自封为"真正的马克思主义者",把一切坚持马克思列宁主义的人叫做"教条主义者"。事实上,在南共领导集团统治下的南斯拉夫究竟是个什么样子呢?

就经济基础来看,南斯拉夫正在向资本主义的道路迅速倒退。南共领导集团荒谬绝伦地认为生产资料的集体所有制是公有制的高级形式,国家所有制反而是公有制的低级形式,主张从国家所有制倒退到集体所有制(美其名曰"直接的公有制")。在工业企业中南共领导集团标榜所谓"工人自治",否定党和国家对经济的领导。各企业可以自行决定本企业的生产计划和产品价格,甚至可以直接对国外发生贸易关系,结果,各企业为了争夺暴利,互相竞争,互不协作。在企业赢利的时候,工人只能得到利润的 5%,而在企业赔钱的时候,工人却要负担亏损,只能拿到 60% 的工资;如果企业亏损的情况一连几个月没有改善,就要关闭这种不赢利的企业,使工人遭到失业的威胁。所谓"工人自治"也是一种欺骗工人的幌子,事实上真正的权力握在经理和行政管理人员的手里,这些人可以享受种种特殊的福利,而工人(甚至连工人委员会的主席和党组织的书记也一样)却常常因为批评了经理、厂长而被开除。试问,这实质上同资本主义制度下的企业又有多大的区别呢? 至于农业方面,南共领导集团诬蔑集体化是"站不住脚的一条错误路线",它片面强调所谓"逐步自愿的原则",实际上是为资本主义复辟开辟道路。直到现在,南斯拉夫的个体经济仍占农村经济的90%以上,农村正在继续向两极分化,而由国家办的所谓"普通合作社",也只是有利于富裕农民的一种组织。所以无论从工业方面或是从农业方面看,南斯拉夫的经济基础都早已失去社会主义的内容,只剩下一个"社会主义"的躯壳了。

就政治的上层建筑来看,南共领导集团奢谈什么"党内民主"、"社会主义民主",而实际上不过是少数领导人的专横和独裁统治。它大肆逮捕那些反对它的现行政策的南共党员和南斯拉夫人民。据路透社1958年6月7日从贝尔格莱德发出的消息说,已有将近200人被捕。在贝尔格莱德大学举行了一次有关苏联和南斯拉夫的关系问题的辩论,会后就有8个学生被捕。这就是南共领导集团的"民主"!

从意识形态上看,南斯拉夫是没有进行过任何思想革命的。知识阶层的形形色色的资产阶级思想原封未动,并且与民族主义和修正主义紧密地结合起来,泛滥全国。南共领导集团采取种种办法宣传资产阶级生产方式,散布亲美崇美思想,传播美国电影、美国音乐、美国画刊。据印度尼西亚一家资产阶级报纸的记者报道,在南斯拉夫"这个共产主义国家里,却能闻到美国生活方式的气味。这里有可口可乐、好莱坞电影、通用电器公司等等许多广告"、"这里有为了解决生活而献身伴舞的女人,还有那更加可怕的东西!"

总的来说,在南共领导集团统治下的南斯拉夫,从经济基础到上层建筑,都已经脱离了社会主义的轨道,向资本主义倒退了。不是在"兴无灭资",而是在"兴资灭无"。这就是这一小撮"真正的马克思主义者"干出来的"事业"!

南共修正主义的出现,不是偶然的,它是现代国际阶级斗争的产物,是在资本主义总危机加深的时候,在右翼社会党人的修正主义对无产阶级和劳动群众的麻痹作用日益减弱,因而帝国主义不得不另外寻找更有效的替代品的时候出现的。英国一家资产阶级报纸说,谁有钞票谁就能使唤铁托,"像旧式马房的租用马一样,谁付它必要的现款,谁就可以租用他"。美国助理国务卿帮办弗雷德里克·詹德里在一份给杜勒斯和国会领袖们的备忘录中说,南共领导集团目前采取的立场对"西方有着极大的价值,南斯拉夫过去在东欧已经发挥了超过正常作用的影响","给予南斯拉夫援助非常明显地是符合我们(美国)的利益的"。美国资产阶级报纸兴高采烈地写道:"美国对南斯拉夫下的十多亿美元的赌注是上算的","铁托正在有意识地输出铁托主义",目的是想把巩固的社会主义阵营变成"松弛结合的联邦组织",使苏联的领导作用"化为乌有"。报纸还情不自禁地赞扬说:"铁托的利益在将来很长时期内和美国的利益是一致的",南斯拉夫是美国"从内部破坏"以苏联为首的社会主义阵营的"伙伴"。美国垄断资本集团的热烈称颂是一面镜子,它清楚地照出了匍匐在帝国主义膝前的南共领导集团的一副奴才相。事实证明,南共领导集团已经是打着共产主义招牌的帝国主义代理人,是国际共产主义运动的不折不扣的内奸,它同我们的矛盾,已经不是人民内部矛盾,而是敌我矛盾了。我们一定要坚持斗争,直到完全粉碎以南共纲领为代表的现代修正主义为止!

(1958 年 8 月 8 日)

(原载 1958 年《理论战线》第 5 期,署名李达)

认真学习毛主席的著作，
改正学风、教风和文风[*]

（1958.11）

毛主席在新国家成立的时候早就说过："随着经济建设高潮的到来，不可避免地要出现一个文化建设的高潮，我国将以一个具有高度文化的民族出现于世界。"这个预言现在已经逐步实现了。1957 年冬季以来，全国工农业生产战线上大跃进的高潮促进了全国人民学文化、学理论、学哲学的新高潮。我们哲学工作者面对着目前这个伟大的飞跃发展的时代，不免有落后于现实，落后于群众之感。

今年 5 月，我曾和潘梓年同志谈起：工农业生产这样的大跃进，我们哲学工作者也应该来一个大跃进。这个大跃进的第一步，就是要认真学习毛主席的著作，改变过去理论脱离实际的学风、教风和文风，树立理论联系实际的学风、教风和文风。

1950 年以来，我国学习马克思列宁主义哲学的人越来越多了，哲学工作者的队伍逐步扩大了，在研究工作和教学工作方面，在宣传辩证唯物主义，批判资产阶级唯心主义方面，都作出了很多的成绩，这是肯定的；但也还有不少的缺点。毋庸讳言，我们的许多同志，是按照斯大林所写的哲学著作的体系学习哲学的，结果不敢超出这个体系一步，甚至对于斯大林违反马克思和恩格斯的基本原则的处所也深信不疑。说到联系实际，也只是联系书本上所写的一些实际，对于我国社会主义革命和社会主义建设的实际，联系得很少很少。像这样的教条主义的学风，必然产生教条主义的教风。有些同志讲课的时候，用

---

　　* 本文是《哲学研究》编辑部就"当前实践向哲学界提出哪些重大问题"向李达约写的笔谈，亦以"学习毛主席理论联系实际的科学作风"为题摘要发表于 1958 年 11 月 10 日《人民日报》。——编者注

中国字的一、二、三、四和阿拉伯字的1、2、3、4,预先一条一条地写出提纲,拿到教室照本宣读,学生则照抄笔记。这样的教课方法,使学生受益很少,甚至感到厌倦。写文章的时候多半是扣名词、扣概念,语义晦涩,内容空洞,带一些八股气。这样的教条主义的学风、教风和文风,在以前确实是存在的。现在大家都一致表示要学习毛主席的著作,我想,那些旧的"三风"一定有所改变。但是我们学习毛主席的著作,特别是学习他的哲学著作,不单是为了学习那些著作中的科学理论,并且要学习毛主席用理论联系实际的科学方法。毛主席是唯物辩证法的大匠,他的每一篇著作,都是运用唯物辩证法分析历史实际和革命实际,解决中国革命和建设中的重大问题的范例。所以他的每篇著作发表以后,就具有动员、组织和改造的作用,使我国的社会面貌不断更新。这真是"理论一掌握群众,就立刻成为物质的力量"。毛主席的著作为什么能够掌握群众呢? 答复只能有一个,那就是因为他的著作中所阐述的理论正确地反映了发展着的客观实际,集中了千百万群众的意见和要求。例如我国的新民主主义革命经历了四个时期,这四个时期的客观实际是各不相同的,阶级力量的对比也各不相同。毛主席针对各个时期不同的客观实际,运用从群众中来到群众中去的认识方法和阶级分析方法,制定出不同的策略和方案,促进了民主革命的实现,并为社会主义革命准备了条件。新国家成立后,我国进到了向社会主义过渡的时期。在这个时期,毛主席根据不同的发展阶段,为党制定了社会主义改造和社会主义建设的各种政策。这时期毛主席所发表的最主要的著作,有《关于农业合作化问题》、《中国农村的社会主义高潮》的序言和按语和《关于正确处理人民内部矛盾的问题》。前两著作促进了经济战线上社会主义革命的胜利,后一著作则促进了政治战线和思想战线上社会主义革命的胜利。这样一来,就出现千百万群众在生产战线上的大跃进,使整个国家的生产力获得了一日千里的发展。毛主席就是这样把马克思列宁主义的普遍真理和不断变化的客观实际联系起来,引导中国人民一步一步地向共产主义前进的。我们应当学习毛主席在实际工作中时时刻刻应用马克思列宁主义、应用辩证法和唯物论的榜样,学习他把严肃的原则精神同生动的独创精神相结合的榜样,学习他同千百万群众在一起、集中群众智慧、以正确的理论领导群众的榜样。

马克思主义的哲学是几千年来的劳动人民,特别是无产阶级生产斗争和阶级斗争的经验的科学抽象。马克思、恩格斯所创造的这种哲学是交给工人阶级作为进行斗争的武器的。因此,我们哲学工作者应该去做理论联系实际的工作,做从抽象到具体的工作,使这种哲学联系当前的具体的生产斗争和阶级斗争,把这种从劳动人民来的哲学归还给劳动人民。现在各地工人农民对于学习哲学的要求非常迫切,事实证明,工人农民尽管文化水平不高,但是关于哲学的领悟能力却是很强的。因为:其一,工人农民学哲学的目的明确,态度端正。他们学哲学的目的就是为了解决生产斗争和阶级斗争实际中的问题,而不是为了当什么专家。其二,工人农民有丰富的实践经验。他们是自发的唯物论者,他们进行生产劳动的时候从不怀疑机器、厂房、土地、农具等是客观存在的,并且知道,这些东西都是他们用自己的积极劳动(即主观能动性)创造出来的。他们又是自发的辩证法家,他们清楚地懂得各个生产环节的相互联系,各个季节的相互推移。他们经常克服生产过程中所发生的困难,使生产得以顺利进行(这就是运用了辩证法)。所以,只要我们做宣传工作的人善于联系生产斗争和阶级斗争的实际,工人农民是完全可以精通哲学并应用哲学的。但是现在学习哲学的工人农民有这样的反映:他们读哲学专家写的文章读不懂,读毛主席的哲学著作却容易懂;他们听专家讲哲学听不懂,听他们自己的同志讲哲学就听得懂。这就是说,理论联系实际的文章就读得懂,否则就读不懂;理论联系实际的讲课就听得懂,否则就听不懂。这对于我们搞哲学工作的人,是一个很大的启发。我们要搞好哲学工作,必须走出书斋,下乡下厂,深入劳动群众中,同他们打成一片,参加生产斗争和阶级斗争,熟悉生产中的各种问题和群众工作中的各种问题,增加自己的实际知识。只有先当群众的学生,才能当群众的先生,这句话对我们哲学工作者完全适用。现在人大、北大、复旦、武大四个学校的哲学系师生都下乡参加劳动锻炼去了。这种做法我以为是最好不过的。哲学工作者只有这样地深入群众,虚心学习,才能树立理论联系实际的学风、教风和文风,使哲学工作者成为名副其实的思想战线上的尖兵。

为了哲学的普及,目前迫切需要写出两本切合工人、农民需要的哲学读本,希望哲学研究所推定几位同志立即着手。这种读本在内容上应当密切联系实际,废除烦琐的概念堆砌,以学以致用,立竿见影为宗旨。语言方面,应力求准确、鲜明、生动,大量采用劳动人民的语言,使他们喜闻乐见。当然,要做到这一点是不容易的,还需要读本的写稿人到工农群众中去实践,根据群众的意见逐步改善。我以为向工农群众普及哲学的工作,在目前是头等重要的(这当然不是说提高的研究工作就不重要了)。如果我们哲学工作者能够帮助工农群众提高哲学水平,这对于我国社会主义建设事业的发展和消灭脑力劳动和体力劳动的差别,具有重要的意义。

《哲学研究》编辑部来信,要我就《当前实践向哲学界提出哪些重大问题》这个题目写一篇笔谈稿,我只就上面的一个问题发表一点意见。7 月 28 日《人民日报》社论"理论战线上的新气象"一文中曾列举了很多理论问题,那些问题都是很重大的,我想参加笔谈的其他同志一定要谈到的,我就不谈了。

(原载 1958 年《哲学研究》第 7 期,署名李达)

伟大的十月社会主义革命万岁[*]

（1958.11）

　　今天是伟大的十月社会主义革命41周年的纪念日,这是苏联人民的伟大的节日,也是我们中国人民的伟大节日,是全世界劳动人民的伟大的节日。首先我们要向这个伟大的节日表示热烈的庆祝。

　　十月革命开辟了人类历史的新纪元:一方面开辟了世界各国无产阶级革命的纪元,另一方面也开辟了世界被压迫人民反对帝国主义的革命的纪元。

　　41年来,以苏联为首的社会主义国家已经有12个,我们的人口达到十万万,我们社会主义阵营的力量空前地发展了。其次,许多亚洲、非洲殖民地人民也摆脱了帝国主义的枷锁,建立了民族独立的国家。现在这个民族独立的国家一天一天增多了。这两股大力量——社会主义阵营的力量和民族独立的力量在反帝国主义反殖民主义的基础上团结起来了,建成了和平民主的社会主义阵营,这是十月革命的伟大的影响。

　　同时我们还记得,现在是去年莫斯科12个社会主义国家发表联合宣言的一周年。由于这个联合宣言的发表,总结了苏联以及其他社会主义国家的革命经验,进一步肯定了社会主义革命和社会主义建设的共同规律,作为各社会主义国家共同遵守的准则。同时我们加强了反对现代修正主义的斗争,我们揭穿了南斯拉夫铁托集团的反动面目,纯洁了我们社会主义国家的队伍,加强了我们社会主义各国的团结。这是值得我们一起来庆祝的。

　　41年以前,世界是属于帝国主义的。他们在世界上横行霸道,任意地剥

---

　　* 本文是1958年11月7日李达在武汉大学庆祝十月革命41周年大会上的讲话稿。——编者注

削和屠杀人民。那个时候,世界各国的人民的革命斗争是孤立无援的,人民付出了无数的牺牲,总是得不到真正的胜利。中国人民的革命斗争也是这样的。但是,十月革命一声炮响,把帝国主义世界打开了一个大缺口,建立了世界上第一个工农社会主义的国家。十月革命宣布了帝国主义总危机的开始,宣布了世界社会主义革命的新时代的到来。苏联从诞生的第一天起,就以高度的国际主义精神支持了一切被压迫民族的解放斗争,给世界各国劳动人民的革命斗争指出了方向,增加了信心。我们中国共产党人和中国人民对于这一点是感觉得特别亲切的。我们中国自 1840 年的鸦片战争以来,先进分子们为了寻找救国救民的真理,经历了千辛万苦,流了很多血,但是总找不到一条正确的道路。十月革命给我们送来一个最强大的武器,这就是马克思列宁主义。中国的先进分子们拿了这个武器考察中国的命运,就得到"走俄国人的路"的结论。于是"五四"运动爆发了,中国共产党成立了。中国革命从此在党的领导下走上了一条正确的道路,直到取得今天这样伟大的胜利。所以我们说,十月革命是人类历史的一个伟大的转折点。

这 41 年是充满了伟大历史事件的 41 年。这 41 年的总的趋势就是帝国主义力量一天一天地削弱,社会主义力量一天一天地强大。而现在,又到了一个新的转折点,这个转折点,用毛泽东同志的话来说,就是东风压倒了西风,也就是说,社会主义力量对于帝国主义的力量占了压倒的优势。西方国家无数的报纸、广播电台天天吹,美国之音、自由欧洲电台等等吹得神乎其神,说他们有那么多钢,有那么多飞机和大炮,于是乎造成一种假象,欺骗了一部分人。我们就要揭穿这种欺骗。我们有充分的证据来说明这个问题:究竟是他们行还是我们行,究竟是东风压倒西风,还是西风压倒东风?

先看看军事和政治方面,例如,在打希特勒时英美手里大约有 7 千万吨钢,可是对付不了希特勒,于是请求苏联帮助。那时苏联手中只有 9 百万吨钢。有 7 千万吨钢的人来请求有 9 百万吨钢的人。这说明物质力量多少不完全决定问题,人是主要的,制度是主要的。

又例如,中国革命。1949 年年初,国民党被我们打得呜呼哀哉的时候,向杜鲁门大喊救命,杜鲁门说不行,共产党很厉害。于是蒋介石只好逃去台湾。

又例如,朝鲜战争。在开始的时候,美国的大炮飞机比中国志愿军多,但是一打就把美国人从鸭绿江赶到"三八"线以南去了。后来美国人集中了力量进行反攻,也只是在"三八"线形成相持的形式。后来双方同意讲和。可是美国总是不甘心签字,拖。最后,在1953年,我们在三八线上突破了21公里的防线,美国人吓倒了,马上签字。那么厉害、有那么多钢的美国人,也只得如此,而且敌人方面有16个国家。

又例如,越南战争。法国人被越南人民军打得落花流水,不想再打了,可是美国依仗钢多,一定要打。但是美国人也只是出武器,维持紧张局势,却不愿出兵。于是乎有日内瓦会议,把大半个越南划给越南民主共和国。

又例如,苏伊士运河事件。两个帝国主义进攻,打了几天,苏联讲了几句话,就缩回去了。当然,全世界人民反对英法侵略,这也是一个因素。

也可以说说叙利亚。美国做好了计划要打,又是苏联讲了几句话,还任命了一个将军,叫做罗科索夫斯基。做了这两件事,他们就不敢打了。

再例如,苏联发射了三个卫星。发射卫星的苏联有多少钢? 510百万吨。不是讲美国非常厉害吗? 他有一万万吨钢,为什么到现在连像样的卫星还没有抛上去?

又例如,英国退出亚洲、非洲很大一片土地;荷兰退出印尼;法国退出叙利亚、黎巴嫩、摩洛哥、突尼斯,在阿尔及利亚没有办法。

再例如,伊拉克独立了。

又例如,在黎巴嫩和约旦。苏联和中国讲了几句话,美国就不得不赶紧缩了回去。

再一个例子是台湾海峡问题。美国在台湾海峡搞战争威胁,把什么"斗牛式"、"奈克式"的导弹都搬去了。样子很凶。但是我们看得清楚,它是纸老虎。我们打了几炮,它就慌了;我们不打,它也慌,说是"摸不清我们的动机"。现在它不是很听我们的指挥了吗? 叫它不要给蒋介石护航,它就不敢护航。连美国资产阶级的什么评论家也不得不承认我们是主动的,而艾森豪威尔是被动的。总有一天,美国人会扛着它的"斗牛式"、"奈克式"夹起尾巴滚出我国台湾,滚出西太平洋的。

再看看经济方面,社会主义阵营经济建设在飞速发展。1957年同1913年比较,美国的工业总产量增加为4.1倍,英国1.8倍,法国2倍,苏联33倍。

同期间,美国的机器制造和金属加工业产量增加为 17 倍,英国 5.1 倍,法国 2.6 倍,苏联 200 倍以上;美国钢产量增加为 3.2 倍,英国 2.8 倍,法国 2 倍,苏联 12.1 倍等等。和 1955 年比较,去年苏联工业生产增加了 22%,今年将增加 34%;而美国的工业生产去年只增加了 3%,今年预计将比去年减少约 8% 到 10%,降低为 1955 年的 95%。在最近几年中,苏联已经在生铁、钢、铁矿砂、煤、石油、水泥、毛织品等重要工业品的每年平均增产的绝对数量上超过了美国;此外在联合机、泥炭、镍、铬、锰、糖等几种工业品总产量和按人口计算的产量上赶上了美国。毛织品产量和木材采伐总量并已超过了美国。今年苏联农业也获得了大丰收,采购的粮食比去年要多 13 亿普特。即将召开的苏共第 21 次代表大会将研究的苏联在 1955 年至 1956 年的国民经济发展控制数字,将是共产主义建设的具体纲领,是社会主义社会及其逐步向共产主义过渡的发展中的新的巨大的跃进。再看看我国的情况,今年一年来在各方面也取得了惊人的成就。今年上半年和去年同时期比较,工业生产增长了 34%,而英国则下降了 2.1%,现在我们不但能制造飞机、汽车及拖拉机等,而且很多工业新产品、新技术,赶上或超过了国际水平。我国今年钢产量肯定会超过 1070 万吨,比去年翻一番,这样的发展速度是古今中外从未有过的。在农业方面,我国小麦的总产量已经由去年的 4200 亿斤跃进到 8000 亿斤,超过了美国 27 亿斤。美国一直吹嘘它是"小麦王国",现在只好让出"王位"了。棉花预计今年全国总产量达 7000 万担,比去年增加一倍以上,美国今年公布的棉花总产量可达到 5253 万担,比我国几乎少 2000 万担。

整个社会主义阵营的经济都在不断高涨,以工业生产论,今年上半年和去年同时期比较,社会主义阵营平均上涨 13%,而英、美、法、西德、日本 5 个主要资本主义国家,平均下降了 4.6%。这一鲜明的对照证明了社会主义——共产主义蕴藏着多么巨大的活力。如果以 1937 年为基数,20 年来社会主义阵营的工业生产增加了 3.5 倍半,而资本主义国家只增加了 1 倍,两个阵营工业产量增长的速度的差别是一年比一年大,整个社会主义阵营有如旭日东升,朝花怒放;帝国主义则是日薄西山,奄奄一息了。

再看看科学技术文化方面,众所周知,苏联早已发射了三颗人造卫星,如果说,在苏联发射人造卫星以前,社会主义国家在人心归向、人口众多方面已经对于帝国主义国家占了压倒的优势的话,那么在苏联发射人造卫星以后,就在最重要的科学技术方面也占了压倒的优势。人造卫星的发射奠定了人类征服宇宙空间的开端。苏联拥有一支 27 万科学劳动者大军,苏联学者们对于世界的科学所有部门都作出了巨大的贡献,特别是在数学、物理、力学、化学、电子学、自动技术、生物学和其他学科方面有了卓越的成就。这些科学成就使得国民经济的一系列重要问题得到了顺利的解决。

我国的科学文化事业也在兼程前进。12 年科学规划可以提前五年完成。

从以上根据和分析看来,社会主义阵营在军事、政治、经济、科学、文化等方面均已压倒了帝国主义阵营,即东风压倒了西风,并且将永远压倒西风。

这里应该指出:社会主义阵营如此飞速发展,是与苏联的帮助分不开的。苏联在战后年代援助各人民民主国家的贷款在 280 亿卢布以上。苏联帮助各人民民主国家建设的大工业企业有 500 个。就拿我国来说,在新中国成立以后,苏联给了我国巨大的无私援助,派遣了最优秀的专家帮助我国的建设。苏联专家是无产阶级的红色专家,具有高度的无产阶级国际主义精神,在帮助我国建设中不辞劳苦,发挥了极大的作用。如在我校生物系工作的专家,患有心脏病,腿肿,但仍坚持工作,不肯住院。这种精神令人十分感佩。现在的社会主义阵营有一个头,这个头就是苏联。没有强大的苏联的支持和援助,世界社会主义事业是不可能有现在这样兴旺发达的。

毛主席、刘委员长、周总理在十月革命 41 周年前夕给赫鲁晓夫、伏罗希洛夫同志的贺电中说:"41 年来,十月革命对人类历史的巨大影响一天比一天更加明显,十月革命所开辟的新世界一天比一天更加繁荣和强大。自从去年十月革命四十周年各国共产党和工人党代表在莫斯科举行了会议,并且发表了具有历史意义的宣言以来,世界的局势有了很大的变化。一年来,以苏联为首的社会主义阵营更加团结和壮大。各国工人运动更加广泛的发展,全世界保卫和平、反对战争、争取民族独立、反对殖民统治的运动空前高涨,以美帝国主义为首的侵略势力则日暮途穷。全世界人民清楚地看到,东风正在进一步压倒西风。帝国主义的寿命,决不会很长的了。"

同志们,列宁说过:"把注意力集中到还没有解决的革命任务上,——这是庆祝伟大革命纪念日的最好的办法。"让我们更高地举起马克思列宁主义的旗帜,继续加强以苏联为首的无产阶级国际主义的团结,朝着共产主义的目标前进!

伟大的十月社会主义革命41周年万岁!

中苏两国人民的牢不可破的永恒的友谊万岁!

以苏联为首的社会主义阵营伟大团结万岁!

(原载1958年11月10日武汉大学校报《新武大》第279期,署名李达)

有的放矢

——《新武大·有的放矢》专栏代发刊词

（1958.12）

　　全国工农学习马列主义的高潮声中，我校一些系科和班级组织了许多学习毛主席著作的研究会或小组，物理系四年级同学组织了马列主义学院，历史系一、二年级同学下定决心突击哲学，要在 20 天之内扫除哲学盲，这种积极要求掌握马列主义的热情和壮举是值得欢迎的，我们应当大力地提倡和支持。

　　当我们开始学习马列主义的时候，首先要坚决地站稳无产阶级的立场，其次要明确我们学习的目的。我们学习的目的，就是要树立马列主义的世界观，为社会主义革命和社会主义建设服务，就是要学会运用马列主义的立场、观点和方法研究并解决生产斗争和阶级斗争中所产生的问题，研究并解决所学的专业中所接触到的问题。这便是说，我们学习的目的，是在于应用马列主义解决实践中所提起的问题。这叫作"有的放矢"。"矢"是马列主义，"的"是所要解决的问题。如果学习的目的不明确，单是为理论而学理论，寻章摘句，扣名词，扣概念，不能应用它去解决实践中所提起的问题，这便是把马列主义这根"矢"当作"徒供玩好的古董，一点什么用处也没有"。

　　学习的目的弄明确了，就要掌握正确的学习方法。这就是理论密切联系实际的方法。实际是什么？实际就是阶级斗争和生产斗争，就是当前的社会主义革命和社会主义建设。工人们和农民们所以容易学会马列主义哲学，就因为他们能够把所学的理论联系自己的丰富的阶级斗争和生产斗争的经验，并把那些经验总结起来，推广到生产过程中去，因而改善生产关系，促进生产力的发展。我们大多数的同学和老师，在反右斗争和教学改革中，在开办工厂农场和积极劳动中，也积累了阶级斗争和生产斗争的经验，只要联系实际去学习理论,一定能够善于运用马列主义去解决生活和教学中的各种问题。

为要学好马列主义,并且学会应用它,就要好好学习毛主席的著作和党的文件。这些著作和文件是马列主义的普遍真理和中国革命的具体实践相结合的典范,我们要从这些著作和文件中学习马列主义,学习运用唯物辩证法去观察社会生活中的各种问题和分析问题、解决问题的方法,并把这种方法应用到生活和斗争中,到教学和研究中去。这便是有的放矢的态度。

(原载 1958 年 12 月 8 日武汉大学校报《新武大》第 284 期,署名李达)

责任编辑:邓创业

图书在版编目(CIP)数据

李达全集.第十八卷/汪信砚 主编. —北京:人民出版社,2016.12
ISBN 978－7－01－016669－8

Ⅰ.①李… Ⅱ.①汪… Ⅲ.①李达(1890—1966)-全集 Ⅳ.①C52

中国版本图书馆 CIP 数据核字(2016)第 214275 号

李达全集
LIDA QUANJI
第十八卷

汪信砚 主编

人民出版社 出版发行
(100706 北京市东城区隆福寺街 99 号)

北京新华印刷有限公司印刷 新华书店经销

2016 年 12 月第 1 版 2016 年 12 月北京第 1 次印刷
开本:710 毫米×1000 毫米 1/16 印张:28.25
字数:450 千字

ISBN 978－7－01－016669－8 定价:149.00 元

邮购地址 100706 北京市东城区隆福寺街 99 号
人民东方图书销售中心 电话 (010)65250042 65289539